CB005627

BENJAMIN GRAHAM

O investidor inteligente

Tradução
Lourdes Sette

Rio de Janeiro, 2023

Título original: The Intelligent Investor

Rua da Quitanda, 86, sala 601A – Centro – 20091-005
Rio de Janeiro – RJ – Brasil
Tel.: (21) 3175-1030

Diretora editorial	*Raquel Cozer*
Gerente editorial	*Alice Mello*
Revisão	*Ana Lúcia Kronemberger*
	Eduardo Carneiro
	Phellipe Marcel
Indexação	*Isabel Grau*
Diagramação	*Bárbara Emanuel*
Capa	*Maquinaria Studio*
	Guilherme Peres

CIP-BRASIL. CATALOGAÇÃO NA FONTE
SINDICATO NACIONAL DOS EDITORES DE LIVROS, RJ

G769i Graham, Benjamin, 1894-1976
O investidor inteligente / Benjamin Graham; atualizado com novos comentários de Jason Zweig; prefácio e apêndice de Warren E. Buffett; tradução de Lourdes Sette. – 1 ed. – Rio de Janeiro: HarperCollins Brasil, 2017.

Tradução de: The Intelligent Investor (4.ed. rev.)
Apêndice
Inclui bibliografia
ISBN 978.85.9508.080-5 (versão capa brochura)
ISBN 978.85.9508.523-7 (versão capa flexível)

1. Títulos (Finanças). 2. Investimentos. I. Zweig, Jason. II. Buffett, Warren E. III. Título.

CDD: 332.678
CDU: 336.76

Em meio a riscos diversos, superando todos
os percalços, trilhamos nosso caminho…

Eneida

SUMÁRIO

O texto aqui reproduzido é a quarta edição revista, atualizada por Graham entre 1971 e 1972, e inicialmente publicada em 1973. O texto das notas de rodapé originais de Graham (identificado ao longo dos capítulos com números romanos sobrescritos) pode ser encontrado na parte final, que começa na p. 625. As notas de rodapé novas, incluídas por Jason Zweig, aparecem no pé das páginas de Graham (e, na fonte aqui usada, na forma de acréscimos ocasionais às notas de Graham).

APRESENTAÇÃO

É com muita satisfação que a Jardim Botânico Partners copatrocina a tradução da sexta edição do livro *O investidor inteligente*. Apesar de ser um clássico da literatura de investimentos, esta é a primeira tradução para a língua portuguesa. Por se tratar de uma filosofia de investimentos pautada no bom senso, temos certeza da sua utilidade e aplicabilidade tanto para o momento atual brasileiro como para o futuro. Aliás, sua primeira edição data de 1949 e até hoje permanece como referência entre os livros que tratam desse tema. Talvez por não seguir modismos ou fórmulas heterodoxas, mantém-se atual.

Afirmar que Graham foi o mentor de verdadeiros ícones do mundo dos investimentos como Warren Buffett, Irving Kahn e Walter Schloss poderia ser suficiente recomendação para qualquer livro. Buffett, talvez o mais renomado e respeitado discípulo de Graham, exalta *O investidor inteligente* como "de longe o melhor livro já escrito sobre investimento". Muito do sucesso deste livro pode ser atribuído à clareza e sensatez com que Graham aborda os princípios necessários para que um investidor seja inteligente na seleção de seus investimentos, sem recorrer a modelos complexos ou a artifícios que mistifiquem sua aplicação.

Os principais pilares da filosofia de investimento de Graham são: o rigor e a disciplina aplicados à análise fundamentada dos fatos a respeito da empresa, que permitam ao investidor estabelecer o seu valor intrínseco, assegurando que a sua aquisição a um preço abaixo deste valor lhe proporcionará uma margem de segurança e aumentará a probabilidade de obtenção de um retorno adequado a médio e longo prazo.

Logo no primeiro capítulo, Graham distingue "investimento" de "especulação": "Uma operação de investimento é aquela que, após análise profunda, promete segurança do capital investido e um retorno adequado.

As operações que não atendem a essas condições são especulativas." Nos capítulos 8 e 20, o leitor é apresentado a um arcabouço analítico que sintetiza essa filosofia. O primeiro ensinamento é que um investidor não deve pautar seu comportamento pelas flutuações do mercado. Graham observa que o mercado sempre oscilará entre o otimismo desenfreado e o pessimismo profundo, e ensina que o investidor inteligente deve aproveitar esses movimentos acentuados para comprar ações abaixo do seu valor intrínseco ou vendê-las quando estiverem acima. A lição a ser assimilada é que preços de mercado têm pouca relação com valor. O segundo ensinamento, e o mais importante na opinião de Warren Buffett, é comprar ações com uma "margem de segurança". A simplicidade e o brilhantismo desses ensinamentos dizem muito sobre a personalidade de Benjamin Graham e explicam o sucesso atemporal deste livro.

Esperamos que, num momento em que a conjuntura brasileira aponta para a possibilidade de ganhos com a economia real, investidores possam utilizar os ensinamentos deste clássico para nortear suas aplicações.

Jardim Botânico Partners Investimentos
Julho de 2007

Nota do editor:
Na tradução procurou-se evitar anglicismos, mas evidentemente algumas palavras que se referem a instituições americanas ou ainda com significado universal foram mantidas. Da mesma forma, o capítulo referente à inflação, por ter sido escrito no início dos anos 1970, quando os Estados Unidos viveram um período de alta generalizada nos preços, talvez seja menos relevante para o investidor brasileiro, que até 1994 presenciou este tipo de anomalia de uma forma muito mais acentuada.

PREFÁCIO À QUARTA EDIÇÃO POR WARREN E. BUFFETT

Li a primeira edição deste livro no início de 1950, quando tinha 19 anos. Naquela época, julguei que ele era, de longe, o melhor livro que existia sobre investimentos. Ainda penso dessa forma.

Investir com sucesso ao longo de uma vida inteira não requer um quociente de inteligência estratosférico, uma visão empresarial incomum ou informações privilegiadas. Precisa-se de uma estrutura intelectual coerente para tomar decisões e ser capaz de não deixar que as emoções corroam esse arcabouço. Este livro prescreve com precisão e clareza o arcabouço apropriado. Você é responsável por fornecer a disciplina emocional.

Se você seguir os princípios comportamentais e empresariais que Graham advoga — e se prestar atenção especial aos conselhos valiosos dos capítulos 8 e 20 —, não obterá resultados ruins em seus investimentos. (Essa conquista representa um feito muito mais significativo do que pode parecer à primeira vista.) A capacidade de atingir resultados fora do comum dependerá do esforço e da inteligência dedicados aos seus investimentos, assim como do grau de insensatez do mercado acionário predominante durante sua carreira de investidor. Quanto mais insensato o comportamento do mercado, maior a oportunidade para o investidor de perfil empresarial. Siga Graham e você lucrará com a insensatez, em vez de participar dela.

Para mim, Ben Graham foi muito mais do que um autor ou um professor. Depois de meu pai, ele foi o homem que mais influenciou minha vida. Logo após a morte de Ben, em 1976, escrevi um breve memento sobre ele no *Financial Analysts Journal*, que se encontra a seguir. À medida que se lê o livro, acredito que ficarão evidentes algumas de suas qualidades mencionadas nesse tributo.

BENJAMIN GRAHAM
1894-1976

Há alguns anos, Ben Graham, naquela altura com quase oitenta anos, revelou a um amigo que esperava fazer algo "tolo, criativo e generoso" todos os dias.

A inclusão do primeiro objetivo caprichoso refletia sua habilidade para expressar ideias de uma forma que evitava qualquer aparência de sermão ou arrogância. Apesar de suas ideias serem poderosas, a exposição delas era sempre realizada de forma gentil.

Os leitores desta revista não precisam de uma lista de seus feitos medidos por padrões de criatividade. Raramente o fundador de uma disciplina deixa de ver seu trabalho ofuscado, em um curto espaço de tempo, por seus sucessores. Porém, mais de quarenta anos após a publicação do livro que trouxe estrutura e lógica a uma atividade desordenada e confusa, é difícil pensar em possíveis candidatos até mesmo para a posição de segundo lugar no campo da análise dos valores mobiliários. Em uma área em que muitas coisas parecem tolas semanas ou meses após sua publicação, os princípios de Ben permanecem válidos, e seu valor é muitas vezes ampliado e mais bem entendido no rastro das tempestades financeiras que arrasam arcabouços intelectuais mais frágeis. Seus conselhos sensatos sempre trazem recompensas a seus seguidores, mesmo para aqueles com capacidade natural inferior aos praticantes mais talentosos, os quais tropeçam ao seguirem os conselheiros brilhantes ou da moda.

Um aspecto notável do domínio por Ben de seu campo profissional foi que ele o conseguiu sem aquele estreitamento das atividades mentais que concentra todos os esforços em um só objetivo. Foi, pelo contrário, o subproduto incidental de um intelecto cuja amplitude quase excedeu as definições. Certamente, nunca encontrei alguém com uma mente tão abrangente. Uma memória quase fotográfica, a fascinação sem fim por conhecimentos novos e uma capacidade de remodelá-los em uma forma aplicável a problemas aparentemente não relacionados tornavam a exposição ao seu pensamento, em qualquer campo, um prazer.

Porém, foi em seu terceiro objetivo — a generosidade — que ele superou todos. Ben foi meu professor, empregador e amigo. Em cada relacionamento, como também com todos os seus alunos, empregados e amigos, no que se refere às suas ideias, tempo e espírito, houve generosidade sem fim e sem precedentes. Se clareza de pensamento fosse exigida, não havia melhor lugar para ir. E se era necessário encorajar ou aconselhar, lá estava Ben.

Walter Lippmann falou de homens que plantam árvores sob as quais outros homens se sentarão. Ben Graham era um desses homens.

Publicado em *Financial Analysts Journal*, novembro/dezembro de 1976.

UMA OBSERVAÇÃO SOBRE BENJAMIN GRAHAM, POR JASON ZWEIG

Quem era Benjamin Graham e por que você deve prestar atenção nele?

Graham não foi apenas um dos melhores investidores que já existiram; ele foi também o maior analista prático de investimentos de todos os tempos. Antes de Graham, os gestores de fundos de investimentos se comportavam como uma corporação medieval, guiados principalmente por superstição, adivinhação e rituais arcaicos. O livro de Graham, *Security Analysis* [Análise de valores mobiliários], transformou esse círculo embolorado em uma profissão moderna.[1]

O investidor inteligente é o primeiro livro a descrever, para investidores individuais, o arcabouço emocional e as ferramentas analíticas essenciais ao sucesso financeiro. Ele continua sendo o melhor livro sobre investimentos escrito para o público em geral. *O investidor inteligente* foi o primeiro livro que li quando fui trabalhar como repórter novato na revista *Forbes*, em 1987, e fiquei fascinado pela certeza de Graham de que, mais cedo ou mais tarde, todos os mercados altistas terminariam mal. Em outubro daquele ano, as ações americanas sofreram a pior queda em um dia de sua história, e aí fui fisgado. (Hoje, após a loucura da alta do mercado no final da década de 1990 e a queda brutal que começou no início de 2000, *O investidor inteligente* parece mais profético do que nunca.)

Graham chegou às suas conclusões pelo caminho mais difícil: sentindo em primeira mão a angústia da perda financeira e estudando, por décadas, a história e a psicologia dos mercados. Ele nasceu Benjamin Grossbaum em 9 de maio de 1894, em Londres; seu pai era um comerciante de louça e estatuetas chinesas.[2] Sua família se mudou para Nova York quando Ben tinha um ano. A

---

1 Escrito em coautoria com David Dodd e publicado pela primeira vez em 1934.

2 Os Grossbaum mudaram o sobrenome para Graham, durante a Primeira Guerra Mundial, porque os sobrenomes alemães eram vistos com suspeitas.

princípio eles levaram uma vida abastada — com empregada, cozinheira e governanta francesa — na parte nobre da Quinta Avenida. Porém, o pai de Ben morreu em 1903, o comércio de porcelana ruiu e a família deslizou aos poucos rumo à pobreza. A mãe de Ben transformou a casa em uma pensão; em seguida, ao tomar dinheiro emprestado para negociar ações "na margem", ela foi aniquilada no *crash* de 1907. Pelo resto de sua vida, Ben lembraria a humilhação de descontar um cheque para a mãe e ouvir o caixa do banco dizer: "Tem cinco dólares na conta da Dorothy Grossbaum?"

Felizmente, Graham ganhou uma bolsa de estudos para a Universidade de Columbia, onde seu talento floresceu plenamente. Formou-se em 1914 e foi o segundo colocado de sua turma. Antes do fim do último semestre, três departamentos da universidade — letras, filosofia e matemática — convidaram-no para trabalhar lá como professor. Ele só tinha vinte anos.

Em vez de ficar na vida acadêmica, Graham decidiu tentar a sorte em Wall Street. Começou como escriturário em uma firma especializada em negociar obrigações do Tesouro, logo se tornou analista, depois sócio e, em seguida, começou a dirigir sua própria empresa de investimentos.

A ascensão e queda fulminantes de empresas de internet não teriam surpreendido Graham. Em abril de 1919, ele obteve um retorno de 250% no primeiro dia de negociação da Savold Tire, um lançamento do setor automotivo, que vivia um *boom*. Em outubro, essa empresa revelou-se uma fraude e as ações perderam totalmente o valor.

Graham se tornou um mestre em pesquisar ações em detalhes microscópicos, quase moleculares. Em 1925, ao folhear relatórios obscuros, registrados pelas companhias de oleodutos na Interstate Commerce Commission, ele descobriu que a Northern Pipe Line Co. — então negociada a US$65 por ação — mantinha, pelo menos, US$80 por ação em obrigações com grau de investimento. (Ele comprou a ação, pressionou os administradores a aumentarem os dividendos e saiu com US$110 por ação três anos mais tarde.)

Apesar de uma perda dolorosa de aproximadamente 70% durante o Grande Crash de 1929-1932, Graham sobreviveu e prosperou nos anos seguintes, colhendo bons negócios dos destroços daquele mercado especulativo. Não existe um registro exato dos ganhos obtidos por Graham nos primeiros anos, mas de 1936 até a aposentadoria em 1956, sua empresa Graham-Newman Corp. lucrou, pelo menos, 14,7% por ano, contra 12,2% do mercado de ações como um todo, um dos melhores desempenhos de longo prazo da história de Wall Street.[3]

Como Graham conseguiu isso? Combinando capacidade intelectual extraordinária com profundo bom senso e uma vasta experiência, Graham desenvolveu seus princípios centrais, os quais são pelo menos tão válidos hoje quanto o foram durante sua vida:

- Uma ação não é somente um símbolo em uma fita[4] ou um sinal eletrônico; ela representa o interesse do proprietário em um negócio real, com um valor intrínseco que independe do preço da ação.
- O mercado é um pêndulo que sempre oscila entre o otimismo insustentável (que torna as ações muito caras) e um pessimismo injustificável (que as torna muito baratas). O investidor inteligente é um realista que vende para os otimistas e compra dos pessimistas.
- O valor futuro de todo investimento é uma função de seu preço presente. Quanto mais alto o preço pago, menor o ganho.
- Não importa quanto você é cuidadoso, o risco que nenhum investidor pode eliminar é o de errar. É apenas ao insistir no que Graham chamou de "margem de segurança" — nunca pagar um preço elevado demais, independentemente de quanto um investimento possa ser atraente — que você poderá minimizar os riscos de errar.
- O segredo do seu sucesso financeiro está em você mesmo. Se você se torna um pensador crítico que não acredita fielmente em todos os "fatos" de Wall Street e investe com confiança e paciência, pode tirar vantagens constantes até mesmo dos piores mercados de baixa. Ao desenvolver disciplina e coragem, você pode evitar que as variações de humor de outras pessoas governem seu destino financeiro. No fim das contas, o

---

3 A Graham-Newman Corp. foi um fundo mútuo de capital aberto (ver capítulo 9) que Graham dirigiu em sociedade com Jerome Newman, ele próprio um investidor habilidoso. Durante grande parte de sua história, o fundo ficou fechado a novos investidores. Agradeço a Walter Schloss por me fornecer dados essenciais para estimar os ganhos da Graham-Newman. A média anual de 20% de retorno que Graham cita em seu posfácio (p. 575) não parece levar em consideração as taxas de administração.

4 No passado, usava-se uma máquina que imprimia uma fita com os símbolos das empresas cujas ações eram negociadas na bolsa para comunicar as mudanças de preços. Um símbolo de fita é uma abreviação, em geral com uma a quatro letras maiúsculas, do nome de uma empresa e é usado como uma forma breve de identificar uma ação para propósitos de negociação. (N.T.)

comportamento de seus investimentos é bem menos importante do que o seu próprio comportamento.

O objetivo desta edição revista de *O investidor inteligente* é aplicar as ideias de Graham aos mercados financeiros atuais, deixando seu texto inteiramente intacto (com exceção das notas de rodapé explicativas).[5] Após cada capítulo de Graham, você encontrará um comentário novo. Nesses guias para o leitor, acrescento exemplos recentes que podem mostrar quanto os princípios de Graham permanecem relevantes e libertadores até hoje.

Invejo você pela empolgação e pelos novos conhecimentos adquiridos ao ler esta obra-prima de Graham pela primeira vez, ou mesmo pela terceira ou quarta. Como todos os clássicos, ele altera nossa visão de mundo e se renova ao nos instruir. E quanto mais você o lê, melhor ele fica. Com Graham como guia, você seguramente se tornará um investidor bem mais inteligente.

---

5 O texto aqui reproduzido é o da quarta edição revista, atualizada por Graham entre 1971 e 1972, e inicialmente publicada em 1973.

Prefácio por Armínio Fraga Neto

O Brasil vive hoje uma verdadeira revolução no mercado de capitais: pela primeira vez na história, empresários brasileiros têm acesso a capital de risco para investir a um custo razoável. Isso graças a uma virtuosa combinação de melhores práticas de gestão por parte das empresas, reduzindo o risco de se investir em ações, e menores taxas de juros, que estimulam a busca por investimentos mais rentáveis.

Nesse contexto, não poderia vir em melhor hora a publicação em português do clássico de Benjamin Graham, *O investidor inteligente*. Graham foi o principal formulador, junto com David Dodd, de uma disciplina lógica e rigorosa de investimento em ações e títulos. Seu método propõe a avaliação de empresas segundo uma análise criteriosa das possibilidades de geração de lucros e caixa. A proposta de Graham é que essa avaliação seja comparada com o preço da ação no mercado a cada momento. Quando o preço estiver abaixo da avaliação, com uma boa margem de segurança, o investidor deve comprar a ação; quando estiver acima, deve vendê-la.

Com base em sua abordagem, vários discípulos de Graham — com destaque para Warren Buffett, talvez o mais famoso de todos os tempos — ainda hoje praticam esse método com extraordinário sucesso. Apesar de sua ampla difusão no mundo, as lições de Graham mantêm sua validade graças às extremas (e nem sempre racionais) flutuações que acontecem nas bolsas de valores do mundo. Como não há possibilidade real de que tais flutuações deixem de ocorrer, deixo aqui minha mais entusiástica recomendação deste brilhante e claríssimo livro. Bom proveito!

INTRODUÇÃO
O QUE ESTE LIVRO PRETENDE REALIZAR

O propósito deste livro é fornecer, de uma forma apropriada aos leigos, orientações para adoção e execução de uma política de investimentos. Entre outros assuntos abordados, pouco será dito sobre as técnicas de análise de valores mobiliários; nossa atenção se focará, principalmente, nos princípios de investimento e nas atitudes dos investidores. Apresentaremos, no entanto, algumas comparações resumidas de títulos específicos, em geral, em pares que aparecem lado a lado na lista da Bolsa de Nova York, para mostrar, de forma concreta, os elementos importantes envolvidos em escolhas específicas de ações ordinárias.*

Boa parte de nosso espaço será dedicada aos padrões históricos dos mercados financeiros, em alguns casos retrocedendo várias décadas. Para investir de forma inteligente em valores mobiliários, deve-se estar previamente munido de um conhecimento adequado de como os vários tipos de obrigações e ações têm de fato se comportado em condições diversas, algumas das quais você poderá vivenciar novamente. Nada é mais verdadeiro e mais bem aplicado a Wall Street do que o famoso aviso de Santayana: "Aqueles que não se lembram do passado estão condenados a repeti-lo."

Nosso texto é dirigido aos investidores, os quais entendemos serem distintos dos especuladores, e nossa primeira tarefa será esclarecer e enfatizar essa distinção tão esquecida hoje em dia. Podemos dizer logo de início que este livro não ensina como "ganhar um milhão". Não existe nenhum caminho seguro e fácil para a riqueza, seja em Wall Street ou em qualquer outro lugar. Talvez seja bom exemplificar o que acabamos de dizer com um pouco de história financeira, tendo em vista, sobretudo, que existe

---

* **Ações ordinárias** – Ação com direito a voto. (N.E.)

mais do que uma lição a ser aprendida neste caso. No ano dramático de 1929, John J. Raskob, uma figura destacada no plano nacional e também em Wall Street, exaltou as bênçãos do capitalismo em um artigo no *Ladies' Home Journal* intitulado "Todo mundo deve ser rico".[1] Sua tese era a de que economias de apenas US$15 ao mês, investidas em ações ordinárias de boa qualidade, com o reinvestimento dos dividendos, gerariam um patrimônio de US$80.000 em vinte anos, comparado com contribuições totais de apenas US$3.600. Se o magnata da General Motors estava certo, esse era de fato um caminho simples para a riqueza. Até que ponto ele estava certo? Nosso cálculo grosseiro, baseado em um investimento presumido nas trinta ações que compõem o Índice Industrial Dow Jones (DJIA), indica que, se a receita de Raskob tivesse sido seguida de 1929 a 1948, o patrimônio do investidor no início de 1949 teria sido de aproximadamente US$8.500. Esse valor está bem longe da promessa que o grande homem fez, ou seja, US$80.000, e mostra que é arriscado confiar em tais previsões e afirmações otimistas. Porém, como um aparte, vale mencionar que o retorno de fato realizado pela operação de vinte anos teria sido superior a uma taxa anual composta de 8%, e isso apesar do fato de que o investidor teria começado suas compras com o DJIA a trezentos pontos e terminado com um valor baseado no nível de fechamento de 177, em 1948. Esse registro pode ser considerado um argumento convincente para o princípio de compras mensais regulares de ações ordinárias fortes em tempos bons e ruins, um programa conhecido como "fazer custo médio em dólares".

Uma vez que nosso livro não é dirigido a especuladores, ele não serve para aqueles que trabalham no mercado. A maioria deles é guiada por gráficos ou outros meios quase puramente mecânicos de determinação dos momentos certos para comprar e vender. O único princípio que se aplica a quase todas essas assim chamadas "abordagens técnicas" é o de que se deve comprar *porque* uma ação ou o mercado subiu e deve-se vender *porque*

---

1 Raskob (1879-1950) foi diretor da Du Pont, a empresa gigante do ramo de produtos químicos, e presidente do comitê de finanças da General Motors. Ele também foi presidente nacional do Partido Democrata e a força motriz por trás da construção do edifício Empire State. Os cálculos do prof. Jeremy Siegel confirmam que, se seguíssemos os planos de Raskob, teríamos um ganho de pouco menos de US$9.000 após vinte anos, embora a inflação abocanhasse grande parte desse valor. Para uma avaliação mais recente dos pontos de vista de Raskob acerca dos investimentos a longo prazo em ações, ver o ensaio escrito pelo consultor financeiro William Bernstein em www.efficientfrontier.com./ef/197/raskob.htm.

começou a baixar. Isso é exatamente o oposto daquilo que funciona em outros ramos empresariais e dificilmente levará ao sucesso duradouro em Wall Street. Em nossa experiência e observação do mercado de ações, ao longo de mais de cinquenta anos, não conhecemos uma única pessoa que tenha consistente e duradouramente ganho dinheiro "seguindo o mercado". Não hesitamos em declarar que essa abordagem é tão falaciosa quanto popular. Ilustraremos o que acabamos de dizer mais adiante em uma breve discussão sobre a famosa Teoria Dow de negociação no mercado de ações, embora, claro, isso não deva ser considerado uma prova.[2]

Desde sua primeira publicação nos Estados Unidos, em 1949, as revisões de *O investidor inteligente* têm sido publicadas a intervalos de aproximadamente cinco anos. Ao atualizar a presente versão, teremos de lidar com um grande número de novidades desde que a edição de 1965 foi escrita. Essas novidades incluem:

1. Uma subida sem precedentes na taxa de juros dos títulos com grau de investimento.
2. Uma queda, que terminou em maio de 1970, de aproximadamente 35% no nível de preços das principais ações ordinárias. Essa foi a maior redução percentual nas últimas três décadas. (Muitas ações de qualidade inferior tiveram uma redução ainda maior.)
3. Uma inflação persistente nos preços ao consumidor e no atacado, que ganhou ímpeto mesmo em face de um declínio dos negócios em geral, em 1970.
4. O desenvolvimento veloz de empresas "conglomeradas", operações de franquias e outras novidades afins nos negócios e nas finanças. (Aí incluído um número de dispositivos maliciosos tais como *letter stock*[I], a proliferação de bônus de subscrição conversíveis em ações, nomes enganosos, uso de bancos estrangeiros, entre outros.)[3]

---

2 A "breve discussão" de Graham encontra-se em duas partes, na p. 53 e nas p. 222-223. Para obter mais detalhes sobre a Teoria Dow, consulte http://viking.som.yale.edu/will/dow/dowpage.html.

3 Os fundos mútuos compravam *letter stock* em transações privadas, reavaliando em seguida essas ações a um preço público mais alto (ver a definição de Graham na p. 625). Isso possibilitou a esses fundos agressivos apresentarem rendimentos insustentavelmente altos em meados da década de 1960. A Securities and Exchange Commission, órgão regulador do mercado, tomou medidas enérgicas contra esse tipo de abuso em 1969, não sendo ele mais uma preocupação para os investidores, em fundos. Os *bônus de subscrição* conversíveis em ações serão abordados no capítulo 16.

5. A falência da maior ferrovia dos Estados Unidos, as dívidas excessivas de curto e longo prazo de muitas empresas anteriormente poderosas e até mesmo problemas perturbadores de insolvência entre alguns corretores de Wall Street.[4]
6. O advento da moda do "desempenho" na gestão dos fundos de investimento, incluindo alguns fundos fiduciários, operados por bancos, com resultados inquietantes.

Esses fenômenos serão cuidadosamente abordados, sendo que alguns exigirão mudanças nas conclusões e na ênfase dada em nossa edição anterior. Os princípios subjacentes do investimento sensato não devem mudar de década para década, mas a aplicação desses princípios deve ser adaptada a mudanças significativas nos mecanismos e no clima financeiros.

A última afirmativa foi testada enquanto esta edição estava sendo escrita, sendo o primeiro rascunho concluído em janeiro de 1971. Naquela época, o DJIA estava se recuperando fortemente de seu piso mínimo de 632, em 1970, e avançava em direção a um pico de 951, em 1971, em um clima de otimismo geral. Quando o último rascunho ficou pronto, em novembro de 1971, o mercado estava assistindo a uma nova derrocada, caindo para 797, em meio a um temor generalizado sobre seu futuro. Não permitimos que essas flutuações afetassem nossa atitude geral em relação a uma política de investimentos sensata, que permanece essencialmente igual desde a primeira edição deste livro, em 1949.

A extensão da queda do mercado entre 1969 e 1970 deveria servir para aniquilar uma ilusão que vinha ganhando força durante as duas últimas décadas, a saber, a de que as principais ações ordinárias poderiam ser compradas a qualquer momento e a qualquer preço, com a garantia não apenas de um lucro final, mas também de que qualquer perda incidental seria logo compensada por um novo avanço do mercado para picos ainda mais elevados. Isso era bom demais para ser verdade. Finalmente, o mercado de ações "voltou ao normal", no sentido de que tanto os especuladores

---

4 A Penn Central Transportation Co., na época a maior ferrovia dos Estados Unidos, procurou proteção contra seus credores em 21 de junho de 1970, o que chocou os investidores, que jamais esperaram que isso ocorresse com uma empresa tão grande (ver p. 464). Entre as empresas com dívidas "excessivas", às quais Graham se referia, estavam a Ling-Temco-Vought e a National General Corp. (ver p. 466 e 506). Os "problemas de solvência" em Wall Street surgiram entre 1968 e 1971, quando, de repente, várias corretoras prestigiosas quebraram.

quanto os investidores devem novamente se preparar para sofrerem perdas significativas, e talvez prolongadas, tanto quanto ganhos no valor de sua carteira.

Para muitas emissões secundárias e de terceira linha, sobretudo de empresas recém-lançadas, o dano causado pela última queda do mercado foi catastrófico. Isso não é nenhuma novidade em si mesma — tinha acontecido com força semelhante em 1961-1962 —, mas havia agora um novo elemento no fato de que alguns dos fundos de investimento tinham compromissos vultosos em títulos altamente especulativos e obviamente supervalorizados deste tipo. É evidente que não é apenas o novato que deve ser advertido de que, embora seja necessário entusiasmo para grandes realizações alhures, em Wall Street ele quase invariavelmente leva ao desastre.

A grande questão que teremos de enfrentar deriva da extraordinária alta nas taxas de juros das obrigações com grau de investimento. Desde o final de 1967, o investidor tem sido capaz de obter um rendimento de tais obrigações duas vezes superior ao dos dividendos de uma carteira representativa de ações ordinárias. No início de 1972, o retorno foi de 7,19% para as obrigações com grau de investimento contra apenas 2,76% das ações industriais. (Esses números podem ser comparados com 4,40% e 2,92%, respectivamente, no final de 1964.) É interessante lembrar que, quando escrevemos pela primeira vez este livro, em 1949, os números eram quase exatamente opostos: as obrigações rendiam apenas 2,66% e as ações, 6,82%.[II] Nas edições anteriores, recomendamos consistentemente que, pelo menos, 25% da carteira do investidor conservador fossem mantidos em ações ordinárias, e preferimos, em geral, uma divisão meio a meio entre os dois tipos de ativos. Devemos agora avaliar se a grande vantagem atual do rendimento das obrigações sobre o das ações ordinárias justificaria uma política voltada apenas para as obrigações até que uma relação mais sensata volte a ocorrer, o que esperamos que aconteça. Naturalmente, a questão da inflação continuada será de grande importância no processo de tomada de decisão. Dedicaremos um capítulo a essa discussão.[5]

---

5 Ver capítulo 2. No início de 2003, as obrigações do Tesouro americano com prazo de dez anos renderam 3,8%, enquanto as ações (conforme medidas pelo Índice Industrial Dow Jones) renderam 1,9%. (Note que essa relação não é muito diferente dos números de 1964 que Graham citou.) O rendimento das obrigações com grau de investimento tem caído consistentemente desde 1981.

No passado, fizemos uma distinção básica entre dois tipos de investidores aos quais este livro se dirigia: o "defensivo" e o "empreendedor". O investidor defensivo (ou passivo) procurará, principalmente, evitar perdas ou erros graves. Seu objetivo secundário será se livrar de trabalho, aborrecimento e necessidade de tomar decisões com frequência. O traço determinante do investidor empreendedor (ativo ou agressivo) é sua vontade de dedicar tempo e dar apuro à seleção de títulos que sejam seguros e mais atraentes do que a média. Por muitas décadas, um investidor empreendedor desse tipo poderia esperar uma recompensa valiosa por sua capacidade e seu esforço adicionais na forma de um rendimento médio acima daquele obtido pelo investidor passivo. Temos dúvidas a respeito da existência de uma recompensa adicional realmente substancial para o investidor ativo nas condições de hoje. Porém, no próximo ano ou nos anos subsequentes, tudo poderá mudar. Deveremos, da mesma forma, continuar a dedicar atenção às possibilidades de uma estratégia de investimentos empreendedora, como existia em períodos anteriores, e que pode retornar.

A visão predominante tem sido a de que a arte de investir bem reside, primeiramente, na escolha daqueles setores que têm mais probabilidade de crescer no futuro e, em seguida, na identificação das empresas mais promissoras desses setores. Por exemplo, os investidores espertos — ou seus assessores espertos — teriam reconhecido, há muito tempo, as grandes possibilidades de crescimento da indústria de computadores como um todo, e da IBM em particular. E, da mesma forma, as possibilidades de crescimento expressivo de várias outras indústrias e empresas. Porém, esse reconhecimento não foi tão fácil quanto nos parece quando olhamos em retrospectiva. Para ilustrar essa visão desde o começo, acrescentaremos aqui um parágrafo que incluímos pela primeira vez na edição de 1949 deste livro.

> *Tal investidor pode ser, por exemplo, uma pessoa que compra ações de companhias aéreas porque acredita que o futuro delas será ainda mais brilhante do que a tendência já refletida pelo mercado. Para essa classe de investidor, o valor de nosso livro reside mais nos avisos sobre as ciladas nesta abordagem do investimento favorito do que em qualquer técnica positiva que o ajudará ao longo de seu caminho.*[6]

---

6 "As ações de companhias aéreas", claro, geraram tanto frenesi no final da década de 1940 e início da de 1950 quanto as ações de internet cinquenta anos mais tarde. Entre os fundos mútuos mais quentes dessa época, estavam o Aeronautical Securities e o Missiles-Rockets-Jets &

As ciladas tornaram-se particularmente perigosas no setor citado. Era fácil, é claro, prever que o volume de tráfego aéreo cresceria espetacularmente ao longo dos anos. Em função desse fato, suas ações se tornaram uma escolha favorita dos fundos de investimento. Porém, apesar da expansão do faturamento — a uma taxa ainda mais alta do que a da indústria de computadores —, uma combinação de problemas de tecnologia e expansão excessiva de capacidade resultaram em uma lucratividade instável e até mesmo altamente negativa. Em 1970, apesar de uma nova alta nos números de passageiros, as companhias aéreas divulgaram perdas de cerca de US$200 milhões a seus acionistas. (Também haviam reportado perdas em 1945 e 1961.) Uma vez mais, em 1969-1970, as ações dessas empresas caíram mais que o mercado em geral. Os registros mostram que até mesmo os especialistas de fundos mútuos, que trabalham em tempo integral e são regiamente pagos, erraram completamente sobre o futuro de curto prazo de um setor grande e não-esotérico.

Por outro lado, embora os fundos de investimento tivessem investimentos e ganhos substanciais na IBM, a combinação de seu preço aparentemente alto com a impossibilidade de se ter *certeza* sobre sua taxa de crescimento os impedia de colocar mais do que, digamos, 3% de seus recursos nessa companhia de ótimo desempenho. Logo, o efeito sobre os resultados finais dessa excelente escolha não foi nada decisivo. Ademais, muitos — se não a maioria — dos investimentos em empresas da indústria de computadores, a não ser a IBM, parecem não ter sido lucrativos. Desses dois exemplos, tiramos duas lições para nossos leitores:

1. As perspectivas óbvias de crescimento físico em um negócio não significam lucros óbvios para os investidores.
2. Os especialistas não dispõem de formas confiáveis de escolher e se concentrar nas empresas mais promissoras dos setores mais promissores.

O autor não seguiu tal abordagem em sua carreira financeira como *gestor* de fundos, não podendo oferecer conselho específico e tampouco motivar aqueles que desejem tentá-la.

Automation Fund. Eles, assim como as ações que possuíam, acabaram sendo um investimento desastroso. Hoje, se aceita naturalmente que os ganhos acumulados do setor de aviação, ao longo de toda a sua história, foram negativos. A lição de Graham não é a de que você deve evitar comprar ações de linhas aéreas, mas a de que você jamais deve sucumbir à "certeza" de que qualquer setor superará todos os outros no futuro.

O que então pretendemos realizar com este livro? Nosso objetivo principal será dar conselhos ao leitor sobre áreas de possíveis erros significativos e desenvolver políticas com as quais ele se sinta à vontade. Falaremos bastante sobre a psicologia dos investidores. Na verdade, o principal problema do investidor, e até seu pior inimigo, é provavelmente ele mesmo. ("O erro, prezado investidor, não está nas estrelas — e tampouco em nossas ações —, mas em nós mesmos...") Isso ficou comprovado nas últimas décadas, à medida que se tornou mais necessário aos investidores conservadores comprarem ações ordinárias e, assim, exporem-se, a contragosto, às emoções e tentações do mercado. Por meio de argumentos, exemplos e exortações, esperamos auxiliar nossos leitores a estabelecerem as atitudes mentais e emocionais apropriadas para tomarem suas decisões de investimento. Vimos muito mais dinheiro ser ganho e *mantido* por "pessoas comuns" que eram, por temperamento, mais bem talhadas para o processo de investimento do que as que não tinham essa qualidade, muito embora elas tivessem um amplo conhecimento de finanças, contabilidade e dos meandros do mercado acionário.

Além disso, esperamos incutir no leitor uma tendência a medir ou quantificar. Com relação a 99% dos valores mobiliários, podemos afirmar que, a algum preço, estão suficientemente baratos para serem comprados e, a algum outro preço, tão caros que deveriam ser vendidos. O hábito de relacionar o que é pago com o que está sendo oferecido é um traço extremamente desejável nos investimentos. Em um artigo de uma revista feminina escrito há muitos anos, aconselhamos as leitoras a comprarem ações como compravam alimentos, não como compravam perfumes. As perdas realmente assombrosas dos últimos anos (e em muitas ocasiões anteriores semelhantes) aconteceram com aquelas ações ordinárias das quais os compradores se esqueceram de perguntar o preço.

Em junho de 1970, a questão "quanto custa?" podia ser respondida pelo número mágico de 9,4%, o rendimento obtido em novas ofertas de obrigações de concessionárias de serviços públicos de primeira linha. Esse rendimento caiu agora para aproximadamente 7,3%, mas até mesmo esse retorno nos provoca a pergunta: "Por que pensar em qualquer outra resposta?" Porém, há outras respostas possíveis, as quais precisam ser cuidadosamente avaliadas. Além disso, repetimos que nós e os leitores devemos nos preparar com antecedência para condições possivelmente bastante diferentes no período de, digamos, 1973 a 1977.

Apresentaremos em detalhes um programa positivo de investimento em ações ordinárias, parte do qual atende a ambas as classes de investidores, sendo a outra parte direcionada, sobretudo, ao grupo empreendedor. Por mais estranho que possa parecer, vamos sugerir como uma de nossas principais condições que os leitores se limitem a ações vendidas a um preço pouco acima do valor de seus ativos tangíveis.[7] A razão para esse conselho aparentemente antiquado é, ao mesmo tempo, prática e psicológica. A experiência nos ensinou que, embora haja muitas boas empresas em rápido crescimento cujo valor de mercado é muito superior ao de seu patrimônio líquido, o comprador de tais ações dependerá demais dos humores e das oscilações do mercado acionário. Em comparação, o investidor em ações, digamos, de concessionárias de utilidade pública com um valor aproximadamente equivalente ao de seu patrimônio líquido, pode sempre se considerar o proprietário de uma participação em um negócio saudável e em expansão, adquirida a um preço racional, não obstante o que o mercado de ações possa dizer em contrário. O resultado final de tal política conservadora pode ser melhor do que aventuras emocionantes nos campos glamourosos e perigosos do crescimento previsto.

A arte de investir possui uma característica que nem sempre é percebida. Um resultado respeitável, sem ser espetacular, pode ser obtido pelo investidor leigo com um mínimo de esforço e habilidade. Porém, superar esse padrão facilmente atingível exige muito empenho e mais sabedoria ainda. Se você simplesmente tentar utilizar *apenas um pouco* de conhecimento e inteligência adicionais em seu programa de investimento, em vez de obter resultados um pouco melhores do que os normais, é bem possível que seu desempenho piore.

Uma vez que qualquer um — pela simples compra e manutenção de uma lista representativa — pode igualar o desempenho médio do mercado, "superar a média" pareceria ser um problema relativamente simples; no entanto, na prática, o número de pessoas espertas que tentam essa estratégia sem sucesso é surpreendentemente grande. Até mesmo a maioria dos fundos de investimento, com todo seu pessoal experiente, não tem tido um desempenho

---

7 Os ativos tangíveis incluem a propriedade física da empresa (como imóveis, fábricas, equipamentos e estoques), assim como seus saldos financeiros (tais como espécie, investimentos de curto prazo e contas recebíveis). Entre os elementos não incluídos nos ativos tangíveis estão marcas, direitos autorais, patentes, franquias, marcas registradas e outros bens intangíveis. Para saber como calcular o valor dos ativos tangíveis, ver a nota de rodapé 11 na p. 229.

tão bom ao longo dos anos comparado ao mercado em geral. Somado a isso está a análise das previsões sobre o mercado de ações divulgadas pelas casas de corretagem, pois há fortes indícios de que seus prognósticos calculados são menos confiáveis do que um simples cara ou coroa.

Ao escrever este livro, procuramos nunca esquecer esta armadilha básica dos investimentos. As virtudes de uma política de carteira de investimentos simples — a compra de obrigações com grau de investimento acompanhada de uma lista diversificada das principais ações ordinárias — foram enfatizadas. Qualquer investidor pode pôr em prática essas virtudes apenas com uma pequena ajuda de um especialista. As aventuras além desse território seguro foram apresentadas como sendo repletas de dificuldades desafiantes, em especial no que concerne ao temperamento do investidor. Antes de embarcar em tal aventura, o investidor precisa confiar em si mesmo e em seus assessores, particularmente no que se refere a ter um conceito claro sobre as diferenças entre investimento e especulação e entre preço de mercado e valor intrínseco.

Uma abordagem decidida dos investimentos, firmemente embasada nos princípios da margem de segurança, pode render um retorno atraente. Porém, a decisão de buscar essas remunerações, em vez do retorno seguro dos investimentos defensivos, não deve ser tomada sem antes refletirmos muito a respeito.

Um pensamento retrospectivo final. Quando este jovem autor entrou em Wall Street, em junho de 1914, ninguém tinha a mínima ideia do que os próximos cinquenta anos trariam. (O mercado de ações nem mesmo suspeitava de que, em dois meses, eclodiria uma guerra mundial que fecharia a Bolsa de Valores de Nova York). Agora, em 1972, somos a nação mais rica e poderosa do mundo, mas cercada por uma enorme quantidade de grandes problemas, e estamos mais temerosos do que confiantes no futuro. No entanto, se canalizarmos nossa atenção para a experiência americana de investimentos, podemos tirar algum consolo desses últimos 57 anos. Apesar de suas vicissitudes e vítimas, tão abaladoras quanto imprevistas, continuou sendo verdade que os princípios de investimentos sensatos produziram, de forma geral, resultados sólidos. Devemos presumir que continuará a ser assim.

Nota ao leitor: Este livro não se dirige à política financeira *global* dos poupadores e investidores; ele lida apenas com aquela porção dos recursos que eles se dispõem a colocar em títulos negociáveis (ou resgatáveis) no mercado, isto é, em obrigações e ações.

Consequentemente, não discutiremos outros meios importantes, tais como poupanças e depósitos a prazo, contas de poupança e empréstimo, seguros de vida, anuidades e hipotecas de propriedades ou a participação em empresas próprias. O leitor deve ter em mente que, onde se lê a palavra "agora", ou seu equivalente, no texto, ela se refere ao final de 1971 ou início de 1972.

COMENTÁRIOS À INTRODUÇÃO

Se você construiu castelos no ar, seu trabalho não precisa se perder; lá é onde eles devem ficar. Agora, coloque fundações sob eles.
Henry David Thoreau, *Walden*

Observe que Graham anuncia, desde o início, que este livro não lhe dirá como alcançar um desempenho superior ao mercado. Nenhum livro honesto pode fazê-lo.

Em vez disso, este livro lhe ensinará três lições poderosas:

- como minimizar as probabilidades de sofrer prejuízos irreversíveis;
- como maximizar as chances de obter ganhos sustentáveis;
- como controlar o comportamento autodestrutivo que impede a maioria dos investidores de atingir seu potencial pleno.

Voltando aos anos de *boom* do final da década de 1990, quando as ações de tecnologia pareciam duplicar seu valor todo dia, a noção de que era possível perder quase todo seu dinheiro parecia absurda. Porém, ao final de 2002, muitas das ações das empresas de internet e de telecomunicações tinham perdido 95% ou mais de seu valor. Após perder 95% de seu dinheiro, você precisa ganhar 1.900% *só para voltar ao ponto de partida.*[1] Assumir um risco tolo pode jogá-lo no fundo de um poço virtual impossível de sair. Essa é a razão pela qual Graham constantemente enfatiza a importância de evitarmos perdas, e o faz não apenas nos capítulos 6, 14 e 20, mas também nos conselhos que tece ao longo de todo o texto.

No entanto, não importa quanto você seja cauteloso, o preço de seus investimentos *cairá* de tempos em tempos. Embora ninguém possa eliminar esse risco, Graham mostrará como lidar com ele e como manter seus temores sob controle.

---

1 Colocando essa afirmação em perspectiva, considere a frequência provável com que você compra uma ação por US$30 e a vende a US$600.

VOCÊ É UM INVESTIDOR INTELIGENTE?

Vamos responder a uma questão de importância vital. O que exatamente Graham quer dizer com "investidor inteligente"? Retornando à primeira edição deste livro, Graham define o termo deixando claro que esse tipo de inteligência não tem nada a ver com níveis de QI ou notas escolares. Simplesmente significa ser paciente, disciplinado e ávido por aprendizagem; você deve também ser capaz de controlar suas emoções e pensar por si mesmo. Esse tipo de inteligência, explica Graham, "é um traço mais de personalidade do que de cérebro".[2]

Há provas de que um QI alto e uma excelente educação não são suficientes para tornar inteligente um investidor. Em 1998, a Long-Term Capital Management L.P., um fundo de *hedge* dirigido por um batalhão de matemáticos, especialistas em computadores e dois economistas ganhadores de prêmios Nobel, perdeu mais de US$2 bilhões em questão de semanas ao fazer uma aposta imensa de que o mercado de obrigações retornaria à "normalidade". No entanto, o mercado de obrigações comportou-se de forma cada vez mais anormal, e a LTCM tinha pegado emprestado tanto dinheiro que seu colapso quase derrubou todo o sistema financeiro global.[3]

Nos idos da primavera de 1720, Sir Isaac Newton possuía ações da South Sea Company, as ações mais quentes da Inglaterra. Sentindo que o mercado estava ficando fora de controle, o grande físico comentou que ele "podia calcular os movimentos dos corpos celestes, mas não a insanidade das pessoas". Newton despejou suas ações da South Sea, embolsando um lucro de 100%, em um total de £7.000. Porém, apenas alguns meses mais tarde, arrebatado pelo entusiasmo desmedido do mercado, Newton entrou nele novamente a um preço mais alto e perdeu £20.000 (equivalente a mais de US$3 milhões em moeda atual). Durante o resto de sua vida, ele proibiu que fossem pronunciadas as palavras "South Sea" [Mares do Sul] em sua presença.[4]

Sir Isaac Newton foi uma das pessoas mais inteligentes que existiram, segundo a definição de inteligência da maioria de nós. No entanto, na terminologia

---

2 Benjamin Graham, *O investidor inteligente* (Harper & Row, 1949), p. 4.

3 Um "fundo de *hedge*" é um volume de dinheiro, pouco regulado pelo governo, investido agressivamente em nome de clientes afortunados. Para ler um relato fantástico da LTCM, ver Roger Lowenstein, *When Genius Failed* [Quando a genialidade falha] (Random House, 2000).

4 John Carswell, *The South Sea Bubble* [A bolha dos Mares do Sul] (Cresset Press, London, 1960), p. 31, 199. Ver também www.harvard-magazine.com/issues/mj99/demand.html.

de Graham, Newton estava longe de ser um investidor inteligente. Ao deixar que os apelos da multidão o influenciassem mais do que suas próprias ideias, o maior cientista do mundo agiu como um tolo.

Em resumo, se você até agora não obteve sucesso com seus investimentos, isso não significa que você seja ignorante. É porque, assim como Sir Isaac Newton, você ainda não desenvolveu a disciplina emocional exigida para o investimento bem-sucedido. No capítulo 8, Graham descreve como ampliar sua inteligência para controlar suas emoções e evitar se entregar ao nível de irracionalidade do mercado. Lá, você poderá aprender com sua lição, a saber, a de que ser um investidor inteligente é uma questão de "personalidade" e não de "cérebro".

A CRÔNICA DE UMA CALAMIDADE

Olhemos alguns dos maiores acontecimentos financeiros dos últimos anos:

1. A pior queda do mercado desde a Grande Depressão, em que as ações americanas perderam 50,2% de seu valor, ou *US$7,4 trilhões*, entre março de 2000 e outubro de 2002.
2. Quedas ainda mais acentuadas nos preços das ações das empresas mais quentes da década de 1990, incluindo AOL, Cisco, JDS Uniphase, Lucent e Qualcomm, além da destruição completa de centenas de ações de internet.
3. Acusações de fraude financeira em massa em algumas das maiores e mais respeitadas empresas dos Estados Unidos, incluindo Enron, Tyco e Xerox.
4. Falências de empresas antes cintilantes, como Conseco, Global Crossing e WorldCom.
5. Alegações de que firmas de contabilidade forjaram registros contábeis, e até mesmo destruíram documentos, para ajudarem seus clientes a enganarem os investidores externos.
6. Acusações de que os principais executivos de grandes empresas desviaram centenas de milhões de dólares para uso pessoal.
7. Provas de que analistas de valores mobiliários de Wall Street elogiavam certas ações em público, mas, em particular, diziam que elas eram um lixo.

8. Um mercado de ações que, mesmo após seu declínio aterrorizante, parece supervalorizado em termos históricos, sugerindo a muitos especialistas que as ações devem cair ainda mais.
9. Um declínio contínuo nas taxas de juros, que deixou os investidores sem uma alternativa atraente às ações.
10. Um ambiente de investimento marcado pela ameaça imprevisível do terrorismo global e de guerra no Oriente Médio.

Grande parte dessa ameaça poderia ter sido (e foi!) evitada por aqueles investidores que aprenderam e viveram segundo os princípios de Graham. Conforme Graham afirma: "embora seja necessário entusiasmo para grandes realizações alhures, em Wall Street ele quase invariavelmente leva ao desastre." Ao se deixarem levar — pelas ações de internet, ações de rápido "crescimento" e ações em geral, muitas pessoas cometeram os mesmos erros bobos que Sir Isaac Newton. Deixaram que as opiniões de outros investidores se sobrepusessem aos seus julgamentos. Eles ignoraram o aviso de Graham de que "as perdas realmente assombrosas" sempre ocorrem depois que "o comprador esqueceu de perguntar o preço". O mais doloroso de tudo é que, ao perderem o autocontrole no momento em que mais precisavam, essas pessoas comprovaram a afirmativa de Graham de que "o maior problema do investidor — e mesmo seu pior inimigo — é, provavelmente, ele mesmo".

A CERTEZA QUE NÃO ESTAVA CERTA

Muitas daquelas pessoas se deixaram levar pelas ações de tecnologia e de internet ao acreditarem na euforia da alta tecnologia, pregando que essa indústria cresceria mais rapidamente que qualquer outra por anos a fio, se não para sempre.

- Em meados de 1999, após obter um retorno de 117,3% logo nos primeiros cinco meses do ano, o gerente de carteira da Monument Internet Fund, Alexander Cheung, previu que seu fundo renderia 50% ao ano nos três a cinco anos seguintes e uma média anual de 35% "nos vinte anos seguintes".[5]

---

5 Constance Loizos, "Q&A: Alex Cheung", *InvestmentNews*, 17 de maio de 1999, p. 38. O maior retorno de vinte anos em um fundo mútuo na história foi 25,8% ao ano, atingido pelo lendário Peter Lynch, da Fidelity Magellan, nas duas décadas anteriores a 31 de dezembro de

- Após seu Amerindo Technology Fund ter subido inacreditáveis 248,9% em 1999, o gerente de carteira Alberto Vilar ridicularizou todo mundo que ousou duvidar de que a internet era uma máquina perpétua de fazer dinheiro: "Se você estiver fora desse setor, será deixado para trás. Você está numa charrete, e eu, num Porsche. Você não gosta de oportunidades de decuplicar seu dinheiro? Então, procure outra pessoa".[6]
- Em fevereiro de 2000, o *gestor* de fundo de *hedge* James J. Cramer proclamava a respeito das empresas relacionadas com a internet: "São as únicas que valem a pena ter neste momento." Esses "vencedores do novo mundo", como ele os denominou, "são os únicos que subirão consistentemente nos dias bons e ruins". Cramer até mesmo gozou Graham: "Você tem de jogar fora todas as matrizes, fórmulas e textos que existiam antes da Web... Se fizéssemos o que Graham e Dodd nos ensinaram, não teríamos um centavo para gerenciar."[7]

Todos esses ditos especialistas ignoraram as sóbrias palavras de alerta de Graham: "Perspectivas óbvias de crescimento físico em um negócio não significam lucros óbvios para os investidores." Embora pareça fácil prever qual setor crescerá mais rapidamente, essa previsão não tem valor real se a maioria dos outros investidores já espera a mesma coisa. Quando todo mundo decidir que um certo setor é "obviamente" o melhor para se investir, os preços de suas ações já subiram tanto que os rendimentos futuros não terão para onde ir, a não ser para baixo.

1994. O desempenho de Lynch transformou US$10.000 em mais de US$982.000 em vinte anos. Cheung previa que seu fundo converteria US$10.000 em mais de US$4 milhões no mesmo espaço de tempo. Em vez de considerar Cheung ridiculamente otimista, os investidores despejaram dinheiro nele, injetando mais de US$100 milhões em seu fundo no ano seguinte. Um investimento de US$10.000 no Monument Internet Fund em maio de 1999 teria encolhido para aproximadamente US$2.000 ao término de 2002. (O fundo Monument não existe mais em sua forma original, sendo conhecido hoje em dia como Orbitex Emerging Technology Fund.)

6 Lisa Reilly Cullen, "The Triple Digit Club", *Money,* dezembro de 1999, p. 170. Se você tivesse investido US$10.000 no fundo de Vilar no final de 1999, você teria terminado 2002 com apenas US$1.195, uma das piores destruições de riqueza da história do setor de fundos mútuos.

7 Ver www.thestreet.com/funds/smarter/891820.html. As ações favoritas de Cramer não "subiram consistentemente em dias bons e ruins". Ao final de 2002, uma em dez já havia quebrado, e um investimento de US$10.000, espalhado de forma equitativa entre as dicas de Cramer, teria perdido 94%, deixando você com um total geral de US$597,44. Talvez Cramer quisesse dizer que suas ações seriam "vencedoras" não no "novo mundo", mas no mundo que está por vir.

Agora, pelo menos, ninguém tem a coragem de afirmar que o tecnológico ainda será o setor de maior crescimento do mundo. Porém, procure não esquecer o seguinte: as pessoas que hoje dizem que a próxima "coisa certa" será a assistência médica ou a energia ou o mercado imobiliário ou o ouro têm a mesma probabilidade de estarem certas no final do que os entusiastas da alta tecnologia mostraram ter.

A OPORTUNIDADE POR TRÁS DA CRISE

Se nenhum preço parecia alto demais para as ações na década de 1990, em 2003 atingimos o ponto em que nenhum preço parecia ser suficientemente baixo. O pêndulo oscilou, como Graham sabia que ele sempre faz, da exuberância irracional para o pessimismo injustificável. Em 2002, os investidores sacaram US$27 bilhões dos fundos mútuos de ações, e uma pesquisa realizada pela Associação da Indústria de Valores Mobiliários revelou que 1 entre 10 investidores tinha diminuído seu volume de ações em, pelo menos, 25%. As mesmas pessoas que estavam ansiosas para comprar ações no final da década de 1990 — quando elas estavam subindo de preço e, portanto, tornando-se caras — venderam ações à medida que caíam de preço e, por definição, tornavam-se mais baratas.

Conforme Graham mostra tão brilhantemente no capítulo 8, o comportamento certo é exatamente o contrário. O investidor inteligente percebe que as ações se tornam mais arriscadas, e não menos, à medida que seus preços sobem; e menos arriscadas, e não mais, à medida que eles descem. O investidor inteligente teme um mercado altista, uma vez que ele torna as ações mais caras para a compra. E, ao contrário, desde que tenha dinheiro suficiente na mão para pagar suas despesas pessoais, considera um mercado em baixa como uma oportunidade, uma vez que recoloca o preço das ações novamente em níveis atraentes.[8]

Anime-se: a morte do mercado de alta não é a má notícia que todo mundo pensa ser. Graças ao declínio nos preços das ações, agora é um momento bastante seguro, e salutar, para construir riqueza. Continue sua leitura e deixe Graham lhe mostrar como fazê-lo.

---

8 A única exceção a essa regra é um investidor em um estágio avançado de aposentadoria, que pode não ser capaz de sobreviver a uma queda de mercado prolongada. No entanto, mesmo um investidor mais idoso não deveria vender suas ações simplesmente porque seu preço caiu; essa abordagem não apenas transforma suas perdas no papel em perdas efetivas, mas priva seus herdeiros do potencial para herdar aquelas ações a custos inferiores para fins de tributação.

CAPÍTULO 1

INVESTIMENTO *VERSUS* ESPECULAÇÃO: OS RESULTADOS QUE O INVESTIDOR INTELIGENTE PODE ESPERAR

Este capítulo delineará os pontos de vista que serão expostos em mais detalhes no restante do livro. Em particular, desejamos desenvolver, desde já, nosso conceito de uma política de carteira apropriada para o investidor individual e não profissional.

Investimento *versus* especulação

O que queremos dizer com o termo "investidor"? Ao longo de todo este livro, o termo será usado em oposição a "especulador". Ainda em 1934, em nosso livro *Security Analysis*[1] tentamos estabelecer uma formulação precisa da diferença entre os dois, a saber: "uma operação de investimento é aquela que, após análise profunda, promete a segurança do principal e um retorno adequado. As operações que não atendem a essas condições são especulativas."

Embora tenhamos aderido obstinadamente a essa definição durante os últimos 38 anos, vale notar as mudanças radicais ocorridas no uso do termo "investidor" durante esse período. Após a grande queda do mercado, entre 1929 e 1932, *todas* as ações ordinárias foram amplamente consideradas como sendo especulativas pela própria natureza. (Uma autoridade importante afirmou categoricamente que apenas títulos deveriam ser comprados para fins de investimento[II].) Em seguida, tivemos que defender nossa definição contra a acusação de que ela atribuía um escopo amplo demais ao conceito de investimento.

Nossa preocupação agora é com o oposto. Devemos advertir nossos leitores para não aceitarem o jargão comum no qual o termo "investidor" é atribuído a qualquer um e a todos no mercado de ações. Em nossa última edição, citamos a seguinte manchete de um artigo na primeira página de nosso principal jornal financeiro em junho de 1962:

PEQUENOS INVESTIDORES PESSIMISTAS
VENDEM PEQUENOS LOTES A DESCOBERTO

Em outubro de 1970, o mesmo jornal publicou um editorial criticando aqueles a quem chamava de "investidores descuidados", os quais, dessa vez, estavam correndo para o lado dos compradores.

Essas citações ilustram bem a confusão que tem caracterizado, por muitos anos, o uso das palavras "investimento" e "especulação". Pense em nossa definição de investimento sugerida anteriormente e compare-a com a venda de um pequeno número de ações por um indivíduo inexperiente, que nem sequer possui o que está vendendo e tem uma convicção de natureza emocional de que será capaz de comprá-las de volta a um preço bem inferior. (Não é irrelevante destacar que, quando o artigo foi publicado, em 1962, o mercado já havia passado por uma queda de grandes proporções e estava então se preparando para uma subida maior ainda. Era talvez o pior momento possível para vender a descoberto.) Em um sentido mais amplo, a expressão "investidor descuidado", usada mais tarde, poderia ser considerada uma risível contradição em termos — algo como "avarento esbanjador" — não fosse esse uso equivocado da língua tão prejudicial.

O jornal empregou a palavra "investidor" nesses exemplos porque, no jargão fácil de Wall Street, todo mundo que compra ou vende um título se torna um investidor, independentemente do que compra ou com que propósito ou a que preço ou se em dinheiro ou com pagamento na margem. Compare isso com a atitude do público para com as ações ordinárias em 1948, quando mais de 98% dos entrevistados se disseram contrários à compra de ações ordinárias.[III] Aproximadamente metade deu como razão para essa postura o fato de que esse tipo de investimento era "inseguro, uma loteria", e a outra metade, que "não as conhecia bem".[1] É de fato uma

---

1 A pesquisa que Graham cita foi realizada para o FED pela Universidade de Michigan e publicada no *Federal Reserve Bulletin*, em julho de 1948. Foi perguntado às pessoas: "Suponha que uma pessoa decida não gastar seu próprio dinheiro. Ela tanto pode colocá-lo em um banco quanto em títulos ou investi-lo. Qual abordagem você consideraria a mais sensata para ela adotar hoje em dia: colocar o dinheiro no banco, comprar títulos, investir no mercado imobiliário ou comprar ações?" Apenas 4% pensaram que as ações ordinárias ofereceriam um retorno "satisfatório"; 26% consideraram-nas "inseguras" ou uma "loteria". De 1949 a 1958, o mercado acionário teve uma das maiores taxas de retorno em uma década de história, um rendimento anual médio de 18,7%. Um eco fascinante daquela pesquisa anterior feita pelo FED foi uma enquete realizada pelo *Business Week*, no final de 2002, a qual revelou que apenas

ironia (embora não nos surpreenda) que as compras de ações ordinárias de todos os tipos fossem, de maneira geral, consideradas tão especulativas ou arriscadas no momento em que seus preços estavam bastante atraentes, logo antes do início de uma das maiores altas da história. Inversamente, o fato de que as ações haviam atingido patamares indubitavelmente perigosos, conforme avaliado pela ótica da *experiência passada,* transformou-as mais tarde em "investimentos", e o público inteiro que comprou ações em "investidores".

A distinção entre investimento e especulação com relação às ações ordinárias sempre foi útil e seu desaparecimento é motivo de preocupação. Sempre defendemos que Wall Street, como instituição, deveria reinstituir essa distinção e enfatizá-la em todos os seus contatos com o público. Caso contrário, as bolsas de ações poderão, algum dia, serem responsabilizadas por perdas especulativas pesadas na medida em que aqueles que as sofrerem não terão sido advertidos de forma apropriada sobre esta distinção. Ironicamente, uma vez mais, muitos dos problemas financeiros recentes sofridos por certas corretoras de ações parecem derivar da inclusão de ações ordinárias especulativas em seus próprios fundos de capital. Acreditamos que o leitor deste livro extrairá ideias razoavelmente claras sobre os riscos inerentes aos investimentos em ações ordinárias, riscos esses que são inseparáveis das oportunidades de lucro que elas oferecem, precisando ambos ser incluídos nos cálculos do investidor.

O que acabamos de dizer indica que pode não mais existir tal coisa como uma política de investimentos que simplesmente abranja ações ordinárias representativas, no sentido de que seja sempre possível esperar para comprá-las a um preço que não envolva o risco de uma perda de mercado ou "cotacional" grande o suficiente para causar preocupação. Na maior parte do tempo, o investidor precisa reconhecer a existência de um *fator especulativo* em sua carteira de ações ordinárias. É sua tarefa manter esse componente dentro de limites estreitos e estar preparado financeira e psicologicamente para resultados adversos que possam ser de curta ou longa duração.

24% dos investidores estavam dispostos a aumentar seus investimentos em fundos mútuos ou carteiras de ações, comparados com 47% três anos antes.

É necessário acrescentar dois parágrafos sobre a especulação em ações *per se*, em contraste com o componente especulativo atualmente inerente às ações ordinárias mais representativas. A especulação em si não é ilegal, amoral nem (para a maioria das pessoas) engorda o bolso. Mais do que isso, alguma especulação é necessária e inevitável, pois em muitas situações nas bolsas existem chances substanciais tanto de lucros quanto de prejuízos, e os riscos aí presentes precisam ser assumidos por alguém.[2] Existe especulação inteligente assim como há investimento inteligente. Mas há muitas maneiras em que a especulação pode ser pouco inteligente. Destas, as mais importantes são: (1) especular quando você pensa que está investindo; (2) especular seriamente, e não como passatempo, quando você não possui conhecimento apropriado e habilidade para tal; e (3) arriscar mais dinheiro na especulação do que você tem condições de perder.

Em nossa visão conservadora, todo amador que opera *na margem*[3] deveria reconhecer que está especulando *ipso facto*, e seu corretor tem o dever de avisá-lo sobre isso. Todo mundo que compra um assim chamado lançamento "quente" de ações ordinárias ou faz uma compra de alguma forma semelhante a essa está especulando ou fazendo uma aposta. A especulação é sempre fascinante e pode ser muito divertida enquanto você estiver ganhando. Se quiser testar sua sorte na especulação, separe uma parte — quanto menor, melhor — de seu capital em uma conta específica para esse propósito. Nunca acrescente dinheiro a essa conta apenas porque o mercado subiu e os lucros estão jorrando. (Esse é o momento para pensar em *sacar* recursos do fundo especulativo.) Nunca misture suas operações

---

2 A especulação é benéfica por dois motivos: primeiro, sem especulação, companhias novas e não testadas (como a Amazon.com ou, no início, a Edison Electric Light Co.) nunca seriam capazes de obter o capital necessário para se expandir. A probabilidade, pequena, porém atraente, de um ganho grande é o óleo que lubrifica a máquina da inovação. Segundo, o risco troca de mãos (mas nunca é eliminado) cada vez que uma ação é comprada ou vendida. O comprador compra o risco primário de que essa ação pode cair. Entretanto, o vendedor ainda retém um risco residual, a possibilidade de que a ação que ele acaba de vender suba!

3 Uma conta de margem permite que você compre ações usando dinheiro emprestado pela corretora. Ao investir com dinheiro emprestado, você tem um lucro maior se suas ações subirem, mas pode ser arrasado se elas baixarem. A garantia do empréstimo é o valor dos investimentos em sua conta, portanto você precisa depositar mais dinheiro se este valor cair abaixo da quantia que tomou emprestada. Para obter mais informações sobre as contas de margem, ver www.sec.gov/investor/pubs/margin.html, www.sia.com/publications/pdf/MarginsA.pdf, e www.nyse.com/pdfs/2001_factbook_09.pdf.

especulativas com seus investimentos em uma mesma conta, tampouco em qualquer parte de seu pensamento.

Resultados que o investidor defensivo deve esperar

Já definimos o investidor defensivo como alguém interessado em segurança aliada à despreocupação. Em geral, que caminho deveria ele tomar e qual o retorno a ser esperado em "condições normais médias", se é que tais condições realmente existem? Para responder a essas perguntas, consideraremos primeiro o que escrevemos sobre o assunto há sete anos; depois, quais mudanças significativas ocorreram desde então nos fatores subjacentes que determinam o retorno esperado pelo investidor; e, finalmente, o que ele deve fazer e o que deve esperar nas condições ora vigentes (início de 1972).

1. O que dissemos há seis anos

Recomendamos que o investidor dividisse suas economias entre obrigações com grau de investimento e as principais ações ordinárias; que a proporção mantida em obrigações nunca fosse inferior a 25% ou superior a 75%, com o inverso sendo necessariamente verdadeiro para o componente em ações ordinárias; que a escolha mais simples seria manter uma proporção meio a meio entre as duas, com ajustes para restaurar o equilíbrio quando a evolução do mercado o tivesse alterado em, digamos, 5%. Como uma política alternativa, ele deveria escolher reduzir seu componente de ações ordinárias para 25% "se sentisse que o mercado estava muito perigoso" e, ao contrário, aumentá-lo para o máximo de 75% "se sentisse que um declínio nos preços das ações as tornara cada vez mais atraentes".

Em 1965, o investidor podia obter um rendimento de aproximadamente 4,5% em obrigações tributáveis com grau de investimento e 3,25% em obrigações isentas de impostos. O retorno de dividendos das principais ações ordinárias (com o DJIA a 892 pontos) foi de apenas, aproximadamente, 3,2%. Esse fato, e outros, indicava cautela. Sugerimos que, "em níveis normais de mercado", o investidor deveria ser capaz de obter um retorno inicial de dividendos pela compra de ações entre 3,5% e 4,5%. A este retorno deveria ser acrescentado um aumento contínuo no valor subjacente (e no "preço do mercado normal") de uma lista representativa de ações em quantias aproximadamente iguais, totalizando um retorno combinado de dividendos e apreciação próximo de 7,5% ao ano. A divisão meio a meio entre obrigações e ações renderia algo em torno de 6% antes da dedução do imposto de renda. Acrescentamos que o componente de ações deveria portar um grau razoável de proteção contra a perda de poder aquisitivo causada pela inflação em altos patamares.

Cabe enfatizar que a aritmética explicitada anteriormente indicava uma expectativa de uma taxa de crescimento do mercado de ações bem inferior àquela verificada entre 1949 e 1964. Essa taxa havia sido em média bastante superior a 10% para as ações como um todo, tendo sido considerada por muitos uma espécie de garantia de que resultados igualmente satisfatórios seriam a norma no futuro. Poucas pessoas estavam dispostas a considerar seriamente a possibilidade de que a alta taxa de crescimento no passado significava que os preços das ações estavam "agora altos demais" e, portanto, "os resultados maravilhosos desde 1949 implicariam resultados não muito bons, mas sim *ruins*, no futuro".[IV]

2. O que aconteceu desde 1964

A maior mudança desde 1964 foi a elevação a níveis inéditos das taxas de juros das obrigações com grau de investimento, embora os preços tenham recentemente se recuperado de forma substancial em relação aos níveis de 1970. O retorno possível de ser obtido nas obrigações corporativas de boa qualidade é agora cerca de 7,5%, ou ainda mais alto, contra 4,5% em 1964. Enquanto isso, o retorno de dividendos das ações do tipo DJIA subiu razoavelmente também durante a queda do mercado no período entre 1969 e 1970, mas no momento em que escrevemos (com o índice Dow a 900 pontos) é inferior a 3,5%, comparado com 3,2% no final de 1964. A mudança nas taxas de juros prevalecentes produziu um declínio máximo de aproximadamente 38% no preço de mercado das obrigações de médio prazo (digamos, vinte anos) durante esse período.

Há um aspecto paradoxal nessa evolução. Em 1964, discutimos bastante a possibilidade de os preços das ações estarem altos demais e, em última instância, vulneráveis a um declínio no futuro, mas não consideramos especificamente a possibilidade de que o mesmo poderia acontecer com o preço das obrigações de primeira linha. (Até onde sabemos, essa possibilidade não foi considerada por ninguém.) Contudo, alertamos (p. 90) que "uma obrigação de longo prazo pode variar amplamente de preço em resposta a mudanças nas taxas de juros". À luz dos acontecimentos desde então, consideramos que esse aviso — com exemplos pertinentes — foi insuficientemente enfatizado, pois o fato é que se o investidor tivesse um certo montante no DJIA a seu preço de fechamento de 874 pontos em 1964, ele teria registrado um pequeno lucro sobre o investimento no final de 1971; e mesmo no nível mais baixo (631), em 1970, sua perda indicada teria sido inferior à registrada com as obrigações de longo prazo com grau de investimento. Por outro lado, se tivesse restringido seus investimentos em obrigações às *saving bonds** do governo americano, emissões corporativas de curto prazo ou contas de poupança, ele não teria tido qualquer prejuízo no valor de mercado do principal durante esse período e teria gozado de um rendimento maior do que aquele oferecido pelas ações com grau de investimento. O que acabou acontecendo, portanto, foi que os "ativos equivalentes à caixa" verdadeiros provaram ser um investimento melhor em 1964 do que as ações ordinárias, apesar da experiência inflacionária, que, em teoria, deveria favorecer as ações mais que o dinheiro. A queda no valor das principais obrigações de prazo mais longo ocorreu devido a novidades no *money market* (mercados financeiros nos quais os recursos são emprestados a curto prazo, isto é, em períodos inferiores a um ano), uma área difícil de entender e que, em geral, não tem um papel significativo na política de investimentos dos indivíduos.

Essa é apenas uma das inúmeras experiências do passado que demonstram que o futuro dos preços de valores mobiliários nunca é previsível.[4] As obrigações, quase sempre, oscilam bem menos que os preços das ações, e os investidores em geral podem comprar obrigações de boa qualidade e com qualquer prazo de vencimento sem se preocupar com as mudanças em seu valor de mercado. Há algumas exceções a essa regra, e o período pós-1964 provou ser um deles. Teremos mais a dizer sobre as variações nos preços das obrigações em um capítulo posterior.

---

4 Leia a frase de Graham novamente e observe o que o maior especialista em investimentos está dizendo: o futuro dos preços dos valores mobiliários nunca é previsível. Como você poderá ler adiante neste livro, perceba como tudo o mais que Graham lhe diz é orientado para ajudá-lo a lidar com essa verdade. Se você não tem como prever o comportamento dos mercados, precisa aprender a prever e controlar o seu próprio.

* ***Savings bonds*** – Título de poupança. (N.E.)

3. Expectativas e política em fins de 1971 e começo de 1972

No fim de 1971, era possível obter um rendimento bruto de 8% nas obrigações corporativas de médio prazo de boa qualidade e 5,7% líquidos nas obrigações estaduais ou municipais de boa qualidade. Em um prazo mais curto, o investidor podia obter um rendimento de aproximadamente 6% nos títulos do governo americano com vencimento em cinco anos. Nesse caso, o comprador não precisava se preocupar com uma possível perda no valor de mercado, uma vez que existia uma garantia de que receberia de volta o valor integral, incluindo os 6% de rendimento dos juros, ao fim de um período de manutenção em carteira comparativamente curto. O DJIA, em seu nível de preço recorrente de 900 pontos em 1971, rendia apenas 3,5%.

Vamos presumir que agora, como no passado, a decisão básica a ser tomada em sua política de investimentos seja como dividir os recursos entre as obrigações de primeira linha (ou outro ativo assim chamado "equivalente a dinheiro") e as principais ações do tipo DJIA. Que rumo o investidor deveria tomar nas condições atuais se não temos razões fortes para prever um movimento ascendente ou descendente significativo por algum tempo no futuro? Em primeiro lugar, cabe-nos enfatizar que, se não houver qualquer mudança adversa séria, o investidor defensivo será capaz de contar com o atual retorno de dividendos de 3,5% sobre suas ações e também com uma apreciação anual *média* de aproximadamente 4%. Como explicaremos mais adiante, essa apreciação se baseia essencialmente no reinvestimento anual, pelas diversas companhias, de um valor correspondente aos lucros retidos. Em termos brutos, o retorno combinado das ações ficaria, digamos, em 7,5% na média, um pouco inferior aos juros de uma obrigação de primeira linha.[5] Em uma base líquida de impostos, o rendimento médio das ações ficaria por volta de 5,3%.[V] Isso

---

5 Até que ponto a previsão de Graham foi bem-sucedida? Em um primeiro momento, parece que muito bem: desde o início de 1972 até o final de 1981, as ações tiveram um rendimento anual médio de 6,5% (Graham não especificou o período de tempo para sua previsão, mas é plausível presumir que estivesse pensando em um horizonte de dez anos). No entanto, a inflação atingiu 8,6% ao ano nesse período, comendo todo o ganho gerado pelas ações. Nesta seção de seu capítulo, Graham está resumindo o que é chamado de "equação de Gordon", que, em essência, afirma que o retorno futuro do mercado acionário é a soma do rendimento de dividendos atual acrescido da taxa esperada de crescimento dos lucros. Com um rendimento de dividendos inferior a 2% no início de 2003 e uma taxa de crescimento de longo prazo dos lucros de aproximadamente 2%, além de uma inflação pouco superior a 2%, um retorno anual médio futuro de cerca de 6% é plausível. (Ver comentários ao capítulo 3.)

seria aproximadamente igual ao ora pago por obrigações de médio prazo isentas de impostos.

Essas perspectivas são bem menos favoráveis para as ações, em comparação com os títulos, do que eram em nossa análise de 1964. (Essa conclusão deriva inevitavelmente do fato básico de que o rendimento dos títulos subiu muito mais do que o das ações desde 1964.) Não devemos nunca perder de vista o fato de que os juros e os pagamentos de principal dos títulos de boa qualidade são mais seguros e, portanto, mais certos do que os dividendos e a valorização do preço das ações. Consequentemente, somos forçados a concluir que agora, no final de 1971, os investimentos em títulos parecem claramente preferíveis aos investimentos em ações. Se pudéssemos ter certeza de que essa conclusão está correta, teríamos que aconselhar o investidor defensivo a colocar *todo* o seu dinheiro em títulos e *nenhum* em ações ordinárias até que a relação de rendimentos atual mudasse de modo significativo em favor das ações.

Mas, é claro, não podemos ter certeza de que as obrigações renderão mais do que as ações nos níveis de hoje. O leitor pensará imediatamente sobre o fator inflação como uma razão para acreditar no contrário. No próximo capítulo, mostraremos que nossa considerável experiência com a inflação nos Estados Unidos, durante o século XX, não respaldaria a escolha de ações em vez de obrigações, dados os atuais diferenciais de rendimento. Porém, sempre há a possibilidade — embora a consideremos remota — de uma inflação acelerada que, de uma forma ou de outra, faria com que os investimentos em ações fossem preferíveis às obrigações pagáveis em uma quantidade fixa de dólares.[6] Há uma possibilidade alternativa — que também consideramos altamente improvável — de que o setor privado americano se torne tão lucrativo, sem uma alta inflacionária, de modo que justifique um grande aumento no valor das ações ordinárias nos próximos anos. Finalmente, há a possibilidade mais familiar de que venhamos a

6 Desde 1997, quando foram introduzidos os Títulos do Tesouro Protegidos contra a Inflação [Treasury Inflation-Protected Securities (ou TIPS)], as ações passaram a não mais ser automaticamente a melhor opção para os investidores que acreditam que a inflação vai aumentar. Os TIPS, diferentemente de outros títulos, aumentam de valor à medida que sobe o Índice de Preços ao Consumidor, efetivamente protegendo o investidor contra a perda de dinheiro após a inflação. As ações não possuem tal garantia e, na verdade, constituem uma proteção relativamente fraca contra as taxas altas de inflação. (Para obter mais detalhes, ver comentários ao capítulo 2.)

testemunhar uma outra grande subida especulativa no mercado acionário sem uma justificativa real nos valores subjacentes. Qualquer uma dessas razões, e talvez outras que ainda não tenhamos previsto, *pode* fazer o investidor se arrepender de ter concentrado 100% de seus recursos em obrigações, mesmo em seus níveis de rentabilidade mais favoráveis.

Portanto, após a apresentação dessa breve discussão das principais considerações, mais uma vez enunciamos a mesma política mista básica para os investidores defensivos, ou seja, que eles mantenham sempre uma parcela significativa de seus recursos em instrumentos como obrigação e também uma parte significativa em ações. Continua sendo verdade que eles podem escolher entre manter uma divisão simples, meio a meio, entre os dois componentes ou uma proporção, dependendo de seu julgamento, que varie entre um mínimo de 25% e um máximo de 75% de qualquer um dos dois. Apresentaremos mais detalhes dessas políticas alternativas em um capítulo posterior.

Uma vez que, atualmente, o rendimento total previsto das ações ordinárias é quase igual ao das obrigações, o rendimento que se espera hoje para o investidor, incluindo o aumento no valor das ações, mudaria pouco qualquer que fosse a divisão de seus recursos entre os dois componentes. Conforme o cálculo feito, o retorno agregado de ambas as partes deverá ser de aproximadamente 7,8% antes dos impostos ou de 5,5% em uma base isenta de tributação (ou após a tributação). Um rendimento dessa ordem é sensivelmente mais alto do que aquele recebido pelo típico investidor conservador do passado. Isso pode não parecer atraente em relação ao rendimento igual ou superior a 14% auferido pelas ações ordinárias durante os vinte anos de um mercado predominantemente altista após 1949. Porém, devemos lembrar que, entre 1949 e 1969, o preço do DJIA mais do que quintuplicou, enquanto os lucros e dividendos quase dobraram. No entanto, a maior parte da impressionante evolução do mercado naquele período foi baseada em uma mudança nas atitudes dos investidores e especuladores em vez de nos valores intrínsecos das companhias. Dessa forma, essa evolução poderia ser facilmente denominada uma "operação de autoalavancagem".

Ao discutir a carteira de ações ordinárias do investidor defensivo, falamos apenas de ações importantes como as incluídas na lista das trinta que compõem o Índice Industrial Dow Jones. Fizemos isso por conveniência, e não pretendemos insinuar que apenas essas trinta ações sejam apropriadas à compra. Na verdade, existem muitas outras companhias de qualidade igual ou superior à média da lista Dow Jones; elas incluiriam uma gama de concessionárias de serviços públicos (que possuem um índice Dow Jones específico para representá-las).[7] Porém, o ponto principal aqui é que os resultados gerais do investidor defensivo não devem ser muito diferentes dos de qualquer outra lista diversificada ou representativa ou — mais precisamente — que nem ele nem seus assessores podem prever com certeza que diferenças ocorrerão mais tarde. É verdade que, teoricamente, a arte do investimento habilidoso ou com discernimento reside na escolha de papéis que darão resultados melhores do que o mercado como um todo. Por razões a serem desenvolvidas mais adiante, somos céticos no que se refere à capacidade de os investidores defensivos conseguirem, de maneira geral, resultados acima da média, o que na verdade significaria superar seu próprio desempenho global.[8] (Nosso ceticismo se estende à gestão de fundos grandes por especialistas.)

Vamos ilustrar nosso ponto com um exemplo que, à primeira vista, pode parecer provar o contrário. Entre dezembro de 1960 e dezembro de 1970, o DJIA subiu de 616 para 839 pontos, ou 36%. Mas, no mesmo período, o índice de 500 ações ponderado e bem mais abrangente da Standard & Poor's aumentou de 58,11 para 92,15 pontos, ou 58%. Obviamente, o segundo grupo provou ser uma "compra" melhor do que o primeiro. Porém, quem teria a coragem de prever, em 1960, que o que parecia ser uma mistura de todos os tipos de ação ordinária teria um desempenho claramente superior aos aristocráticos "trinta tiranos" do Dow? Tudo isso demonstra, insistimos, que apenas raramente é possível fazer previsões confiáveis sobre mudanças, absolutas ou relativas, nos preços.

---

7 Hoje, as alternativas mais amplamente disponíveis ao Índice Industrial Dow Jones são o índice de 500 ações da Standard & Poor's (S&P) e o índice 5.000 da Wilshire. O S&P abrange quinhentas companhias grandes e conhecidas que perfazem quase 70% do valor total do mercado acionário americano. O Wilshire 5.000 acompanha os retornos de quase todas as ações significativas e publicamente negociadas na América, aproximadamente 6.700 no total. Entretanto, uma vez que as maiores companhias são responsáveis pela maior parte do valor total do índice, o retorno do Wilshire 5.000 é, em geral, bastante semelhante ao do S&P 500. Vários fundos mútuos de baixo custo permitem que os investidores possuam as ações que compõem esses índices por meio de uma carteira conveniente e simples (ver capítulo 9).

8 Ver p. 401-404 e p. 415-419.

Devemos repetir aqui, sem nos desculparmos, pois avisos não podem ser dados com demasiada frequência, que o investidor não pode almejar algo melhor que resultados médios ao comprar novos lançamentos, ou *hot issues** de qualquer tipo, isto é, aquelas recomendadas para conseguir-se um lucro rápido.[9] O contrário é quase certo de acontecer no longo prazo. O investidor defensivo deve se restringir às ações de companhias importantes com um histórico comprovado de lucratividade e que estejam em condições financeiras saudáveis. (Qualquer analista de valores mobiliários razoavelmente competente seria capaz de compor tal lista.) Os investidores agressivos podem comprar outros tipos de ações ordinárias, mas elas devem ser definitivamente atraentes, conforme demonstrado por uma análise inteligente.

Para concluir esta seção, permita-nos mencionar brevemente três conceitos ou práticas suplementares para o investidor defensivo. A primeira prática é a compra das ações de fundos de investimentos sólidos como uma alternativa à criação de sua própria carteira de ações. Ele pode também utilizar outros tipos de fundo, administrados por companhias fiduciárias e bancos em muitos estados ou, se seus recursos forem substanciais, usar os serviços de uma firma reconhecida de assessoria em investimentos. Isso proporcionará ao investidor defensivo uma administração profissional de seu programa de investimentos de acordo com linhas-padrão. A terceira é o recurso à tática do "custo médio em dólares", o que significa simplesmente que o praticante investe em ações ordinárias o mesmo montante de dólares a cada mês ou a cada trimestre. Dessa forma, ele compra mais ações quando o mercado está em baixa do que quando ele está em alta, e é provável que termine com um preço médio satisfatório para sua carteira como um todo. Grosso modo, esse método é uma aplicação de uma abordagem mais ampla, conhecida como "investimento automático" (*formula investing*). Esse tipo de investimento já foi abordado quando sugerimos que o investidor variasse a proporção de seus investimentos em ações ordinárias entre um mínimo de 25% e um máximo de 75% na relação inversa à direção

---

9 Para obter mais detalhes a esse respeito, ver capítulo 6.

* ***Hot issues*** – Ações com forte recomendação dos analistas. (N.E.)

do mercado. Essas ideias têm mérito para o investidor defensivo e serão discutidas mais detalhadamente nos capítulos posteriores.[10]

Resultados que o investidor agressivo pode esperar

O comprador de valores mobiliários empreendedor, claro, desejará e esperará obter resultados globais melhores do que seu companheiro defensivo ou passivo. Mas primeiro ele deve garantir que seus resultados não sejam piores. Não é difícil investir grandes doses de energia, estudo e capacidade natural em Wall Street e acabar com prejuízos em vez de lucros. Essas virtudes, se canalizadas nas direções erradas, tornam-se indistinguíveis das desvantagens. Portanto, é essencial que o investidor empreendedor comece com uma concepção clara de quais estratégias de ação oferecem oportunidades razoáveis de sucesso e quais não.

Primeiro, deixe-nos considerar várias formas pelas quais os investidores e especuladores em geral têm tentado obter resultados acima da média. Isso inclui:

1. NEGOCIAR O MERCADO. Em geral, isso significa comprar ações quando o mercado estiver subindo e vendê-las quando começarem a cair. As ações selecionadas são, na maioria das vezes, aquelas com um "comportamento" melhor do que a média do mercado. Um número pequeno de profissionais frequentemente vende a descoberto. Nesse caso, eles vendem ações que não possuem, mas tomadas emprestadas por meio de mecanismos estabelecidos nas bolsas de ações. O objetivo é se beneficiar de um declínio subsequente no preço dessas ações, comprando-as novamente a um preço inferior ao da venda. (Conforme indica nossa citação do *Wall Street Journal* na p. 19, até mesmo "pequenos investidores" — perdoem o mau uso do termo! — às vezes fazem, de modo pouco habilidoso, vendas a descoberto.)

2. SELETIVIDADE DE CURTO PRAZO. Isso significa comprar ações de companhias que estão divulgando ou deverão divulgar aumentos de lucros ou para as quais alguma outra evolução favorável é antecipada.

---

10 Para obter mais conselhos sobre "fundos de investimentos sólidos", ver capítulo 9. A "administração profissional" por "uma firma reconhecida de assessoria em investimentos" é discutida no capítulo 10. O "custo médio em dólares" é explicado no capítulo 5.

3. Seletividade de longo prazo. Aqui, a ênfase comum é em um excelente histórico de crescimento, que se espera deva continuar no futuro. Em alguns casos, também, o "investidor" pode escolher companhias que ainda não tenham mostrado resultados expressivos, mas das quais se projeta uma alta lucratividade no futuro. (Tais companhias, com frequência, pertencem a alguma área tecnológica, por exemplo, computadores, produtos farmacêuticos e eletrônicos, e, muitas vezes, estão desenvolvendo novos processos ou produtos considerados especialmente promissores.)

Já expressamos uma visão negativa das probabilidades gerais do investidor alcançar sucesso atuando dessas formas. Excluímos a primeira, tanto teoricamente quanto em termos realistas, do domínio do investimento. Negociar o mercado não é uma operação "que, numa análise profunda, oferece a segurança do principal e um retorno satisfatório". Falaremos mais sobre a negociação do mercado em um capítulo posterior.[11]

Em seu esforço para selecionar as ações mais promissoras, tanto no curto quanto no longo prazo, o investidor enfrenta obstáculos de dois tipos: o primeiro deriva da falibilidade humana, e o segundo, da natureza da concorrência. Ele pode estar errado em sua previsão do futuro ou, mesmo se estiver certo, o preço atual do mercado já pode refletir plenamente o que ele antecipa. Na área da seletividade de curto prazo, os resultados anuais das companhias são conhecidos por todos em Wall Street; os resultados do próximo exercício, na medida em que são previsíveis, já estão sendo cuidadosamente avaliados. Portanto, o investidor que seleciona ações principalmente com base nos resultados superiores deste ano, ou nos que lhe disseram podem ser esperados no próximo ano, provavelmente verá que outros já fizeram o mesmo por razões idênticas.

Ao escolher ações com base em suas perspectivas de longo prazo, as desvantagens do investidor são basicamente as mesmas. A possibilidade de um erro cabal na previsão — que ilustramos com o exemplo das companhias aéreas na p. 24 e 25 — é, sem dúvida, maior do que quando lidamos com os lucros de curto prazo. Pelo fato de que os especialistas se enganam, com frequência, em tais previsões, é teoricamente possível para um investidor se beneficiar bastante ao fazer previsões corretas no momento em que

11 Ver capítulo 8.

Wall Street como um todo estiver fazendo previsões incorretas. Mas isso é apenas teoria. Quantos investidores empreendedores têm a competência ou o dom profético para vencer os analistas profissionais em seu jogo favorito de prever ganhos futuros de longo prazo?

Somos, portanto, levados à seguinte conclusão lógica, ou melhor, desconcertante: para ter uma chance de obter resultados acima da média, o investidor deve seguir políticas que sejam (1) inerentemente saudáveis e promissoras; e (2) impopulares em Wall Street.

Existem políticas como essas disponíveis para o investidor empreendedor? Em teoria, novamente, a resposta deveria ser sim; e existem amplas razões para pensar que a resposta deva ser afirmativa na prática também. Todo mundo sabe que os movimentos especulativos no mercado acionário são exagerados em ambas as direções; frequentemente, no mercado como um todo, e o tempo inteiro, no caso de pelo menos algumas ações individuais. Ademais, uma ação ordinária pode estar subvalorizada por causa da falta de interesse ou de um preconceito popular injustificado. Podemos ir além e afirmar que, em uma proporção surpreendentemente grande das transações de ações, os participantes não parecem ser capazes de distinguir — para sermos educados — alhos de bugalhos. Neste livro, destacaremos diversos exemplos de discrepâncias (no passado) entre preço e valor. Portanto, pareceria possível que qualquer pessoa inteligente, com uma aptidão para números, conseguisse fazer uma verdadeira festança em Wall Street ao se aproveitar da ignorância alheia. Parece plausível, porém as coisas não funcionam bem assim. Comprar uma ação desprezada e, portanto, subvalorizada em busca de lucros em geral acaba sendo uma experiência demorada e que demanda grande paciência. Por outro lado, vender a descoberto uma ação popular demais e, portanto, supervalorizada tende a ser um teste não apenas de coragem e resistência, mas também um para avaliar o tamanho de seu bolso.[12] O princípio é sensato, sua aplicação bem-sucedida não é impossível, mas é uma arte nada fácil de dominar.

---

12 Ao vender uma ação "a descoberto" (ou *short*), você aposta que seu preço cairá, em vez de subir. Vender a descoberto é um processo com três passos: primeiro você toma ações emprestadas de alguém que as possui; em seguida, você as vende imediatamente; e, finalmente, você as substitui por ações compradas mais tarde. Se as ações caírem, você será capaz de comprar ações substitutas a um preço inferior. A diferença entre o preço pelo qual você vende as ações emprestadas e o preço pago pelas ações substitutas é o lucro bruto (reduzido por encargos de dividendos ou juros e pelos custos de corretagem). No entanto, se a ação subir de preço em

Há também um conjunto relativamente grande de "situações especiais", que por muitos anos possibilitou um bom retorno anual igual ou superior a 20%, com um risco mínimo para aqueles que conhecem esse campo. Elas incluem a arbitragem entre instrumentos financeiros, os pagamentos recebíveis de companhias concordatárias e certos tipos de *hedges* protegidos. O caso mais típico é uma fusão ou aquisição projetada que promete preços substancialmente mais elevados para certas ações do que os vigentes na data de divulgação. O volume de tais negócios aumentou muito nos últimos anos, o que deveria ter sido um período de alta lucratividade para os especialistas. No entanto, junto com a multiplicação de anúncios de fusões surgiu uma multiplicidade de obstáculos às fusões e negócios não concluídos, ocorrendo várias perdas individuais nessas operações outrora confiáveis. Talvez também a lucratividade geral tenha sido diminuída pelo excesso de concorrência.[13]

A lucratividade reduzida dessas situações especiais parece a manifestação de um tipo de processo autodestrutivo — semelhante à lei dos retornos decrescentes — que se desenvolveu ao longo da vida deste livro. Em 1949, pudemos apresentar um estudo das oscilações do mercado acionário nos 75 anos anteriores, o qual fundamentou uma fórmula — baseada em lucros e taxas de juros atuais — para determinar um nível de compra do DJIA abaixo de seu valor "central" ou "intrínseco" de venda acima de tal valor. Foi uma aplicação do ditado dos Rothschilds: "Compre barato e venda caro."[14] E isso teve a vantagem de ir diretamente de encontro ao pensamento enraizado e pernicioso de Wall Street de que as ações deveriam ser compradas

---

vez de descer, seu prejuízo potencial é ilimitado, o que torna inaceitavelmente especulativas as vendas a descoberto para a maioria dos investidores individuais.

13 No final dos anos 1980, à medida que as aquisições hostis de outras companhias e as operações de *leveraged buy-out* multiplicavam-se, Wall Street abria escritórios de arbitragem institucional para lucrar com qualquer erro no preço desses negócios complexos. Eles se tornaram tão bons nisso que os lucros fáceis desapareceram e muitos desses escritórios acabaram fechados. Embora Graham discuta esse assunto novamente (ver p. 202-203), esse tipo de transação não é mais viável ou apropriado para a maioria das pessoas, uma vez que apenas transações multimilionárias são grandes o suficiente para gerarem lucros que valham a pena. As instituições e os indivíduos abastados podem usar essa estratégia através de fundos de *hedge* que se especializam na arbitragem de fusões ou "eventos".

14 A família Rothschild, liderada por Nathan Mayer Rothschild, foi o poder dominante entre as casas de corretagem e os bancos de investimentos europeus no século XIX. Para ler uma história brilhante, ver Niall Ferguson, *The House of Rothschild: Money's Prophets, 1798-1848* [A casa dos Rothschild: os profetas do dinheiro] (Viking, 1998).

por elas terem subido e vendidas por terem caído. Infelizmente, após 1949, essa fórmula não funcionou mais. Um segundo exemplo é fornecido pela famosa "Teoria Dow" dos movimentos do mercado acionário ao comparar os resultados esplêndidos que teriam sido alcançados entre 1897 e 1933 e seu desempenho bem mais questionável a partir de 1934.

Um terceiro e último exemplo de oportunidades douradas que não estão mais disponíveis: uma boa parte de nossas próprias operações em Wall Street era concentrada na compra de *ações subvalorizadas** facilmente identificadas como tais pelo fato de que eram vendidas por um preço inferior ao valor de apenas ativos circulantes (capital de giro), sem contar com as instalações fabris e outros ativos, e após a dedução de todos os passivos vinculados à ação. Está claro que essas ações estavam sendo vendidas a um preço bem inferior ao valor do empreendimento como um negócio privado. Nenhum proprietário ou acionista majoritário ousaria vender seu patrimônio a um preço tão ridiculamente baixo. Por mais estranho que pareça, tais anomalias não eram difíceis de encontrar. Em 1957, foi publicada uma lista apresentando quase duzentas ações desse tipo disponíveis no mercado. De diversas formas, praticamente todas essas ações subvalorizadas acabaram sendo rentáveis, e seus resultados médios anuais provaram ser muito mais remuneradores do que a maioria dos outros investimentos. Porém, elas virtualmente desapareceram do mercado de ações na década seguinte e com elas uma oportunidade para operações inteligentes e bem-sucedidas por parte do investidor empreendedor. No entanto, aos preços baixos de 1970, apareceu novamente um volume considerável de tais ações "abaixo do capital de giro" e, apesar da recuperação forte do mercado, sobrou um número suficiente delas no fim do ano para compor uma carteira de porte razoável.

O investidor empreendedor, nas condições atuais, ainda tem várias maneiras de atingir resultados acima da média. A grande lista de valores mobiliários comerciáveis deve incluir um número significativo que possa ser identificado como subvalorizado de acordo com padrões lógicos e razoavelmente confiáveis. Estes deveriam trazer resultados mais satisfatórios em média do que o DJIA ou qualquer outra lista igualmente representativa. Do nosso ponto de vista, a busca por tais títulos não valeria o esforço

---

* **Ações subvalorizadas** – Ações negociadas abaixo do seu valor justo. (N.E.)

do investidor, a menos que ele pudesse esperar acrescentar, digamos, 5% antes da tributação ao retorno médio anual da porção de ações em sua carteira. Tentaremos desenvolver uma ou mais dessas abordagens para escolha de ações para uso pelo investidor empreendedor.

COMENTÁRIOS AO CAPÍTULO 1

Toda infelicidade humana tem uma única origem:
não saber como permanecer quieto em uma sala.
Blaise Pascal

Por que você acha que os corretores no pregão da Bolsa de Valores de Nova York sempre festejam ao som da campainha de fechamento, seja qual for o desempenho do mercado naquele dia? Porque cada vez que você negocia, *eles* ganham dinheiro, ganhe você ou não. Ao especular em vez de investir, você diminui as próprias chances de construir riqueza e aumenta a de um outro.

A definição de Graham de investimento não poderia ser mais clara: "Uma operação de investimento é aquela que, após análise profunda, promete a segurança do principal e um retorno adequado."[1] Observe que investir, de acordo com Graham, consiste em três elementos igualmente importantes:

- você deve analisar exaustivamente uma companhia e a saúde de seus negócios antes de comprar suas ações;
- você deve deliberadamente proteger-se contra prejuízos sérios;
- você deve aspirar a um desempenho "adequado", não extraordinário.

Um investidor calcula o valor de uma ação com base no valor dos negócios a ela relacionados. Um especulador aposta que uma ação subirá de preço porque alguém pagará ainda mais caro por ela. Conforme Graham disse uma vez, os investidores julgam "o preço do mercado usando padrões de valor estabelecidos", enquanto os especuladores "baseiam seus padrões de valor no preço do mercado".[2] Para um especulador, o fluxo incessante de cotações de

---

1 Graham vai mais além, explicando cada um dos termos-chave de sua definição: "análise profunda" significa "o estudo dos fatos à luz de padrões estabelecidos de segurança e valor", "segurança do principal" significa "proteção contra prejuízo em todas as condições normais ou variações razoavelmente prováveis" e retorno "adequado" (ou "satisfatório") se refere a "qualquer taxa ou quantidade de retorno, por menor que seja, que o investidor esteja disposto a aceitar, contanto que ele aja com inteligência razoável". (*Security Analysis*, ed. 1934, p. 55-56.)

2 *Security Analysis*, ed. 1934, p. 310.

ações é como o oxigênio; corte-o e ele morre. Para um investidor, aquilo que Graham chama valores "cotacionais" importa bem menos. Graham o estimula a investir apenas se você se sentir à vontade com a posse da ação, mesmo que você não saiba seu preço no dia a dia.[3]

Como um jogo de cassino ou uma aposta no hipódromo, a especulação no mercado pode ser emocionante ou mesmo recompensadora (se você tiver sorte). Porém, essa é a pior maneira possível de construir sua riqueza. Isso porque Wall Street, como Las Vegas ou as pistas de corrida, calibrou as probabilidades de forma que, no final, a casa sempre ganhe de todos que tentem ganhar dela em seu próprio jogo especulativo.

Por outro lado, *investir* é um tipo especial de cassino, um em que você não vai perder no final, contanto apenas que você siga regras que coloquem as probabilidades francamente a seu favor. As pessoas que *investem* ganham dinheiro para si mesmas; as que especulam ganham dinheiro, para seus corretores. E isso, por sua vez, é a razão pela qual Wall Street perenemente deixa de enfatizar as virtudes duráveis do investimento e promove o apelo superficial da especulação.

INSEGURO A TODA VELOCIDADE

Confundir especulação com investimento, Graham adverte, é sempre um erro. Na década de 1990, essa confusão levou à destruição em massa. Quase todo mundo parecia ter perdido a paciência ao mesmo tempo, e os Estados Unidos se tornaram a Nação da Especulação, habitada por negociantes que saltavam de ação em ação como gafanhotos zunindo por sobre um campo de feno em agosto.

As pessoas começaram a acreditar que o teste de uma técnica de investimento era simplesmente se ela "funcionava". Se tivessem um desempenho superior ao mercado em qualquer período, não obstante o grau de risco ou a ignorância de suas táticas, elas se gabavam de estar "certas". Porém, o investidor inteligente não se interessa por estar temporariamente certo. Para atingir seus objetivos financeiros de longo prazo, você deve estar contínua e confiavelmente certo. As técnicas que viraram moda na década de 1990

---

3 Conforme Graham aconselhou em uma entrevista, "pergunte-se: se não existisse mercado para essas ações, eu estaria disposto a fazer um investimento nessa companhia com base nesses termos?" (*Forbes*, 1º de janeiro de 1972, p. 90).

— *day trades*, ignorar a diversificação, pular entre fundos mútuos "quentes", seguir "sistemas" de escolha de ações — pareciam funcionar. No entanto, não tinham qualquer chance de prevalecer no longo prazo, por não atenderem aos três critérios de Graham para investimento.

Para entender por que os rendimentos temporariamente altos não provam nada, imagine dois lugares separados por 200km. Se observar o limite de velocidade de 100km/h, posso percorrer essa distância em duas horas. Porém, se dirigir a 200km/h chegarei lá em uma hora. Se eu fizer isso e sobreviver, estarei "certo"? Você ficaria seduzido a tentar fazer isso também por eu me gabar de que "funciona"? Os truques superficialmente vistosos para atingir resultados melhores do que o mercado são sempre os mesmos: por períodos curtos, contanto que sua sorte se mantenha, eles funcionam. Com o tempo, matarão você.

Em 1973, quando Graham revisou pela última vez *O investidor inteligente*, o giro anual das ações na Bolsa de Valores de Nova York era de 20%, indicando que o acionista típico mantinha uma ação em carteira por cinco anos antes de vendê-la. Em 2002, o giro bateu 105%, um período de manutenção de apenas 11,4 meses. De volta a 1973, o fundo mútuo típico mantinha uma ação em carteira por quase três anos; em 2002, esse período havia encolhido para apenas 10,9 meses. Era como se os gestores dos fundos mútuos estivessem estudando suas ações pelo tempo suficiente para aprenderem que nunca deveriam tê-las comprado, se livrando delas prontamente e começando tudo de novo.

Até mesmo as firmas de gestão de investimentos mais respeitadas se agitaram. No começo de 1995, Jeffrey Vinik, gestor da Fidelity Magellan (então o maior fundo mútuo do mundo), mantinha 42,5% de seus ativos em ações de tecnologia. Vinik afirmou que a maioria de seus acionistas "havia investido no fundo para atingir objetivos que estavam anos à frente... Acredito que seus objetivos sejam os mesmos que os meus e que eles acreditam, como eu, que uma abordagem de longo prazo seja a melhor". Porém, seis meses após ter escrito aquelas palavras nobres, Vinik vendeu quase todas as suas ações de tecnologia, um valor de aproximadamente US$19 bilhões, em oito frenéticas semanas. Viva o "longo prazo"! Em 1999, a divisão de corretagem com descontos da Fidelity incentivava seus clientes a negociarem em qualquer lugar, a qualquer hora, por meio de um *palmtop*, o que estava perfeitamente afinado com o novo lema da firma: "Cada segundo vale muito."

FIGURA 1-1
Ações anfetaminadas

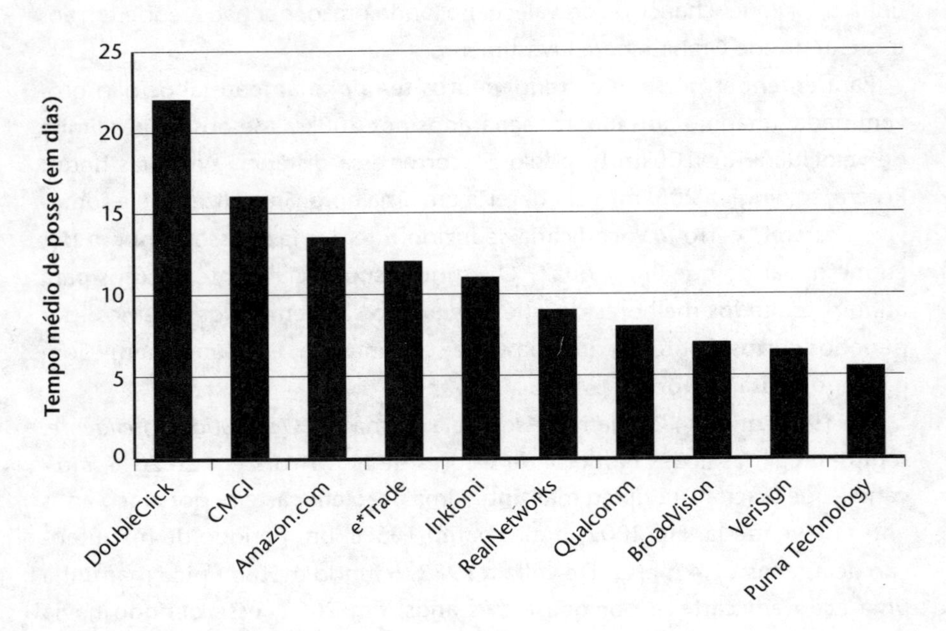

Na Bolsa Nasdaq, o giro atingiu a velocidade máxima, conforme mostra a Figura 1-1.[4]

Em 1999, as ações da Puma Technology, por exemplo, mudaram de mãos uma vez a cada 5,7 dias, em média. Apesar do lema grandioso da Nasdaq, "O mercado de ações para os próximos cem anos", muitos de seus clientes não conseguiam manter uma ação em carteira por mais de cem horas.

O *VIDEOGAME* FINANCEIRO

Wall Street fez a negociação on-line de ações parecer uma maneira instantânea de cunhar dinheiro. A Discover Brokerage, o braço on-line da venerável firma Morgan Stanley, lançou um comercial de TV no qual o motorista maltrapilho

---

4 Fonte: Steve Galbraith, relatório de pesquisa da Sanford C. Bernstein & Co., 10 de janeiro de 2000. As ações nessa tabela tiveram um retorno médio de 1.196,4% em 1999. Elas perderam em média 79,1% em 2000, 35,5% em 2001 e 44,5% em 2002, aniquilando inteiramente os lucros de 1999 e mais alguns.

de um caminhão-guincho dá carona a um executivo com aparência próspera. Ao ver uma fotografia de uma praia tropical colada no painel, o executivo pergunta: "Férias?" "Na verdade", responde o motorista, "essa é a minha casa". Surpreso, o de terno diz: "Parece uma ilha." Com ar triunfal, o motorista responde: "Tecnicamente é um país."

A propaganda vai mais longe ainda. Segundo ela, a negociação on-line não dá trabalho e não exige esforço intelectual. Um comercial de TV da Ameritrade, uma corretora on-line, mostrava duas donas de casa voltando de suas caminhadas; uma liga o computador, clica o mouse algumas vezes e grita exultante: "Acho que acabo de lucrar US$1.700!" Em um comercial de TV da corretora Waterhouse, alguém pergunta ao técnico de basquete Phil Jackson: "Você sabe alguma coisa sobre esse negócio?" Ele responde: "Vou fazer isso agora mesmo." (Quantos jogos a equipe de Jackson venceria se ele tivesse levado aquela filosofia para a quadra? Sem saber nada sobre a outra equipe e sem qualquer preparo, mas dizendo: "Estou pronto para jogar contra eles agora mesmo", o que não parece ser uma fórmula capaz de ganhar campeonatos.)

Em 1999, pelo menos seis milhões de pessoas realizaram transações com ações on-line e um décimo delas, aproximadamente, faziam *day trades*, usando a internet para comprar e vender ações em questão de segundos. Todo mundo, desde a famosa diva Barbra Streisand a Nicholas Birbas, um ex-garçom de 25 anos de idade de Queens, Nova York, negociava ações como se fossem batatas quentes. "Antes", zombou Birbas, "eu investia no longo prazo, mas descobri que isso não era inteligente". Agora, Birbas negocia ações até dez vezes por dia e espera lucrar US$100.000 ao ano. "Não aguento ver vermelho em minha coluna de lucro ou prejuízo", Streisand diz trêmula em uma entrevista para a *Fortune*. E acrescenta: "Sou taurina, portanto reajo ao vermelho. Quando vejo vermelho, vendo minhas ações imediatamente."[5]

Ao inundar continuamente os bares e salões de barbeiro, cozinhas e cafés, táxis e pontos de parada de caminhão com dados sobre ações, as páginas financeiras na internet e os canais financeiros na televisão a cabo transformaram o mercado em um videogame nacional interminável. O público se sentiu mais conhecedor dos mercados do que jamais fora. Infelizmente, enquanto as pessoas

---

5 Em vez de olhar para os astros, Streisand deveria ter sintonizado em Graham. O investidor inteligente nunca vende uma ação apenas porque seu preço caiu; ele sempre pergunta primeiro se o valor intrínseco dos negócios da companhia mudou.

estavam se afogando em números, o conhecimento não era encontrado em lugar algum. As ações se tornaram inteiramente separadas das companhias que as haviam emitido, abstrações puras, apenas sinais eletrônicos passando pela tela de uma TV ou de um computador. Se os sinais eletrônicos estivessem subindo, nada mais importava.

Em 20 de dezembro de 1999, a Juno Online Services revelou um plano de negócios pioneiro, que consistia em perder o máximo de dinheiro possível de propósito. A Juno anunciou que ofereceria, daquele momento em diante, todos os seus serviços de varejo de graça — nenhuma cobrança para e-mail, nenhuma cobrança para acesso à internet — e que gastaria milhões de dólares adicionais em propaganda no ano seguinte. Como resultado dessa declaração suicida da companhia, as ações da Juno pularam de US$16,375 para US$66,75 em dois dias.[6]

Por que querer saber se um negócio era lucrativo ou que bens ou serviços uma companhia produzia ou quem eram seus administradores ou mesmo qual era o nome da companhia? Tudo que você precisava saber sobre ações era o código atraente de seus símbolos de fita: CBLT, INKT, PCLN, TGLO, VRSN, WBVN. Dessa forma, você podia comprá-las até mais rápido, sem aquele atraso chato de dois segundos para pesquisá-las na internet. No final de 1998, as ações de uma companhia muito pequena de manutenção predial, raramente negociada, a Temco Services, triplicaram em questão de minutos com um volume recorde. Por quê? Em uma forma bizarra de dislexia financeira, centenas de comerciantes compraram a Temco por terem confundido seu símbolo TMCO com o da Ticketmaster Online (TMCS), uma queridinha da internet cujas ações começaram a ser transacionadas publicamente pela primeira vez naquele dia.[7]

Oscar Wilde disse jocosamente que o cínico "sabe o preço de tudo e o valor de nada". Com base nessa definição, o mercado acionário é sempre cínico, mas no final da década de 1990 ele teria deixado Oscar chocado. Uma única opinião estapafúrdia sobre o *preço* poderia dobrar o valor das ações de uma companhia enquanto seu *valor* era totalmente desconsiderado. Ao final de 1998, Henry Blodget, um analista da CIBC Oppenheimer, avisou que "como

---

6 Apenas 12 meses mais tarde, as ações da Juno haviam minguado para US$1,093.

7 Esse não é um incidente isolado. Em pelo menos três outras ocasiões, no final da década de 1990, os *day traders* lançaram às alturas o preço de ações erradas ao confundir o símbolo de fita com aquele de uma companhia recém-chegada à internet.

acontece com todas as ações de internet, avaliar é claramente mais arte do que ciência". Em seguida, citando apenas a possibilidade de crescimento futuro, ele elevou seu "preço-alvo" da Amazon.com de US$150 para US$400 em uma só tacada. A Amazon.com subiu vertiginosamente 19% naquele dia e, apesar do protesto de Blodget de que seu preço-alvo era uma previsão para daqui a um ano, a marca dos US$400 foi ultrapassada em apenas três semanas. Um ano mais tarde, o analista Walter Piecyk, da PaineWebber, previu que a cotação da Qualcomm atingiria a casa dos US$1.000 por ação nos 12 meses seguintes. A ação, que já havia se elevado em 1.842% naquele ano, subiu outros 31% naquele dia, batendo a casa dos US$659 por ação.[8]

DA FÓRMULA AO FIASCO

No entanto, negociar no calor do momento não é a única forma de especulação. Durante toda a última década ou mais, uma fórmula especulativa após outra foi promovida, popularizada e, depois, descartada. Todas elas compartilhavam algumas características comuns. É rápido! É fácil! E indolor! E todas elas violavam ao menos uma das distinções de Graham entre investir e especular. Aqui estão algumas das fórmulas "da moda" que falharam:

- **Lucre com o calendário.** O "efeito janeiro", ou seja, a tendência das ações de empresas menores para produzirem ganhos altos na virada do ano, foi amplamente divulgado em artigos acadêmicos e livros populares publicados na década de 1980. Esses estudos mostravam que, se você comprasse ações de empresas menores na segunda quinzena de dezembro e as mantivesse até janeiro, você ganharia do mercado por cinco a dez pontos percentuais. Isso surpreendeu muitos especialistas. Afinal, se fosse assim tão fácil, certamente todo mundo teria ouvido falar nisso, muitas pessoas o fariam e a oportunidade teria se evaporado.

  Qual a causa do choque de janeiro? Em primeiro lugar, muitos investidores vendiam suas piores ações no final do ano para realizar prejuízos que poderiam servir para diminuir suas obrigações junto ao fisco. Em segundo lugar, gestores de investimentos profissionais ficavam mais cautelosos à medida que o ano avançava, buscando preservar o bom desempenho (ou

8 Em 2000 e 2001, a Amazon.com e a Qualcomm perderam um total acumulado de 85,8% e 71,3% de seus valores, respectivamente.

minimizar o ruim). Relutavam em comprar (ou mesmo manter) uma ação que estivesse em queda. Se uma ação com desempenho fraco também é pequena e obscura, um gestor de investimentos estará menos disposto ainda a carregá-la em sua carteira ao final do ano. Todos esses fatores transformavam as ações de empresas menores em bons negócios passageiros, e quando as vendas por motivos fiscais cessavam em janeiro essas ações em geral se recuperavam, produzindo um ganho robusto e rápido.

O efeito janeiro não desapareceu, mas enfraqueceu. De acordo com o professor de finanças William Schwert, da Universidade de Rochester, se você tivesse comprado ações de empresas menores no final de dezembro e as vendido no começo de janeiro, você teria superado o retorno do mercado por 8,5 pontos percentuais de 1962 até 1979; por 4,4 pontos de 1980 até 1989; e por 5,8 pontos de 1990 até 2001.[9]

À medida que mais pessoas tomavam conhecimento do efeito janeiro, mais participantes do mercado compravam ações de empresas menores em dezembro, tornando-as menos atraentes e, portanto, reduzindo sua rentabilidade. Da mesma forma, o efeito janeiro é mais forte entre as ações de empresas menores, mas, de acordo com o Plexus Group, os maiores especialistas em despesas de corretagem, o custo total de compra e venda de tais ações de empresas menores é de 8% do valor investido.[10] Infelizmente, quando você tiver terminado de pagar seu corretor, todos os rendimentos obtidos com o efeito janeiro terão se evaporado.

- **Faça apenas "o que funciona".** Em 1996, um *gestor* de investimentos obscuro chamado James O'Shaughnessy, publicou um livro intitulado *What Works on Wall Street* [O que funciona em Wall Street]. Nesse livro, ele afirmava que "os investidores são capazes de obter uma rentabilidade *bem superior* à do mercado". O'Shaughnessy fez uma declaração surpreendente: de 1954 até 1994, você poderia ter transformado US$10.000 em US$8.074.504, superando o mercado por um fator de 10, um rendimento médio anual estupendo de 18,2%. Como? Ao comprar

9 Schwert discute essas descobertas em um ensaio brilhante intitulado "Anomalies and Market Efficiency" ["As anomalias e a eficiência dos mercados"], disponível em http://schwert.ssb.rochester.edu/papers.htm.

10 Ver Plexus Group Commentary 54, "The Official Icebergs of Transaction Costs" [Os icebergs oficiais dos custos de transação], janeiro, 1998, disponível em www.plexusgroup.com/fs_research.html.

FIGURA 1-2

O que costumava funcionar em Wall Street...

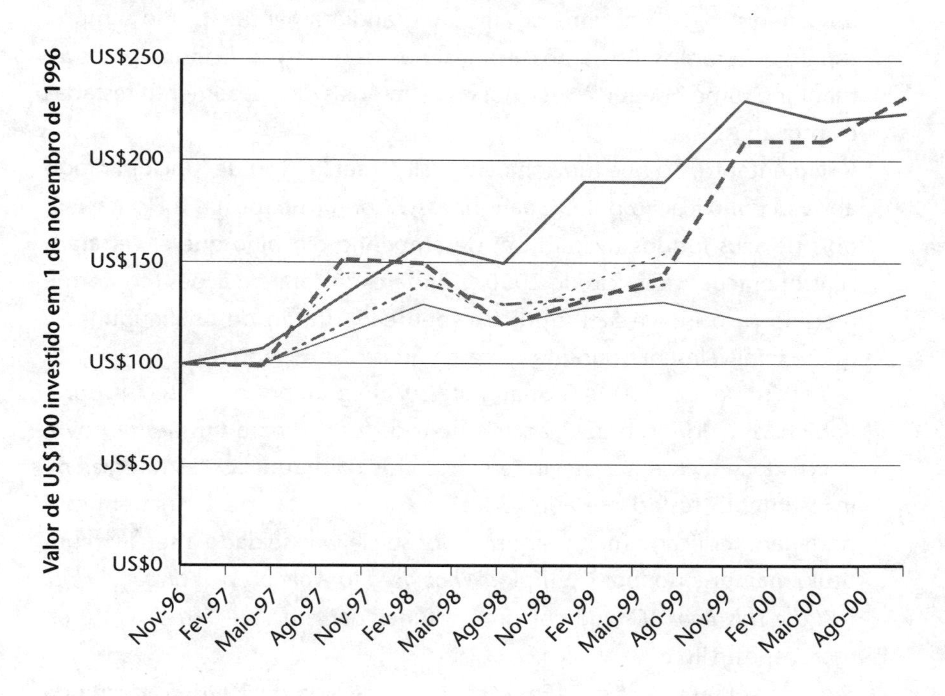

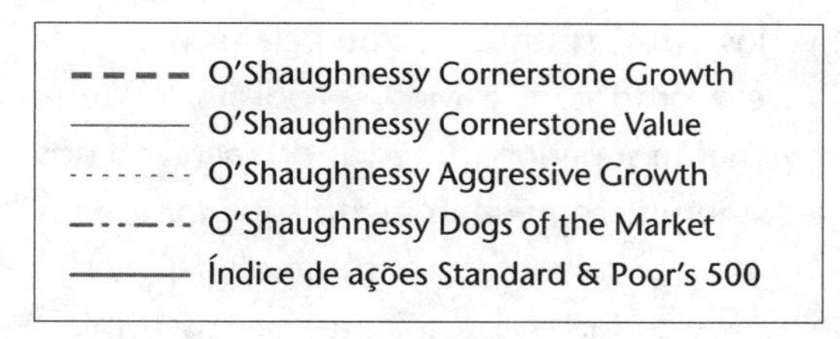

Fonte: Morningstar, Inc.

uma carteira de cinquenta ações com rendimentos anuais elevados, cinco anos consecutivos de lucros crescentes e preços por ação inferiores a 1,5 vez seus *corporate revenues*.[11] Como se ele fosse o Edison de Wall Street, O'Shaughnessy obteve a patente americana n° 5.978.778 para suas "estratégias automatizadas" e lançou um conjunto de quatro fundos

11 James O'Shaughnessy, *What Works on Wall Street* (McGraw-Hill, 1996), p. xvi, 273-295.

mútuos baseados em suas descobertas. No final de 1999, os fundos tinham atraído mais de US$175 milhões do público. Em sua carta anual aos acionistas, O'Shaughnessy afirmou grandiosamente: "Como sempre, espero que, juntos, possamos alcançar nossos objetivos de longo prazo ao manter o rumo e seguir à risca nossas estratégias de investimento testadas e aprovadas."

No entanto, "o que funciona em Wall Street" parou de funcionar logo após sua publicação por O'Shaughnessy. Conforme mostra a Figura 1-2, dois de seus fundos tiveram um desempenho tão pífio que encerraram suas operações no início de 2000, e o mercado total de ações (conforme medido pelo índice S&P 500) excedeu cada fundo de O'Shaughnessy quase infalivelmente durante cerca de quatro anos seguidos.

Em junho de 2000, O'Shaughnessy chegou perto de seu próprio "objetivo de longo prazo" ao transferir os fundos para um *gestor* novo, deixando seus clientes se virarem sozinhos com aquelas "estratégias de investimento testadas e aprovadas".[12] Os acionistas de O'Shaughnessy poderiam ter ficado menos aborrecidos se ele tivesse dado a seu livro um título mais preciso, por exemplo, *What Used to Work on Wall Street... Until I Wrote this Book* [O que costumava funcionar em Wall Street... até eu escrever este livro].

- **Siga os "Quatro Bobos"**. Em meados da década de 1990, a página da internet de Motley Fool (e vários livros) se entusiasmou pela técnica chamada de "Quatro Bobos". De acordo com o Motley Fool, você "teria um desempenho consideravelmente superior às médias do mercado nos últimos 25 anos" e poderia "ter um desempenho muito superior ao dos fundos mútuos" gastando "apenas 15 minutos ao ano" no planejamento de seus investimentos. Melhor de tudo, essa técnica tinha "risco mínimo". Tudo que você precisava fazer era:

1. pegar as cinco ações no Índice Industrial Dow Jones com os preços mais baixos e as taxas de dividendo mais altas;

12 Numa ironia notável, os dois fundos sobreviventes de O'Shaughnessy (agora conhecidos como os fundos Hennessy) começaram a ter um desempenho melhor justamente quando O'Shaughnessy anunciou que ele estava transferindo a gestão para outra companhia. Os acionistas dos fundos ficaram furiosos. Na sala de bate-papo em www.morningstar.com, uma pessoa disparou furiosa: "Imagino que 'a longo prazo' para O'S significa três anos... Entendo sua dor. Eu também tinha fé no método O'S... comentei com vários amigos e parentes sobre esse fundo e agora estou contente por eles não terem seguido meus conselhos."

2. descartar aquela com o preço mais baixo;
3. colocar 40% de seu dinheiro na ação com o segundo preço mais baixo;
4. colocar 20% em cada uma das três ações remanescentes;
5. um ano depois, classificar o Dow da mesma forma e reformar a carteira de acordo com os passos 1 a 4;
6. repetir até conseguir ficar rico.

O Motley Fool afirmava que essa técnica, ao longo de um período de 25 anos, teria superado o mercado por notáveis 10,1 pontos percentuais ao ano. Nas duas décadas seguintes, a página da internet sugere que US$20.000 investidos de acordo com a estratégia dos Quatro Bobos se transformariam em US$1.791.000. (E, afirmava o Motley Fool, você poderia ter um desempenho melhor ainda ao pegar as cinco ações do Dow com a relação mais alta entre a taxa de dividendos e a raiz quadrada do preço da ação, descartando a que obtivesse a maior pontuação e comprando as quatro seguintes.)

Vamos analisar se essa "estratégia" atenderia às definições de Graham para investimento:

- que tipo de "análise profunda" poderia justificar descartar a ação com preço e dividendos mais atraentes, mas manter as quatro ações que atingiram uma pontuação mais baixa para aquelas qualidades desejáveis?
- como colocar 40% de seu dinheiro em apenas uma ação poderia ser um "risco mínimo"?
- como poderia uma carteira de apenas quatro ações ser suficientemente diversificada para garantir a "segurança do principal"?

Os Quatro Bobos, em resumo, era uma das fórmulas de escolha de ações mais tolas já concebidas. O Motley Fool cometeu o mesmo erro que O'Shaughnessy: se você analisar um volume grande de dados por tempo suficiente, um número imenso de padrões emergirá, ao menos por acaso. Aleatoriamente, por pura sorte, as companhias cujas ações produzem retornos acima da média terão muitas coisas em comum. Porém, a menos que esses fatores sejam a *causa* do alto desempenho, eles não podem ser usados para prever retornos futuros.

Nenhum dos fatores que o Motley Fool "descobriu" com tanta fanfarra — descartar a ação com a melhor pontuação, dobrar a proporção da ação com a segunda pontuação mais alta, dividir a taxa de dividendos pela raiz quadrada do preço da ação — poderia causar ou explicar o desempenho futuro de uma ação. A revista *Money* descobriu que uma carteira composta de ações cujos nomes não continham nenhuma letra repetida teria tido um desempenho quase tão bom quanto os Quatro Bobos, e pela mesma razão, ou seja, pura sorte.[13] Como Graham nunca deixa de nos lembrar, as ações têm um bom ou mau desempenho no futuro porque o negócio por trás delas vai bem ou mal; nada mais, nada menos que isso.

Na realidade, em vez de superar o mercado, os Quatro Bobos derrubaram milhares de pessoas tolas o bastante para acreditar que aquilo era uma forma de investir. Somente em 2000, as Quatro Ações Bobas — Caterpillar, Eastman Kodak, SBC e General Motors — perderam 14%, enquanto o Dow caiu apenas 4,7%.

Conforme mostram esses exemplos, há apenas um artigo que nunca está em baixa em Wall Street: ideias estapafúrdias. Cada uma dessas chamadas abordagens de investimento falhou por contrariar a Lei de Graham. Todas as fórmulas mecânicas para conseguir um maior desempenho das ações são "um tipo de processo de autodestruição semelhante à lei de retornos decrescentes". Há duas razões para os rendimentos caírem. Se a fórmula estiver baseada apenas em coincidências estatísticas aleatórias (como os Quatro Bobos), a mera passagem do tempo mostrará que ela não fazia sentido desde o início. Por outro lado, se a fórmula realmente funcionou no passado (como o efeito janeiro), ao divulgá-la os especialistas de mercado sempre corroem e, em geral, eliminam sua capacidade de fazê-lo no futuro.

Tudo isso reforça o alerta de Graham de que você deve tratar a especulação como os jogadores veteranos encaram suas idas ao cassino:

- você nunca deve se iludir pensando que está investindo quando estiver especulando;
- especular se torna mortalmente perigoso no momento que você começa a levar essa prática a sério;

---

13 Ver Jason Zweig, "False Profits" [Lucros falsos], *Money*, agosto de 1999, p. 55-57. Uma discussão completa dos Quatro Bobos também pode ser encontrada em www.investorhome.com/fool.htm.

- você precisa estabelecer limites rigorosos acerca da quantidade que está disposto a apostar.

Assim como os jogadores sensatos levam, digamos, US$100 para o cassino e deixam o resto de seu dinheiro trancado no cofre do quarto do hotel, o investidor inteligente designa uma pequena parte de sua carteira total como uma conta de "dinheiro louco". Para a maioria de nós, 10% de nosso patrimônio total é a quantidade máxima permissível para arriscar em especulação. *Nunca* misture o dinheiro de sua conta especulativa com aquele em sua conta de investimento; *nunca* permita que seu pensamento especulativo afete suas atividades de investimento; e *nunca* coloque mais de 10% de seu patrimônio em sua conta de dinheiro louco, aconteça o que acontecer.

Para o bem ou para o mal, o instinto de apostar faz parte da natureza humana, portanto, é inútil para a maioria das pessoas até mesmo tentar suprimi-lo. Porém, você precisa confinar e restringir esse instinto. Essa é a única e melhor maneira de se certificar de que nunca se enganará e confundirá especulação com investimento.

CAPÍTULO 2
O INVESTIDOR E A INFLAÇÃO

A inflação e seu combate têm preocupado bastante as pessoas nos últimos anos. A redução do poder aquisitivo do dólar no passado e, sobretudo, o medo (ou a esperança dos especuladores) de uma queda ainda maior no futuro exercem uma forte influência sobre o pensamento de Wall Street. É claro que aqueles que dependem de uma renda fixa em dólar sofrem à medida que o custo de vida aumenta, e o mesmo se aplica a quem tem um montante fixo de principal em dólares. Os proprietários de ações, por outro lado, têm a possibilidade de que a perda do poder aquisitivo do dólar possa ser compensada por aumentos de dividendos e dos preços de suas ações.

Com base nesses fatores inegáveis, muitos especialistas em finanças concluíram que: (1) os títulos são uma forma inerentemente indesejável de investimento; e (2) consequentemente, as ações ordinárias são, por sua própria natureza, investimentos mais desejáveis do que os títulos. Recebemos informações de que instituições de caridade foram aconselhadas a manter carteiras com 100% de ações e zero por cento de títulos.[1] Isso representa uma grande reviravolta em relação ao passado, quando os investimentos fiduciários eram restritos por lei aos títulos com grau de investimento (e a algumas ações preferenciais selecionadas).

---

1 No final da década de 1990, esse conselho — que pode ser apropriado para uma fundação ou fundo perpétuo com um horizonte de investimento infinitamente longo — tinha chegado até os investidores individuais cuja expectativa de vida é finita. Na edição de 1994 de seu influente livro *Stocks for the Long Run* [Ações para o longo prazo], o professor de finanças Jeremy Siegel, da Wharton School, recomendou que os investidores "tomadores de risco" deveriam comprar na margem, tomando emprestado o equivalente a mais de um terço de seu patrimônio líquido, de forma a colocar 135% de seus ativos em ações. Até mesmo representantes do setor público quiseram dar seu palpite: em fevereiro de 1999, Richard Dixon, tesoureiro do estado de Maryland, afirmou à plateia de uma conferência sobre investimentos: "Não faz nenhum sentido colocar dinheiro em um fundo de títulos."

Nossos leitores devem ter inteligência suficiente para reconhecer que mesmo as ações da melhor qualidade não podem ser uma compra melhor do que os títulos *em qualquer circunstância*, isto é, qualquer que seja o patamar do mercado acionário e a taxa atual de retorno dos dividendos em comparação com os juros pagos pelos títulos. Uma afirmação desse tipo seria tão absurda quanto a contrária — tão frequentemente repetida no passado —, de que qualquer título é mais seguro do que qualquer ação. Neste capítulo, tentaremos aplicar várias medições ao fator inflacionário para chegar a algumas conclusões sobre até que ponto o investidor pode ser influenciado positivamente pelas expectativas relativas a futuras altas do nível dos preços.

Nesse caso, como em muitos outros no campo das finanças, devemos balizar nossos pontos de vista a respeito das políticas futuras pelas lições tiradas da experiência passada. Será que a inflação é algo novo neste país, pelo menos na forma severa que assumiu desde 1965? Se já passamos por inflações comparáveis (ou piores), que lições podemos tirar da experiência vivida se a compararmos com a inflação de hoje? Vamos começar com a Tabela 2-1, uma tabulação histórica condensada que contém diversas informações sobre as mudanças nos preços em geral e as variações concomitantes nos lucros e no valor de mercado das ações ordinárias. Nossos números começam em 1915 e, portanto, cobrem 55 anos, apresentados em intervalos quinquenais. (Usamos 1946, em vez de 1945, para evitar o último ano de controle de preços do período da guerra.)

A primeira coisa que observamos é que tivemos inflação no passado, e muita. A maior dose quinquenal foi entre 1915 e 1920, quando o custo de vida quase dobrou. Esse quadro pode ser comparado com a alta de 15% entre 1965 e 1970. Nesse intervalo, tivemos três períodos de deflação e seis de inflação com taxas variadas, algumas bastante pequenas. De acordo com esses números, o investidor claramente deveria levar em consideração a probabilidade de uma inflação contínua ou recorrente.

Podemos dizer algo sobre a taxa de inflação? Nossa tabela não apresenta uma resposta clara; ela apresenta variações de todos os tipos. Seria sensato, no entanto, utilizar os resultados bastante consistentes dos últimos vinte anos. A taxa média anual de crescimento dos preços ao consumidor durante esse período foi de 2,5%; para o período entre 1965-1970 foi de 4,5%; e em 1970 chegou a 5,4%. O governo tem tomado medidas duras para debelar

TABELA 2-1 O nível geral de preços, os lucros por ação e os preços das ações em intervalos quinquenais, 1915-1970

	Nível de preços[a]		*Índice de ações S&P 500*[b]		*Variação percentual comparada com nível anterior*			
Ano	Atacado	Consumidor	Lucros	Preço	Preços de venda no atacado	Preços ao consumidor	Lucro por ação	Preço das ações
1915	38,0	35,4		8,31				
1920	84,5	69,8		7,98	+ 96,0%	+ 96,8%		- 4,0%
1925	56,6	61,1	1,24	11,15	- 33,4	- 12,4		+ 41,5
1930	47,3	58,2	,97	21,63	- 16,5	- 4,7	- 21,9%	+ 88,0
1935	43,8	47,8	,76	15,47	- 7,4	- 18,0	- 21,6	- 26,0
1940	43,0	48,8	1,05	11,02	- 0,2	+ 2,1	+ 33,1	- 28,8
1946[c]	66,1	68,0	1,06	17,08	+ 53,7	+ 40,0	+ 1,0	+ 55,0
1950	86,8	83,8	2,84	18,40	+ 31,5	+ 23,1	+ 168,0	+ 21,4
1955	97,2	93,3	3,62	40,49	+ 6,2	+ 11,4	+ 27,4	+ 121,0
1960	100,7	103,1	3,27	55,85	+ 9,2	+ 10,5	- 9,7	+ 38,0
1965	102,5	109,9	5,19	88,17	+ 1,8	+ 6,6	+ 58,8	+ 57,0
1970	117,5	134,0	5,36	92,15	+ 14,6	+ 21,9	+ 3,3	+ 4,4

[a] Médias anuais. Para nível de preço em 1957 = 100 na tabela; mas usando nova base, 1967 = 100, a média para 1970 é 116,3 para os preços ao consumidor e 110,4 para os preços no atacado.
[b] Média 1941-1943 = 10.
[c] O ano de 1946 foi utilizado para evitar período de controle de preços.

a inflação, e há razões para se acreditar que as políticas federais serão mais efetivas no futuro do que têm sido nos últimos anos.[2] Acreditamos que seria razoável para o investidor na atualidade basear seu raciocínio e suas decisões em uma taxa *provável* (longe de ser certa) de inflação futura da ordem de, digamos, 3% ao ano. (O que pode ser comparado com uma taxa anual de aproximadamente 2,5% para o período 1915-1970 como um todo.)[I]

Quais seriam as implicações de tal subida? Ela corroeria, na forma de custos de vida mais elevados, cerca de metade dos rendimentos atualmente disponíveis nas obrigações de médio prazo, de boa qualidade e isentas de tributação (ou dos rendimentos equivalentes, após a tributação, das obrigações corporativas com grau de investimento). Isso representaria uma perda séria, mas que não deve ser exagerada. Não significaria que o valor real, ou o poder de compra, do patrimônio do investidor precisaria diminuir ao longo dos anos. Se ele gastasse metade de sua renda de juros pós-tributação, conseguiria manter esse poder de compra intacto, mesmo com uma inflação anual de 3%.

Porém, naturalmente, a pergunta seguinte é: "O investidor pode estar razoavelmente seguro de alcançar um desempenho superior ao comprar e manter em carteira outros instrumentos que não as obrigações com grau de investimento, mesmo às taxas de retorno inéditas oferecidas em 1970-71?" Não seria, por exemplo, preferível um programa composto exclusivamente de ações a um programa com uma parcela em títulos e outra em ações? Não é verdade que as ações ordinárias possuem uma proteção embutida contra a inflação? E não é quase certo que as ações renderão mais ao longo dos anos do que os títulos? Não é verdade que as ações trataram muito melhor o investidor do que os títulos ao longo dos 55 anos de nosso estudo?

A resposta a essas perguntas não é simples. No passado, as ações ordinárias de fato renderam mais do que os títulos por um longo período. A subida do DJIA de uma média de 77 pontos em 1915 para uma média de 753 em 1970 implica uma taxa de crescimento anual composta de aproximadamente 4%, à qual podemos acrescentar outros 4% referentes ao retorno médio dos dividendos. (Os resultados correspondentes para o

---

2 Esse é um dos raros equívocos de Graham. Em 1973, apenas dois anos após o presidente Richard Nixon impor o controle de salários e preços, a inflação atingiu 8,7%, o maior nível desde o fim da Segunda Guerra Mundial. A década de 1973 até 1982 registrou a maior inflação da história moderna americana, tendo o custo de vida mais do que dobrado.

índice S&P são aproximadamente iguais.) Esses resultados compostos de 8% ao ano são, claro, muito superiores aos rendimentos obtidos com títulos no mesmo período de 55 anos. Mas não excedem o retorno *atualmente* oferecido pelos títulos com grau de investimento. Isso nos leva à próxima questão lógica: existe uma razão convincente para acreditar que as ações ordinárias terão um desempenho melhor nos anos futuros do que tiveram nas últimas cinco décadas e meia?

Nossa resposta para essa questão crucial deve ser um categórico *não*. As ações ordinárias *podem* ter um desempenho melhor no futuro do que tiveram no passado, mas há uma grande incerteza quanto a isso. Precisamos lidar aqui com dois horizontes temporais distintos nos resultados dos investimentos. O primeiro cobre aquilo que provavelmente ocorrerá no futuro a longo prazo, digamos, nos próximos 25 anos. O segundo se aplica ao que provavelmente acontecerá com o investidor — financeira e psicologicamente — ao longo dos períodos curto ou intermediário, digamos, igual ou inferior a cinco anos. Sua estrutura mental, suas esperanças e seus temores, sua satisfação ou seu descontentamento com o que fez e, acima de tudo, as decisões do que fazer em seguida são todos determinados não por uma avaliação retrospectiva de uma vida de investimentos, mas, em vez disso, pela experiência ano após ano.

Nesse ponto em particular, podemos ser categóricos. Não há qualquer ligação temporal direta entre as condições inflacionárias (ou deflacionárias) e o movimento dos preços e a lucratividade das ações ordinárias. Um exemplo óbvio é o período recente, entre 1966 e 1970. O aumento do custo de vida foi de 22%, o maior em um período quinquenal desde 1946-50. Porém, tanto a lucratividade quanto os preços das ações em geral caíram desde 1965. Há contradições semelhantes em ambas as direções no registro dos períodos quinquenais anteriores.

A inflação e os lucros das empresas

Uma outra abordagem muito importante a essa discussão é a realizada em um estudo sobre a lucratividade do capital demonstrada pelo setor privado nos Estados Unidos. Essa lucratividade tem variado, claro, juntamente com a taxa geral de atividade econômica, mas não mostra nenhuma tendência geral de alta concomitante com os preços no atacado ou com o custo de vida. Na verdade, essa taxa caiu acentuadamente nos últimos vinte anos apesar da inflação no período. (Até certo ponto, esse declínio foi causado pela instituição de taxas de depreciação mais liberais. Ver Tabela 2-2). Nossos estudos de longo prazo nos levaram à conclusão de que o investidor não pode contar com um retorno muito superior àquele verificado nos últimos cinco anos no índice DJIA, ou seja, aproximadamente 10% sobre os ativos tangíveis líquidos (valor contábil) por trás das ações.[II] Uma vez que o valor de mercado dessas ações é bastante superior ao seu valor contábil — digamos, 900 pontos de valor de mercado *versus* 560 em termos contábeis em meados de 1971 —, calcula-se que os rendimentos, aos atuais preços de mercado, chegavam a apenas 6,25%. (Essa relação é, em geral, expressa de forma inversa, ou seja, na forma de um "múltiplo dos lucros", por exemplo, que o preço do DJIA a 900 pontos é igual a 18 vezes os lucros reais para os 12 meses finalizados em junho de 1971.)

Nossos números vão ao encontro da sugestão do capítulo anterior[3] de que o investidor pode presumir um retorno de dividendos médio de aproximadamente 3,5% sobre o valor de mercado de suas ações, acrescido de uma apreciação anual de, digamos, 4% resultante do reinvestimento dos lucros. (Presume-se que cada dólar acrescido ao valor contábil aumente o preço de mercado em cerca de US$1,60.)

O leitor contestará dizendo que nossos cálculos não levam em conta qualquer aumento na lucratividade e nos preços das ações ordinárias resultantes da inflação anual projetada de 3%. Nossa justificativa é a ausência de qualquer sinal de que a inflação, em um nível comparável no passado, tenha tido qualquer efeito *direto* sobre a lucratividade divulgada das ações. Os números frios demonstram que *todo* o grande aumento na lucratividade do DJIA nos últimos vinte anos foi devido a um crescimento proporcionalmente grande dos investimentos em capital oriundos do reinvestimento de lucros. Se a inflação tivesse funcionado como um fator favorável em separado, seu efeito teria sido o de aumentar o "valor" do capital previamente existente; o que, por sua vez, deveria incrementar a lucratividade de tal capital antigo e, portanto, da combinação do capital antigo com o novo. Mas nada disso realmente aconteceu nos últimos vinte anos, durante os quais o nível dos preços no atacado subiu aproximadamente 40%. (Os

---

3 Ver p. 44

lucros das companhias deveriam ser mais influenciados pelos preços no atacado do que pelos "preços ao consumidor".) A única maneira pela qual a inflação pode fazer subir o valor das ações ordinárias é via o aumento da lucratividade do capital investido. Se examinarmos os registros do passado, verificamos que isso não aconteceu.

Nos ciclos econômicos do passado, um bom ambiente de negócios era acompanhado de preços ascendentes, e um clima ruim, por preços em queda. De maneira geral, acreditava-se que "um pouco de inflação" era útil para os lucros do setor privado. Essa visão não é contrariada pela história de 1950 a 1970, a qual revela a combinação de uma prosperidade geral ininterrupta e preços ascendentes em geral. Porém, os números indicam que o efeito de tudo isso sobre a *lucratividade* do capital das ações ordinárias ("capital acionário") foi bastante limitado, na verdade, nem serviu para manter a taxa de lucratividade dos investimentos. Claramente, houve influências compensatórias que bloquearam qualquer aumento na lucratividade real das empresas americanas como um todo. Talvez as mais importantes delas tenham sido: (1) um aumento dos salários que excedeu os ganhos de produtividade; e (2) a necessidade de quantias imensas de capital novo, diminuindo assim a relação entre faturamento e capital empregado.

Os dados da Tabela 2-2 indicam que longe da inflação ter beneficiado as empresas e seus acionistas, seu efeito tem sido exatamente o oposto. Os números mais impressionantes da tabela são aqueles referentes à evolução do endividamento do setor privado entre 1950 e 1969. É surpreendente quão pouca atenção tem sido dada pelos economistas e por Wall Street para essa evolução. A dívida do setor privado quase que quintuplicou, enquanto os lucros pré-tributação pouco mais que dobraram. Com a grande subida nas taxas de juros durante esse período, fica evidente que a dívida agregada do setor privado se tornou um fator econômico adverso e de certa magnitude, além de um problema efetivo para muitas companhias individuais. (Observe que, em 1950, os lucros líquidos após os juros, mas antes do imposto de renda, equivaliam a cerca de 30% do endividamento do setor privado, enquanto representavam apenas 13,2% da dívida em 1969. Essa relação deve ter sido menos satisfatória ainda em 1970.) Em suma, parece que uma parcela significativa dos 11% de ganhos nas ações corporativas como um todo foi obtida pelo uso de uma quantidade grande de dívida nova com um custo igual ou inferior a 4% após os créditos fiscais. Se nossas empresas tivessem mantido a relação de dívida que prevalecia em 1950, a lucratividade de seu patrimônio líquido teria caído ainda mais, apesar da inflação.

TABELA 2-2 Dívida, lucros e ganhos sobre o capital das empresas, 1950-1969

		Lucros corporativos		*Rendimento percentual sobre o capital*	
Ano	*Dívida líquida das empresas (bilhões)*	Antes do imposto de renda (milhões)	Pós-tributação (milhões)	Dados S&P[a]	Outros dados[b]
1950	US$140,2	US$42,6	US$17,8	18,3%	15,0%
1955	212,1	48,6	27,0	18,3	12,9
1960	302,8	49,7	26,7	10,4	9,1
1965	453,3	77,8	46,5	10,8	11,8
1969	692,9	91,2	48,5	11,8	11,3

[a] Lucratividade do índice industrial da Standard & Poor's dividida pelo valor contábil médio no ano.
[b] Números para 1950 e 1955 de Cottle e Whitman; os de 1960-1969 são da *Fortune*.

O mercado acionário considera que as concessionárias de serviços públicos têm sido as maiores vítimas da inflação, sendo espremidas entre um salto grande no custo do dinheiro tomado emprestado e a dificuldade de reajustar as tarifas cobradas por seus serviços devido ao processo regulatório. Porém, esse é um ponto apropriado para comentarmos que o próprio fato do custo unitário dos serviços de eletricidade, gás e telefone ter tido uma subida tão inferior ao índice geral de preços coloca essas companhias numa posição estratégica forte para o futuro.[III] Elas têm direito por lei a cobrar tarifas suficientes que propiciem um retorno adequado sobre o capital investido, o que provavelmente protegerá seus acionistas no futuro, como o fez das inflações no passado.

O que explicitamos anteriormente nos remete à nossa conclusão de que o investidor não possui qualquer base sólida para esperar um rendimento global médio acima de, digamos, 8% sobre uma carteira de ações ordinárias do tipo DJIA compradas no nível de preços prevalecente no final de 1971. Porém, mesmo que essas expectativas sejam, na prática, substancialmente excedidas, tal situação não constituiria um argumento a favor de um programa de investimentos concentrado exclusivamente em ações. Se há alguma coisa garantida para o futuro é que os lucros e o valor de mercado anual médio de uma carteira de ações *não* aumentarão a uma taxa uniforme de 4%, ou qualquer outro número. Nas palavras memoráveis de J.P. Morgan, "Oscilarão".[4] Em primeiro lugar, isso significa que o comprador de ações ordinárias aos preços de hoje — ou de amanhã — correrá um risco real de colher resultados insatisfatórios por vários anos. Levou 25 anos para a General Electric (e o próprio DJIA) se recuperar das perdas causadas pela *débâcle* de 1929-32. Além disso, se o investidor concentrar sua carteira em ações ordinárias, é muito provável que ele se deixe arrebatar pelas altas emocionantes ou pelas baixas desconcertantes. Isso é verdadeiro, sobretudo, se seu raciocínio estiver estreitamente vinculado a expectativas de uma inflação ascendente. Então, caso surja outro mercado de alta, ele interpretará a grande subida não como um sinal do risco de uma queda inevitável, não como uma oportunidade para realizar bons lucros, mas, pelo contrário, como uma comprovação da hipótese inflacionária e como um motivo para continuar a comprar ações ordinárias não obstante o alto nível do mercado ou o baixo retorno dos dividendos. Esse é o caminho da amargura.

Alternativas para as ações ordinárias como proteção contra a inflação

No mundo inteiro, a estratégia-padrão das pessoas que desconfiam de sua moeda tem sido comprar ouro e guardá-lo. Essa operação é ilegal para os cidadãos americanos desde 1935, para a sorte deles. Nos últimos 35 anos, o preço do ouro no mercado aberto subiu de US$35 por onça para US$48 no início de 1972, ou seja, um aumento de apenas 35%. No entanto, durante todo esse tempo, o detentor de ouro não recebeu qualquer retorno sobre seu capital e, pelo contrário, incorreu em despesas anuais de armazenamento. É óbvio que ele teria empregado seu dinheiro muito melhor se o

---

4 John Pierpont Morgan foi o mais poderoso financista do fim do século XIX e começo do século XX. Em função de sua vasta influência, ele era constantemente indagado a respeito dos movimentos futuros dos preços do mercado acionário. Morgan desenvolveu uma resposta curta e sempre correta: "Eles variarão." Ver Jean Strouse, *Morgan: American Financier* [Morgan: financista americano] (Random House, 1999), p. 11.

tivesse colocado para render juros em uma caderneta de poupança, apesar da subida no nível geral dos preços.

O fracasso quase completo do ouro em proteger o investidor contra perdas do poder aquisitivo do dólar lança graves dúvidas sobre a capacidade do investidor comum de se proteger da inflação ao colocar seu dinheiro nesse tipo de ativos.[5] Várias categorias de objetos valiosos tiveram altas surpreendentes em seu valor de mercado ao longo dos anos, tais como: diamantes, telas de pintores famosos, primeiras edições de livros, moedas, selos raros etc. Porém, em muitos, talvez na maioria, desses casos parece haver um quê de artificial ou precário, ou mesmo irreal, nos preços cotados. De qualquer forma, é difícil pensar em pagar US$67.500 por um dólar de prata americano datado de 1804 (mas nem mesmo cunhado naquele ano) como uma "operação de investimento".[IV] Reconhecemos que essa área nos é desconhecida. Pouquíssimos de nossos leitores acharão seguro e fácil nela se aventurar.

A aquisição de bens imóveis tem sido considerada, há muito tempo, um investimento sensato, que embute uma boa dose de proteção contra a inflação. Infelizmente, o valor das propriedades também está sujeito a variações amplas. Sérios erros podem ser cometidos em termos de localização, preço pago etc.; além disso, pode-se cair em armadilhas de vendedores astuciosos. Finalmente, a diversificação não é prática para o investidor com recursos limitados, exceto por meio de vários tipos de sociedades com terceiros e com os riscos especiais inerentes aos novos lançamentos, não muito diferentes dos da propriedade de uma ação ordinária. Esse também não é o nosso campo. Tudo que podemos dizer ao investidor é: "Certifique-se de que aquilo é seu antes de entrar."

---

5 O filósofo de investimentos Peter L. Bernstein acredita que Graham estava "completamente equivocado" a respeito dos metais preciosos, sobretudo no que se refere ao ouro, que (pelo menos nos anos após Graham ter escrito este capítulo) mostrou uma capacidade robusta de superar a inflação. O consultor financeiro William Bernstein concorda, destacando que uma alocação minúscula em um fundo de metais preciosos (digamos, 2% de seu patrimônio total) é pequena demais para afetar seus rendimentos totais quando o ouro tiver um desempenho ruim. Porém, quando o ouro se sai bem, seu rendimento é, com frequência, tão espetacular — às vezes excedendo 100% ao ano — que pode, por si só, dar brilho a uma carteira que, de outro modo, seria pouco reluzente. No entanto, o investidor inteligente evita investir em ouro diretamente em função da armazenagem cara e dos custos de seguro. Em vez disso, procura um fundo mútuo bem diversificado e especializado em ações de mineradoras de metais preciosos e que cobra menos de 1% a título de despesas anuais. Limite o montante investido a 2% de seus ativos financeiros totais (ou talvez 5%, se você tiver mais de 65 anos).

Conclusão

Retornamos então à política recomendada em nosso capítulo anterior. Por causa das incertezas do futuro, o investidor não pode colocar todos os seus ovos na mesma cesta, seja na cesta de títulos, apesar dos retornos altos e inéditos oferecidos por eles no passado recente, seja em uma cesta de ações, apesar da perspectiva de uma inflação continuada.

Quanto mais o investidor depender de sua carteira de investimentos e da receita por ela gerada, mais necessário será que ele se proteja de qualquer acontecimento inesperado e desconcertante nessa etapa de sua vida. É incontestável que o investidor conservador deva buscar minimizar seus riscos. Temos convicção de que os riscos envolvidos na compra, digamos, de obrigações de companhias de telefonia com um rendimento de aproximadamente 7,5% são muito menores do que os envolvidos na compra do DJIA (ou qualquer lista equivalente de ações) a 900 pontos. Porém, a possibilidade de uma inflação de *grande porte* permanece, e o investidor deve estabelecer alguma forma de seguro contra ela. Não há certezas de que um componente de ações dará uma proteção adequada contra tal inflação, mas as ações devem embutir mais proteção do que a renda fixa.

Dissemos o seguinte sobre o assunto na edição de 1965 (p. 97), e escreveríamos o mesmo hoje:

> *Deve ser evidente para o leitor que não nos entusiasmamos pelas ações ordinárias nos patamares atuais (892 pontos para o DJIA). Pelas razões já aventadas, acreditamos que o investidor defensivo não pode ficar sem uma proporção significativa de ações ordinárias em sua carteira, mesmo se as considerarmos o menor de dois males, o maior sendo os riscos de manter uma carteira composta exclusivamente de títulos.*

COMENTÁRIOS AO CAPÍTULO 2

Os americanos estão ficando mais fortes. Há vinte anos, eram necessárias duas pessoas para carregar dez dólares em compras feitas na mercearia da esquina. Hoje, um garoto de cinco anos consegue fazer isso sozinho.

Henny Youngman

Inflação? Quem se importa com *isso*?

Afinal de contas, o aumento anual no custo dos bens e serviços foi, em média, inferior a 2,2% entre 1997 e 2002, e os economistas acreditam que mesmo essa taxa baixíssima pode estar sendo exagerada.[1] (Pense, por exemplo, em como os preços de computadores e aparelhos eletrônicos despencaram — e em como a qualidade de vários bens melhorou, o que significa que os consumidores estão obtendo benefícios adicionais de seu dinheiro.) Nos últimos anos, a taxa real de inflação nos Estados Unidos tem, provavelmente, ficado em torno de 1% ao ano, um aumento tão minúsculo que muitos estudiosos afirmaram que "a inflação está morta".[2]

A ILUSÃO MONETÁRIA

Há uma outra razão para os investidores darem a devida importância à inflação: é o que os psicólogos denominam "ilusão monetária". Se você receber um aumento de 2% em um ano em que a inflação é 4%, quase certamente você se sentirá melhor do que se receber um corte de 2% em um ano em que

---

1 O U.S. Bureau of Labor Statistics, a agência responsável pelo cálculo do Índice de Preços ao Consumidor, que mede a inflação, mantém na internet uma página abrangente e útil, www.bls.gov/cpi/home.htm.

2 Para ler uma discussão animada sobre o cenário "a inflação está morta", ver www.pbs.org/newshour/bb/economy/july-dec97/inflation_12-16.html. Em 1996, a Comissão Boskin, um grupo de economistas encarregado pelo governo de investigar o grau de precisão da taxa oficial de inflação, estimou que ela tem sido exagerada, com frequência, por aproximadamente dois pontos percentuais ao ano. Para ler o relatório da comissão, ver www.ssa.gov/history/reports/boskinrpt.html. Muitos especialistas em investimento agora acreditam que a deflação, ou queda dos preços, constitui uma ameaça ainda maior do que a inflação; o melhor caminho para se proteger contra esse risco é incluir os títulos como um componente permanente de sua carteira. (Ver comentários ao capítulo 4.)

a inflação é zero. No entanto, ambas as mudanças em seu salário o deixam em uma posição virtualmente idêntica, ou seja, 2% menor que a inflação. Contanto que a variação *nominal* (ou absoluta) seja positiva, ela é vista como uma coisa boa, ainda que o resultado *real* (ou pós-inflação) seja negativo. Qualquer variação no próprio salário é mais nítida e específica do que a variação generalizada dos preços na economia como um todo.[3] Da mesma forma, os investidores ficaram maravilhados ao receberem um rendimento de 11% em certificados de depósito bancário (CDBs) em 1980 e ficaram muito decepcionados ao ganharem apenas aproximadamente 2% em 2003, muito embora estivessem perdendo dinheiro em termos reais no passado, mas empatando com a inflação no presente. A taxa nominal que recebemos é impressa nos anúncios dos bancos e colada em suas vitrines, e o número alto nos faz sentir bem. Porém, a inflação corrói esse número alto às escondidas. Em vez de fazer divulgação por meio de anúncios, a inflação simplesmente abocanha nosso patrimônio. Essa é a razão pela qual a inflação é tão fácil de desprezar, e também por que é tão importante medir o sucesso nos investimentos não apenas pelo que você alcança, mas pelo quanto você retém após a inflação.

Mais basicamente ainda, o investidor inteligente deve sempre estar precavido a respeito do que seja inesperado e subestimado. Há três boas razões para acreditar que a inflação não esteja morta:

- Tão recentemente quanto 1973-1982, os Estados Unidos passaram por um dos mais dolorosos surtos de inflação em sua história. Conforme medidos pelo Índice de Preços ao Consumidor, os preços mais que dobraram durante aquele período, aumentando a uma taxa anual de cerca de 9%. Apenas no ano de 1979, a inflação atingiu 13,3%, paralisando a economia em um quadro que se tornou conhecido como "estagflação", o que levou muitos comentaristas a questionarem se os Estados Unidos eram capazes de competir no mercado global.[4] Os bens e serviços cotados a US$100 no início de 1973 custavam US$230 no final de 1982, murchando o valor de um dólar para menos de 45 centavos. Alguém que tenha vivido esse

---

3 Para obter mais esclarecimentos sobre essa armadilha comportamental, ver Eldar Shafir, Peter Diamond e Amos Tversky, "Money Illusion" [Ilusão monetária], em Daniel Kahneman e Amos Tversky (eds.), *Choices, Values, and Frames* [Escolhas, valores e estruturas], Cambridge University Press, 2000, p. 335-355.

4 Nesse ano, o presidente Jimmy Carter proferiu um discurso famoso sobre o "mal-estar", no qual alertou sobre "uma crise de confiança" que "atinge o coração, a alma, o espírito e a vontade de nossa nação" e "ameaça destruir o tecido social e político dos Estados Unidos".

período jamais poderá esquecer tal destruição de riqueza; qualquer pessoa prudente não pode deixar de se proteger contra o risco de que essa situação volte a ocorrer.

- Desde 1960, 69% dos países de economia de mercado pelo mundo afora sofreram um ano, pelo menos, no qual a inflação atingiu uma variação anualizada igual ou superior a 25%. Na média, esses períodos inflacionários destruíram 53% do poder aquisitivo do investidor.[5] Seríamos loucos se não torcêssemos para que os Estados Unidos ficassem livres de um desastre semelhante. Porém, seríamos mais loucos ainda se concluíssemos que isso nunca mais acontecerá aqui.[6]
- Os preços em elevação permitem ao Tio Sam quitar suas dívidas com dólares barateados pela inflação. Erradicar completamente a inflação vai contra o próprio interesse econômico de qualquer governo que toma dinheiro emprestado regularmente.[7]

UM *HEDGE* PELA METADE

O que então pode o investidor fazer para se proteger da inflação? A resposta-padrão é "comprar ações", mas, como costumam ser as respostas simples, essa não é toda a verdade.

A Figura 2-1 apresenta, para cada ano entre 1926 e 2002, a relação entre a inflação e os preços das ações.

Como se pode constatar, nos anos em que os preços ao consumidor dos bens e serviços caíram, mostrados à esquerda no gráfico, o rendimento das

---

5 Ver Stanley Fischer, Ratna Sahay e Carlos A. Vegh, "Modern Hyper and High Inflations" [As inflações e hiperinflações na modernidade], National Bureau of Economic Research, Working Paper 8930, em www.nber.org/papers/w8930.

6 Na verdade, os Estados Unidos passaram por dois períodos de hiperinflação. Durante a Revolução Americana, os preços triplicaram, aproximadamente, a cada ano entre 1777 e 1779, com uma libra de manteiga chegando a custar US$12 e um barril de farinha atingindo quase US$1.600 na Massachusetts revolucionária. Durante a Guerra da Secessão, as taxas anuais de inflação registradas foram de 29% (no Norte) e quase 200% (no Sul). Tão recentemente quanto 1946, a inflação bateu 18,1% nos Estados Unidos.

7 Estou grato a Laurence Siegel, da Ford Foundation, por essa percepção cínica, porém precisa. Contrariamente, em tempos de deflação (ou preços em queda constante), é mais vantajoso ser um credor do que um tomador de empréstimos, razão pela qual a maioria dos investidores deveria manter, pelo menos, uma pequena porção de seus ativos em títulos, como uma forma de seguro contra a deflação de preços.

FIGURA 2-1

Até que ponto as ações conseguiram proteger da inflação?

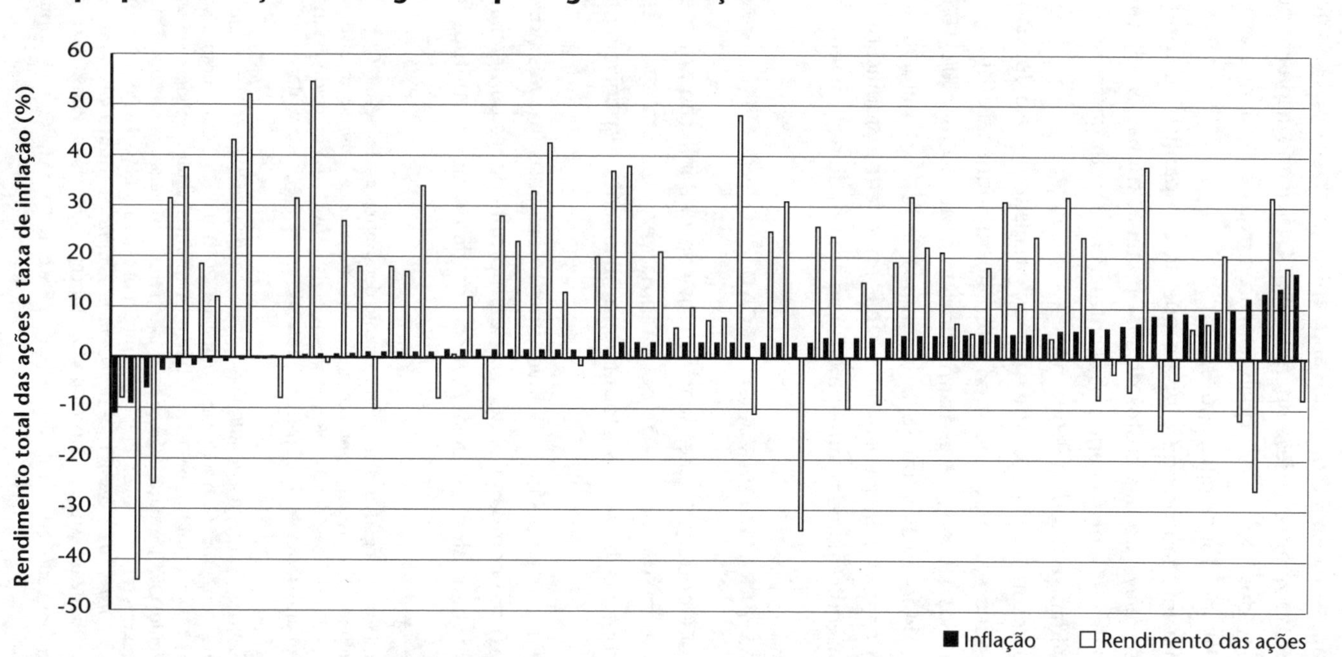

Este gráfico mostra a inflação e o rendimento real das ações em cada ano entre 1928 e 2002, classificados não em ordem cronológica, mas desde as taxas anuais de inflação mais baixas até as mais altas. Quando a inflação foi altamente negativa (ver extrema esquerda), as ações tiveram um desempenho muito fraco. Quando a inflação foi moderada, como na maioria dos anos nesse período, as ações, em geral, tiveram um desempenho bom. Porém, quando a inflação atingiu níveis muito altos (ver extrema direita), as ações tiveram um desempenho errático, perdendo, com frequência, pelo menos 10%.

Fonte: Ibbotson Associates.

ações foi horroroso, tendo o mercado perdido até 43% de seu valor.[8] Quando a inflação ultrapassou os 6%, como nos anos apresentados à direita no gráfico, as ações também tiveram um desempenho ruim. O mercado acionário perdeu dinheiro em oito dos 14 anos nos quais a inflação excedeu 6%; o retorno médio naqueles 14 anos foi de pífios 2,6%.

Embora uma inflação branda permita que as companhias repassem aos consumidores a elevação dos custos de suas matérias-primas, a inflação alta tem um efeito devastador, forçando os clientes a cortar seus gastos, diminuindo assim a atividade em toda a economia.

A evidência histórica é clara: desde o início do registro preciso dos dados do mercado acionário em 1926 houve 64 intervalos quinquenais (isto é, 1926-1930; 1927-1931; 1928-1932; e assim por diante, até 1998-2002). Em cinquenta desses 64 intervalos (ou 78% do tempo), as ações superaram a inflação.[9] Esses números são impressionantes, mas imperfeitos; significam que as ações não conseguiram acompanhar a inflação em um quinto do tempo.

DUAS SIGLAS PARA SALVAR A SITUAÇÃO

Felizmente, você pode fortalecer suas defesas contra a inflação por meio da diversificação além das ações. Desde a última vez que Graham escreveu, duas armas contra a inflação se tornaram amplamente disponíveis para os investidores:

REITs. Os Fundos Fiduciários de Investimento em Bens Imóveis (REITs, na sigla em inglês) são companhias que possuem propriedades comerciais e residenciais e recebem aluguéis delas.[10] Incorporados a fundos mútuos imobi-

---

8 Quando a inflação é negativa, ela é tecnicamente denominada "deflação". Os preços em queda constante podem, a princípio, parecer atraentes, até você se lembrar do caso japonês. Os preços têm caído no Japão desde 1989, tendo os bens imóveis e o mercado acionário diminuído em valor ano após ano, uma tortura implacável para a segunda maior economia do mundo.

9 Ibbotson Associates, *Stocks, Bonds, Bills, and Inflation, 2003 Handbook* [Ações, títulos, letras e inflação, Manual 2003] Ibbotson Associates, Chicago, 2003, Tabela 2-8. O mesmo padrão é evidente fora dos Estados Unidos: na Bélgica, Itália e Alemanha, onde a inflação foi especialmente alta no século XX, "a inflação parece ter tido um impacto negativo tanto nos mercados acionários quanto nos de títulos", observaram Elroy Dimson, Paul Marsh e Mike Staunton em *Triumph of the Optimists: 101 Years of Global Investment Returns* [O triunfo dos otimistas: 101 anos de rendimentos de investimentos no mundo], Princeton University Press, 2002, p. 53.

10 Informações completas, embora desatualizadas, sobre os REITs podem ser encontradas em www.nareit.com.

liários, os REITs prestam um bom serviço no combate à inflação. A melhor escolha é o Vanguard REIT Index Fund; outras escolhas relativamente baratas incluem Cohen & Steers Realty Shares, Columbia Real Estate Equity Fund e Fidelity Real Estate Investment Fund.[11] Embora um fundo REIT possa não ser um antídoto à inflação em todas as circunstâncias, no longo prazo ele deve oferecer uma certa defesa contra a corrosão do poder de compra sem prejudicar seu rendimento global.

TIPS. Os Títulos do Tesouro Protegidos contra a Inflação (TIPS, na sigla em inglês) são obrigações do governo americano, emitidas pela primeira vez em 1997, cujo valor aumenta automaticamente quando a inflação sobe. Por serem respaldadas pela confiabilidade e credibilidade plenas dos Estados Unidos, todas as obrigações do Tesouro americano são seguradas contra riscos de inadimplência (ou falta de pagamento dos juros). Ao mesmo tempo, os TIPS também garantem que o valor do investimento não será corroído pela inflação. De uma só vez, é possível se resguardar contra dois tipos de prejuízo, o financeiro e o do poder aquisitivo.[12]

Há, porém, um senão. Quando o valor de suas obrigações TIPS aumenta à medida que a inflação sobe, o órgão responsável pela arrecadação de impostos considera esse aumento de valor como um rendimento tributável, muito embora ele seja puramente um ganho no papel (a menos que você venda a obrigação por seu preço alto mais recente). Por que a Receita Federal pensa assim? O investidor inteligente recordará as sábias palavras do analista financeiro Mark Schweber: "Uma pergunta que nunca deve ser feita a um burocrata é 'Por quê?'" Em função dessa complicação fiscal exasperadora, os TIPS são mais bem talhados para as contas de aposentadoria com tributação diferida, tais como IRA, Keogh e 401(k), onde não elevarão sua renda tributável.

Você pode comprar os TIPS diretamente do governo americano em www.publicdebt.treas.gov/of/ofinflin.htm ou em um fundo mútuo de baixo custo como o Vanguard Inflation-Protected Securities ou o Fidelity Inflation-Protected

---

11 Para obter mais informações a respeito, ver www.vanguard.com, www.cohenandsteers.com, www.columbiafunds.com e www.fidelity.com. O argumento a favor de se investir em um fundo REIT enfraquece se você possui um imóvel, uma vez que isso inerentemente constitui um investimento no mercado imobiliário.

12 Uma boa introdução aos TIPS pode ser encontrada em www.publicdebt.treas.gov/of/ofinflin.htm. Para ler uma discussão mais profunda, ver www.federalreserve.gov/Pubs/feds/2002/200232/200232pap.pdf, www.tiaa-crefinstitute.org/Publications/resdiags/73_09-2002.htm, e www.bwater.com/research_ibonds.htm.

Bond Fund.[13] Tanto diretamente como por meio de um fundo, os TIPS são substitutos ideais para a proporção dos recursos de aposentadoria que você de outra forma manteria em dinheiro. Não os negocie: os TIPS podem oscilar no curto prazo, portanto funcionam melhor como um investimento permanente e vitalício. Para a maioria dos investidores, alocar, pelo menos, 10% de seus ativos de aposentadoria em TIPS é uma forma inteligente de manter uma parcela de seu dinheiro absolutamente segura e inteiramente fora do alcance das garras longas e invisíveis da inflação.

13 Para obter mais detalhes a respeito, ver www.vanguard.com ou www.fidelity.com.

CAPÍTULO 3

UM SÉCULO DE HISTÓRIA DO MERCADO ACIONÁRIO: O NÍVEL DOS PREÇOS DAS AÇÕES NO INÍCIO DE 1972

A carteira de ações ordinárias do investidor representará um pequeno corte transversal naquela instituição imensa e formidável conhecida como mercado acionário. Por uma questão de prudência, ele deve ter uma ideia adequada da história do mercado acionário em termos, sobretudo, das principais oscilações em seu nível de preços e das diversas relações entre os preços das ações como um todo e seus lucros e dividendos. Com essas informações, ele pode se colocar em posição de julgar com coerência sobre a atratividade ou os perigos do mercado em diferentes momentos. Por coincidência, os dados estatísticos relevantes sobre preços, lucros e dividendos existem há cem anos, ou seja, desde 1871. (O material não é nem de perto tão completo ou confiável na primeira metade do período em comparação com a segunda, mas serve mesmo assim.) Neste capítulo, apresentaremos esses números, em uma forma altamente condensada, com dois objetivos em vista. O primeiro é mostrar a maneira geral pela qual as ações progrediram através dos diversos ciclos do século passado. O segundo é visualizar o quadro em termos de médias decenais sucessivas, não apenas dos preços das ações, mas dos lucros e dividendos também, para mostrar as várias relações entre esses três fatores importantes. Tendo esse rico material como pano de fundo, passaremos a avaliar o nível dos preços das ações no início de 1972.

A história de longo prazo do mercado acionário foi resumida em duas tabelas e um gráfico. A Tabela 3-1 mostra os pontos mínimos e máximos dos ciclos de 19 mercados de alta e de baixa nos últimos cem anos. Dois índices foram usados nesta análise. O primeiro representa uma combinação de um estudo anterior, realizado pela Comissão Cowles e que traz dados que retrocedem a 1870, o qual foi encadeado com o conhecido índice composto de 500 ações da Standard & Poor's. O segundo é o ainda mais

TABELA 3-1 Principais movimentos do mercado acionário entre 1871 e 1971

	Índice composto da Cowles e da S&P 500			*Índice Industrial Dow Jones*		
Ano	Máximo	Mínimo	Declínio	Máximo	Mínimo	Declínio
1871		4,64				
1881	6,58					
1885		4,24	28%			
1887	5,90					
1893		4,08	31			
1897					38,85	
1899				77,6		
1900					53,5	31%
1901	8,50			78,3		
1903		6,26	26		43,2	45
1906	10,3			103		
1907		6,25	38		53	48
1909	10,30			100,5		
1914		7,35	29		53,2	47
1916-18	10,21			110,2		
1917		6,80	33		73,4	33
1919	9,51			119,6		
1921		6,45	32		63,9	47
1929	31,92			381		
1932		4,40	86		41,2	89
1937	18,68			197,4		
1938		8,50	55		99	50
1939	13,23			158		
1942		7,47	44		92,9	41
1946	19,25			212,5		
1949		13,55	30		161,2	24
1952	26,6			292		
1952-53		22,7	15		256	13
1956	49,7			521		
1957		39,0	24		420	20
1961	76,7			735		
1962		54,8	29		536	27
1966-68	108,4			995		
1970		69,3	36		631	37
começo de 1972	100		—	900		—

célebre Índice Industrial Dow Jones (o DJIA, ou Dow), que começa em 1897 e engloba trinta companhias, das quais uma é a American Telephone & Telegraph e as outras 29 são empresas industriais de grande porte.[I]

O Gráfico I, cortesia da Standard & Poor's, apresenta as flutuações de mercado de seu índice de 425 ações industriais entre 1900 e 1970. (Um gráfico correspondente do DJIA teria uma aparência bastante semelhante.) O leitor perceberá três padrões bem distintos, cada um dos quais cobre aproximadamente um terço dos setenta anos. O primeiro abrange o período de 1900 a 1924 e mostra, em grande parte, uma série de ciclos de mercado bastante similares e com duração de três a cinco anos. A taxa de crescimento anual desse período foi, em média, aproximadamente apenas 3%. Passemos então ao mercado de alta da "Nova Era", que culminou em 1929, quando entrou em um colapso terrível, seguido de oscilações bastante irregulares até 1949. Comparando o nível médio de 1949 com o de 1924, encontramos uma taxa anual de crescimento de apenas 1,5%; portanto, o encerramento de nosso segundo período encontrou o público sem qualquer entusiasmo para as ações ordinárias. Pela regra dos opostos, a hora era certa para o início do maior mercado de alta de nossa história, apresentado no último terço de nosso gráfico. Esse fenômeno pode ter atingido seu ápice em dezembro de 1968 a 118 pontos para as 425 ações industriais da Standard & Poor's (e 108 pontos para seu índice composto de quinhentas ações). Como mostra a Tabela 3-1, houve retrocessos bastante significativos entre 1949 e 1968 (sobretudo em 1956-57 e 1961-62), mas as "recuperações" subsequentes foram tão rápidas que eles tiveram que ser denominados (em uma nomenclatura aceita há muito tempo) como recessões em um mercado de alta único, em vez de ciclos de mercado distintos. Entre o nível mínimo de 162 pontos do Dow em meados de 1949 e o pico de 995 no início de 1966, ocorreu um aumento superior a 600% em 17 anos, o que representa, em média, uma taxa composta de 11% ao ano, sem levar em conta os dividendos de, digamos, 3,5% ao ano. (O aumento do índice composto da Standard & Poor's foi um pouco superior ao do DJIA, de 14 para 96 pontos.)

GRÁFICO I

Índices de preços das ações da Standard & Poor's — 1941-1943 = 10

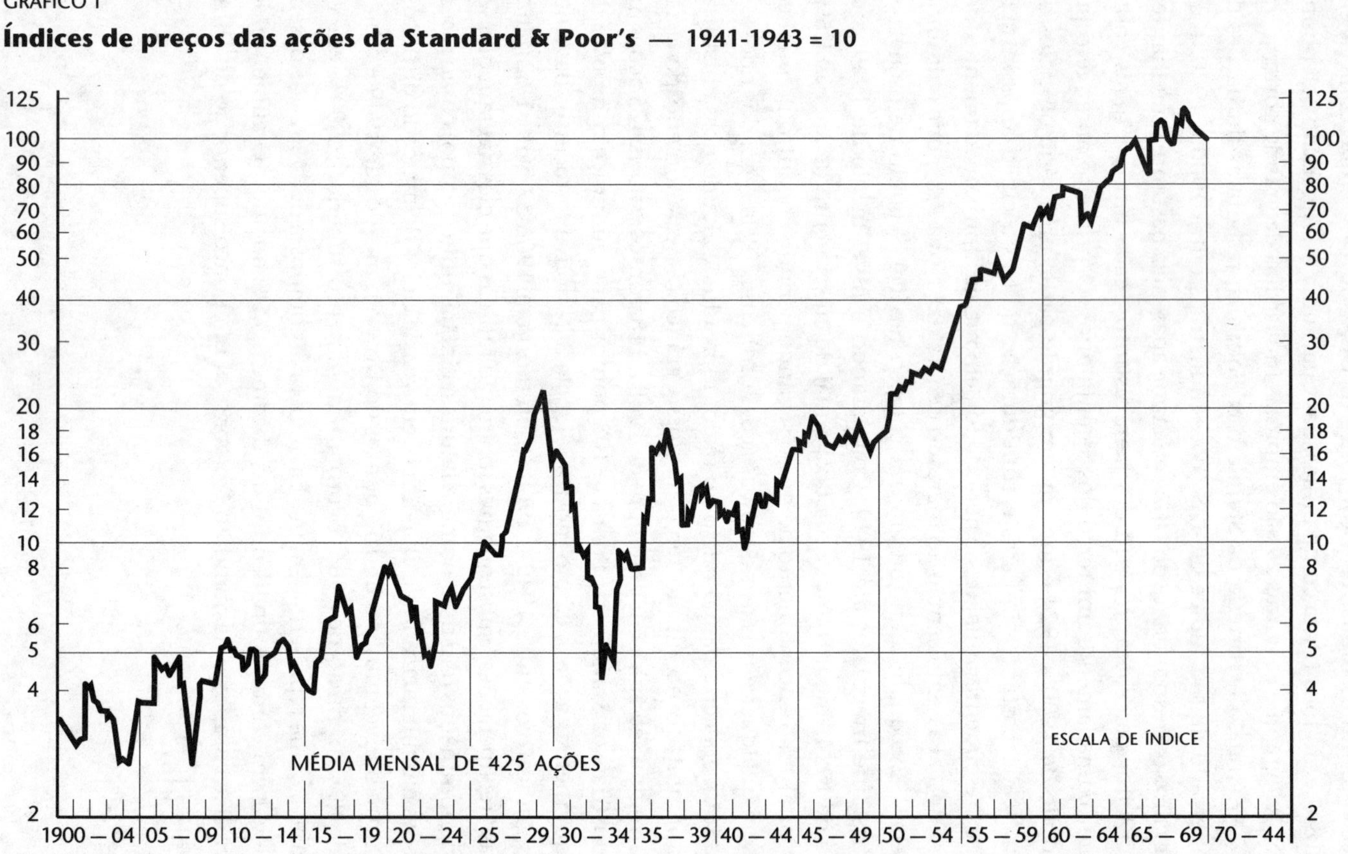

Esses rendimentos iguais ou superiores a 14% foram documentados em 1963 e, mais tarde, em um estudo amplamente divulgado.[1] [II] Essa evolução gerou uma satisfação natural em Wall Street com tais feitos esplêndidos e uma convicção muito pouco lógica e bastante perigosa de que resultados igualmente maravilhosos poderiam ser esperados das ações ordinárias no futuro. Poucas pessoas parecem ter se preocupado com o tamanho do aumento, não vendo nele um indício de que as cotações eram exageradas. A queda subsequente, a partir do pico em 1968 até o mínimo de 1970, foi de 36% para o índice composto da Standard & Poor's (e 37% para o DJIA), a maior desde os 44% sofridos entre 1939 e 1942, a qual refletira os riscos e incertezas pós-Pearl Harbor. No modo dramático tão característico de Wall Street, o mínimo registrado em maio de 1970 foi seguido por uma recuperação rápida e ampla dos dois índices e pelo estabelecimento de um novo recorde para o índice industrial da Standard & Poor's no início de 1972. A taxa anual de aumento dos preços entre 1949 e 1970 foi de aproximadamente 9% para o índice composto S&P (ou o índice industrial), tendo por base os números médios em ambos os anos. Essa taxa de crescimento foi, claro, muito superior à de qualquer período similar anterior a 1950. (No entanto, na última década, a taxa de crescimento foi bastante inferior: 5,25% para o índice composto da S&P e apenas os 3% outrora familiares para o DJIA.)

O histórico dos movimentos de preços precisa ser complementado por dados correspondentes relativos aos lucros e dividendos para fornecer uma visão geral do que aconteceu com a economia das ações nas últimas dez décadas. Apresentamos um panorama desse tipo em nossa Tabela 3-2 (p. 93). Entendemos que nem todos os nossos leitores se aventurarão a estudar esses dados em detalhes, mas esperamos que esses números sejam interessantes e instrutivos para alguns deles.

Vamos comentá-los da seguinte forma: o agrupamento por década suaviza as oscilações ano a ano e revela um quadro geral de crescimento persistente. Apenas duas das nove décadas após a primeira mostram uma

1 O estudo, em sua forma final, foi realizado por Lawrence Fisher e James H. Lorie, "Rates of Return on Investments in Common Stock: the Year-by-Year Record, 1926-65" [As taxas de retorno dos investimentos em ações ordinárias: os registros ano a ano, 1926-1965], *The Journal of Business*, v. XLI, nº 3 (julho, 1968), p. 291-316. Para ler um resumo sobre a grande influência do estudo, ver http://library.dfaus.com./reprints/work_of_art/.

redução dos lucros e dos preços médios (em 1891-1900 e 1931-1940), e nenhuma década após 1900 registra uma diminuição nos dividendos médios. No entanto, as taxas de crescimento das três categorias são bastante variáveis. Em geral, o desempenho desde a Segunda Guerra Mundial tem sido superior ao das décadas anteriores, mas o aumento na década de 1960 foi menos pronunciado do que o da década de 1950. O investidor de hoje não pode dizer com base nesses dados qual o aumento percentual nos lucros, dividendos e preços a ser esperado nos próximos dez anos, mas esse registro fornece toda a motivação necessária para uma política consistente de investimento em ações ordinárias.

No entanto, vale ressaltar um aspecto não revelado por nossa tabela. O ano de 1970 foi marcado por uma deterioração significativa na lucratividade geral das empresas americanas. A taxa de lucro sobre o capital investido caiu para o mais baixo percentual desde os anos da Guerra Mundial. Igualmente surpreendente é o fato de que um número considerável de companhias apresentou prejuízo líquido no ano; muitas se tornaram "financeiramente problemáticas" e, pela primeira vez em três décadas, ocorreram vários casos importantes de falência. Esses são os fatos mais importantes que nos levaram à afirmação feita anteriormente[2] de que a era do grande *boom* pode ter terminado em 1969-70.

Uma característica significativa da Tabela 3-2 é a mudança na relação entre preços e lucros desde a Segunda Guerra Mundial.[3] Em junho de 1949, o índice composto S&P valia apenas 6,3 vezes os lucros pertinentes dos últimos 12 meses; em março de 1961, essa relação foi de 22,9 vezes. Da mesma forma, a taxa de dividendos obtida no índice S&P caiu de mais de 7%, em 1949, para apenas 3,0%, em 1961, um contraste acentuado pelo fato de que as taxas de juros dos títulos com grau de investimento haviam subido nesse meio tempo de 2,60% para 4,50%. Essa é, certamente, a re-

---

2 Ver p. 72-74.

3 A "razão preço/lucro" de uma ação ou de um índice de mercado como o de quinhentas ações da S&P é uma ferramenta simples para medir a temperatura do mercado. Se, por exemplo, uma companhia gerou US$1 por ação de lucro líquido no último ano e suas ações são vendidas a US$8,93 cada, a razão preço/lucro seria 8,93; se, no entanto, a ação é vendida a US$69,70, então a razão preço/lucro seria 69,7. Em geral, uma razão preço/lucro (ou razão "P/L") abaixo de 10 é considerada baixa, entre 10 e 20 é considerada moderada e acima de 20 é considerada cara. (Para obter mais informações sobre as relações P/L, ver p. 196.)

TABELA 3-2 Um retrato do desempenho do mercado acionário, 1871-1970[a]

							Taxa de crescimento anual[b]	
Período	*Preço médio*	*Lucros médios*	*Razão P/L média*	*Média de dividendos*	*Rendimento médio*	*Pagamento médio*	Lucros	Dividendos
1871-1880	3,58	0,32	11,3	0,21	6,0%	67%	—	—
1881-1890	5,00	0,32	15,6	0,24	4,7	75	- 0,64%	- 0,66%
1891-1900	4,65	0,30	15,5	0,19	4,0	64	- 1,04	- 2,23
1901-1910	8,32	0,63	13,1	0,35	4,2	58	+ 6,91	+ 5,33
1911-1920	8,62	0,86	10,0	0,50	5,8	58	+ 3,85	+ 3,94
1921-1930	13,89	1,05	13,3	0,71	5,1	68	+ 2,84	+ 2,29
1931-1940	11,55	0,68	17,0	0,78	5,1	85	- 2,15	- 0,23
1941-1950	13,90	1,46	9,5	0,87	6,3	60	+ 10,60	+ 3,25
1951-1960	39,20	3,00	13,1	1,63	4,2	54	+ 6,74	+ 5,90
1961-1970	82,50	4,83	17,1	2,68	3,2	55	+ 5,80[c]	+ 5,40[c]
1954-1956	38,19	2,56	15,1	1,64	4,3	65	+ 2,40[d]	+ 7,80[d]
1961-1963	66,10	3,66	18,1	2,14	3,2	58	+ 5,15[d]	+ 4,42[d]
1968-1970	93,25	5,60	16,7	3,13	3,3	56	+ 6,30[d]	+ 5,60[d]

[a] Os dados a seguir se baseiam, em sua maior parte, naqueles que aparecem no artigo de N. Molodovsky, "Stock Values and Stock Prices" [Os valores das ações e os preços das ações], *Financial Analysts Journal*, maio de 1960. Por sua vez, estes foram retirados do livro da Comissão Cowles *Common Stock Indexes* [Os índices de ações ordinárias] para anos anteriores a 1926 e encadeados com o índice composto de 500 ações da Standard & Poor's de 1926 em diante.

[b] Os dados de taxa de crescimento anual são compilações de Molodovsky abrangendo intervalos sucessivos de 21 anos terminados em 1890, 1900 etc.

[c] Taxa de crescimento para 1968-70 *versus* 1958-60.

[d] Esses dados de taxa de crescimento são para 1954-56 *versus* 1947-49, 1961-63 *versus* 1954-56 e para 1968-70 *versus* 1958-60.

viravolta mais marcante na atitude do público na história do mercado acionário americano.

Para pessoas com vasta experiência e cautela inata, a passagem de um extremo ao outro transmitia uma premonição forte de problemas no horizonte. Elas não poderiam deixar de lembrar, com apreensão, do mercado de alta entre 1926 e 1929 e suas consequências trágicas. No entanto, esses receios não foram confirmados pelos fatos. É verdade que o preço de fechamento do DJIA em 1970 foi igual ao registrado seis anos e meio antes, e os tão badalados *Soaring Sixties* [Os meteóricos anos 1960] provaram ser, em sua maior parte, um sobe e desce tremendo. Mas nada aconteceu com o setor privado ou com os preços das ações que possa se comparar com a queda de mercado e a Depressão de 1929-32.

O nível do mercado acionário no início de 1972

Com um resumo de cem anos de ações, preços, ganhos e dividendos diante de nossos olhos, vamos tentar chegar a algumas conclusões sobre os níveis de 900 pontos do DJIA e 100 do índice composto S&P em janeiro de 1972.

Em cada uma de nossas edições anteriores, examinamos o nível do mercado acionário no momento da escrita e tentamos responder à questão sobre se tal nível era alto demais para uma compra conservadora. O leitor pode achar interessante revisar as conclusões a que chegamos nessas ocasiões anteriores. Esse não é de todo um exercício de autoflagelação. Essa revisão funciona como uma interface entre as várias fases do mercado acionário nos últimos vinte anos e também como um quadro real das dificuldades enfrentadas por todos que tentam chegar a uma avaliação bem informada e crítica dos níveis do mercado atual. Primeiro, reproduziremos o sumário das análises realizadas em 1948, 1953 e 1959 que apresentamos na edição de 1965:

> *Em 1948, aplicamos padrões conservadores ao nível de 180 pontos do Dow Jones e não foi difícil chegar à conclusão de que "não estava alto demais em relação aos valores intrínsecos". Quando abordamos esse problema em 1953, o nível médio do mercado para aquele ano havia atingido 275, um ganho superior a 50% em cinco anos. Fizemos a mesma pergunta, a saber, "se em nossa opinião o nível de 275 para o Índice Industrial Dow Jones*

era ou não alto demais para um investimento seguro". À luz do aumento espetacular subsequente, pode parecer estranho ter que relatar que não foi nada fácil para nós chegarmos a uma conclusão definitiva a respeito da atratividade do índice nos níveis de 1953. Dissemos, de fato, de forma positiva, que "do ponto de vista dos indicadores de valor — nosso principal guia para investimentos — a conclusão sobre os preços das ações em 1953 deve ser favorável". Porém, estávamos preocupados com o fato de que, em 1953, os índices haviam subido por um período mais longo do que a maioria dos mercados de alta do passado e que seus níveis absolutos estavam altos em termos históricos. Ao confrontar esses fatores com nosso julgamento favorável sobre o valor, aconselhamos uma política cautelosa ou intermediária. Diante do que acabou acontecendo, esse não foi um conselho muito inteligente. Um profeta bom teria previsto que o nível do mercado aumentaria em mais de 100% nos cinco anos subsequentes. Talvez devêssemos acrescentar em defesa própria que poucos ou talvez nenhum daqueles cujo trabalho era elaborar previsões sobre o mercado acionário — e o nosso não era — tiveram qualquer ideia melhor do que a nossa sobre o que nos esperava.

No início de 1959, encontramos o DJIA em um nível recorde de 584 pontos. Nossa análise extensa, realizada a partir de todos os pontos de vista, pode ser resumida da seguinte forma (da p. 59 da edição de 1959): "Em resumo, nos sentimos obrigados a concluir que o nível atual dos preços das ações é perigoso. Ele pode ser perigoso porque os preços já estão altos demais. Porém, mesmo que esse não seja o caso, o ímpeto do mercado é tal que ele será inevitavelmente transportado para alturas injustificáveis. Francamente, não conseguimos imaginar um mercado no futuro em que prejuízos sérios nunca ocorrerão e em que todo amador tenha assegurado altos lucros em suas compras de ações."

A cautela que expressamos em 1959 foi, de certa forma, mais bem justificada pelos resultados do que nossa atitude correspondente em 1954. Entretanto, estava longe de ser totalmente justificada pelas circunstâncias. O DJIA subiu para 685 pontos em 1961, caiu um pouco abaixo do nosso nível de 584 (para 566) mais tarde no mesmo ano; subiu novamente para 735 no final de 1961; e despencou para 536 em maio de 1962, apresentando uma perda de 27% em um período curto de seis meses. Ao mesmo tempo, houve uma queda bem maior nas "growth stocks"* *mais populares, conforme comprovada pela queda emblemática de seu líder incontestável, a*

International Business Machines, de um pico de 607 em dezembro de 1961 para um mínimo de 300 em junho de 1962.

Esse período testemunhou uma débâcle em um grande número de lançamentos de ações ordinárias de pequenas companhias — as assim chamadas hot issues *— que haviam sido oferecidas ao público a preços ridiculamente altos e empurradas para níveis ainda mais altos por especulação desnecessária, até atingir níveis quase insanos. Muitas dessas ações perderam 90% ou mais de seu valor em poucos meses.*

O colapso na primeira metade de 1962 foi desconcertante, se não desastroso, para muitos especuladores declarados e talvez para um número muito maior de pessoas imprudentes que se denominavam "investidores". No entanto, a virada que aconteceu mais tarde naquele ano foi igualmente inesperada pela comunidade financeira. Os índices do mercado acionário retomaram seu rumo ascendente, produzindo a seguinte sequência:

	DJIA	Índice composto de 500 ações da Standard & Poor's
Dezembro de 1961	735	72,64
Junho de 1962	536	52,32
Novembro de 1964	892	86,28

A recuperação e a nova subida dos preços das ações ordinárias foram de fato notáveis e ensejaram uma reviravolta correspondente nos sentimentos em Wall Street. No nível mínimo de junho de 1962, as previsões haviam sido predominantemente baixistas, enquanto que, após a recuperação parcial e até o final daquele ano, elas ficaram mais neutras, tendendo para o lado cético. Mas, no início de 1964, o otimismo natural das corretoras se manifestou novamente; quase todas as previsões eram altistas e continuaram assim durante toda a alta de 1964.

Em seguida, avaliamos os níveis do mercado acionário de novembro de 1964 (892 pontos para o DJIA). Após examiná-lo sabiamente a partir de diversos pontos de vista, chegamos a três conclusões importantes. A primeira foi a de que "os padrões antigos (de valoração) parecem inaplicáveis; os padrões novos ainda não foram testados pelo tempo". A segunda

* ***Growth stocks*** – Ações de empresas com alto potencial de crescimento. (N.E.)

era de que o investidor "deve basear sua política na existência de grandes incertezas. As possibilidades abrangem os extremos, por um lado, de um aumento prolongado e ininterrupto do patamar do mercado, digamos, de 50% ou até 1.350 pontos para o DJIA; ou, por outro lado, de um colapso pouco esperado da mesma magnitude, trazendo o índice para a vizinhança de, digamos, 450" (p. 63). A terceira foi expressa em termos muito mais enfáticos. Dissemos: "Falando claramente, se o nível de preços de 1964 não está alto demais, como poderíamos dizer que *qualquer* nível de preço é alto demais?" E o capítulo fechou como segue:

O RUMO A SER TRILHADO

Os investidores não devem concluir que o nível de mercado de 1964 é perigoso simplesmente porque leram isso neste livro. Eles devem avaliar nossos argumentos confrontando-os com os argumentos em contrário que ouvirão de um grande número de pessoas competentes e experientes de Wall Street. No final, cada um deve tomar suas próprias decisões e aceitar a responsabilidade daí decorrente. Sugerimos, no entanto, que o investidor deve escolher o caminho da precaução se estiver em dúvida quanto à decisão a ser tomada. Os princípios do investimento, conforme estabelecidos aqui, requereriam a seguinte política nas condições de 1964, em ordem de prioridade:

1. *Não recorrer a empréstimos para a compra ou manutenção de valores mobiliários;*
2. *Nenhum aumento na parcela de recursos destinada às ações ordinárias;*
3. *Uma redução nos investimentos em ações ordinárias, onde necessário, de modo que representem no máximo 50% do total da carteira. Os impostos sobre ganhos de capital devem ser pagos com o melhor humor possível nas circunstâncias e a receita investida em títulos com grau de investimento ou mantida em contas de poupança.*

Os investidores que, há algum tempo, seguem um plano sério de custo médio em dólares podem racionalmente decidir manter suas compras periódicas em níveis estáveis ou suspendê-las até sentir que o nível do mercado tenha deixado de ser perigoso. Desaconselhamos veementemente o início de um novo plano de custo médio em dólares aos níveis registrados em fins de 1964, uma vez que poucos investidores teriam a coragem de continuar com tal esquema se os resultados logo após o início fossem altamente desfavoráveis.

Dessa vez, podemos dizer que nossa cautela foi justificada. O DJIA aumentou aproximadamente mais 11%, até 995 pontos, mas depois caiu de forma irregular até um mínimo de 632 em 1970 e terminou aquele ano a 839. O mesmo tipo de *débâcle* aconteceu nos preços das *hot issues* — isto é, com a ocorrência de quedas que chegaram a 90% —, como havia acontecido no revés de 1961-1962. E, conforme destacado na Introdução, o quadro financeiro geral parecia ter mudado na direção de um entusiasmo reduzido e de maiores dúvidas. Um simples fato serve para resumir a história: o DJIA fechou 1970 a um nível inferior ao de seis anos antes, sendo esta a primeira vez que tal coisa havia acontecido desde 1944.

Tais foram nossos esforços para avaliar os níveis anteriores do mercado acionário. Há alguma coisa a ser aprendida por nós e nossos leitores com essas previsões? Consideramos o nível de mercado favorável ao investimento em 1948 e 1953 (mas de forma cautelosa demais no segundo desses anos), "perigoso" em 1959 (a 584 pontos para o DJIA) e "alto demais" (a 892) em 1964. Todas essas avaliações poderiam ser defendidas até mesmo hoje com argumentos hábeis. Entretanto, temos dúvidas se elas foram tão úteis quanto nossos conselhos mais básicos, a saber, em favor de uma política consistente e controlada de ações ordinárias e, ao mesmo tempo, desencorajando os esforços para "ganhar do mercado" ou "escolher vencedores".

Todavia, pensamos que nossos leitores podem tirar algum benefício de uma nova avaliação do nível do mercado acionário — dessa vez no final de 1971 — mesmo se o que temos a dizer seja mais interessante do que útil em termos práticos ou mais indicativo do que conclusivo. Há um ótimo trecho logo no início da *Ética* de Aristóteles que diz: "É característica do homem instruído buscar a precisão, em cada gênero de coisas, apenas até o ponto que a natureza do assunto permite, do mesmo modo que é insensato aceitar um raciocínio apenas provável da parte de um matemático, e exigir demonstrações científicas de um retórico." O trabalho de um analista financeiro se situa em algum lugar entre o do matemático e o do retórico.

Em vários momentos durante 1971, o Índice Industrial Dow Jones esteve no nível de 892 pontos de novembro de 1964 que consideramos em nossa edição anterior. Porém, no estudo estatístico atual, decidimos usar o nível

TABELA 3-3 Dados relacionados ao índice composto da Standard & Poor's em vários anos

Ano[a]	*1948*	*1953*	*1958*	*1963*	*1968*	*1971*
Preço de fechamento	15,20	24,81	55,21	75,02	103,9	100[d]
Lucro no exercício	2,24	2,51	2,89	4,02	5,76	5,23
Lucros médios dos últimos três anos	1,65	2,44	2,22	3,63	5,37	5,53
Dividendos no exercício	,93	1,48	1,75	2,28	2,99	3,10
Juros dos títulos com grau de investimento[b]	2,77%	3,08%	4,12%	4,36%	6,51%	7,57%
Índice de preços no atacado	87,9	92,7	100,4	105,0	108,7	114,3
Razões						
Preço/lucro do último ano	6,3 x	9,9 x	18,4 x	18,6 x	18,0 x	19,2 x
Preço/lucro trienais	9,2 x	10,2 x	17,6 x	20,7 x	19,5 x	18,1 x
"Rendimentos de lucros" trienais [c]	10,9%	9,8%	5,8%	4,8%	5,15%	5,53%
Rendimentos dos dividendos	5,6%	5,5%	3,3%	3,04%	2,87%	3,11%
Rendimentos dos lucros das ações/rendimentos dos títulos	3,96 x	3,20x	1,41 x	1,10 x	,80 x	,72 x
Rendimentos dos dividendos/rendimentos dos títulos	2,1 x	1,8 x	,80 x	,70 x	,44 x	,41 x
Lucros/valor contábil[e]	11,2%	11,8%	12,8%	10,5%	11,5%	11,5%

[a] Rendimentos dos títulos tipo S&P AAA.
[b] Anos-calendário em 1948-68, mais exercício terminado em junho de 1971.
[c] "Rendimentos dos lucros" significa lucros divididos por preço e em %.
[d] Preço em outubro de 1971, equivalente a 900 para o DJIA.
[e] Médias trienais.

de preços e dados relacionados do índice composto da Standard & Poor's (ou S&P 500), porque ele é mais abrangente e representativo do mercado como um todo do que as trinta ações do DJIA. Vamos nos concentrar em uma comparação desses dados próxima das quatro datas de nossas edições anteriores, a saber, o final de 1948, 1953, 1958 e 1963, acrescidas de 1968; para o nível de preço atual, tomaremos o número conveniente de 100, que foi registrado diversas vezes em 1971 e no início de 1972. Os dados principais são apresentados na Tabela 3-3. Com relação aos dados de lucros, apresentamos tanto o resultado do último ano quanto a média de três anos-calendário; para os dividendos de 1971, usamos os números dos últimos 12 meses; e para os juros das obrigações e os preços no atacado de 1971, os de agosto de 1971.

A razão preço/lucro trienal do mercado foi menor em outubro de 1971 do que no final do ano de 1963 e de 1968. Foi semelhante à registrada em 1958, mas muito mais alta do que a dos anos iniciais do longo mercado de alta. Tomado isoladamente, esse indicador importante não poderia ser interpretado como indicativo de que o mercado estava em um nível excepcionalmente alto em janeiro de 1972. Entretanto, quando o rendimento dos juros dos títulos com grau de investimento é levado em consideração, as implicações se tornam muito menos favoráveis. O leitor notará em nossa tabela que a relação entre os rendimentos das ações (lucro/preço) e os rendimentos dos títulos pioraram durante todo o período, portanto, os números de janeiro de 1972 foram menos favoráveis às ações, de acordo com esse critério, do que em qualquer dos anos anteriores examinados. Quando os rendimentos dos dividendos são comparados com os rendimentos dos títulos, vemos que essa relação inverteu completamente entre 1948 e 1972. No primeiro ano, as ações renderam duas vezes mais do que os títulos; agora as obrigações rendem duas (ou mais) vezes do que as ações.

Nossa avaliação final é de que a mudança adversa na relação entre os rendimentos dos títulos/rendimentos das ações compensa plenamente a razão preço/lucro melhor em fins de 1971, tomando como base os números relativos aos lucros trienais. Portanto, nossa visão do nível de mercado no início de 1972 tende a ser a mesma de sete anos atrás, isto é, que não é um mercado atraente do ponto de vista dos investimentos conservadores. (Isso se aplicaria à maior parte da faixa de variação dos preços do DJIA em 1971: entre, digamos, 800 e 950 pontos.)

Em termos das oscilações históricas do mercado, o quadro de 1971 ainda pareceria ser o de uma recuperação irregular a partir do forte revés sofrido em 1969-1970. No passado, tais recuperações conduziram a uma nova fase do mercado de alta recorrente e persistente iniciada em 1949. (Essa era a expectativa de Wall Street em geral durante 1971.) Após a experiência terrível sofrida pelo público comprador das ofertas de ações ordinárias de qualidade inferior no ciclo entre 1968-1970, é cedo demais (em 1971) para um novo giro no carrossel dos novos lançamentos. Logo, aquele sinal confiável de perigo iminente no mercado está atualmente ausente, assim como estava ao nível de 892 do DJIA em novembro de 1964 e que foi considerado em nossa edição anterior. Tecnicamente, então, o panorama pareceria favorecer outra subida substancial muito além do nível dos 900 pontos para o DJIA, antes do próximo revés sério ou colapso. Porém, não podemos deixar essa questão da forma que está, como talvez devêssemos. Para nós, é um sinal perturbador a desconsideração pelo mercado no início de 1971 das experiências angustiantes acontecidas menos de um ano antes. Tal descaso pode passar sem punição? Acreditamos que o investidor precisa estar preparado para enfrentar tempos difíceis no futuro, talvez na forma de uma repetição bastante rápida da queda de 1969-70, ou talvez na forma de outro mercado de alta a ser seguido por um colapso ainda mais catastrófico.[III]

O rumo a ser trilhado

Volte ao que dissemos na última edição, reproduzido na p. 97. Esse é o nosso ponto de vista com relação ao mesmo nível de preços, digamos, 900 pontos para o DJIA no início de 1972, como foi para o fim de 1964.

COMENTÁRIOS AO CAPÍTULO 3

Você precisa ter cuidado se não souber para onde vai,
pois talvez você não chegue lá.
Yogi Berra

PAPO-FURADO DE MERCADO DE ALTA

Neste capítulo, Graham mostra quanto pode ser profético. Ele olha dois anos à frente, antevendo o mercado de baixa "catastrófico" de 1973-1974, no qual as ações americanas perderam 37% de seu valor.[1] Ele também observa mais de duas décadas à frente, destruindo a lógica dos gurus do mercado e de livros mais vendidos que nem sequer haviam sido escritos durante o tempo em que viveu.

O ponto vital do argumento de Graham é que o investidor inteligente nunca deve prever o futuro apenas com base na extrapolação do passado. Infelizmente esse é, de fato, o erro cometido por um especialista após o outro na década de 1990. Uma série de livros altistas se seguiram ao *Stocks for the Long Run* [Ações para o longo prazo] (1994) do professor de finanças da Wharton Jeremy Siegel, culminando, após um crescimento selvagem, com *Dow 36,000* [O Dow a 36.000], de James Glassman e Kevin Hassett, *Dow 40,000* [O Dow a 40.000], de David Elias, e *Dow 100,000* [O Dow a 100.000], de Charles Kadlec (todos publicados em 1999). Esses estudiosos afirmavam que as ações haviam gerado um rendimento médio anual de 7%, descontada a inflação, desde 1802. Portanto, concluíram, isso é o que os investidores devem esperar no futuro.

Alguns altistas foram ainda mais longe. Já que as ações "sempre" haviam batido os títulos em qualquer período de, pelo menos, trinta anos, elas seriam menos arriscadas do que os títulos ou mesmo que o dinheiro guardado em um banco. E se você pode eliminar todo o risco associado à posse das ações simplesmente mantendo-as pelo maior tempo possível, então por que se importar

---

1 Se os dividendos não forem incluídos, as ações caem 47,8% naqueles dois anos.

com quanto pagou por elas no início? (Para descobrir o porquê, ver boxe na p. 104).

Em 1999 e no início de 2000, o papo-furado de mercado de alta era encontrado em toda parte:

- Em 7 de dezembro de 1999, Kevin Landis, *gestor* de carteira dos fundos mútuos Firsthand, apareceu no programa *Moneyline* da CNN. Perguntado sobre se as ações das companhias de telecomunicações sem fio estavam supervalorizadas — muitas sendo negociadas a um valor infinitamente maior que seus lucros — Landis dispunha de uma resposta pronta: "Não é uma moda passageira", rebateu ele. "Olhe para o crescimento inequívoco, o valor absoluto do crescimento. É grande."
- Em 18 de janeiro de 2000, Robert Froelich, principal estrategista de investimentos da Kemper Funds, declarou no *Wall Street Journal*: "É uma nova ordem mundial. Vemos as pessoas se desfazerem de todas as companhias certas com todas as pessoas certas e de visão certa porque os preços de suas ações estão altos demais. Esse é o pior erro que um investidor pode cometer."
- Na edição de 10 de abril de 2000 da *Business Week,* Jeffrey M. Applegate, o então principal estrategista de investimentos da Lehman Brothers, perguntou retoricamente: "O mercado acionário é mais arriscado hoje do que há dois anos simplesmente porque os preços estão mais altos? A resposta é *não.*"

No entanto, a resposta é *sim.* Sempre foi e sempre será.

Quando Graham fez a pergunta "Tal descaso pode passar sem punição?", ele sabia que a resposta eterna a essa pergunta é *não.* Como um deus grego enfurecido, o mercado acionário esmagou todos aqueles que acreditaram que os altos rendimentos do final da década de 1990 eram algum tipo de direito divino. Observe apenas como as previsões feitas por Landis, Foerlich e Applegate se sustentaram:

- De 2000 a 2002, a mais estável das ações de companhias de telecomunicações sem fio favoritas de Landis, a Nokia, perdeu "apenas" 67%, enquanto a pior, Winstar Communications, caiu 99%;
- As ações favoritas de Froelich — Cisco Systems e Motorola — haviam caído mais de 70% no final de 2002. Os investidores perderam mais de

A SOBREVIVÊNCIA DO MAIS GORDO

Há um erro fatal no argumento de que as ações "sempre" ganharam dos títulos no longo prazo: não existem dados confiáveis para o período anterior a 1871. Os índices usados para representar o rendimento inicial do mercado acionário contêm apenas sete (isso mesmo, 7!) ações.[1] Em 1800, no entanto, havia cerca de trezentas companhias nos Estados Unidos (muitas das quais envolvidas com os equivalentes históricos da internet: estradas e canais de pedágio). Muitas quebraram, levando seus investidores a perderem até as calças.

Porém, os índices de ações ignoram todas as companhias que quebraram naqueles primeiros anos, um problema tecnicamente conhecido como "viés da sobrevivência". Portanto, esses índices exageram tremendamente os resultados obtidos pelos investidores na vida real, os quais não tinham a percepção perfeita para saberem exatamente quais sete ações comprar. Uma quantidade pequena de companhias, incluindo o Bank of New York e o J.P. Morgan Chase, prospera continuamente desde a década de 1790. No entanto, para cada tal sobrevivente milagroso existem centenas de desastres financeiros, como a Dismal Swamp Canal Co., a Pennsylvania Cultivation of Vines Co. e a Snickers's Gap Turnpike Co., todos omitidos dos índices de ações "históricos".

Os dados de Jeremy Siegel mostram que, descontada a inflação, as ações renderam 7,0% ao ano, os títulos 4,8% e as obrigações de curto prazo 5,1% entre 1802 e 1870. Porém, Elroy Dimson e seus colegas da London Business School estimam que o rendimento das ações nos anos anteriores a 1871 foi exagerado por, pelo menos, dois pontos percentuais ao ano.[2] Na vida real, as ações tiveram um desempenho semelhante ao dinheiro e aos títulos, e talvez um pouco pior. Qualquer um que diga que o registro de longo prazo "comprova" que as ações sempre superarão os títulos ou o dinheiro é um ignorante.

---

1 Na década de 1840, esses índices haviam sido ampliados para incluir um máximo de sete ações financeiras e 27 ações de ferrovias, ainda assim uma amostra absurdamente não representativa do mercado acionário americano jovem e indisciplinado.

2 Ver Jason Zweig, "New Cause for Caution on Stocks" [Novas razões para ter cautela com as ações], *Time*, 6 de maio de 2002, p. 71. Como Graham insinua na p. 87, mesmo os índices de ações, entre as décadas de 1871 e 1920, sofreram com o viés da sobrevivência, graças às centenas de companhias do setor automobilístico, da aviação e do rádio, as quais faliram e sumiram sem deixar qualquer vestígio. Provavelmente, esses retornos também são exagerados em um ou dois pontos percentuais.

US$400 bilhões somente com a Cisco, mais do que o produto anual de Hong Kong, Israel, Kuwait e Cingapura somados;

- Em abril de 2000, quando Applegate fez sua pergunta retórica, o Dow Jones estava em 11.187 pontos e o índice composto Nasdaq em 4.446. No final de 2002, o Dow patinava no nível de 8.300 pontos, enquanto o Nasdaq havia murchado para cerca de 1.300, erradicando todos os ganhos obtidos nos seis anos anteriores.

QUANTO MAIS ALTO, MAIOR O TOMBO

Para servir de antídoto permanente a essa espécie de papo-furado de mercado de alta, Graham recomenda que o investidor inteligente faça algumas perguntas simples e céticas. Por que os rendimentos futuros das ações seriam sempre iguais aos do passado? Se cada investidor acreditar que as ações sempre darão lucro no longo prazo, o mercado não vai acabar supervalorizado ao extremo? E, se isso acontecer, como poderá o rendimento futuro ser alto?

As respostas de Graham, como sempre, estão enraizadas na lógica e no bom senso. O valor de qualquer investimento é, e sempre deve ser, uma função do preço que você paga por ele. No final da década de 1990, a inflação estava moribunda, os lucros corporativos pareciam crescer aceleradamente e grande parte do mundo estava em paz. No entanto, isso não significava e nunca poderia significar que valia a pena comprar ações *a qualquer preço.* Uma vez que os lucros que as companhias podem ganhar são finitos, os preços que os investidores estariam dispostos a pagar pelas ações também deveriam ser finitos.

Pense sobre o assunto da seguinte forma: é bem possível que Michael Jordan tenha sido o maior jogador de basquete de todos os tempos, e ele atraía torcedores para o ginásio do Chicago como um ímã gigante. O Chicago Bulls conseguiu uma subvalorização ao pagar Jordan até US$34 milhões ao ano para quicar uma grande bola de couro sobre um assoalho de madeira. Porém, isso não justificaria o time pagar a ele US$340 milhões ou US$3,4 bilhões ou US$34 bilhões por temporada.

OS LIMITES DO OTIMISMO

Focar nos rendimentos recentes do mercado, quando estes foram favoráveis, adverte Graham, levará a "uma convicção muito pouco lógica e bastante perigosa de que resultados igualmente maravilhosos poderiam ser esperados das ações ordinárias no futuro". De 1995 até 1999, à medida que o mercado subia em, pelo menos, 20% a cada ano — uma subida sem precedentes na história dos Estados Unidos —, os compradores de ações se tornaram cada vez mais otimistas:

- Em meados de 1998, investidores pesquisados pela Organização Gallup para a corretora PaineWebber esperavam que suas carteiras rendessem em média, aproximadamente, 13% ao longo do ano seguinte. No início de 2000, o retorno médio esperado havia saltado para mais de 18%;
- "Profissionais sofisticados" eram igualmente altistas, elevando suas próprias previsões de rendimentos futuros. Em 2001, por exemplo, a SBC Communications aumentou o rendimento projetado de seu plano de pensão de 8,5% para 9,5%. Em 2002, a taxa de retorno média presumida dos planos de pensão das companhias no índice de 500 ações da Standard & Poor's havia inchado até o recorde de 9,2%.

Uma rápida revisão mostra o resultado terrível do entusiasmo exacerbado:

- A Gallup informou em 2001 e 2002 que o rendimento médio esperado das ações em um ano havia caído para 7%, muito embora os investidores pudessem agora comprar a preços quase 50% inferiores aos de 2000;[2]
- Aquelas previsões otimistas sobre os rendimentos dos planos de pensão custarão, pelo menos, US$32 bilhões às companhias da S&P 500 entre 2002 e 2004, de acordo com estimativas recentes de Wall Street.

Muito embora todos os investidores saibam que devem comprar barato e vender caro, na prática muitas vezes acabam fazendo o contrário. A advertência de Graham neste capítulo é simples: "A regra dos opostos", quanto mais entusiasmados ficam os investidores com o mercado acionário no longo prazo, mais certamente estarão errados no curto prazo. Em 24 de março de 2000, o valor total do mercado acionário americano atingiu o pico de

---

2 Aqueles preços de ações mais baratos não significam, claro, que as expectativas dos investidores de obterem um rendimento de 7% com suas ações serão realizadas.

US$14,75 trilhões. Em 9 de outubro de 2002, apenas trinta meses mais tarde, o valor total do mercado acionário americano era US$7,34 trilhões ou 50,2% inferior, uma perda de US$7,41 trilhões. Entretanto, muitos gurus do mercado se tornaram azedamente baixistas, prevendo rendimentos estáveis e até mesmo negativos por anos — até mesmo décadas — à frente.

Nesse ponto, Graham faria uma simples pergunta: levando em consideração que os "especialistas" estavam terrivelmente errados na última vez que concordaram sobre algo, por que será que o investidor inteligente acreditaria neles agora?

E AGORA?

Vamos focar no essencial e pensar sobre os retornos futuros como Graham faria. O desempenho do mercado acionário depende de três fatores:

- O crescimento real (o crescimento dos lucros e dos dividendos das companhias);
- O crescimento inflacionário (o aumento geral dos preços em toda a economia);
- O crescimento ou declínio especulativo (qualquer aumento ou diminuição no apetite do público investidor por ações).

A longo prazo, o crescimento anual dos lucros corporativos por ação tem sido em média entre 1,5% e 2% (sem levar em conta a inflação).[3] Em 2003, a inflação estava em torno de 2,4% ao ano; o rendimento dos dividendos sobre as ações foi de 1,9%. Portanto,

$$\begin{array}{r} 1{,}5\% \text{ a } 2\% \\ +\ 2{,}4\% \\ +\ 1{,}9\% \\ \hline =\ 5{,}8\% \text{ a } 6{,}3\% \end{array}$$

A longo prazo, isso significa que você pode ter uma expectativa razoável de que as ações tenham um rendimento médio de aproximadamente 6% (ou 4% após a inflação). Se o público investidor ficar novamente ganancioso e enviar

---

3 Ver Jeremy Siegel, *Stocks for the Long Run* [Ações para o longo prazo] (McGraw-Hill, 2002), p. 94 e Robert Arnott e William Bernstein, "The Two Percent Dilution" [A diluição de dois por cento], texto para discussão, julho de 2002.

as ações de novo para a estratosfera, então essa febre especulativa gerará rendimentos temporariamente maiores. Se, pelo contrário, os investidores ficarem cheios de medo, como ficaram nas décadas de 1930 e 1970, os retornos de ações cairão temporariamente. (É onde estamos agora em 2003.)

Robert Shiller, professor de finanças da Universidade de Yale, diz que Graham inspirou sua abordagem de cálculo do valor: Shiller compara o preço atual do índice de 500 ações da Standard & Poor's com os lucros médios corporativos nos últimos dez anos (após a inflação). Ao mapear os registros históricos, Shiller demonstrou que, quando essa relação sobe muito acima de 20, posteriormente o mercado em geral tem um rendimento ruim; quando ela cai bem abaixo de 10, as ações em geral geram lucros atraentes no longo prazo. No início de 2003, pela matemática de Shiller, as ações foram cotadas a cerca de 22,8 vezes os lucros médios da última década ajustados pela inflação, ainda na zona de perigo, mas muito abaixo de seu nível insano de 44,2 vezes os lucros em dezembro de 1999.

Qual foi o desempenho do mercado no passado quando cotado em níveis semelhantes aos de hoje? A Figura 3-1 mostra os períodos anteriores, quando as ações estavam a alturas similares e seu desempenho ao longo dos períodos decenais subsequentes:

FIGURA 3-1

Ano	Razão preço/lucro	Rendimento total nos dez anos seguintes
1898	21,4	9,2
1900	20,7	7,1
1901	21,7	5,9
1905	19,6	5,0
1929	22,0	-0,1
1936	21,1	4,4
1955	18,9	11,1
1959	18,6	7,8
1961	22,0	7,1
1962	18,6	9,9
1963	21,0	6,0
1964	22,8	1,2
1965	23,7	3,3

FIGURA 3-1 (cont.)

Ano	Razão preço/lucro	Rendimento total nos dez anos seguintes
1966	19,7	6,6
1967	21,8	3,6
1968	22,3	3,2
1972	18,6	6,7
1992	20,4	9,3
Médias	**20,8**	**6,0**

Fonte: http://aida.econ.yale.edu/-shiller/data/ie_data.htm; Jack Wilson e Charles Jones, "An Analysis of the S&P 500 Index and Cowles' Extension: Price Index and Stock Returns, 1870-1999" [Uma análise do índice S&P 500 e da Extensão Cowles: os índices de preços e os retornos das ações, 1870-1999], *The Journal of Business*, vol. 75, nº 3, julho de 2002, p. 527-529; Ibbotson Associates.
Notas: A razão preço/lucro é o cálculo de Shiller (média de dez anos de lucros reais do índice de 500 ações da S&P dividida pelo valor do índice em 31 de dezembro). O rendimento total é a média anual nominal.

Portanto, dos níveis de valor semelhantes aos verificados no início de 2003, o mercado acionário se comportou por vezes muito bem nos dez anos seguintes, às vezes mal e de forma confusa no resto do tempo. Penso que Graham, sempre conservador, dividiria a diferença entre os rendimentos mais baixos e os mais altos do passado e projetaria que na década seguinte as ações subiriam aproximadamente 6% ao ano, ou 4% após a inflação. (Curiosamente, essa projeção combina com a estimativa que calculamos anteriormente, quando somamos crescimento real, crescimento inflacionário e crescimento especulativo.) Em comparação com a década de 1990, 6% são migalhas. No entanto, é uma taxa um pouco superior aos retornos que os títulos devem render, e isso constitui razão suficiente para que a maioria dos investidores mantenha ações como parte de uma carteira diversificada.

No entanto, há uma segunda lição a tirar da abordagem de Graham. A única coisa confiável na previsão dos rendimentos futuros das ações é que você provavelmente estará errado. A única verdade incontestável que o passado nos ensina é que o futuro sempre nos surpreenderá — sempre! E o corolário a essa lei da história financeira é que os mercados surpreenderão mais brutalmente aquelas pessoas com mais certeza de que seus pontos de vista sobre o futuro estão corretos. Ser humilde a respeito de seus poderes de previsão, como Graham foi, evitará que você corra riscos exagerados em função de uma visão do futuro que pode estar errada.

Logo, sem dúvida alguma, você deve reduzir suas expectativas, mas cuidado para não ficar deprimido. Para o investidor inteligente, a esperança sempre é eterna, porque *assim deve ser*. Nos mercados financeiros, quanto pior parece o futuro, melhor em geral ele acaba sendo. Um cínico disse uma vez a G.K. Chesterton, o romancista e ensaísta britânico: "Abençoado seja aquele que nada espera, pois não ficará decepcionado." A réplica de Chesterton? "Abençoado seja aquele que nada espera, pois se deliciará com tudo."

CAPÍTULO 4

A POLÍTICA GERAL DE INVESTIMENTOS: O INVESTIDOR DEFENSIVO

As características básicas de uma carteira de investimentos são, em geral, determinadas pela posição e pelas características de seu(s) proprietário(s). Em um extremo, temos os bancos de poupança, as companhias de seguro de vida e os assim chamados fundos fiduciários legais. No passado, seus investimentos eram restringidos por lei, em vários estados, aos títulos com grau de investimento e, em alguns casos, às ações preferenciais com grau de investimento. No outro extremo, temos o próspero e experiente homem de negócios, que incluirá qualquer tipo de título ou ação em sua carteira de valores mobiliários, contanto que ele a considere uma compra atraente.

Há um princípio antigo e saudável que deveria ser seguido por aqueles que não podem se dar ao luxo de correr riscos, a saber, contentarem-se com um rendimento relativamente baixo derivado dos recursos investidos. Decorre daí a ideia geral de que a taxa de retorno a ser almejada pelo investidor deve ser mais ou menos proporcional ao grau de risco que ele está preparado para assumir. Pensamos de modo diferente. A taxa de retorno buscada deve depender de quanto esforço inteligente o investidor está disposto e é capaz de envidar. O retorno mínimo seria obtido por nosso investidor passivo, o qual deseja segurança e tranquilidade. O rendimento máximo seria obtido pelo investidor atento e empreendedor, que exercita ao máximo sua inteligência e capacidade. Em 1965, acrescentamos: "Em muitos casos, pode haver um risco real menor associado à compra de ações subvalorizadas, que oferece a oportunidade de um lucro grande, do que a compra de uma obrigação convencional, que rende aproximadamente 4,5%." Essa afirmativa era mais verdadeira do que suspeitávamos, uma vez que, em anos subsequentes, mesmo os melhores títulos de longo prazo perderam uma parte substancial de seu valor de mercado por causa do aumento nas taxas de juros.

O problema básico da alocação entre títulos e ações

Já delineamos, de forma muito sucinta, a política de carteira do investidor defensivo.[1] Ele deve dividir seus recursos entre os títulos com grau de investimento e as ações com grau de investimento.

Sugerimos, como uma regra orientadora fundamental, que o investidor nunca destine uma percentagem inferior a 25% ou superior a 75% de seus recursos às ações ordinárias, com uma consequente proporção inversa entre 75% e 25% em títulos. Há uma ideia implícita aqui de que a divisão-padrão deveria ser igualitária, ou seja, 50%-50%, entre os dois principais tipos de investimento. De acordo com a tradição, a razão sensata para aumentar a parcela investida em ações ordinárias seria o surgimento de níveis de "preços subvalorizados" criados em um mercado de baixa prolongada. De maneira inversa, uma gestão saudável reduziria o componente investido em ações ordinárias para menos de 50% quando, na avaliação do investidor, o nível do mercado se tornasse altamente perigoso.

Essas máximas que parecem tiradas de um livro didático sempre foram fáceis de enunciar e difíceis de seguir, uma vez que contrariam a própria natureza humana, a qual produz os tais excessos de mercado para cima e para baixo. É quase uma contradição em termos sugerir como uma política viável para o proprietário de ações *médio* que diminua sua posição quando o mercado avança além de um certo ponto e a aumente quando houver um recuo correspondente. É justamente porque o indivíduo médio age, e aparentemente precisa agir, de modo contrário que tivemos grandes altas e quedas no passado, e — este autor acredita — provavelmente as teremos novamente no futuro.

Se a divisão entre investimentos e operações especulativas fosse tão clara hoje quanto era no passado, poderíamos ser capazes de acreditar que os investidores são um grupo astuto e experiente que vende aos especuladores imprudentes e desafortunados a preços altos e recompra deles em níveis inferiores. Esse quadro pode ter sido verdadeiro em outras épocas, mas é difícil identificá-lo na evolução do mercado financeiro desde 1949. Não há qualquer indicação de que operações profissionais, tais como as dos fundos mútuos, tenham sido conduzidas dessa forma. A parcela dos investimentos mantida em ações pelos dois principais tipos de fundo — os

---

1 Ver a "Conclusão" de Graham do capítulo 2, p. 79.

"balanceados" e os de "ações ordinárias" — mudou muito pouco de um ano para outro. Suas atividades de venda foram, em grande parte, relacionadas a tentativas de trocas de ativos, saindo dos menos para os mais promissores.

Se, como há muito tempo acreditamos, o mercado acionário perdeu contato com seus antigos limites, e se novos limites ainda não foram estabelecidos, então não podemos oferecer ao investidor regras confiáveis para reduzir sua posição em ações ordinárias em direção ao piso de 25%, e recompô-la mais tarde até o teto de 75%. Aconselharemos, grosso modo, o investidor a não colocar mais de metade de seus investimentos em ações, a menos que ele tenha muita confiança na integridade de sua posição em ações e esteja certo de poder encarar com tranquilidade uma queda do mercado, tal qual a ocorrida em 1969-1970. É difícil para nós vislumbrar como tal confiança forte poderia se justificar perante os níveis prevalecentes no início de 1972. Portanto, desaconselhamos uma parcela superior a 50% em ações ordinárias na conjuntura atual. Porém, por razões complementares, é quase igualmente difícil aconselhar uma redução nessa relação muito abaixo de 50%, a menos que o *próprio investidor* esteja ansioso com relação ao nível atual do mercado e fique satisfeito também em limitar sua participação quando houver qualquer subida adicional em, digamos, 25% de seus recursos totais.

Somos então levados a propor para a maioria de nossos leitores o que pode parecer uma fórmula exageradamente simplificada de uma divisão meio a meio. Segundo esse plano, a orientação geral é manter, tão perto quanto possível na prática, uma divisão igualitária entre títulos e ações. Quando as mudanças no nível de mercado tiverem aumentado o componente de ações ordinárias para, digamos, 55%, o equilíbrio seria restaurado pela venda de um undécimo da carteira de ações e a transferência da receita auferida para os títulos. Inversamente, uma queda na proporção de ações ordinárias para 45% implicaria o uso de um undécimo do fundo de títulos para adquirir ações adicionais.

A Universidade de Yale seguiu um plano semelhante durante vários anos após 1937, mas este visava a uma "posição normal" de 35% em ações ordinárias. No início da década de 1950, no entanto, Yale parece ter desistido de sua famosa fórmula e, em 1969, mantinha 61% de sua carteira em ações (incluindo algumas conversíveis). (Naquela época, os fundos mantenedores de 71 instituições semelhantes, somando US$7,6 bilhões, mantinham 60,3% de seus recursos em ações ordinárias.) O exemplo de Yale ilustra o efeito quase letal da grande subida do mercado sobre a outrora popular *abordagem de modelos quantitativos para investimentos*. Mesmo assim, estamos convencidos de que nossa versão 50%-50% dessa abordagem faz sentido para o investidor defensivo. É extremamente simples; inquestionavelmente visa ao objetivo certo; oferece a seu seguidor a sensação de estar, pelo menos, fazendo alguns movimentos em resposta às oscilações do mercado; e, mais importante de tudo, evita que ele seja atraído cada vez mais fortemente pelas ações ordinárias à medida que o mercado sobe até alturas cada vez mais perigosas.

Ademais, um investidor verdadeiramente conservador ficará satisfeito com os aumentos registrados em metade de sua carteira em um mercado ascendente, enquanto que ele pode ficar bastante tranquilo ao refletir sobre como está em uma posição melhor do que muitos de seus amigos mais ousados em caso de uma queda severa.

Enquanto nossa divisão proposta de 50%-50% é, sem dúvida, o "programa para todas as circunstâncias" mais simples que se pode criar, ela pode acabar não sendo a melhor em termos dos resultados atingidos. (Claro, nenhuma abordagem, automática ou não, pode ser proposta com a segurança de que funcionará melhor do que qualquer outra.) O rendimento muito mais alto oferecido pelos bons títulos em comparação com as ações dessas empresas é um argumento forte a favor do componente de títulos. A escolha do investidor entre uma proporção igual ou inferior a 50% em ações pode depender principalmente de seu próprio temperamento e atitude. Se ele for capaz de agir de forma calculista e com sangue-frio na adversidade, ele preferirá reduzir o componente de ações nesse momento para 25%, pensando em esperar até que o rendimento dos dividendos do DJIA chegue a, digamos, dois terços do rendimento dos títulos antes de estabelecer a divisão meio a meio entre obrigações e ações. Partindo de um nível de 900 pontos do DJIA e dividendos de US$36 por ação, isso exigiria uma queda nos rendimentos brutos dos títulos de 7,5% para cerca de 5,5% sem qualquer alteração no rendimento atual das principais ações ou uma queda no DJIA para um nível tão baixo quanto 660, caso não haja qualquer redução nos rendimentos dos títulos e qualquer aumento nos dividendos. Uma combinação de mudanças intermediárias poderia resultar no mesmo "ponto de compra". Um programa desse tipo não é muito complicado; a parte difícil é adotá-lo e segui-lo, sem falar na possibilidade de que ele possa acabar se revelando demasiadamente conservador.

O componente de títulos

A escolha dos papéis do componente de títulos da carteira do investidor depende de duas questões principais. A primeira é se ele deve comprar títulos tributáveis ou não tributáveis; e a segunda, se deve comprar vencimentos de curto ou longo prazo. A decisão sobre a questão fiscal deve ser principalmente uma questão de aritmética, dependendo da diferença dos rendimentos em comparação com a alíquota de impostos do investidor. Em janeiro de 1972, nos papéis com vencimento em vinte anos, a escolha era entre obter, digamos, 7,5% sobre as obrigações corporativas de grau "Aa" e 5,3% sobre as obrigações com grau de investimento isentas de tributação. (O termo "municipal" é, em geral, aplicado a todas as espécies de obrigações isentas de tributação, incluindo as obrigações estaduais.) Havia então, para esse vencimento, uma perda de receita de cerca de 30% na troca do tipo corporativo pelo municipal. Portanto, se o investidor estivesse enquadrado na alíquota máxima de impostos, acima de 30%, ele teria um ganho líquido após a tributação ao escolher as obrigações municipais; o oposto aconteceria se sua alíquota máxima de imposto fosse inferior a 30%. Uma pessoa solteira começa a pagar uma alíquota de 30% quando sua renda após as deduções ultrapassa US$10.000; para um casal, a alíquota se aplica quando a receita tributável conjunta supera US$20.000. É evidente que uma proporção maior de investidores individuais obteria um rendimento pós-tributação melhor com obrigações municipais de boa qualidade do que com obrigações corporativas de qualidade equivalente.

Já a escolha entre um vencimento mais longo e um mais curto envolve uma questão bastante diferente, ou seja, o investidor deseja proteger-se contra uma queda no preço de suas obrigações, mas ao custo (1) de um rendimento anual inferior e (2) da perda de uma oportunidade de um *ganho* apreciável no valor do principal? Pensamos que é melhor abordar essa questão no capítulo 8, O investidor e as flutuações de mercado.

No passado, durante muitos anos, as únicas compras sensatas de títulos para os indivíduos eram as *savings bonds* do governo americano. Sua segurança era — e é — inquestionável; ofereciam um rendimento maior do que outros investimentos em títulos com grau de investimento; e tinham uma opção de retorno do dinheiro investido e outros privilégios que acrescentavam muito à sua atratividade. Em nossas edições anteriores, dedicamos um capítulo inteiro às "*savings bonds* americanas: um achado para os investidores".

Como destacaremos, as *savings bonds* do governo americano ainda possuem certas características singulares que as tornam uma compra apropriada para qualquer investidor individual. Para um indivíduo de capitalização modesta — que dispõe de, digamos, não mais de US$10.000 para colocar em títulos — acreditamos que elas ainda são a melhor escolha e a mais fácil de fazer. Porém, os que possuem recursos mais substanciais podem achar outros papéis mais desejáveis.

Vamos listar alguns dos principais tipos de título que merecem a consideração do investidor e discuti-los brevemente com respeito à sua descrição geral, segurança, rendimento, preço de mercado, risco, tratamento fiscal e outras características.

1. *Savings bonds* do governo americano, Série E e Série H. Primeiro, resumiremos suas principais características e, em seguida, discutiremos brevemente as numerosas vantagens desses investimentos únicos, atraentes e muito convenientes. As *savings bonds* da Série H pagam juros duas vezes ao ano da mesma forma que outras obrigações. A taxa é de 4,29% no primeiro ano e, posteriormente, uma taxa fixa de 5,10% durante os nove anos seguintes até o vencimento. Os juros das *savings bonds* da Série E não são pagos, mas acumulam em favor do proprietário por meio do aumento no valor de resgate. As *savings bonds* são vendidas a 75% de seu valor de face e vencem a 100% em cinco anos e dez meses após a compra. Se mantidas até o vencimento, o rendimento equivale a 5%, capitalizados duas vezes ao ano. Se resgatadas antecipadamente, o rendimento sobe de um mínimo de 4,01% no primeiro ano para uma média de 5,20% nos quatro anos e dez meses seguintes.

Os juros sobre as *savings bonds* estão sujeitos à incidência do imposto de renda federal, mas isentos do imposto de renda estadual. No entanto, o imposto de renda federal sobre as *savings bonds* da Série E pode ser pago, a critério do proprietário, anualmente e à medida que os juros acumulam (através de um valor de resgate maior) ou apenas quando o papel for efetivamente negociado.

Os proprietários das *savings bonds* da Série E podem resgatá-las a qualquer momento (logo após a venda) a seu valor de resgate corrente. Os proprietários das *savings bonds* da Série H possuem direitos semelhantes de resgate ao par (custo). As *savings bonds* da Série E são intercambiáveis com as da Série H, com certas vantagens fiscais. As *savings bonds* extraviadas, destruídas ou roubadas podem ser substituídas sem ônus. Há limitações sobre as compras anuais, mas dispositivos liberais que permitem sua posse por vários membros de uma família tornam possível, para a maioria dos investidores, comprar tantas quantas puderem pagar. *Comentário*: não há qualquer outro investimento que combine (1) a segurança absoluta do principal e dos pagamentos de juros, (2) o direito de ter todo o "dinheiro de volta" a qualquer momento e (3) a garantia de, pelo menos, juros de 5% durante, no mínimo, dez anos. Os proprietários de lançamentos anteriores de *savings bonds* da Série E têm tido o direito de prorrogar suas obrigações no vencimento e, portanto, continuar a acumular valores anuais a taxas sucessivamente mais altas. O diferimento dos pagamentos de imposto de renda durante esses prazos longos tem constituído uma grande vantagem; calculamos que ele aumentou a taxa líquida efetiva após a tributação até um terço em casos típicos. Inversamente, o direito de resgatar as *savings bonds* a uma cotação igual ou superior ao preço de custo deu aos compradores, em anos anteriores de baixas taxas de juros, uma proteção completa contra a redução no valor do principal que afetou muitos investidores em títulos. Em outras palavras, conferiu-lhes a possibilidade de se *beneficiarem* do aumento nas taxas de juros ao trocar seus papéis com juros baixos por outros com juros muito mais altos em uma base de preços igual.

Do nosso ponto de vista, as vantagens especiais ora gozadas pelos portadores das *savings bonds* mais do que compensarão seus rendimentos atuais inferiores em relação às outras obrigações diretas do governo.

2. Outras obrigações do governo federal dos EUA. Existe uma profusão desses papéis, os quais cobrem uma ampla variedade de taxas de juros e datas de vencimento. Todas essas obrigações oferecem segurança completa com relação ao pagamento de juros e ao principal. Elas estão sujeitas ao imposto de renda federal, mas isentas do imposto de renda estadual. No final de 1971, as

obrigações de longo prazo — superiores a dez anos — apresentavam um rendimento médio de 6,09%, as obrigações de prazo intermediário (três a cinco anos) rendiam 6,35% e as de curto prazo rendiam 6,03%.

Em 1970, era possível comprar alguns papéis antigos com grandes descontos. Alguns desses são aceitos ao par no pagamento de impostos estaduais. Por exemplo: as *savings bonds* do Tesouro americano com juros de 3,5% e vencimento em 1990 estão nessa categoria; elas eram vendidas a 60 em 1970, mas haviam subido acima de 77 no final do mesmo ano.

É interessante notar também que, em muitos casos, as obrigações indiretas do governo americano pagam juros substancialmente superiores aos de suas obrigações diretas com o mesmo prazo de vencimento. Na data em que escrevemos, está sendo negociado um papel com juros de 7,05% denominado "Certificado Plenamente Garantido pelo secretário de Transportes do Departamento de Transportes dos Estados Unidos". Seu rendimento é 1% superior ao das obrigações diretas dos Estados Unidos com vencimento no mesmo ano (1986). Na verdade, os certificados foram emitidos em nome dos administradores da Penn Central Transportation Co., mas foram vendidos com base em uma afirmação do procurador-geral americano de que a garantia "gera uma obrigação dos Estados Unidos em geral, apoiada por sua fé e seu crédito plenos". Muitas obrigações indiretas desse tipo foram assumidas pelo governo federal americano no passado e todas foram escrupulosamente honradas.

O leitor pode indagar a razão desses artifícios, que aparentemente envolvem uma "garantia pessoal" do Ministério de Transportes e um custo maior para o contribuinte no final. A razão principal dessa estratégia indireta é o limite ao endividamento imposto ao governo pelo Congresso. Aparentemente, as garantias governamentais não são consideradas como dívidas, uma oportunidade semântica de lucro para os investidores astutos. Talvez o impacto mais importante dessa situação tenha sido a criação de títulos isentos de tributação da Agência de Habitação, que gozam do equivalente a uma garantia do governo federal americano e são virtualmente as únicas obrigações isentas de tributação que são equivalentes aos títulos do governo federal. Outro tipo de obrigação garantida pelo governo são as recém-criadas *New Community by Debentures**, oferecidas com rendimento de 7,60% em setembro de 1971.

---

* Novas comunidades desenvolvidas e financiadas com instrumentos de crédito. (N.E.)

3. Títulos estaduais e municipais. Essas obrigações gozam de isenção dos impostos federais. Em geral, são também isentas do imposto de renda no estado de emissão, mas não em outros lugares. Em geral, são obrigações diretas de um estado ou município ou são "obrigações vinculadas a receitas" cujos pagamentos de juros dependem do recebimento de receitas de rodovias de pedágio, pontes, aluguéis de prédios etc. Nem todas as obrigações isentas de tributação são suficientemente protegidas para justificar sua compra pelo investidor defensivo. Sua escolha pode ser orientada pela classificação (*rating*) dada a cada obrigação pela Moody's ou pela Standard & Poor's. Uma das três notas mais altas atribuídas pelos dois serviços — Aaa (AAA), Aa (AA) ou A — constituiria indicação suficiente de segurança adequada. O rendimento dessas obrigações varia em termos de qualidade e vencimento, sendo que os vencimentos mais curtos apresentam um rendimento mais baixo. No final de 1971, os papéis representados no índice de obrigações municipais da Standard & Poor's tinham, em média, uma classificação AA de qualidade, vinte anos de prazo até o vencimento e 5,78% de rendimento. Uma oferta típica de títulos de Vineland, Nova Jersey, classificados como AA por A, apresentava um rendimento de apenas 3% para um ano de prazo, taxa essa que subia para 5,8% nos vencimentos de 1995 e 1996.[1]

4. Obrigações do setor privado. Esses títulos estão sujeitos a impostos federais e estaduais. No início de 1972, as obrigações com grau de investimento rendiam 7,19% para um vencimento de 25 anos, conforme refletido no rendimento publicado do índice de obrigações corporativas Aaa da Moody. As obrigações assim chamadas de grau médio baixo — classificadas como Baa — rendiam 8,23% para os vencimentos mais longos. Em cada classe, as obrigações de prazo mais curto rendem menos do que as de prazo mais longo.

Comentário: Os resumos vistos indicam que o investidor médio tem várias escolhas entre as obrigações com grau de investimento. Os investidores enquadrados nas alíquotas mais altas do imposto de renda podem, sem dúvida, obter um rendimento líquido melhor das obrigações isentas de tributação e de boa qualidade do que das tributáveis. Para outros, no início de 1972, a gama de rendimentos tributáveis varia de 5,00%, no caso das *savings bonds* do governo federal americano com suas opções especiais, até aproximadamente 7,5%, no caso das obrigações corporativas com grau de investimento.

Investimentos em títulos "high yield"

Ao sacrificar a qualidade, o investidor pode aumentar o rendimento de suas obrigações. A experiência tem demonstrado que o investidor comum deve se manter distante de tais títulos de alto rendimento. Embora, tomados como um todo, possam ter um rendimento melhor em termos globais do que as obrigações com grau de investimento, eles expõem seu proprietário a demasiados riscos individuais no caso de infortúnios, abrangendo desde quedas de preços inquietantes à inadimplência efetiva. (É verdade que as oportunidades de subvalorizações ocorrem com muita frequência entre as obrigações inferiores, mas elas exigem um estudo e uma habilidade especiais para serem exploradas com sucesso.)[2]

Talvez devêssemos acrescentar aqui que os limites impostos pelo Congresso sobre a emissão direta de títulos pelo governo dos Estados Unidos produziram, pelo menos, dois tipos de "oportunidades de subvalorização" para os investidores na compra de obrigações garantidas pelo governo. Uma é constituída pelas obrigações "Nova Habitação" isentas de impostos e a outra pelas recém-criadas (e tributáveis) "*New Community by Debentures*". Em julho de 1971, uma emissão de títulos lastreados em novos lançamentos residenciais chegou a render 5,8%, livres de impostos federais e estaduais, enquanto que uma obrigação (tributável) de *New Community by Debentures*, vendida em setembro de 1971, rendia 7,60%. Ambas as obrigações são respaldadas pelo "crédito e fé plenos" do governo dos Estados Unidos e, portanto, são indubitavelmente seguras. E — em termos líquidos — renderam consideravelmente mais do que as obrigações comuns do governo federal americano.[3]

---

2 A objeção de Graham às obrigações de alto rendimento é mitigada hoje pela grande disponibilidade de fundos mútuos que distribuem o risco e tornam desnecessária a pesquisa para manter em carteira as obrigações de alto risco (*junk bonds*). Ver Comentário ao capítulo 6 para obter mais detalhes a respeito.

3 Os títulos lastreados em novos lançamentos residenciais e os voltados ao desenvolvimento de novas comunidades [*New Community debentures*] não existem mais. As obrigações da Nova Agência de Habitação eram garantidas pelo Departamento de Habitação e Desenvolvimento Urbano dos Estados Unidos (HUD, na sigla em inglês) e isentas de imposto de renda, mas não são emitidas desde 1974. As *New Community by Debentures*, também garantidas pelo HUD,

Depósitos de poupança em vez de títulos

Um investidor pode atualmente obter uma taxa de juros tão alta de um depósito de poupança em um banco comercial ou de poupança (ou de um certificado de depósito bancário) quanto de uma obrigação com grau de investimento com vencimento curto. A taxa de juros das contas de poupança bancárias poderá cair no futuro, mas nas condições atuais esses instrumentos constituem substitutos apropriados ao investimento, por parte do investidor, nas obrigações de curto prazo.

Obrigações conversíveis

Essas serão analisadas no capítulo 16. A variabilidade dos preços das obrigações em geral será abordada no capítulo 8, O investidor e as flutuações do mercado.

Dispositivos de recompra

Nas edições anteriores, discutimos em detalhes esse aspecto do financiamento das obrigações por envolver uma injustiça grande, porém pouco reconhecida, para com o investidor. Em um caso típico, as obrigações são recompráveis logo após a emissão, e a prêmios modestos, digamos, de 5%, acima do preço de lançamento. Isso significa que, durante um período de grandes oscilações nas taxas de juros, o investidor arcava com todo o ônus das mudanças desfavoráveis e era privado de qualquer ganho, exceto uma participação magra, em tempos favoráveis.

EXEMPLO: Nosso exemplo-padrão é a emissão de debêntures de 5% da American Gas & Electric, com prazo de cem anos, vendida ao público a 101 em 1928. Quatro anos mais tarde, em condições próximas do pânico, o preço dessas obrigações de boa qualidade caiu para 62,5 o que equivalia a um rendimento de 8%. Em 1946, em uma grande reviravolta, as obrigações desse tipo podiam ser vendidas de forma a renderem apenas 3% e a emissão de 5% *deveria* ter sido cotada a quase 160. Porém, nesse momento, a companhia tirou vantagem do dispositivo de recompra e recomprou a obrigação a meros 106.

---

foram autorizadas por uma lei federal aprovada em 1968. Aproximadamente US$350 milhões dessas debêntures foram emitidos até 1975, mas o programa foi encerrado em 1983.

O dispositivo de recompra nesses contratos de obrigações foi um exemplo mal disfarçado de um jogo de cartas marcadas. Finalmente, as instituições compradoras de obrigações se recusaram a aceitar esse arranjo injusto; nos últimos anos, a maioria das obrigações de juros altos e prazo longo foi protegida contra a recompra durante dez anos ou mais após a emissão. Esse novo arranjo ainda limita uma eventual subida de preço, mas não de forma injusta.

Em termos práticos, aconselhamos o investidor em obrigações de longo prazo a sacrificar uma porção pequena dos rendimentos para obter uma garantia contra a recompra antecipada, digamos, por 20 ou 25 anos. Da mesma forma, é vantajoso comprar uma obrigação com juros menores com desconto em vez de uma obrigação com juros altos negociada aproximadamente ao par e resgatável em poucos anos. Pois esse desconto, por exemplo, de uma obrigação de 3,5% cotada a 63,5%, com rendimento de 7,85%, carrega em si mesmo uma proteção plena contra uma ação de recompra adversa.

Ações preferenciais simples — isto é, não conversíveis

Certas observações gerais precisam ser feitas aqui sobre as ações preferenciais. Podem existir, e de fato existem, ações preferenciais realmente boas, mas elas são boas apesar da forma, a qual é inerentemente ruim. O típico proprietário de uma ação preferencial depende, para sua segurança, da capacidade e do desejo da companhia de pagar dividendos sobre as *ações ordinárias*. No momento em que os dividendos ordinários são omitidos, ou mesmo ameaçados, sua própria posição se torna precária, pois os diretores não têm qualquer obrigação de continuar a pagá-los, a menos que também paguem dividendos sobre as ações ordinárias. Por outro lado, as ações preferenciais típicas não participam dos lucros da companhia além da taxa de dividendos fixa. Portanto, o proprietário de ações preferenciais não possui a mesma proteção legal do proprietário de títulos (ou credor) ou as oportunidades de lucro de um proprietário de ações ordinárias (ou sócio).

Essas fraquezas na posição legal das ações preferenciais tendem a ganhar destaque de forma recorrente em períodos de depressão. Apenas uma pequena percentagem de todas as ações preferenciais é suficientemente robusta para manter uma classificação de risco inquestionável (grau de investimento) em todas as circunstâncias. A experiência nos ensina que o momento para comprar ações preferenciais é quando seu preço está deprimido além da conta por causa de uma situação adversa temporária. (Em tais momentos, elas podem ser bem apropriadas para o investidor agressivo, mas demasiadamente não-convencionais para o investidor defensivo.) Em outras palavras, elas devem ser compradas somente quando estiverem subvalorizadas. Abordaremos adiante as ações conversíveis e outras emissões igualmente privilegiadas, as quais carregam algumas possibilidades especiais de lucro. Em geral, elas não são apropriadas para uma carteira conservadora.

Outra peculiaridade na posição geral das ações preferenciais merece menção. Elas têm um tratamento fiscal mais favorável para os compradores corporativos do que para os investidores individuais. As empresas pagam imposto de renda sobre apenas 15% da renda que recebem em dividendos, mas sobre 100% de suas receitas normais provenientes de juros comuns. Já que, em 1972, a alíquota do imposto de renda para as pessoas jurídicas é de 48%, US$100 recebidos em forma de dividendos de ações preferenciais são tributados em apenas US$7,2, enquanto US$100 recebidos como juros de uma obrigação são tributados em US$48. Por outro lado, os investidores individuais pagam exatamente o mesmo imposto sobre os investimentos em ações preferenciais que sobre os juros das obrigações, exceto no caso de uma pequena isenção recente. Portanto, de acordo com uma lógica rígida, todas as ações preferenciais de grau de investimento deveriam ser compradas por pessoas jurídicas, enquanto todas as obrigações isentas de tributação deveriam ser compradas por investidores que pagam imposto de renda.[4]

As diferentes modalidades de obrigação

As modalidades das obrigações e das ações preferenciais, como já abordadas, são assuntos amplamente conhecidos e relativamente simples. O portador de um título tem o direito de receber juros fixos e o pagamento do principal em uma data definida. O dono de uma ação preferencial tem

---

4 Embora a lógica de Graham permaneça válida, os números mudaram. As empresas atualmente podem deduzir 70% da receita que recebem de dividendos, e a alíquota de imposto-padrão para pessoas jurídicas é de 35%. Portanto, uma empresa pagaria cerca de US$24,50 em impostos sobre US$100 em dividendos de ações preferenciais em comparação com US$35 em impostos sobre US$100 em receita de juros. Os indivíduos pagam a mesma alíquota de imposto de renda sobre a renda derivada de dividendos que pagam sobre a renda de juros, portanto as ações preferenciais não lhes oferecem qualquer vantagem fiscal.

direito apenas a dividendos fixos, os quais devem ser pagos antes de qualquer dividendo comum, e mais nada. O valor de seu principal não vence em uma data específica. (O dividendo pode ser cumulativo ou não cumulativo e ele pode ou não ter direito a voto.)

O exposto anteriormente descreve os dispositivos-padrão e, sem dúvida, a maioria dos lançamentos de títulos e ações preferenciais, mas há inúmeras variações dessas modalidades. Os tipos mais conhecidos são os títulos conversíveis e afins e as obrigações vinculadas a receitas. Neste último tipo, os juros só precisam ser pagos se a empresa obtiver lucros. (Os juros não pagos podem acumular como um débito contra os lucros futuros, mas por um prazo que é, com frequência, limitado a três anos.)

As obrigações vinculadas a receitas deveriam ser usadas pelas empresas muito mais extensivamente do que são. Aparentemente, essa falta de uso decorre de um mero acidente da história econômica, a saber, que elas foram primeiro empregadas em grande escala em conexão com reorganizações no setor ferroviário e, portanto, associadas desde cedo com a debilidade financeira e com um alto risco. Porém, a modalidade em si tem diversas vantagens práticas, sobretudo se comparada com inúmeras ações preferenciais (conversíveis) recentemente lançadas e em substituição a elas. A principal delas é a possibilidade de deduzir os pagamentos de juros da renda tributável da companhia, a qual efetivamente corta pela metade o custo daquela forma de capital. Do ponto de vista do investidor, é provavelmente melhor para ele, na maioria dos casos, ter (1) um direito incondicional de receber pagamentos de juros *caso a empresa tenha lucro* e (2) um direito a *outras* formas de proteção diferentes dos procedimentos de falência caso a receita para pagar os juros não seja recebida e os juros não tenham sido pagos. Os dispositivos das obrigações vinculadas a receitas podem ser feitos sob medida para dar vantagens a credores e tomadores da maneira mais apropriada para ambos. (Privilégios de conversão podem, é claro, ser incluídos). A aceitação geral da modalidade inerentemente fraca de ações preferenciais e a rejeição da mais forte, ou seja, as obrigações vinculadas a receitas, é uma ilustração fascinante da maneira como as instituições e os hábitos tradicionais muitas vezes tendem a persistir em Wall Street apesar de condições novas, que demandam um ponto de vista novo. Com toda nova onda de otimismo ou pessimismo, estamos prontos para abandonar a história e os princípios testados pelo tempo, mas mantemos tenazmente nossos preconceitos sem questioná-los.

COMENTÁRIOS AO CAPÍTULO 4

Quando se deixa tudo ao acaso, de repente a sorte pode nos faltar.
Pat Riley, técnico de basquete

Que grau de agressividade deve ter sua carteira?

Isso, diz Graham, depende menos dos tipos de investimento que você possui do que do tipo de investidor que você é. Há duas maneiras de ser um investidor inteligente:

- pesquisando, selecionando e monitorando continuamente um *mix* dinâmico de ações, obrigações ou fundos mútuos; ou
- estabelecendo uma carteira permanente que funciona em regime de piloto automático e não exige qualquer esforço (mas dá muito pouca emoção).

Graham chama a primeira abordagem de "ativa" ou "empreendedora"; ela demanda muito tempo e energia. A estratégia "passiva" ou "defensiva" demanda pouco tempo ou esforço, mas exige um isolamento quase ascético daquela bagunça apaixonante do mercado. Conforme explicou o estudioso dos investimentos Charles Ellis, a abordagem empreendedora é física e intelectualmente desgastante, enquanto a defensiva demanda muito de nossas emoções.[1]

Se você tem tempo de sobra, é altamente competitivo, pensa como um aficionado dos esportes e aprecia um desafio intelectual complexo, então a abordagem ativa é apropriada a você. Se você sempre se sente pressionado, roga pela simplicidade e não gosta de pensar em dinheiro, então deve adotar a abordagem passiva. (Algumas pessoas se sentirão mais confortáveis combinando os métodos e criando uma carteira que é mais ativa do que passiva ou vice-versa.)

---

1 Para saber mais sobre a distinção entre o investimento difícil do ponto de vista físico e intelectual, por um lado, e o investimento difícil do ponto de vista emocional, por outro, ver o capítulo 8 e também Charles Ellis, "Three Ways to Succeed as an Investor" [Três caminhos para o sucesso nos investimentos], in Charles D. Ellis e James R. Vertin, eds., *The Investor's Anthology* [A antologia do investidor] (John Wiley & Sons, 1997), p. 72.

Ambas as abordagens são igualmente inteligentes e você pode ser bem-sucedido com ambas, mas apenas se tiver conhecimento suficiente para escolher a certa, for fiel a ela durante o tempo de vida de seus investimentos e mantiver seus custos e suas emoções sob controle. A distinção de Graham entre investidores ativos e passivos é outro de seus lembretes de que o risco financeiro encontra-se não apenas onde a maioria de nós o procura, na economia ou em nossos investimentos, mas também em nós mesmos.

VOCÊ VAI SER CORAJOSO OU VAI SE ENTREGAR?

Como, então, deve começar o investidor defensivo? A primeira e mais básica decisão é quanto aplicar em ações e quanto em títulos e dinheiro. (Observe que Graham deliberadamente coloca essa discussão após o capítulo sobre a inflação, informando o leitor de que a inflação é um de seus piores inimigos.)

O que é mais admirável na discussão de Graham sobre a alocação de ativos entre ações e títulos é que ele nunca menciona a palavra "idade". Isso coloca seus conselhos firmemente contra a sabedoria convencional, a qual reza que o tamanho do risco do investimento que você deve correr depende, principalmente, de sua idade.[2] Uma regra de bolso tradicional consistia em subtrair sua idade de 100 e investir esta percentagem de seus ativos em ações e o resto em títulos e dinheiro. (Um indivíduo de 28 anos de idade colocaria 72% de seu dinheiro em ações; um de 81 lá colocaria apenas 19%.) Como tudo na vida, essas premissas foram exacerbadas no final da década de 1990. Em 1999, um livro popular defendeu a ideia de que pessoas com menos de trinta anos deveriam colocar 95% de seu patrimônio em ações, mesmo se tivessem uma tolerância apenas "moderada" ao risco![3]

A menos que você tenha permitido aos proponentes desse conselho subtraírem 100 de seu QI, você deveria ser capaz de sentir que algo está errado. Por que a idade determinaria o tamanho do risco a correr? Seria tolice um indivíduo de 89 anos com US$3 milhões, uma aposentadoria substancial e um bando de netos transferir a maior parte de seu patrimônio para os títulos. Ele já tem renda

---

2 Uma pesquisa recente no Google para a frase "idade e alocação de ativos" gerou mais de trinta mil referências on-line.

3 James K. Glassman e Kevin A. Hassett, *Dow 36,000: The New Strategy for Profiting from the Coming Rise in the Stock Market* [O Dow a 36.000: a nova estratégia para lucrar com a futura alta do mercado acionário] (Times Business, 1999), p. 250.

suficiente, e seus netos (que podem herdar suas ações mais tarde) têm décadas de investimento pela frente. Por outro lado, um indivíduo de 25 anos que está poupando para casar e dar um sinal em um imóvel seria louco se colocasse todas suas economias em ações. Se o mercado acionário cair repentinamente, ele não terá a receita dos títulos para diminuir seus prejuízos ou ajudar a compensar as perdas.

No mais, independentemente de sua idade, você pode repentinamente precisar sacar seu dinheiro das ações não daqui a quarenta anos, mas daqui a quarenta minutos. Sem qualquer aviso, você pode perder o emprego, se divorciar, se tornar um deficiente físico ou sofrer sabe-se lá que surpresa. O inesperado pode surpreender qualquer um, em qualquer idade. Todo mundo deve manter parte de seu patrimônio naquele abrigo sem riscos representado pelo dinheiro.

Finalmente, muitas pessoas param de investir precisamente *em função da* queda do mercado acionário. Os psicólogos mostraram que a maioria de nós mal consegue prever hoje como se sentirá em relação a um evento com carga emocional elevada no futuro.[4] Quando as ações estão subindo 15% ou 20% ao ano, como aconteceu nas décadas de 1980 e 1990, é fácil imaginar que você e suas ações estão casados para sempre. Porém, quando você vê todo o dinheiro investido virar centavos, fica difícil resistir a uma debandada rumo à "segurança" dos títulos e do dinheiro. Em vez de comprar e manter suas ações, muitas pessoas acabam comprando caro, vendendo barato e ficando com nada, exceto a própria cabeça, nas mãos. Justamente porque tão poucos investidores têm coragem de manter suas ações em um mercado de baixa, Graham insiste que todo mundo deveria manter um mínimo de 25% em títulos. Essa precaução, ele argumenta, lhe dará a coragem de manter o resto de seu dinheiro em ações mesmo quando elas tiveram um desempenho fraco.

Para obter uma visão melhor sobre o tamanho do risco que você pode correr, pense sobre as circunstâncias fundamentais de sua vida, quando elas irão acontecer, quando elas podem mudar e como elas podem afetar suas necessidades de dinheiro:

- Você é solteiro(a) ou casado(a)? Qual a profissão de seu cônjuge ou companheiro(a)?
- Você tem ou pretende ter filhos? Quando é que as contas escolares começarão a chegar?

---

4 Para ler um ensaio fascinante sobre esse fenômeno psicológico, ver "Miswanting" [A maldição do desejo realizado], Daniel Gilbert e Timothy Wilson, em www.wjh.harvard.edu/~dtg/Gilbert_&_Wilson(Miswanting).pdf.

- Você vai herdar dinheiro ou terminará sendo responsável pelo apoio financeiro a pais idosos e doentes?
- Que fatores podem atrapalhar sua carreira? (Se você trabalha em um banco ou em uma construtora, um salto nas taxas de juros poderá deixá-lo desempregado. Se você trabalha para um fabricante de produtos químicos, a rápida elevação dos preços do petróleo pode trazer más notícias.)
- Se você trabalha por conta própria, por quanto tempo negócios como o seu sobreviverão?
- Você precisa dos investimentos para complementar sua renda? (Em geral, as obrigações o farão; as ações, não.)
- Considerando seu salário e suas necessidades de gastos, quanto dinheiro você pode se dar ao luxo de perder com seus investimentos?

Se, após avaliar esses fatores, você sentir que pode assumir os riscos maiores inerentes a uma parcela maior de ações, sua posição deve se aproximar do mínimo de 25% em títulos recomendado por Graham. Caso contrário, deixe as ações de lado e aproxime-se do máximo sugerido por Graham de 75% em títulos de longo ou curto prazo ou dinheiro. (Para saber se você pode subir para 100%, ver boxe na p. 129.)

Uma vez estabelecidas as porcentagens-alvo, mude-as se sua vida mudar. Não compre mais ações porque o mercado acionário subiu; não as venda porque ele desceu. O ponto central da abordagem de Graham é substituir a adivinhação pela disciplina. Felizmente, por meio de sua conta 401(k), é fácil colocar sua carteira permanentemente em regime de piloto automático. Digamos que você se sinta à vontade com um nível de risco relativamente alto, a saber, de 70% de seus ativos em ações e 30% em títulos. Se o mercado acionário subir 25% (e as obrigações permanecerem estáveis), você agora terá quase 75% em ações e apenas 25% em títulos.[5] Visite a página na internet de sua conta 401(k) (ou faça uma ligação gratuita) e venda o "suficiente" de seus recursos investidos em ações para "acertar" novamente seu alvo de 70-30. O segredo é fazer tais acertos de acordo com um cronograma previsível e paciente, não tão frequentemente que o enlouqueça e não tão raramente que você fique muito distante de seus alvos. Sugiro que você faça

5 Simplificando, esse exemplo supõe que as ações subiriam instantaneamente.

POR QUE NÃO 100% EM AÇÕES?

Graham aconselha você a nunca aplicar mais de 75% de seu patrimônio total em ações. Porém, colocar todo seu dinheiro no mercado acionário é desaconselhável para todo mundo? Para uma minoria ínfima de investidores, uma carteira com 100% de ações pode fazer sentido. Você é um deles se:

- separou dinheiro suficiente para sustentar sua família durante, pelo menos, um ano;
- investirá consistentemente durante, pelo menos, os próximos vinte anos;
- sobreviveu ao mercado de baixa que começou em 2000;
- não vendeu ações durante o mercado de baixa que começou em 2000;
- comprou mais ações durante o mercado de baixa que começou em 2000;
- leu o capítulo 8 deste livro e implementou um plano formal para controlar seu próprio comportamento de investidor.

A menos que você tenha, de forma honesta, se enquadrado nessas categorias, não há razão para colocar todo seu dinheiro em ações. Qualquer um que tenha entrado em pânico durante o último mercado de baixa vai entrar em pânico no próximo e lamentará não ter construído um colchão de títulos e dinheiro.

um acerto a cada seis meses, nem mais nem menos, em datas fáceis de lembrar, como feriados, por exemplo.

A beleza desse acerto periódico é que ele força você a tomar suas decisões de investimento com base em uma pergunta simples e objetiva: "Possuo atualmente mais deste ativo do que está previsto em meus planos?", em vez de um exercício de pura adivinhação sobre possíveis mudanças nas taxas de juros ou se você acredita que o Dow irá desabar. Algumas gestoras de fundos mútuos, incluindo a T. Rowe Price, devem em breve oferecer serviços que acertarão automaticamente sua carteira 401(k) para que você possa atingir seus objetivos preestabelecidos, de modo que nunca precise tomar qualquer decisão ativa.

OS MEANDROS DO INVESTIMENTO EM RENDA FIXA

Na época de Graham, os investidores em títulos enfrentavam duas escolhas básicas: tributável ou isento de tributação? Longo ou curto prazo? Hoje, há uma terceira: títulos ou fundos de títulos?

Tributável ou isento de tributação? A menos que se enquadre na alíquota de imposto mais baixa,[6] você deve comprar apenas obrigações (municipais) isentas de tributação se pretender mantê-las em separado de suas contas de aposentadoria. Do contrário, uma parcela demasiadamente grande da renda oriunda de títulos acabará nos cofres da Receita Federal. O único lugar para manter obrigações tributáveis é sua conta 401(k) ou outra conta protegida, onde você não sofre tributação sobre a renda no presente e onde as obrigações municipais não têm lugar, uma vez que sua vantagem fiscal é desperdiçada.[7]

Longo ou curto prazo? Os títulos e as taxas de juros oscilam em pontas opostas da mesma gangorra: se as taxas de juros sobem, os preços dos títulos caem, embora um título de curto prazo caia muito menos que um de longo prazo. Por outro lado, se as taxas de juros caem, os preços dos títulos sobem, e os títulos de longo prazo terão um melhor desempenho que os de curto prazo.[8] Você pode dividir a diferença simplesmente comprando títulos de prazo intermediário, com vencimento entre cinco e dez anos, os quais não decolam quando seu lado da gangorra sobe, mas também não despencam no caso inverso. Para a maioria dos investidores, os títulos intermediários são a escolha mais simples, uma vez que possibilitam que eles se distanciem do jogo de adivinhação acerca do nível das taxas de juros.

Títulos ou fundos de títulos? Já que os títulos em geral vendem em lotes de US$10.000 e é necessário um mínimo de dez títulos para diversificar o risco

---

6 Duas boas calculadoras on-line que o ajudarão a comparar a receita pós-tributação das obrigações municipais e das tributáveis podem ser encontradas em www.investinginbonds.com/cgi-bin/calculator.pl e em www.lebenthal.com/index_infocenter.html. Para decidir se uma "muni" é certa para você, encontre o "rendimento equivalente tributável" gerado por esses cálculos, então compare esse valor com o rendimento atualmente disponível nos títulos do Tesouro (http://money.cnn.com/markets/bondcenter/ ou www.bloomberg.com/markets/C13.html). Se o rendimento das obrigações do Tesouro for maior que o rendimento equivalente tributável, as munis não são apropriadas para você. De qualquer forma, fique avisado de que os títulos municipais e os fundos geram uma receita inferior e sofrem mais oscilações de preço do que a maioria das obrigações tributáveis. Além disso, o imposto mínimo alternativo, que agora atinge muitos americanos de classe média, pode anular as vantagens dos títulos municipais.

7 No ano fiscal de 2003, a faixa de rendimento de imposto federal mais baixa é igual ou inferior a US$28.400 no caso dos solteiros e igual ou inferior a US$47.450 para os casados (declaração conjunta).

8 Para ler uma excelente introdução ao investimento em obrigações, ver http://flagship.vanguard.com/web/planret/AdvicePTIBInvestmentsInvestingInBonds.html#InterestRates. Para ler uma explicação mais simples sobre as obrigações, ver http://money.cnn.com/pf/101/lessons/7/. Uma carteira "em escada", composta por obrigações com diversos vencimentos, é outra forma de se proteger dos riscos da taxa de juros.

de inadimplência de qualquer um deles, comprar obrigações individuais não faz sentido a menos que você tenha, pelo menos, US$100.000 para investir. (A única exceção são as obrigações emitidas pelo Tesouro americano, uma vez que elas são protegidas contra inadimplência pelo respaldo pleno do governo americano.)

Os fundos de títulos oferecem diversificação de uma maneira barata e fácil, além da conveniência de uma renda mensal, que pode ser reinvestida no fundo às taxas atuais sem pagamento de comissões. Para a maioria dos investidores, os fundos de títulos superam em muito as obrigações individuais (as principais exceções são os valores mobiliários do Tesouro e algumas obrigações municipais). As grandes firmas, como Vanguard, Fidelity, Schwab e T. Rowe Price, oferecem uma ampla gama de fundos de títulos a um custo baixo.[9]

As escolhas para os investidores em títulos têm proliferado como coelhos, portanto, vamos atualizar a lista de Graham dos instrumentos disponíveis. Em 2003, as taxas de juros caíram tanto que os investidores ficaram famintos por rendimentos, mas há maneiras de aumentar seus rendimentos de renda fixa sem correr riscos excessivos.[10] A Figura 4-1 resume os prós e os contras.

Agora, vamos analisar alguns tipos de investimentos em obrigações que podem atender a necessidades especiais.

DINHEIRO NÃO É LIXO

Como você pode extrair uma receita maior de seu dinheiro? O investidor inteligente deve pensar em trocar os certificados de depósito bancário ou as contas de curto prazo, que ultimamente têm oferecido rendimentos magros, por algumas das seguintes alternativas de dinheiro:

Títulos do Tesouro. Sendo obrigações do governo americano, não trazem virtualmente qualquer risco de crédito, uma vez que, em vez de deixar de pagar suas dívidas, o Tio Sam pode cobrar impostos ou imprimir mais dinheiro se desejar. As letras do Tesouro vencem em quatro, 13 ou 26 semanas. Em função de seus vencimentos curtos, elas quase não são afetadas quando as taxas de juros ascendentes derrubam os preços de outros investimentos de renda fixa. Os

---

9 Para obter mais informações, ver www.vanguard.com., www.fidelity.com, www.schwab.com e www.troweprice.com.

10 Para ler um resumo on-line acessível sobre o investimento em títulos, ver www.aaii.com/promo/20021118/bonds.shtml.

FIGURA 4-1 O vasto mundo das obrigações

Tipo	Vencimento	Compra mínima	Risco de inadimplência
Savings bonds do Tesouro	Menos de um ano	US$1.000 (D)	Extremamente baixo
Notas do Tesouro	Entre um e dez anos	US$1.000 (D)	Extremamente baixo
Obrigações do Tesouro	Mais de dez anos	US$1.000 (D)	Extremamente baixo
Títulos de poupança	Até trinta anos	US$25 (D)	Extremamente baixo
Certificados de depósito	Um mês a cinco anos	Em geral US$500	Muito baixo; segurado até US$100.000
Fundos de curto prazo	397 dias ou menos	Em geral US$2.500	Muito baixo
Dívida hipotecária	Um a trinta anos	US$2.000-US$3.000 (F)	Em geral, moderado, mas pode ser alto
Obrigações municipais	Um a trinta anos ou mais	US$5.000 (D); US$2.000-US$3.000 (F)	Em geral, moderado, mas pode ser alto
Ações preferenciais	Indefinido	Nenhum	Alto
Obrigações de alto rendimento (*junk bonds**)	Sete a vinte anos	US$2.000-US$3.000 (F)	Alto
Dívida de mercados emergentes	Até trinta anos	US$2.000-US$3.000 (F)	Alto

Fonte: Bankrate.com, Bloomberg, Lehman Brothers, Merrill Lynch, Morningstar, www.savingsbonds.gov.

Notas: (D): comprados diretamente. (F): comprados por meio de um fundo mútuo. "Possibilidade de venda antes do vencimento" indica quão prontamente você pode vender a um preço justo antes da data de vencimento; em geral, os fundos mútuos oferecem mais facilidade de venda do que as obrigações individuais. Os fundos *money market* (de curto prazo) são segurados pelo governo federal até US$100.000 se comprados em um banco membro do FDIC, mas, tirando

Risco se as taxas de juros subirem	Facilidade de venda antes do vencimento	Isento da maioria dos impostos de renda estaduais?	Isento do imposto de renda federal?	Referência	Rendimento 31/12/2002
Muito baixo	Alta	S	N	noventa dias	1,2
Moderado	Alta	S	N	cinco anos dez anos	2,7 3,8
Alto	Alta	S	N	trinta anos	4,8
Muito baixo	Baixa	S	N	Série de obrigações EE compradas após maio de 1995	4,2
Baixo	Baixa	N	N	1-year nat'l. avg.	1,5
Baixo	Alta	N	N	Média dos fundos de curto prazo tributáveis	0,8
Moderado a alto	Moderada a baixa	N	N	Índice MBS da Lehman Bros.	4,6
Moderado a alto	Moderada a baixa	N	S	Média nacional dos fundos mútuos de longo prazo	4,3
Alto	Moderada a baixa	N	N	Nenhuma	Altamente variável
Moderado	Baixa	N	N	Índice Merrill Lynch High Yield*	11,9
Moderado	Baixa	N	N	Média dos fundos de obrigações de mercados emergentes	8,8

isso, carregam apenas uma garantia implícita de não perder valor. O imposto de renda federal sobre as *savings bonds* é diferido até o resgate ou vencimento. As obrigações municipais são, em geral, isentas do imposto de renda estadual apenas no estado em que foram emitidas.

* ***High Yield*** – Títulos com alta taxa de juros. (N.E.)
* ***Junk bonds*** – Título de poupança. (N.E.)

instrumentos de dívida do Tesouro com prazo mais longo, no entanto, sofrem severamente quando as taxas de juros sobem. A renda dos juros sobre os valores mobiliários do Tesouro é, em geral, isenta do imposto de renda estadual (mas não do federal). Com US$3,7 trilhões nas mãos do público, o mercado para a dívida do Tesouro é imenso, portanto, você pode prontamente encontrar um comprador se precisar de seu dinheiro de volta antes do vencimento. Você pode comprar as letras do Tesouro, notas de curto prazo e obrigações de longo prazo diretamente do governo, sem taxas de corretagem, em www.publicdebt.treas.gov. (Para obter mais informações sobre os TIPS protegidos da inflação, ver Comentário ao capítulo 2.)

Savings bonds. Diferentemente dos títulos do Tesouro, elas não são negociáveis; você não pode vendê-las a outro investidor e perderá o direito a juros de um trimestre se resgatá-las em menos de cinco anos. Portanto, elas são apropriadas principalmente como "dinheiro guardado" para atender a uma necessidade futura de gasto, ou seja, um presente para uma cerimônia religiosa que se realizará daqui a alguns anos ou para pagar a futura universidade de seu filho recém-nascido. Elas são negociadas em denominações tão baixas quanto US$25, tornando-as presentes ideais para os netos. Para aqueles investidores que podem confiantemente deixar algum dinheiro intocado por anos a fio, as "obrigações I" protegidas contra a inflação recentemente ofereciam um rendimento atraente de aproximadamente 4%. Para saber mais sobre o assunto, ver www.savingsbonds.gov.

INDO ALÉM DO TIO SAM

Valores mobiliários garantidos por hipotecas. Lastreadas em um fundo comum composto por milhares de hipotecas em todo os Estados Unidos, essas obrigações são emitidas por agências, como a Federal National Mortgage Association ("Fannie Mae") ou a Government National Mortgage Association ("Ginnie Mae"). No entanto, elas não são respaldadas pelo Tesouro americano, portanto são vendidas a taxas de juros mais altas para refletir seu risco mais alto. As obrigações garantidas por hipotecas, em geral, têm um desempenho abaixo da média quando as taxas de juros caem e são desastrosas quando os juros sobem. (No longo prazo, essas oscilações tendem a se anular e os rendimentos médios mais altos são compensadores.) Fundos de obrigações garantidas por hipotecas de boa qualidade são comercializados por Vanguard,

Fidelity e Pimco. Porém, se em algum momento um corretor tentar vender-lhe uma obrigação de hipoteca individual ou um "CMO", diga-lhe que você está atrasado para uma consulta com um proctologista.

Anuidades. Esses investimentos semelhantes a seguros permitem que você postergue os impostos que venceriam em exercícios correntes e assegure um fluxo de renda após a aposentadoria. As anuidades fixas oferecem uma taxa de rendimento constante; as variáveis fornecem um retorno flutuante. No entanto, o investidor defensivo precisa se defender mesmo é dos corretores de seguro, corretores de ações e planejadores financeiros que vendem anuidades a custos absurdamente altos. Na maioria dos casos, as despesas altas decorrentes da posse de uma anuidade — incluindo os encargos em caso de resgates não previstos, que corroem as retiradas antecipadas — superarão suas vantagens. As poucas boas anuidades são compradas, não vendidas; se uma anuidade rende comissões gordas para o vendedor, é provável que ela renda resultados magros para o comprador. Avalie apenas aquelas que você pode comprar diretamente de fornecedores com custos baixíssimos, como Ameritas, TIAA-CREF e Vanguard.[11]

Ações preferenciais. As ações preferenciais são um investimento pior do que as obrigações e as ações ordinárias. São menos seguras do que as obrigações, uma vez que têm apenas uma prioridade secundária sobre os ativos de uma companhia em caso de falência. Oferecem menos potencial de lucro do que as ações ordinárias, uma vez que as companhias normalmente exercem a opção de compra (ou recompra) de suas ações preferenciais quando as taxas de juros caem ou sua classificação de crédito melhora. Ao contrário dos pagamentos de juros sobre a maioria de suas obrigações, a companhia emitente não pode deduzir os pagamentos dos dividendos preferenciais de seu imposto a pagar. Pergunte-se: se essa companhia é saudável o suficiente para merecer meu investimento, por que ela paga um dividendo gordo para suas ações preferenciais em vez de emitir obrigações e obter um benefício fiscal? A resposta

---

11 Em geral, as anuidades variáveis não são atraentes para os investidores com menos de cinquenta anos que esperam estar enquadrados em uma alíquota de imposto alto durante a aposentadoria ou que não tenham já contribuído até o teto para sua conta 401(k) ou IRA existente. As anuidades fixas (com exceção notável daquelas da TIAA-CREF) podem mudar suas taxas "garantidas" e surpreender você com encargos pesados. Para uma análise completa e objetiva das anuidades, ver dois artigos soberbos escritos por Walter Updegrave: "Income for life" [Renda vitalícia], *Money*, julho de 2002, p. 89-96, e "Annuity Buyer's Guide" [Guia do comprador de anuidades], *Money*, novembro de 2002, p. 104-110.

provável é que a companhia não é saudável, o mercado para suas obrigações está repleto de vendedores e você deve encarar essas ações preferenciais como encararia um peixe morto não refrigerado.

Ações ordinárias. Uma visita ao classificador de ações em http://screen.yahoo.com/stocks.html, no início de 2003, mostrou que 115 das 500 ações que compõem o índice da Standard & Poor's tinham rendimentos de dividendos iguais ou superiores a 3,0%. Nenhum investidor inteligente, não obstante quanto busque retorno, compraria uma ação apenas por causa de seus dividendos; a companhia e seus negócios devem ser sólidos e o preço de suas ações precisa ser razoável. Porém, graças ao mercado de baixa iniciado em 2000, algumas ações importantes agora superam o rendimento dos títulos do Tesouro. Portanto, mesmo o investidor mais defensivo deve entender que acrescentar ações seletivamente a uma carteira composta exclusivamente ou majoritariamente de títulos pode *aumentar* sua receita e seu rendimento potencial.[12]

---

12 Para obter mais informações sobre o papel dos dividendos em uma carteira, ver capítulo 19.

CAPÍTULO 5
O INVESTIDOR DEFENSIVO E AS AÇÕES ORDINÁRIAS

Os méritos do investimento em ações ordinárias

Na primeira edição (1949) deste livro, achamos necessário inserir nessa altura uma longa exposição dos fatores favoráveis à inclusão de um componente substancial de ações ordinárias em todas as carteiras de investimento.[1] As ações ordinárias eram, em geral, vistas como altamente especulativas e, portanto, inseguras; elas haviam caído bastante e constantemente se comparado com os níveis altos alcançados em 1946, mas, em vez de atraírem investidores por causa dos preços mais razoáveis, a confiança nelas foi minada por essa queda. Comentamos sobre a situação inversa que se desenvolveu nos vinte anos seguintes, durante os quais a grande alta dos preços das ações fez com que elas parecessem investimentos seguros e rentáveis, mesmo em níveis recordes, que poderiam incorporar um grau de risco considerável.[2]

O argumento a favor das ações ordinárias que apresentamos em 1949 se baseava em dois pontos principais. O primeiro era que elas ofereciam um grau considerável de proteção contra a erosão dos dólares do investidor causada pela inflação, enquanto que as obrigações não ofereciam proteção alguma. A segunda vantagem das ações ordinárias residia no rendimento médio mais alto para os investidores ao longo dos anos. Isso era produzido tanto

---

1 No começo de 1949, o rendimento anual médio gerado pelas ações nos vinte anos anteriores havia sido de 3,1% *versus* 3,9% para os títulos de longo prazo do Tesouro, significando que US$10.000 investidos em ações teriam aumentado para US$18.415 naquele período, enquanto que a mesma quantia em títulos teria se transformado em US$21,494. Naturalmente, 1949 acabou sendo um momento fabuloso para comprar ações: na década seguinte, o índice de 500 ações da Standard & Poor's subiu em média 20,1% ao ano, um dos melhores desempenhos de longo prazo da história do mercado acionário americano.

2 Os comentários anteriores de Graham sobre esse assunto aparecem nas p. 19-20. Imagine só o que ele teria pensado sobre o mercado acionário do final da década de 1990, durante o qual cada novo recorde estabelecido era considerado uma "prova" adicional de que as ações eram um caminho livre de riscos para a fortuna!

pela taxa média de dividendos, que excedia o rendimento das obrigações boas, quanto pela tendência subjacente de aumento no valor de mercado ao longo dos anos, e como consequência do reinvestimento de lucros não distribuídos.

Embora essas duas vantagens tenham sido de grande importância, e tenham no passado conferido às ações ordinárias um desempenho de longo prazo muito melhor do que as obrigações, alertamos consistentemente que esses benefícios poderiam ser perdidos pelo comprador de ações se ele pagasse um preço alto demais por suas ações. Esse foi claramente o caso em 1929, levando 25 anos para o mercado retornar ao patamar anterior à queda abismal de 1929-1932.[3] Desde 1957, as ações ordinárias, por causa de seus preços elevados, perderam sua vantagem tradicional em termos da superioridade da taxa de dividendos em comparação com as taxas de juros das obrigações.[4] Ainda resta ver se, no futuro, os fatores inflação e crescimento econômico compensarão essa condição significativamente adversa.

Deve ser evidente para o leitor que não temos qualquer entusiasmo pelas ações ordinárias em geral no nível de novecentos pontos do DJIA registrado

---

3 O Índice Industrial Dow Jones fechou no então nível recorde de 381,17 em 3 de setembro de 1929. Ele não voltou a fechar acima daquele nível até 23 de novembro de 1954, mais de 25 anos depois, quando bateu 382,74. (Quando você diz que pretende adquirir ações "para o longo prazo", você se dá conta de como pode ser longo o longo prazo, ou de que muitos investidores que compraram em 1929 nem estavam vivos em 1954?) No entanto, para os investidores pacientes que reinvestiram sua receita, os retornos das ações foram positivos nesse período desolador simplesmente porque os rendimentos de dividendos superaram a marca de 5,6% ao ano. De acordo com os professores Elroy Dimson, Paul Marsh e Mike Staunton, da London Business School, se você tivesse investido US$1 em ações americanas em 1900 e gasto todos os dividendos, sua carteira de ações teria aumentado para US$198 em 2000. Porém, se você tivesse reinvestido todos os dividendos, sua carteira de ações valeria US$16.797! Longe de serem um pormenor, os dividendos são a principal força no investimento de ações.

4 Por que os "preços altos" das ações afetam os rendimentos de dividendos? O rendimento de uma ação é resultado da divisão de seu dividendo em dinheiro pelo preço de uma ação ordinária. Se uma companhia paga um dividendo anual de US$2 quando o preço de sua ação é de US$100 por ação, seu rendimento é de 2%. Porém, se o preço da ação dobra enquanto o dividendo permanece constante, o rendimento do dividendo cairá para 1%. Em 1959, quando a tendência que Graham reconheceu em 1957 se tornou visível para todos, a maioria dos especialistas de Wall Street declararam que ela não poderia durar. Nunca antes as ações tinham rendido menos que as obrigações; afinal, uma vez que as ações são mais arriscadas do que as obrigações, por que alguém as compraria a menos que elas pagassem uma receita de dividendos adicional para compensar seu risco maior? Os especialistas argumentaram que o rendimento das obrigações superaria o das ações por, no máximo, poucos meses, e então as coisas voltariam ao "normal". Mais de quatro décadas depois, a relação nunca mais retornou ao normal; o rendimento das ações permaneceu (até hoje) continuamente abaixo do rendimento das obrigações.

em final de 1971. Por razões já aventadas,[5] acreditamos que o investidor defensivo não pode se dar ao luxo de ficar sem uma proporção apreciável de ações ordinárias em sua carteira, ainda que ele considere-as o menor entre dois males, o maior deles sendo os riscos de concentrar tudo em títulos.

As regras para o componente de ações ordinárias

A escolha das ações ordinárias para a carteira do investidor defensivo deve ser um assunto relativamente simples. Aqui, sugerimos quatro regras a serem seguidas:

1. Deve haver uma diversificação adequada, porém não excessiva. Isso significa um mínimo de dez ações diferentes e um máximo de aproximadamente trinta.[6]
2. Cada companhia escolhida deve ser grande, conceituada e conservadoramente financiada. Indefinidos como esses adjetivos possam ser, seu sentido geral é claro. Observações a respeito desse ponto serão acrescentadas no final do capítulo.
3. Cada companhia deve ter um histórico longo e ininterrupto de pagamentos de dividendos. (Todas as ações do Índice Industrial Dow Jones atendiam a essa exigência de dividendos em 1971.) Para sermos específicos sobre esse ponto, sugerimos a exigência de pagamentos ininterruptos de dividendos começando, pelo menos, em 1950.[7]
4. O investidor deve impor algum limite no preço que pagará por uma ação em relação a seus lucros médios nos, digamos, últimos sete anos. Sugerimos que esse limite seja estabelecido em 25 vezes tais lucros médios e não mais que vinte vezes os dos últimos 12 meses. No entanto, tal restrição eliminaria da carteira quase todas as companhias mais fortes e populares. Em particular, baniria virtualmente toda a categoria

---

5 Ver p. 79 e 111-112.

6 Para obter uma visão diferente da diversificação, ver boxe em comentários ao capítulo 14 (p. 406).

7 O investidor defensivo de hoje provavelmente insistiria em, pelo menos, dez anos contínuos de pagamento de dividendos (critério que excluiria de consideração apenas um membro do Índice Industrial Dow Jones — a Microsoft — e ainda deixaria, pelo menos, 317 ações para escolher entre o índice 500 da S&P). Até mesmo insistir em 20 anos ininterruptos de pagamentos de dividendos não seria demasiadamente restritivo; de acordo com o Morgan Stanley, 225 companhias da S&P 500 atendiam a esse critério no final de 2002.

de "*growth stocks*", as quais têm sido, há alguns anos, as favoritas tanto de especuladores quanto de investidores institucionais. Precisamos explicar por que estamos propondo uma exclusão tão drástica.

Growth stocks e o investidor defensivo

O termo "*growth stock*" é aplicado àquelas empresas que aumentaram seus lucros por ação no passado a uma taxa bem acima daquela das ações ordinárias em geral e das quais se espera um aumento similar no futuro. (Alguns especialistas diriam que a expectativa seria de que uma verdadeira ação de crescimento rápido pelo menos dobrasse os lucros por ação em dez anos, isto é, os aumentasse a uma taxa anual composta superior a 7,1%.)[8] Obviamente, as ações desse tipo são atraentes para a compra e manutenção em carteira, contanto que o preço pago por elas não seja excessivo. O problema reside justamente no fato de os preços serem muito altos, uma vez que as ações de crescimento rápido há muito são vendidas a preços elevados em relação aos lucros atuais e a múltiplos muito maiores de seus lucros médios do passado. Essa tendência introduziu um elemento especulativo de peso considerável no quadro das *growth stocks* e torna difíceis as operações bem-sucedidas nesse campo.

A mais importante *growth stock* há muito tem sido a International Business Machines, que trouxe recompensas fenomenais àqueles que a compraram há muitos anos e mantiveram suas posições tenazmente. No entanto, já destacamos[9] que esta "melhor das ações ordinárias" efetivamente perdeu 50% de seu preço de mercado em um declínio de seis meses durante 1961-62 e aproximadamente a mesma percentagem em 1969-1970. Outras *growth stocks* se mostraram ainda mais vulneráveis aos movimentos adversos; em alguns casos, não apenas o preço caiu, mas os lucros também, causando, portanto, uma dupla frustração para aqueles que as possuíam. Um segundo exemplo esclarecedor para nossos propósitos é a Texas Instruments, que

---

8 A "Regra de 72" é uma ferramenta mental útil. Para estimar a extensão do prazo que uma quantia em dinheiro leva para dobrar, simplesmente divida 72 pela taxa de crescimento presumida. A 6%, por exemplo, o dinheiro dobraria em 12 anos (72 dividido por 6 = 12). À taxa de 7,1% citada por Graham, uma *growth stock* dobraria seus lucros em pouco mais de dez anos (72/7,1 = 10,1 anos).

9 Graham aborda esse assunto na p. 95.

em seis anos aumentou de cinco para 256, sem pagar qualquer dividendo, enquanto seus lucros aumentaram de quarenta centavos para US$3,91 por ação. (Observe que o preço avançou cinco vezes mais rapidamente que os lucros; essa é uma característica das ações ordinárias populares.) Porém, dois anos mais tarde, os lucros haviam caído em aproximadamente 50% e o preço em *80%*, para 49.[10]

O leitor entenderá, por meio desses exemplos, por que consideramos as *growth stocks*, em seu conjunto, como sendo demasiadamente incertas e arriscadas para o investidor defensivo. Claro, maravilhas podem ser realizadas com escolhas individuais corretas, compradas em níveis certos e mais tarde vendidas após um grande aumento e antes de um provável declínio. Porém, é mais fácil para o investidor médio encontrar dinheiro brotando em uma árvore do que realizar esse tipo de feito. Em contraste, acreditamos que o grupo das grandes empresas, cujas ações são relativamente pouco populares e, portanto, podem ser compradas a múltiplos de lucro razoáveis,[11] oferece uma área segura, porém pouco espetacular, para o público em geral. Ilustraremos essa ideia em nosso capítulo sobre a escolha da carteira.

Mudanças de carteira

Atualmente, tornou-se uma prática-padrão submeter listas de todos os títulos em carteira para uma avaliação periódica, com o objetivo de verificar se sua qualidade pode ser melhorada. Isso, é claro, é uma parte substancial do serviço fornecido a seus clientes pelos consultores de investimento. Quase todas as corretoras estão prontas para fazer as sugestões correspondentes, sem cobrança adicional, em retorno pelas comissões envolvidas. Algumas corretoras cobram pelos serviços de orientação de investimento.

---

10 Para mostrar como as observações de Graham são eternamente verdadeiras, podemos substituir a IBM pela Microsoft e a Texas Instruments pela Cisco. Com um intervalo de trinta anos, os resultados são estranhamente semelhantes: as ações da Microsoft caíram 55,7% de 2000 a 2002, enquanto que as ações da Cisco, que haviam subido aproximadamente cinquenta vezes nos seis anos anteriores, perderam 76% de seu valor de 2000 a 2002. Como ocorreu com a Texas Instruments, a queda no preço das ações da Cisco foi mais acentuada do que a queda em seus lucros, que caíram apenas 39,2% (comparando a média trienal de 1997-1999 com a de 2000-2002). Como sempre, quanto mais quentes elas são, maior sua queda.

11 "Múltiplo de lucros" é um sinônimo para P/L ou razão preço/lucro, que mede quanto os investidores estão dispostos a pagar por uma ação em comparação com a rentabilidade do negócio subjacente. (Ver nota de rodapé 3 na p. 92, no capítulo 3.)

Teoricamente, nosso investidor defensivo deveria receber — pelo menos uma vez ao ano — o mesmo tipo de orientação com relação a mudanças em sua carteira como aquela que buscou quando seus recursos foram inicialmente investidos. Já que ele terá pouco conhecimento próprio e especializado no qual se basear, é essencial que confie em firmas com a mais alta reputação; de outra forma, ele pode facilmente cair em mãos incompetentes ou inescrupulosas. De qualquer maneira, é importante que, em qualquer tal consulta, ele deixe claro para seu assessor que deseja seguir rigorosamente as quatro regras de escolha de ações ordinárias apresentadas anteriormente neste capítulo. Incidentalmente, se sua lista for competentemente selecionada desde o início, não deve haver necessidade de mudanças frequentes ou numerosas.[12]

Método do custo médio em dólares

A Bolsa de Valores de Nova York tem envidado esforços consideráveis para popularizar seu "plano de compra mensal", de acordo com o qual um investidor investe o mesmo montante em dólares todo mês na compra de uma ou mais ações ordinárias. Essa é uma aplicação de um tipo especial de "investimento automático", conhecido como custo médio em dólares. Durante a experiência predominantemente de alta desde 1949, os resultados de tal procedimento não poderiam deixar de ser altamente satisfatórios, sobretudo por evitar que o praticante concentrasse suas compras nos momentos errados.

No estudo abrangente de Lucile Tomlinson sobre os planos de investimento automático[I], a autora apresenta um cálculo dos resultados do método do custo médio em dólares relativo ao grupo de ações que compõem o Índice Industrial Dow Jones. Os testes realizados abrangeram 23 períodos decenais de compra, o primeiro com término em 1929 e o último em 1952. Todos os testes apresentaram lucro no final do período de compra ou nos cinco anos seguintes. O lucro médio indicado no final dos 23 períodos de compra foi de 21,5%, excluindo os dividendos recebidos. Nem precisamos

---

12 Os investidores podem agora estabelecer seu sistema automático para monitorar a qualidade de suas carteiras usando o "rastreador de carteira" interativo em certas páginas da internet, tais como: www.quicken.com, moneycentral.msn.com, finance.yahoo.com e www.morningstar.com. Graham nos aconselharia cautela, no entanto, com a ideia de confiar exclusivamente em tal sistema; você deve exercer seu próprio julgamento para complementar o *software*.

dizer que, em alguns exemplos, houve uma depreciação temporária substancial no valor de mercado. A senhorita Tomlinson termina a discussão desse tipo de investimento automático ultrassimples com esta frase surpreendente: "Ninguém descobriu ainda qualquer outro método de investimento automático que possa ser usado com tanta confiança e com sucesso no longo prazo, a despeito do que possa acontecer aos preços dos papéis, como o Custo Médio em Dólares."

Pode-se argumentar que o método do custo médio em dólares, embora saudável em princípio, é um tanto irreal na prática, uma vez que poucas pessoas estão em condições de disponibilizar para investimento em ações ordinárias uma quantia igual de dinheiro a cada ano durante, digamos, vinte anos. Parece-me que essa aparente objeção perdeu muito de sua força nos últimos anos. As ações ordinárias estão se tornando amplamente aceitas como um componente necessário de um programa bem estruturado de poupança e investimento. Portanto, compras sistemáticas e uniformes de ações ordinárias podem apresentar as mesmas dificuldades psicológicas e financeiras que os pagamentos periódicos semelhantes para seguros de vida e para a compra de obrigações de poupança do governo americano, as quais devem agir como um complemento. A quantia mensal pode ser pequena, mas os resultados após vinte anos podem ser impressionantes e importantes para o poupador.

A situação pessoal do investidor

No começo deste capítulo, nos referimos brevemente à posição do proprietário de uma carteira individual. Voltemos a esse assunto à luz de nossa discussão subsequente sobre a política de investimento em geral. Em que medida o tipo de papel escolhido pelo investidor deve variar de acordo com suas circunstâncias? Como exemplos concretos que representam condições bastante diferentes temos: (1) uma viúva que herdou US$200.000, com os quais sustentará a si mesma e a seus filhos; (2) um médico bem-sucedido, na metade de sua carreira, que possui uma poupança de US$100.000, acrescida anualmente de US$10.000; e (3) um jovem que ganha US$200 por semana e poupa US$1.000 ao ano.[13]

---

13 Para atualizar os números de Graham, pegue cada quantia em dólares desta seção e multiplique por cinco.

Para a viúva, o problema de viver de renda é muito difícil. Por outro lado, a necessidade de adotar uma posição conservadora em seus investimentos é primordial. Uma divisão igualitária de seus recursos entre obrigações do governo americano e ações ordinárias com grau de investimento é um meio-termo entre esses objetivos e corresponde à nossa orientação geral para o investidor defensivo. (O componente de ações pode ser elevado a um nível tão alto quanto 75% se a investidora estiver psicologicamente preparada para essa decisão e se tiver uma certeza quase absoluta de não estar comprando a um nível alto demais. Esse definitivamente *não* é o caso no início de 1972.)

Não excluímos a possibilidade de que a viúva possa ser qualificada como um investidor empreendedor, hipótese em que seus objetivos e métodos serão bastante diferentes. Uma coisa que a viúva *não* deve fazer é se arriscar em oportunidades especulativas para "obter uma renda extra". Queremos dizer com isso almejar lucros ou uma receita alta sem o equipamento necessário para assegurar a confiança plena no sucesso total. Seria muito melhor para ela retirar US$2.000 por ano de seu principal para equilibrar o orçamento do que arriscar metade disso em aventuras precariamente embasadas, portanto, especulativas.

O médico próspero não sofre as pressões e compulsões da viúva; no entanto, acreditamos que suas escolhas devam ser bastante semelhantes. Ele está disposto a canalizar esforços sérios na administração dos investimentos? Se ele não tiver tal impulso ou talento, é melhor que aceite o papel fácil do investidor defensivo. Então, a divisão de sua carteira não deve ser diferente daquela da viúva "típica", havendo o mesmo escopo para escolha pessoal na fixação do tamanho do componente de ações. A poupança anual deve ser investida aproximadamente nas mesmas proporções que os recursos como um todo.

É mais provável que o médico médio decida se tornar um investidor empreendedor do que uma viúva típica, e talvez seja mais provável que ele alcance sucesso nesse empreendimento. No entanto, ele tem um obstáculo importante: o fato de ter menos tempo disponível para aprender sobre seus investimentos e administrar seus recursos. Na verdade, os médicos têm sido notoriamente malsucedidos em suas negociações no mercado mobiliário. A razão para isso é que eles, em geral, confiam demais em sua inteligência e têm um forte desejo de obter um bom rendimento com seu dinheiro sem perceberem que fazer isso com êxito exige uma atenção considerável ao assunto e uma abordagem quase profissional aos valores dos papéis.

Finalmente, o jovem que poupa US$1.000 ao ano, e espera melhorar sua situação gradualmente, se depara com as mesmas escolhas, embora por diferentes razões. Parte de sua poupança deveria automaticamente ser destinada aos títulos de Série E. O saldo é tão modesto que parece valer muito pouco a pena ele se submeter à dura disciplina educacional e temperamental para se qualificar como investidor ativo. Portanto, o recurso simples a nosso programa-padrão para o investidor defensivo seria simultaneamente a política mais fácil e a mais lógica para ele.

Não devemos ignorar a natureza humana nessa altura de nossa discussão. As finanças exercem um fascínio em muitos jovens brilhantes com recursos limitados. Eles gostariam de ser inteligentes e empreendedores na aplicação de suas economias, muito embora a renda dos investimentos seja muito menos importante para eles do que seus salários. Essa atitude é muito saudável. É uma grande vantagem para o jovem capitalista começar sua educação e experiência financeiras cedo. Se ele operar como um investidor agressivo, certamente cometerá alguns erros e terá alguns prejuízos. A juventude pode superar essas decepções e tirar proveito delas. Pedimos aos principiantes na compra de títulos para não desperdiçarem seus esforços e seu dinheiro tentando ganhar do mercado. Eles devem estudar os valores dos papéis e, inicialmente, testar suas avaliações de preços e valores com as menores somas possíveis.

Assim sendo, voltamos à afirmação, feita no início, de que o tipo de papel a ser comprado e a taxa de retorno a ser buscada não dependem dos recursos financeiros do investidor, mas de sua bagagem financeira em termos de conhecimento, experiência e temperamento.

Nota sobre o conceito de "risco"

É comum referir-se aos bons títulos como menos arriscados do que as ações preferenciais boas, e a estas últimas como menos arriscadas do que as ações ordinárias boas. Daí se desenvolveu um preconceito popular contra as ações ordinárias por elas não serem "seguras", conforme ficou demonstrado na pesquisa realizada pelo Federal Reserve Board em 1948. Gostaríamos de destacar que as palavras "arriscado" e "seguro" são aplicadas às obrigações de duas formas distintas, resultando em uma confusão conceitual.

Um título é claramente inseguro quando ele deixa de honrar seus pagamentos de juros ou principal. Da mesma forma, se uma ação preferencial ou mesmo uma ação ordinária é comprada com a expectativa de que uma dada taxa de dividendos continue, então uma redução ou suspensão do pagamento de dividendos significa que ela provou ser insegura. É também verdade que um investimento é arriscado quando existe uma possibilidade razoável de que o portador possa precisar vender em algum momento em que o preço for bem inferior ao custo.

No entanto, o conceito de risco é, com frequência, ampliado de forma a ser aplicado a uma eventual queda no preço de um título, muito embora essa queda possa ser de natureza cíclica e passageira e ser improvável que o proprietário seja forçado a vender em tais épocas. Essas possibilidades estão presentes em todas as obrigações, com exceção dos títulos de poupança do governo americano e, em um sentido amplo, mais presentes nas ações ordinárias em geral do que nas ações preferenciais como uma classe. Porém, acreditamos que o que está envolvido aqui não é o risco verdadeiro no sentido útil do termo. O indivíduo que detém a hipoteca de um edifício pode ter um prejuízo substancial se for forçado a vendê-la em um momento desfavorável. Esse elemento não é considerado no julgamento da segurança ou do risco das hipotecas imobiliárias comuns, sendo o único critério a certeza de pagamentos pontuais. Da mesma forma, o risco associado a um negócio comercial comum é medido pelas chances de se perder dinheiro com ele, não pelo que poderia acontecer se o seu dono fosse forçado a vendê-lo.

No capítulo 8, apresentaremos nossa convicção de que o investidor legítimo não perde dinheiro apenas por causa de uma queda no preço de mercado de sua carteira; portanto, o fato de que um declínio possa ocorrer não significa que ele esteja correndo um risco real de prejuízo. Se um conjunto de investimentos em ações ordinárias selecionadas mostra um rendimento geral satisfatório, quando medido através de um número razoável de anos, então esse conjunto de investimentos provou ser "seguro". Durante esse período, seu valor de mercado está sujeito a flutuações e pode, de tempos em tempos, ficar abaixo do custo do comprador. Se esse fato torna o investimento "arriscado", então ele teria de ser chamado ao mesmo tempo de arriscado e seguro. Essa confusão pode ser evitada se aplicarmos o conceito de risco somente a uma perda de valor que ocorre através de uma venda efetiva ou é causada por uma deterioração significativa na posição da companhia ou, talvez mais frequentemente, é resultado do pagamento de um preço excessivo em relação ao valor intrínseco do papel.[II]

Muitas ações ordinárias envolvem riscos de tal deterioração. Porém, é nossa tese que um investimento em um conjunto de ações ordinárias, executado de forma apropriada, não carrega qualquer risco substancial desse tipo e que, portanto, não deveria ser tachado de "arriscado" simplesmente por causa do elemento de oscilação de preços. No entanto, tal risco está presente se existe um perigo de que o preço tenha sido claramente alto demais com base nos padrões intrínsecos, mesmo se qualquer declínio de mercado posterior e severo possa ser recuperado em anos posteriores.

Nota sobre a categoria de "corporações grandes, conceituadas e financiadas conservadoramente"

A frase entre aspas do título foi usada anteriormente no capítulo para descrever o tipo de ações ordinárias ao qual os investidores defensivos deveriam restringir suas compras, contanto que também elas tivessem pagado dividendos ininterruptos durante um número considerável de anos. Um critério baseado em adjetivos é sempre ambíguo. Onde fica a linha divisória para tamanho, conceituação e financiamento conservador? No último ponto, podemos sugerir um padrão específico que, embora arbitrário, está alinhado com o pensamento geral. As finanças de uma companhia industrial não são conservadoras a menos que as ações ordinárias (avaliadas por seu valor contábil) representem, pelo menos, metade da capitalização total, incluindo todo o endividamento bancário.[III] Para uma ferrovia ou companhia concessionária de serviços públicos, a proporção deveria ser de, pelo menos, 30%.

As palavras "grande" e "conceituada" carregam a noção de tamanho substancial combinado com uma posição importante no setor. Tais companhias são, com frequência, denominadas "com grau de investimento"; todas as outras ações ordinárias são então denominadas "de segunda linha", exceto as *growth stocks*, que são comumente agrupadas em uma classe separada por aqueles que as compram como tal. Para fornecer um elemento de concretude aqui, deixe-nos sugerir que para ser "grande", em termos atuais, uma companhia precisaria ter US$50 milhões em ativos ou um faturamento de US$50 milhões.[14] Novamente, para ser "conceituada", uma companhia deve ficar entre 25% a 33% maiores de seu ramo de negócios.

Seria insensato, no entanto, insistir em tais critérios arbitrários. Eles são oferecidos simplesmente como guias para aqueles que buscam orientação. Porém, qualquer regra que o investidor possa estabelecer para si mesmo e que não viole os sentidos comuns de "grande" e "conceituada" deve ser aceitável. Pela própria natureza do assunto, existe um grande grupo de companhias que alguns incluiriam e outros não entre aquelas apropriadas ao investimento defensivo. Não há problema em tal diversidade de opinião e ação. Na verdade, ela tem um efeito salutar sobre as condições do mercado acionário, por permitir uma diferenciação gradual ou transição entre as categorias de ações de primeira e de segunda linha.

---

14 Nos mercados de hoje, uma companhia precisaria ter um valor total em ações (ou "capitalização de mercado") de, pelo menos, US$10 bilhões para ser considerada grande. De acordo com o classificador de ações on-line em http://screen.yahoo.com/stocks.html, esse critério deixava você com aproximadamente trezentas ações entre as quais escolher no início de 2003.

COMENTÁRIOS AO CAPÍTULO 5

A felicidade humana é produzida nem tanto por grandes
Porções de boa Fortuna que raramente acontecem,
mas sim por pequenas Vantagens que ocorrem todos os dias.
Benjamin Franklin

A MELHOR DEFESA É UM BOM ATAQUE

Após o banho de sangue no mercado acionário nos últimos anos, por que qualquer investidor defensivo colocaria um centavo em ações?

Primeiro, lembre-se da insistência de Graham em que sua atitude defensiva deve depender menos da tolerância ao risco do que de sua disposição de dedicar tempo e energia à sua carteira. Se você fizer isso da maneira certa, investir em ações é tão fácil quanto deixar seus recursos em títulos e dinheiro. (Como veremos no capítulo 9, é possível comprar um fundo atrelado a um índice do mercado acionário com menos esforço do que aquele necessário para nos vestirmos toda manhã.)

Em meio ao mercado de queda iniciado em 2000, é compreensível que você se sinta atingido, e que, por sua vez, esse sentimento o torne determinado a nunca mais comprar uma ação. Como diz um velho provérbio turco, "Depois de queimar a boca com leite quente, você sopra até iogurte". Por ter sido tão terrível a quebra de 2000-2002, muitos investidores agora veem as ações como tremendamente arriscadas; mas, paradoxalmente, a própria queda extirpou grande parte do risco do mercado acionário. Se antes era leite quente, agora é iogurte à temperatura ambiente.

Do ponto de vista da lógica, a decisão de possuir ações hoje não tem nada a ver com quanto dinheiro você possa ter perdido ao possuí-las há alguns anos. Quando as ações podem ser compradas a um preço suficientemente razoável para proporcionar crescimento no futuro, então você deve possuí-las, não obstante as perdas que elas possam ter lhe causado nos últimos anos. Isso é mais verdadeiro ainda quando os rendimentos dos títulos são baixos, reduzindo os retornos futuros dos investimentos em renda fixa.

Como vimos no capítulo 3, as ações estão (no início de 2003) apenas ligeiramente supervalorizadas de acordo com os padrões históricos. Entretanto, aos preços recentes, os títulos oferecem rendimentos tão baixos que o investidor que as compra em busca de uma suposta segurança mais parece o fumante que pensa que pode se proteger contra o câncer de pulmão ao fumar cigarros com baixo teor de nicotina. Não importa quão defensivo seja o investidor, nos termos de Graham de manutenção baixa ou no sentido contemporâneo de risco baixo, os valores de hoje significam que você precisa manter uma parte, pelo menos, de seu patrimônio em ações.

Felizmente, nunca foi tão fácil para um investidor defensivo comprar ações. Uma carteira em regime de piloto automático permanente, que sem qualquer esforço coloca um pouco de seu dinheiro para trabalhar todo mês em investimentos predeterminados, pode livrá-lo da necessidade de dedicar uma grande parte de sua vida à escolha de ações.

VOCÊ DEVERIA "COMPRAR O QUE CONHECE"?

Porém, primeiro, vamos discutir algo que o investidor defensivo deve sempre evitar: a crença de que é possível escolher ações sem fazer nenhum dever de casa. Nas décadas de 1980 e 1990, um dos bordões de investimento mais populares era "compre aquilo que você conhece". Peter Lynch, que pilotou o Fidelity Magellan entre 1977 e 1990 de modo a atingir o melhor desempenho já registrado por um fundo mútuo, era o pregador mais carismático desse evangelho. Lynch dizia que os investidores amadores tinham uma arma que os profissionais haviam esquecido como usar: "o poder do conhecimento comum". Se você descobrir um restaurante, um carro, uma pasta de dente ou um jeans novo e excelente ou se você perceber que o estacionamento próximo a um centro comercial está sempre cheio ou que as pessoas ainda estão trabalhando na matriz de uma companhia até altas horas, então você possui uma visão pessoal de uma ação que um analista profissional ou gerente de carteira pode nunca vir a ter. Como disse Lynch, "ao longo de uma vida comprando carros ou máquinas fotográficas, você desenvolve uma sensibilidade sobre o que é bom e o que é ruim, o que vende e o que não vende... e a parte mais importante é que você sabe disso antes de Wall Street".[1]

---

1 Peter Lynch e John Rothchild, *One Up on Wall Street* [Superar Wall Street] (Penguin, 1989), p. 23.

A regra de Lynch de que "você pode se sair melhor que os especialistas se utilizar sua vantagem ao investir em companhias ou setores que você já compreende" não é totalmente implausível e centenas de investidores lucraram com ela ao longo dos anos. No entanto, a regra de Lynch pode funcionar apenas se você também seguir seu corolário: "Encontrar a companhia promissora é apenas o primeiro passo. O próximo é pesquisar." Justiça seja feita, Lynch insiste que ninguém deveria investir em uma companhia, seja qual for a qualidade de seus produtos ou o movimento em seu estacionamento, sem estudar seus balanços financeiros e sem estimar seu valor comercial.

Infelizmente, a maioria dos compradores de ações ignora esta parte.

Barbra Streisand, a diva do *day trade*, personificou a forma como alguns abusam dos ensinamentos de Lynch. Em 1999, ela balbuciou, "tomamos café na Starbucks todos os dias, portanto compro ações da Starbucks". Porém, a Garota Genial esqueceu que não importa quanto você adora café com leite desnatado, ainda é preciso analisar os balanços da Starbucks e certificar-se de que suas ações não são ainda mais caras do que seu café. Inúmeros compradores de ações cometeram o mesmo erro ao se entupir de ações da Amazon.com porque adoravam sua página na internet ou ao comprar ações da e*Trade porque ela era sua corretora on-line.

Os "especialistas" também deram credibilidade a essa ideia. Em uma entrevista transmitida pela CNN no final de 1999, perguntaram, quase implorando, ao gerente de carteira Kevin Landis, do Firsthand Funds, "Como você faz isso? Por que não consigo fazer isso, Kevin?" (De 1995 ao final de 1999, o fundo Firsthand Technology Value produziu um rendimento médio anual surpreendente de 58,2%.) "Bem, você *pode* fazer isso", Landis respondeu alegremente, e acrescentou: "Tudo que você realmente precisa fazer é focar nas coisas que conhece, se aproximar de um setor e falar com pessoas que trabalham nele todos os dias."[2]

A perversão mais dolorosa da regra de Lynch ocorreu nos planos de aposentadoria corporativos. Se você deveria "comprar o que conhece", então

---

2 Entrevista com Kevin Landis na CNN no programa *In the Money*, em 5 de novembro de 1999, às 11h, hora local do leste dos Estados Unidos. Se o que Landis diz significa alguma coisa, focar nas "coisas que conhece" não é "tudo que você realmente precisa fazer" para escolher ações com sucesso. A partir do final de 1999 até o final de 2002, o fundo de Landis (repleto de companhias de tecnologia que ele afirmava conhecer "em primeira mão" a partir de sua base no Vale do Silício) perdeu 73,2% de seu valor, uma queda bem pior do que a média sofrida pelos fundos de tecnologia no mesmo período.

que investimento poderia ser melhor para sua conta 401(k) do que as ações da companhia em que trabalha? Afinal, você trabalha lá. Você não conhece melhor a companhia do que alguém que não trabalha nela? Infelizmente, os empregados da Enron, Global Crossing e WorldCom, muitos dos quais colocaram quase todas suas economias de aposentadoria nas ações da companhia em que trabalhavam, e acabaram arrasados, aprenderam que os de dentro possuem, com frequência, apenas a ilusão do conhecimento, não o conhecimento verdadeiro.

Psicólogos, liderados por Baruch Fischhoff, da Universidade Carnegie Mellon, documentaram um fato perturbador: tornar-se mais familiarizado com um assunto não significa reduzir a tendência das pessoas de exagerar quanto elas realmente o conhecem.[3] Essa é a razão por que "investir naquilo que se conhece" pode ser tão perigoso; quanto mais você a conhece inicialmente, mais improvável será que investigue as fraquezas de uma ação. Essa forma perniciosa de excesso de confiança é chamada de "viés de casa" ou o hábito de apegar-se firmemente ao que já é familiar:

- Os investidores individuais possuem três vezes mais ações na companhia telefônica local do que em todas as outras companhias telefônicas juntas;
- O fundo mútuo típico possui ações cuja sede está 230km mais perto do escritório central do fundo do que a sede da média das companhias americanas;
- Os investidores em contas 401(k) aplicam 25% a 30% de suas economias de aposentadoria em ações da própria companhia.[4]

Em resumo, familiaridade gera acomodação. No noticiário da TV, é sempre o vizinho, melhor amigo ou pai do criminoso que diz, com voz chocada: "Mas ele era um cara tão legal." Isso acontece porque sempre que estamos perto demais de alguém ou de algo, confiamos em nossas crenças, em vez de questioná-las, como fazemos quando confrontamos algo mais remoto. Quanto mais

---

3 Sarah Lichtenstein e Baruch Fischhoff, "Do Those Who Know More Also Know More About How Much They Know?" [Será que aqueles que sabem muito também sabem muito sobre quanto sabem?] *Organizational Behavior and Human Performance*, v. 20, nº 2, dezembro de 1977, p. 159-183.

4 Ver Gur Huberman, "Familiarity Breeds Investment" [Familiaridade gera investimento]; Joshua D. Coval e Tobias J. Moskowitz, "The Geography of Investment" [A geografia do investimento]; e Gur Huberman e Paul Sengmuller, "Company Stock in 401(k) Plans" [As ações de companhias em contas de plano 401(k)], todos disponíveis em http://papers.ssrn.com.

familiar uma ação, mais provável será ela transformar um investidor defensivo em um preguiçoso que pensa não haver necessidade de fazer nenhum dever de casa. Não deixe que isso aconteça com você.

É POSSÍVEL FAZER TUDO SOZINHO?

Felizmente, para o investidor defensivo disposto a fazer o dever de casa necessário para montar uma carteira de ações, essa é a Era Dourada: nunca antes na história das finanças possuir ações foi tão barato e conveniente.[5]

Faça você mesmo. Por meio de corretoras on-line especializadas, como www.sharebuilder.com, www.foliofn.com e www.buyandhold.com, você pode comprar ações automaticamente, mesmo que tenha pouco dinheiro para gastar. Esses sites cobram pequenas quantias, como US$4, por cada compra periódica de qualquer uma das centenas de ações americanas que disponibilizam. Você pode investir toda semana ou todo mês, reinvestir os dividendos e até mesmo pingar seu dinheiro em ações por meio de transferências eletrônicas a partir de sua conta bancária ou débito direto em contracheque. A Sharebuilder cobra mais para vender do que para comprar, lembrando a você — de forma gentil, porém firme — que a venda rápida é um erro na área de investimentos, enquanto a FolioFN oferece um excelente instrumento para o cálculo de impostos.

Ao contrário dos corretores tradicionais ou dos fundos mútuos que não o deixarão passar da porta de entrada se não tiver pelo menos US$2.000 ou US$3.000, essas firmas on-line não exigem saldo mínimo em conta e são talhadas para investidores iniciantes que desejam estabelecer carteiras novas em regime de piloto automático. É verdade que uma taxa de transação de US$4 representa uma mordida monstruosa de 8% em um investimento mensal de US$50, mas se esse é todo o dinheiro que você dispõe para gastar, então essas páginas de investimento micro são a única maneira de construir uma carteira diversificada.

---

5 De acordo com o professor Charles Jones, da Columbia Business School, o custo de uma transação pequena de mão única (seja uma compra ou uma venda) das ações listadas na Bolsa de Valores de Nova York caiu de aproximadamente 1,25% nos dias de Graham para cerca de 0,25% em 2000. Para instituições como os fundos mútuos, tais custos são efetivamente mais altos. (Ver Charles M. Jones, "A Century of Stock Market Liquidity and Trading Costs" [Um século de liquidez do mercado acionário e os custos de transação], disponível em http://papers.ssrn.com.)

Você também pode comprar ações individuais diretamente das companhias emitentes. Em 1994, o Securities and Exchange Commission afrouxou as algemas há muito colocadas na venda direta de ações ao público. Centenas de companhias responderam a essa mudança com a criação de programas na internet que permitem aos investidores comprar ações sem passar por um corretor. Algumas fontes de informação on-line grau de investimento sobre a compra direta de ações incluem a www.dripcentral.com, www.netstockdirect.com (uma afiliada da Sharebuilder) e a www.stockpower.com. Com frequência, é necessário pagar diversas taxas incômodas que podem exceder US$25 ao ano. Mesmo assim, os programas de compra direta de ações são, em geral, mais baratos do que os corretores.

Fique avisado, no entanto, que comprar ações em incrementos mínimos por anos a fio pode desencadear grandes dores de cabeça por causa dos impostos. Se você não está preparado para manter um registro permanente e exaustivamente detalhado de suas aquisições, é melhor nem começar a comprar. Finalmente, não invista em somente uma ação ou mesmo em apenas um punhado de ações diferentes. A menos que você não esteja disposto a dividir suas apostas, não deveria apostar de forma alguma. A diretriz de Graham que recomenda a posse de dez a trinta ações diferentes permanece sendo um bom ponto de partida para os investidores que desejam selecionar suas próprias ações, mas você deve se certificar de que não ficará demasiadamente exposto a um único setor.[6] (Para saber mais sobre como escolher as ações individuais que comporão sua carteira, ver p. 139-140 e capítulos 11, 14 e 15.)

Se, após ter estabelecido tal carteira on-line em regime de piloto automático, você se encontrar negociando mais do que duas vezes ao ano ou gastando mais de uma ou duas horas por mês, no total, em seus investimentos, então algo está muito errado. Não permita que a facilidade e a atualização instantânea da internet o seduzam a se tornar um especulador. O investidor defensivo participa da corrida — e ganha — sentado.

Peça ajuda. O investidor defensivo também pode possuir ações por meio de uma corretora de desconto, um consultor financeiro ou uma corretora com serviços completos. Em uma corretora de desconto, você precisará fazer

6 Para ajudá-lo a determinar se suas ações estão suficientemente diversificadas por setores industriais diferentes, você pode usar a função gratuita "raios-X instantâneo" em www.morningstar.com ou consultar as informações do setor (Global Industry Classification Standard [Padrão Global de Classificação de Indústria]) em www.standardandpoor.com.

sozinho a maior parte do trabalho de escolha de ações; as diretrizes de Graham o ajudarão a criar uma carteira básica que exigirá manutenção mínima e oferecerá uma probabilidade alta de um retorno estável. Por outro lado, se você não pode gastar tempo ou não tem interesse em fazer isso por si mesmo, não há razão para sentir qualquer vergonha em contratar alguém para escolher ações ou fundos mútuos para você. Porém, há uma responsabilidade que você nunca deve delegar. Você, e ninguém a não ser você, deve investigar (*antes* de entregar seu dinheiro) se o consultor é confiável e cobra taxas razoáveis. (Para obter mais dicas, ver capítulo 10.)

Delegue. Os fundos mútuos são a maneira mais fácil para o investidor defensivo capturar as vantagens da posse de ações sem as desvantagens de precisar acompanhar de perto sua carteira. A um custo relativamente baixo, é possível comprar um grau alto de diversificação e conveniência ao deixar um profissional escolher e monitorar as ações por você. Em sua forma mais elaborada — as carteiras de índices —, os fundos mútuos podem exigir quase nenhum monitoramento ou manutenção. Os fundos de índices são um investimento do tipo Rip Van Winkle, o qual é altamente improvável de causar qualquer sofrimento ou surpresas, mesmo se você, como o lavrador preguiçoso criado por Washington Irving, adormecer por vinte anos. Eles são a realização do sonho do investidor defensivo. (Para obter mais detalhes, ver o capítulo 9.)

TAPANDO OS BURACOS

Enquanto os mercados financeiros sobem e descem dia após dia, o investidor defensivo pode controlar o caos. A própria recusa a ser ativo e a renúncia a qualquer pretensa capacidade de prever o futuro podem se tornar suas armas mais poderosas. Ao colocar todas as decisões de investimento no piloto automático, você derruba qualquer autoilusão de que conhece a direção futura em que estão indo as ações e neutraliza o poder do mercado de preocupá-lo, não importa o grau de bizarrice de suas oscilações.

Conforme observado por Graham, o método do "custo médio em dólares" determina que você deve aplicar um montante fixo em um investimento a intervalos regulares. A cada semana, mês ou trimestre, você compra mais — qualquer que seja a tendência atual ou futura do mercado. Qualquer grande corretora ou gestora de fundo mútuo pode automática e seguramente transferir o dinheiro eletronicamente para que você nunca tenha de emitir um cheque ou sentir aquele remorso de pagar uma conta. Longe dos olhos, longe do coração.

A forma ideal para o custo médio em dólares é a compra de cotas de uma carteira vinculada a um índice, a qual possui toda ação ou obrigação que valha a pena ser possuída. Dessa forma, você evita não apenas o jogo de adivinhação sobre qual será a direção do mercado, mas que ramos do mercado e quais ações ou obrigações específicas dentro deles terão o melhor desempenho.

Suponhamos que você tenha US$500 mensais disponíveis para aplicação. Ao comprar, usando o método do custo médio em dólares, apenas três fundos de índice — US$300 em um que represente o mercado acionário americano como um todo, US$100 em um contendo ações estrangeiras e US$100 em um que contém títulos do governo americano —, você se assegura de possuir quase todos os investimentos do planeta que valem a pena serem possuídos.[7] Todo mês, como um relógio, você compra mais. Se o mercado cair, sua quantia preestabelecida rende mais, permitindo a compra de mais ações do que no mês anterior. Se o mercado subir, então seu dinheiro compra menos ações para você. Ao colocar sua carteira no piloto automático permanentemente, você evita jogar dinheiro no mercado apenas quando ele aparenta ser mais sedutor (e, na verdade, é mais perigoso) ou evita deixar de comprar mais após uma quebra de mercado ter tornado os investimentos efetivamente mais baratos (porém, aparentemente, mais "arriscados").

De acordo com a Ibbotson Associates, uma importante firma de pesquisa financeira, se você tivesse investido US$12.000 no índice de 500 ações da Standard & Poor's no início de setembro de 1929, dez anos mais tarde teria apenas US$7.223. No entanto, se você tivesse começado com meros US$100 e simplesmente investido outros US$100 a cada mês, até 1939 seu dinheiro teria subido para US$15.571! *Esse é* o poder da compra disciplinada, mesmo em face à Grande Depressão e ao pior mercado de baixa de todos os tempos.[8]

A Figura 5-1 mostra a mágica do custo médio em dólares no mercado de baixa mais recente.

---

7 Para saber mais sobre as razões para manter uma parte de sua carteira em ações estrangeiras, ver p. 216-217.

8 Fonte: dados de planilhas fornecidos por cortesia da Ibbotson Associates. Embora não fosse possível para os investidores pessoa física comprarem o índice de 500 ações da S&P inteiro até 1976, o exemplo mesmo assim comprova o poder das compras adicionais à medida que os preços das ações descem.

FIGURA 5-1

Cada centavo ajuda

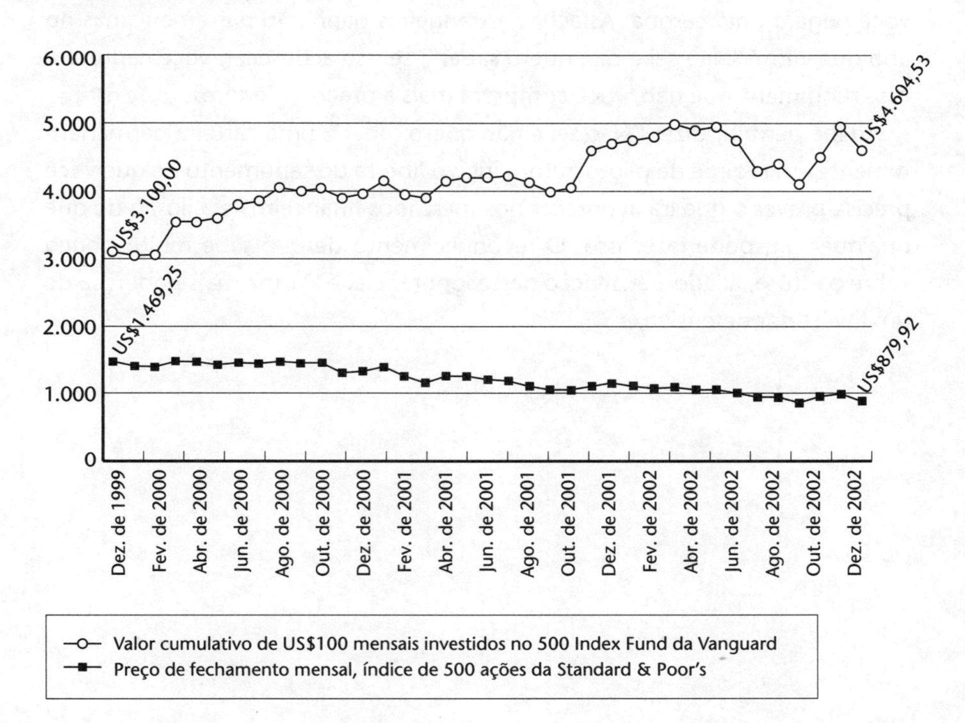

Desde o final de 1999 até o final de 2002, o índice de 500 ações da S&P caiu implacavelmente. Porém, se você tivesse aberto uma conta em um fundo de índice com o investimento mínimo de US$3.000 e acrescentado US$100 a cada mês, seu dispêndio total de US$6.600 teria perdido 30,2%, consideravelmente menos que a queda de 41,3% do mercado. Melhor ainda, suas compras constantes e a preços cada vez mais baixos construiriam a base de uma recuperação explosiva quando o mercado ressurgisse.

Fonte: The Vanguard Group

Melhor de tudo, após ter construído uma carteira permanentemente em regime de piloto automático e baseada em fundos de índice, você será capaz de responder a cada pergunta do mercado com a resposta mais poderosa que um investidor defensivo pode ter: "Não sei e não quero saber." Se alguém pergunta se os títulos terão um desempenho melhor do que as ações, apenas responda: "Não sei e não quero saber." Afinal, você está automaticamente comprando os dois. As ações dos planos de saúde farão as ações de alta tecnologia parecerem doentes? "Não sei e não quero saber", você é dono permanente de ambas. Qual é a próxima Microsoft? "Não sei e não quero saber", contanto que seja grande o suficiente para ser possuída, seu fundo de índice a terá e você pegará uma carona. As ações estrangeiras ganharão das americanas no ano que vem? "Não sei e não quero saber", se isso acontecer, você capturará esse rendimento; se não, você comprará mais a preços inferiores.

Ao lhe permitir dizer "Não sei e não quero saber", uma carteira permanentemente em regime de piloto automático o liberta do sentimento de que você precisa prever o que irá acontecer nos mercados financeiros e a ilusão de que qualquer um pode fazer isso. O reconhecimento de que sabe muito pouco sobre o futuro, aliado à aceitação dessa ignorância, é a arma mais poderosa de um investidor defensivo.

CAPÍTULO 6
A POLÍTICA DE INVESTIMENTOS PARA O INVESTIDOR EMPREENDEDOR: UMA ABORDAGEM NEGATIVA

O investidor "ativo" deveria começar da mesma forma que o investidor defensivo, ou seja, dividindo seus recursos entre as obrigações com grau de investimento e as ações ordinárias com grau de investimento compradas a preços razoáveis.[1] Ele estará preparado para investir em outros tipos de papéis, mas em cada caso desejará obter uma justificativa bem fundamentada para tomar tal atitude. É difícil discutir esse tópico de maneira ordenada, porque não existe um padrão simples ou ideal para as operações ativas. O campo de escolha é amplo; a escolha deve depender não apenas da competência e da capacidade do indivíduo, mas, talvez em grau igual, também de seus interesses e preferências.

As generalizações mais grau de investimento para o investidor empreendedor são do tipo negativo. Ele deve deixar as ações preferenciais com grau de investimento para os compradores que sejam pessoas jurídicas. Ele também deve evitar os tipos inferiores de títulos e ações preferenciais, a menos que estas possam ser compradas como subvalorizações, o que em geral significa comprar a preços inferiores a 30% da paridade, no caso de instrumentos com taxas de juros altas, e muito menos, no caso de papéis com taxas de juros mais baixas.[2] Ele deixará alguma outra pessoa comprar

---

1 Aqui Graham cometeu um lapso de língua. Após insistir, no capítulo 1, que a definição de um investidor "empreendedor" depende não do grau de risco que você busca, mas do volume de trabalho que está disposto a dedicar, Graham retorna à noção convencional de que os investidores empreendedores são mais "ativos". O restante do capítulo, no entanto, deixa claro que Graham mantém sua definição original. (O grande economista inglês John Maynard Keynes parece ter sido o primeiro a usar o termo "empreendimento" como um sinônimo para investimento analítico.)

2 "Instrumentos com taxas de juros altas" são obrigações corporativas que pagam taxas de juros acima da média (nos mercados atuais, pelo menos 8%) ou ações preferenciais que pagam dividendos altos (10% ou mais). Se uma companhia precisa pagar taxas de juros altas para tomar dinheiro emprestado, esse é um sinal fundamental de que ela é um investimento

os títulos de governos estrangeiros, por mais atraente que possam ser os rendimentos. Ele também terá cautela com todos os tipos de lançamentos novos, incluindo as obrigações conversíveis e ações preferenciais que parecerem bastante tentadoras e as ações ordinárias com excelentes rendimentos, ocorridos apenas no passado recente.

Para os investimentos-padrão em títulos, o investidor ativo faria bem em seguir o sugerido para seu colega defensivo e escolher entre as ações tributáveis com grau de investimento, as quais podem agora ser selecionadas de modo a render aproximadamente 7,25%, e obrigações isentas de tributação de boa qualidade, as quais rendem até 5,3% no caso dos vencimentos mais longos.[3]

Títulos e ações preferenciais de segunda linha

Uma vez que, desde o final de 1971, tem sido possível encontrar obrigações privadas com grau de investimento que rendem 7,25%, e até mais, não faria muito sentido comprar obrigações de segunda linha simplesmente em função do retorno maior que elas proporcionam. Na verdade, as empresas com uma classificação de crédito baixa ficaram virtualmente impossibilitadas de vender obrigações "simples", ou seja, não-conversíveis, ao público nos últimos dois anos. Logo, o financiamento de seu endividamento tem sido feito por meio da venda de obrigações conversíveis (ou obrigações atreladas a cauções), que estão em uma categoria à parte. Portanto, virtualmente todas as obrigações não-conversíveis de classificação baixa representam obrigações mais antigas que são vendidas com um grande desconto. Assim sendo, elas oferecem a possibilidade de um ganho substancial no valor do principal em condições favoráveis no futuro, as quais, nesse caso, significariam uma combinação de uma melhora na classificação de crédito da companhia e taxas de juros mais baixas no mercado em geral.

---

arriscado. Para obter mais informações sobre as obrigações de alto rendimento ou *junk bonds*, ver p. 172-174.

3 No início de 2003, os rendimentos equivalentes são de aproximadamente 5,1% sobre as obrigações corporativas com grau de investimento e 4,7% sobre as obrigações municipais isentas de tributação com prazo de vinte anos. Para atualizar esses rendimentos, ver www.bondsonline.com/asp/news/composites/html ou www.bloomberg.com/markets/rates.html e www.bloomberg.com/markets/psamuni.html.

Porém, mesmo em relação aos descontos de preços e à probabilidade resultante de um ganho de principal, as obrigações de segunda linha competem com lançamentos melhores. Algumas obrigações bem estabelecidas e com cupom "ao estilo antigo" (2,5% a 4%) eram vendidas a aproximadamente cinquenta centavos por cada dólar em 1970. Exemplos: a American Telephone & Telegraph de 2,625%, com vencimento em 1986, vendida a 51; a Atchison Topeka & Santa Fe RR de 4%, com vencimento em 1995, vendida a 51; e a McGraw-Hill de 3,875%, com vencimento em 1992, vendida a 50,5.

Portanto, nas condições prevalecentes no final de 1971, os investidores empreendedores provavelmente podem obter das obrigações de boa qualidade negociadas com grandes descontos tudo que razoavelmente poderiam desejar em termos de receita e oportunidades de apreciação.

Ao longo deste livro, nos referimos à possibilidade de que qualquer situação de mercado prolongada e bem definida do passado pode voltar a acontecer no futuro. Portanto, precisamos considerar qual a política que o investidor ativo deve adotar no campo das obrigações se os preços e rendimentos dos títulos com grau de investimento retornarem aos níveis normais anteriores. Por essa razão, reimprimimos aqui nossas observações sobre esse assunto apresentadas na edição de 1965, quando as obrigações com grau de investimento rendiam apenas 4,5%.

Algo precisa ser dito neste ponto sobre o investimento em obrigações de segunda linha, as quais podem ser facilmente encontradas com qualquer retorno especificado até 8% ou mais. A principal diferença entre os títulos de primeira e de segunda linha é, em geral, encontrada no número de vezes que as despesas com o pagamento de juros são cobertos pelos lucros. Exemplo: no começo de 1964, os títulos com pagamento periódico de juros da Chicago, Milwaukee, St. Paul & Pacific, de 5%, rendiam 7,35% ao preço de 68. Porém, as despesas totais com juros da ferrovia, antes do imposto de renda, foram cobertas apenas 1,5 vez em 1963, em comparação com nossa sugestão de cinco vezes para uma obrigação de ferrovia bem protegida.[1]

Muitos investidores compram valores mobiliários desse tipo porque "precisam de renda" e não podem conviver com o retorno mais magro oferecido pelas obrigações com grau de investimento. A experiência mostra com clareza que não é sábio comprar uma obrigação ou uma ação preferencial que carece de segurança adequada simplesmente porque seu rendimento é atraente.[4] (Aqui, a palavra "simplesmente" significa que a obrigação não está sendo negociada com um desconto grande, portanto não oferece oportunidades de um ganho substancial no valor de principal.) Onde tais títulos são comprados a preços "cheios", isto é, não muitos pontos abaixo de 100,[5] as chances são muito grandes de que, em algum momento no futuro, o proprietário se depare com cotações bem inferiores. A razão para tal é que, quando surgem problemas comerciais, ou apenas um mercado adverso, as obrigações desse tipo são altamente suscetíveis a quedas expressivas. Com frequência, os juros ou dividendos são suspensos ou, pelo menos, ameaçados de suspensão, e, muitas vezes, há uma fraqueza de preços pronunciada, muito embora os resultados operacionais não sejam tão ruins.

Como uma ilustração específica dessa característica das obrigações com prioridade no recebimento de juros de segunda linha, deixe-nos resumir o comportamento, em 1946-1947, dos preços de um grupo de dez *obrigações de receita* emitidas por ferrovias. Isso abrange todas aquelas vendidas a um preço igual ou superior a 96 em 1946, sendo 102,5 a média de seus preços máximos. No ano seguinte, o grupo registrou, em média, preços mínimos de apenas 68, uma perda de um terço do valor de mercado em um intervalo muito curto. Estranhamente, as ferrovias americanas apresentaram lucros muito melhores em 1947 do que em 1946; portanto, a queda drástica de preços ia na contramão da conjuntura de seus negócios, tendo sido reflexo de um forte movimento vendedor no mercado como um todo. Porém, deve ser destacado que a queda dessas obrigações de receita foi proporcionalmente maior do que aquela das *ações ordinárias* do Índice Industrial Dow Jones (aproximadamente 23%). Obviamente, o comprador dessas obrigações a um custo acima de 100 não poderia esperar participar, em qualquer medida, de um aumento posterior no mercado de valores mobiliários. A única característica atraente era a taxa de juros, uma média aproximada de 4,25% (comparada com 2,50% para as obrigações com grau

---

4 Para conferir um exemplo recente que dolorosamente reforça a opinião de Graham, ver p.173.

5 Os preços das obrigações são cotados em porcentagens do "valor de paridade" ou 100. Uma obrigação com preço de "85" está vendendo a 85% de seu valor de principal; uma obrigação deságio originalmente oferecida por US$10.000, mas agora vendida a 85, custará US$8.500. Quando as obrigações vendem abaixo de 100, são denominadas obrigações com "desconto"; acima de 100, elas se tornam obrigações com "prêmio".

de investimento, uma vantagem de 1,75% na receita anual). No entanto, a sequência mostrou rápida e muito claramente que o comprador dessas obrigações de segunda linha se arriscava a perder uma parte substancial de seu principal para obter uma pequena vantagem na receita anual.

O exemplo anterior permite que apresentemos a falácia popular que é conhecida pela alcunha de "investimento do empresário". Isso envolve a compra de um título com um rendimento maior do que o disponível em uma obrigação com grau de investimento e que carrega um risco correspondentemente maior. Trata-se de um mau negócio aceitar uma possibilidade reconhecida de perda do principal em troca de meros 1% ou 2% adicionais de receita anual. Se você estiver disposto a correr algum risco, deveria se certificar de que pode obter um ganho realmente substancial no valor de principal caso as coisas evoluam favoravelmente. Logo, um título de segunda linha que paga juros de 5,5% ou 6% *vendido ao par* é quase sempre uma compra ruim. O mesmo papel a 70 poderia fazer mais sentido, e você provavelmente será capaz de comprá-lo naquele nível se for paciente.

Os títulos e as ações preferenciais de segunda linha possuem dois atributos contraditórios que o investidor inteligente deve manter bastante claros. Quase todas sofrem quedas profundas em mercados ruins. Por outro lado, uma grande parte delas recupera sua posição logo que sejam restabelecidas as condições favoráveis, e esses títulos, em última análise, chegam ao vencimento de modo satisfatório. Isso é verdade mesmo no caso das ações preferenciais (cumulativas) que deixam de pagar dividendos durante muitos anos. Havia várias dessas ações no início da década de 1940, em consequência da longa depressão da década de 1930. Durante o período de *boom* pós-guerra, entre 1945 e 1947, muitas dessas acumulações de dividendos grandes foram pagas em dinheiro ou em novos títulos, sendo o principal muitas vezes também recomprado. Como resultado, grandes lucros foram obtidos por pessoas que, poucos anos antes, haviam comprado esses papéis no momento em que eram pouco procurados e vendidos a preços baixos.[II]

Pode até ser verdade que, no cômputo geral, os rendimentos mais altos obteníveis com as obrigações seniores de segunda linha compensarão quaisquer perdas de principal irrecuperáveis. Em outras palavras, um investidor que comprasse todas essas obrigações ao preço de lançamento poderia, concebivelmente, ter um retorno equivalente, *no longo prazo*, ao daquele que se limitasse aos valores mobiliários com grau de investimento ou mesmo algo melhor.[III]

Porém, em termos práticos, essa questão é, em grande medida, irrelevante. Qualquer que seja o resultado, o comprador de obrigações de segunda linha a preços próximos ao par ficará preocupado e incomodado quando suas cotações caírem de forma acentuada. Ademais, ele não consegue comprar obrigações suficientes para assegurar um resultado "médio", nem está em posição de reservar uma parcela de sua receita adicional para compensar ou "amortizar" eventuais perdas de principal que se tornem permanentes. Finalmente, é simples bom senso abster-se da compra de títulos a aproximadamente 100 se a experiência indica que estes poderão, provavelmente, ser comprados a 70 ou menos no próximo mercado de baixa.

Títulos de governos estrangeiros

Mesmo os investidores inexperientes sabem que as obrigações estrangeiras, como um todo, tiveram um desempenho ruim desde 1914, o que foi inevitável por causa de duas guerras mundiais e uma depressão mundial de uma profundidade sem igual. No entanto, com razoável frequência, as condições de mercado são suficientemente favoráveis para permitir a venda de novas obrigações estrangeiras a preços próximos ao par. Esse fenômeno nos ensina muito acerca da mentalidade do investidor médio, e não apenas no terreno das obrigações.

Não temos nenhuma *razão concreta* para nos preocuparmos com as perspectivas futuras dos títulos estrangeiros bem conceituados, tais como os australianos ou noruegueses. Porém, sabemos que, se e quando houver problemas, o proprietário de títulos estrangeiros não tem meios, legais ou outros, para fazer valer seus direitos. Aqueles que compraram obrigações da República de Cuba de 4,5%, a preços tão altos quanto 117 em 1953, as viram deixar de cumprir com os pagamentos de juros e depois serem negociadas a preços tão baixos quanto vinte centavos por cada dólar em 1963. A lista de obrigações da Bolsa de Valores de Nova York naquele ano também incluía o Congo Belga, de 5,25%, negociado a 36, a Grécia, de 7%, a 30, e várias obrigações da Polônia a preços tão baixos quanto 7. Quantos leitores têm alguma noção das oscilações repetidas das obrigações de 8% da Tchecoslováquia desde que foram oferecidas nos Estados Unidos pela primeira vez, em 1922, a 96,5? Elas subiram para 112 em 1928, caíram para 67,75 em 1932, se recuperaram e subiram para 106 em 1936, despencaram para 6 em 1939, se recuperaram (inacreditavelmente) e subiram para 117 em 1946, caíram prontamente a 35 em 1948 e foram negociadas a um preço tão baixo quanto 8 em 1970!

Há alguns anos, era possível defender, de certa forma, a compra de títulos estrangeiros aqui com a justificativa de que uma nação credora rica, tal como os Estados Unidos, tinha a obrigação moral de emprestar aos estrangeiros. O tempo, que traz tantas reviravoltas, agora nos encontra lidando com um problema difícil no balanço de pagamentos, parte do qual é atribuível à compra em grande escala de obrigações estrangeiras por investidores americanos em busca de uma pequena vantagem de rendimento. Durante muitos anos, questionamos a atratividade inerente de tais investimentos do ponto de vista do comprador, talvez devêssemos acrescentar agora que ele ajudaria tanto seu país quanto a si mesmo se recusasse tais oportunidades.

Novos lançamentos em geral

Pode parecer desaconselhável fazer quaisquer afirmações mais abrangentes sobre os novos lançamentos como uma classe, uma vez que ela cobre a gama mais ampla possível de qualidade e atratividade. Certamente, haverá exceções a qualquer regra proposta. Nossa única recomendação é a de que todos os investidores devem ser *cautelosos* com relação aos novos lançamentos, o que significa, simplesmente, que tais papéis devem ser submetidos a um exame cuidadoso e testes extremamente severos antes de serem comprados.

Há duas razões para essa dupla advertência. A primeira é que os novos lançamentos são objeto de esforços de venda excepcionais, os quais clamam, portanto, por um grau especial de resistência às vendas.[6] A segunda é que a maioria dos novos lançamentos é vendida em "condições de mer-

---

6 Os novos lançamentos de ações ordinárias — as ofertas públicas iniciais (IPOs, na sigla em inglês) — normalmente são vendidos com um "desconto de subscrição" (comissão embutida) de 7%. Em contraste, a comissão do comprador sobre as ações ordinárias antigas é tipicamente inferior a 4%. Sempre que Wall Street lucra aproximadamente duas vezes mais vendendo algo novo em comparação com algo velho, o novo será objeto de um esforço de venda maior.

cado favoráveis", o que significa favorável para o vendedor e, consequentemente, menos favorável para o comprador.[7]

O efeito dessas considerações torna-se mais importante à medida que descemos na escala, desde as obrigações com grau de investimento, passando pelas emissões seniores de segunda linha, até os lançamentos de ações ordinárias em último lugar. No passado foi realizado um tremendo volume de financiamento, que consiste no pagamento de obrigações existentes ao preço de recompra e sua substituição por novas obrigações com juros mais baixos. A maior parte desse movimento ocorreu na categoria dos títulos e das ações preferenciais com grau de investimento. Os compradores foram grandes instituições financeiras que estavam amplamente qualificadas para proteger seus interesses. Portanto, essas ofertas foram cuidadosamente cotadas de modo a estarem equiparadas à taxa de mercado para lançamentos comparáveis, tendo a promoção de vendas muito poderosa pouco efeito sobre o resultado. À medida que as taxas de juros caíram cada vez mais, os compradores finalmente vieram a pagar um preço alto demais por esses lançamentos, e muitos destes tiveram uma queda posterior substancial no mercado. Esse é um aspecto da tendência geral de vender novos valores mobiliários de todos os tipos em condições mais favoráveis para o emissor, mas, no caso dos lançamentos com grau de investimento, os efeitos nefastos para o comprador devem, provavelmente, representar ferimentos leves, em vez de incapacitantes.

A situação torna-se um pouco diferente quando estudamos os títulos e ações preferenciais de qualidade inferior vendidos durante os períodos 1945-1946 e 1960-1961. Aqui o efeito do esforço de venda fica mais aparente, uma vez que a maioria desses lançamentos foi provavelmente vendida a investidores individuais e amadores. Era característico desses lançamentos que não apresentassem um resultado adequado quando avaliados pelo desempenho das companhias ao longo de um número suficiente de

---

7 Recentemente, os professores de finanças Owen Lamont, da Universidade de Chicago, e Paul Schultz, da Universidade de Notre Dame, mostraram que as companhias decidem oferecer novas ações ao público quando o mercado acionário está próximo do pico. Para ler uma discussão técnica sobre essas questões, ver "Evaluating Value Weighting: Corporate Events and Market Timing" [Uma avaliação do peso do valor: eventos corporativos e a antecipação do mercado], de Lamont, e "Pseudo Market Timing and the Long-Run Performance of IPOs" [A pseudoantecipação do mercado e o desempenho a longo prazo dos IPOs], de Schultz, disponível em http://papers.ssrn.com.

anos. Elas pareceriam bastante seguras, em sua maioria, se pudéssemos presumir que os lucros recentes persistiriam sem qualquer revés sério. Os banqueiros de investimento que levaram esses lançamentos ao mercado presumivelmente aceitaram essa premissa, tendo seus vendedores tido pouca dificuldade em persuadir a si mesmos e a seus clientes da mesma forma. Não obstante, era uma abordagem incorreta e, provavelmente, danosa ao investimento.

Os períodos de mercado de alta são, em geral, caracterizados pela transformação de um número grande de companhias de capital fechado em companhias com ações listadas em bolsa. Esse foi o caso em 1945-1946 e, novamente, a partir de 1960. O processo então atingiu proporções extraordinárias até chegar a um final catastrófico em maio de 1962. Após o período usual de "rejeição" de vários anos, toda a tragicomédia foi repetida passo a passo de 1967 a 1969.[8]

Ofertas de novas ações ordinárias

Os parágrafos seguintes da edição de 1959 são reproduzidos a seguir de forma inalterada e com comentário acrescentado:

> *O financiamento por meio de ações ordinárias assume duas formas diferentes. No caso das companhias já listadas em bolsa, ações adicionais são*

---

8 Nos dois anos começados em junho de 1960 e concluídos em maio de 1962, mais de 850 companhias venderam ações ao público pela primeira vez, uma média superior a uma por dia. No final de 1967, o mercado de IPO se aqueceu novamente; em 1969, o número surpreendente de 781 novas ações foi lançado. Esse excesso de oferta ajudou a criar os mercados de baixa de 1969 e 1973-74. Em 1974, o mercado de IPO estava tão morto que apenas nove novas ações foram lançadas no ano inteiro; o ano de 1975 viu apenas 14 ações nascerem. Essa oferta baixa, por sua vez, estimulou o mercado de alta da década de 1980, quando aproximadamente quatro mil novas ações inundaram o mercado — ajudando a alimentar o entusiasmo exagerado que levou à quebra de 1987. Então, o pêndulo oscilou para o outro lado novamente, à medida que os IPOs secavam em 1988-90. Essa escassez contribuiu para o mercado de alta da década de 1990, e Wall Street prontamente voltou ao negócio de criação de novas ações, emitindo aproximadamente 5.000 IPOs. Em seguida, após a bolha estourar em 2000, apenas 88 IPOs foram emitidos em 2001, o total anual mais baixo desde 1979. Em cada caso, o público teve prejuízos com os IPOs, se afastou por, pelo menos, dois anos, mas sempre voltou para mais uma aventura. Desde que os mercados acionários começaram, os investidores passam por esse ciclo maníaco-depressivo. No primeiro grande *boom* de IPO americano, em 1825, conta-se que um homem foi esmagado até a morte na correria de especuladores que tentavam comprar ações no novo Bank of Southwark; os compradores mais ricos alugaram capangas para os ajudar a chegar ao começo da fila. Como seria de prever, em 1829, as ações haviam perdido aproximadamente 25% de seu valor.

oferecidas pro rata aos acionistas existentes. O preço de subscrição é estabelecido abaixo do valor de mercado atual e os "direitos" para subscrever possuem um valor monetário inicial.[9] *A venda de novas ações é quase sempre subscrita por um ou mais bancos de investimento, mas há uma esperança e expectativa geral de que todas as novas ações sejam tomadas pelo exercício dos direitos de subscrição. Portanto, em geral, a venda de ações ordinárias adicionais por companhias listadas em bolsa não demanda um esforço de venda ativo da parte das firmas distribuidoras.*

O segundo tipo é a colocação junto ao público de ações ordinárias emitidas por companhias que eram anteriormente de capital fechado. A maioria dessas ações é vendida por conta dos interesses controladores para capacitá-los a tirar proveito de um mercado favorável e diversificar as próprias finanças. (Quando uma companhia levanta dinheiro novo, ele muitas vezes é oriundo da venda de ações preferenciais, como anteriormente observado.) Essa atividade segue um padrão bem definido, o qual, pela natureza dos mercados de valores mobiliários, acaba por trazer muitas perdas e decepções ao público. Os perigos derivam tanto da natureza dos negócios que são assim financiados quanto das condições de mercado que tornam o financiamento possível.

No início do século, uma grande proporção de nossas principais companhias foi apresentada à negociação pública. À medida que o tempo passou, o número de empreendimentos de primeira linha que permaneceram com capital fechado diminuiu; portanto, os lançamentos de ações ordinárias originais tenderam a se concentrar mais e mais em companhias relativamente pequenas. Por uma correlação infeliz, durante o mesmo período, o público comprador de ações desenvolveu uma forte preferência pelas companhias de grande porte e um preconceito semelhante contra as pequenas. Esse preconceito, como muitos outros, tende a se tornar mais fraco à medida que os mercados de alta são construídos; os lucros grandes e rápidos apresentados pelas ações ordinárias como um todo são suficientes para distorcer a faculdade crítica do público, assim como aguçam seu instinto aquisitivo. Durante esses períodos, também pode-se encontrar um número grande de

---

9 Aqui Graham descreve as ofertas de direitos, nas quais os investidores que já possuem uma ação são solicitados a colocar ainda mais dinheiro para manter a mesma participação percentual na companhia. Essa forma de financiamento, ainda comum na Europa, tornou-se rara nos Estados Unidos, exceto entre os fundos fechados (*closed end*).

companhias privadas que alcança resultados excelentes, embora a maioria deles talvez não apresentasse um registro muito impressionante se esses dados retrocedessem, digamos, dez anos ou mais.

Quando esses fatores são reunidos, surgem as seguintes consequências: em algum ponto no meio de um mercado de alta aparecem os primeiros lançamentos de ações ordinárias. Seus preços são razoavelmente atraentes, e alguns lucros expressivos são obtidos pelos primeiros compradores de lançamentos. À medida que a alta de mercado persiste, essa forma de financiamento aumenta; a qualidade das companhias se torna gradualmente pior; e os preços pedidos e obtidos beiram a exorbitância. Um sinal bastante confiável do iminente fim de uma alta é o fato de novas ações ordinárias de companhias pequenas e pouco significativas serem oferecidas a preços mais altos do que o nível atual das cotações de muitas companhias de médio porte com uma longa história no mercado. (Deve-se acrescentar que, em geral, muito pouco desse financiamento por ações ordinárias é realizado pelas casas bancárias de primeira linha e boa reputação.)[10]

O descuido do público e a disposição das instituições vendedoras em vender tudo aquilo que seja passível de ser vendido com lucro pode gerar apenas um resultado, o desabamento dos preços. Em muitos casos, os novos lançamentos perdem 75% ou mais de seu preço de oferta. A situação piora pelo fato já mencionado de que, no fundo, o público tem uma verdadeira aversão a todo tipo de ação pequena que é comprada tão facilmente em momentos de descuido. Muitas dessas ações caem, proporcionalmente, tão abaixo de seu valor real quanto primeiramente venderam acima dele.

Uma exigência elementar para o investidor inteligente é ter capacidade de resistir às conversas dos vendedores que oferecem ações ordinárias novas durante os mercados de alta. Mesmo que uma ou duas delas possam passar por testes severos de qualidade e valor, provavelmente será uma decisão ruim envolver-se nesse tipo de negócio. Claro, o vendedor citará muitas ações que

---

10 Na época de Graham, os bancos de investimento mais prestigiosos de maneira geral evitavam o ramo dos IPOs, considerado em geral como a exploração indigna de investidores ingênuos. No auge do *boom* dos IPOs, no final de 1999 e início de 2000, no entanto, os maiores bancos de investimento de Wall Street entraram pesadamente no mercado. As firmas veneráveis abandonaram sua prudência tradicional e se comportaram como bêbados em um lamaçal, tropeçando para impingir ações ridiculamente supervalorizadas a um público desesperadamente ávido. A descrição de Graham de como funciona o processo dos IPOs é um clássico cuja leitura deveria ser obrigatória nas aulas de ética bancária, se é que elas existem.

tiveram subidas de preço significativas, incluindo algumas que ascenderam de forma espetacular no próprio dia do lançamento. Porém, tudo isso faz parte da atmosfera especulativa. É dinheiro fácil. Para cada dólar que você lucra dessa forma, você terá sorte se terminar perdendo apenas dois.

Algumas dessas ações podem acabar sendo excelentes compras, poucos anos mais tarde, quando ninguém as quiser e elas puderem ser compradas por uma fração pequena de seu valor real.

Na edição de 1965, continuamos nossa discussão sobre esse assunto como segue:

Embora os aspectos mais gerais do comportamento do mercado acionário desde 1949 não se encaixem bem na análise baseada em uma longa experiência, o desenvolvimento de novos lançamentos de ações ordinárias procedeu exatamente de acordo com a receita antiga. É pouco provável que alguma vez antes de 1960-1962 tantas ações novas, de tão baixa qualidade, tenham sido oferecidas e com colapsos de preços tão extremos como o que experimentamos em 1960-1962.[IV] *A capacidade do mercado acionário como um todo de se distanciar rapidamente daquele desastre é, de fato, um fenômeno extraordinário e traz de volta memórias, há muito enterradas, da invulnerabilidade semelhante demonstrada durante o grande colapso imobiliário da Flórida em 1925.*

É necessário um retorno à loucura das ofertas de novas ações antes que o atual mercado de alta possa chegar à sua conclusão definitiva? Quem sabe? O que sabemos é que um investidor inteligente não esquecerá os acontecimentos de 1962 e deixará outros desfrutarem o próximo lote de lucros rápidos nessa área e experimentarem a angústia dos prejuízos consequentes.

Após esses parágrafos na edição de 1965, citamos "A Horrible Example" [Um exemplo horrível], a saber, a venda de ações da Aetna Maintenance Co. a US$9 em novembro de 1961. De forma clássica, as ações prontamente saltaram para US$15; no ano seguinte caíram para 2,38; e, em 1964, para 0,875. A história subsequente dessa companhia foi um tanto extraordinária e ilustra algumas das metamorfoses estranhas que aconteceram nos negócios americanos, grandes e pequenos, em anos recentes. O leitor curioso encontrará uma história mais antiga e uma mais nova dessa empresa no Apêndice 5.

É bastante fácil fornecer exemplos ainda mais angustiantes tirados da versão mais recente da "mesma velha história", que transcorreu entre 1967 e 1970. Nada poderia servir melhor a nossos propósitos do que o caso da AAA Enterprises, que, por acaso, é a primeira companhia listada no *Guia de Ações* da Standard & Poor's. Suas ações foram vendidas ao público a US$14 em 1968, prontamente subiram para 28, mas no início de 1971 foram cotadas a apenas 25 centavos. (Mesmo esse preço representava uma avaliação generosa demais do empreendimento, uma vez que ele havia acabado de dar entrada em um pedido de falência sem qualquer perspectiva de recuperação.) Há tanto a ser aprendido e tantas lições importantes a serem obtidas com a história desse lançamento que a reservamos para tratamento detalhado no capítulo 17.

COMENTÁRIOS AO CAPÍTULO 6

Os socos que você erra são os mais desgastantes.
Angelo Dundee, treinador de boxe

Tanto para o investidor ativo quanto para o defensivo, o que você não faz é tão importante para seu sucesso quanto o que faz. Neste capítulo, Graham lista seus "nãos" para os investidores ativos. Aqui está uma lista para os dias de hoje.

EMISSÕES DE BAIXÍSSIMA QUALIDADE?

As obrigações de alto rendimento, as quais Graham chama "de segunda linha" ou "de classificação inferior" e que hoje são denominados *junk bonds*, são reprovadas por Graham. Em sua época, elas eram caras e complicadas demais para que um investidor individual conseguisse diversificar os riscos de inadimplência.[1] (Para aprender como a inadimplência pode ser ruim e como até mesmo investidores em títulos, profissionais e "sofisticados", podem descuidadamente comprar esse tipo de papel, ver boxe na p. 173.) Hoje, no entanto, mais de 130 fundos mútuos se especializam em *junk bonds.* Esses fundos compram *junk bonds* em grandes quantidades e mantêm dezenas de títulos diferentes em carteira. Isso ameniza as reclamações de Graham sobre a dificuldade de diversificação. (No entanto, seu viés contra as ações preferenciais de alto rendimento permanece válido, uma vez que continua a não existir um meio amplamente disponível e barato para diversificar seus riscos.)

Desde 1978, uma média anual de 4,4% do mercado de *junk bonds* ficou inadimplente, mas, mesmo levando em conta tais episódios de inadimplência,

---

1 No início de 1970, quando Graham escreveu, havia menos do que uma dúzia de fundos de *junk bonds*, e quase todos cobravam comissões de venda de até 8,5%; alguns até forçavam os investidores a pagarem uma taxa pelo privilégio de reinvestir seus dividendos mensais no fundo.

UM MUNDO DE DOR PARA AS OBRIGAÇÕES DA WORLDCOM

Comprar um título apenas por seu rendimento é como casar apenas pelo sexo. Se a coisa que o cativou em primeiro lugar acabar, você se perguntará: "O que é que sobra?" Quando a resposta é "nada", ambos, esposos e detentores de títulos, acabam com o coração partido.

Em 9 de maio de 2001, a WorldCom. Inc. vendeu o maior lançamento de títulos da história do setor privado americano, com um valor de US$11,9 bilhões. Entre os entusiastas ansiosos atraídos pelos rendimentos de até 8,3% estavam: o Sistema de Aposentadoria dos Empregados Públicos da Califórnia, um dos maiores fundos de pensão do mundo; o Sistema de Aposentadoria do Alabama, cujos gestores explicaram mais tarde que "os rendimentos mais altos" eram "muito atraentes para nós no momento da compra"; e o fundo de obrigações Strong Corporate, cujo cogestor era tão apaixonado pelos rendimentos gordos da WorldCom que se gabou dizendo: "Estamos recebendo uma renda adicional mais do que suficiente para cobrir o risco."[1]

Porém, até uma olhada de trinta segundos no folheto explicativo das obrigações da WorldCom teria mostrado que elas nada tinham a oferecer ao investidor *a não ser* seus rendimentos, e que este tinha tudo a perder. Em dois dos cinco anos anteriores, a renda bruta (os lucros da companhia antes de ela pagar seus impostos à Receita Federal) da WorldCom deixou de cobrir os encargos fixos (os custos de pagamento de juros aos proprietários de títulos) no valor estonteante de aproximadamente US$4,1 bilhões. A WorldCom podia cobrir aqueles pagamentos de títulos apenas tomando mais dinheiro emprestado dos bancos. E agora, com essa montanha de novas obrigações, a WorldCom estava engordando seus gastos com juros em US$900 milhões adicionais ao ano![2] Como o sr. Creosote, personagem do filme da trupe Monty Python intitulado *Monty Python: O sentido da vida*, a WorldCom estava se entupindo até estourar.

Nenhum rendimento poderia ser alto o suficiente para compensar o investidor pelo risco de uma explosão desse tipo. As obrigações da WorldCom produziram de fato rendimentos gordos de até 8% durante alguns meses. Depois, conforme Graham teria previsto, o rendimento de repente não ofereceu mais qualquer abrigo:

- A WorldCom entrou em bancarrota em julho de 2002.
- Em agosto de 2002, a WorldCom admitiu que havia divulgado lucros que tinham sido exagerados em mais de US$7 bilhões.[3]
- As obrigações da WorldCom deixaram de ser honradas quando a companhia não conseguiu mais cobrir suas despesas com juros; as obrigações perderam mais de 80% de seu valor original.

---

1 Ver www.calpers.ca.gov/whatshap/hottopic/worldcom_faqs.htm e www.calpers.ca.gov/whatsnew/press/2002/0716a.htm/; relatório trimestral de investimentos do Retirement Systems of Alabama de 31 de maio de 2001, em www.rsa.state.al.us/Investments/quarterly_report.htm; e John Bender, cogestor do fundo de obrigações Strong Corporate, citado em www.businessweek.com/magazine/content/01_22/b3734118.html.

2 Esses dados foram todos extraídos do folheto de oferta de obrigações da WorldCom. Registrado em 11 de maio de 2001, ele pode ser visto em www.sec.gov/edgar/searchedgar/companysearch.html (na janela "Company name", escrever "WorldCom"). Mesmo sem levar em conta a questão dos lucros da WorldCom fraudulentamente exagerados, a oferta de obrigações da WorldCom teria chocado Graham.

3 Para ver a documentação sobre o colapso da WorldCom, ver www.worldcom.com/infodesk.

---

os *junk bonds* ainda produziram um retorno anualizado de 10,5%, em comparação com 8,6% para os títulos de dez anos do Tesouro americano.[2]

Infelizmente, a maioria dos *fundos* de *junk bonds* cobra taxas altas e não faz um bom serviço no sentido de preservar o valor original do principal de seu investimento. Um fundo de *junk bonds* pode ser apropriado se você é aposentado, está em busca de uma renda mensal adicional para complementar sua pensão e é capaz de tolerar quedas temporárias de valor. Se você trabalha em um banco ou em outra companhia financeira, uma subida rápida nas taxas de juros poderia limitar seus aumentos salariais ou mesmo ameaçar a estabilidade de seu emprego. Portanto, um fundo de *junk bonds*, que tende a superar o desempenho da maioria dos outros fundos de títulos quando as taxas de juros sobem, pode fazer sentido como um contrapeso em sua conta 401(k). Um fundo de *junk bonds*, no entanto, é apenas uma opção menor, não uma obrigação, para o investidor inteligente.

---

2 Edward I. Altman e Gaurav Bana, "Defaults and Returns on High-Yield Bonds" [Inadimplência e retornos das obrigações de alto rendimento], monografia de pesquisa, Stern School of Business, New York University, 2002.

A CARTEIRA VODCA E O BURRITO

Graham considerava as obrigações estrangeiras uma aposta tão arriscada quanto os *junk bonds*.[3] Hoje, no entanto, um tipo de obrigação estrangeira pode ter algum apelo aos investidores capazes de lidar com um alto grau de risco. Aproximadamente uma dúzia de fundos mútuos se especializa em títulos emitidos por nações de mercados emergentes (ou os que costumavam ser chamados de "países do Terceiro Mundo"), como Brasil, México, Nigéria, Rússia e Venezuela. Nenhum investidor sensato colocaria mais do que 10% de sua carteira total de títulos em papéis picantes como esses. Porém, os fundos de mercados emergentes raramente se movimentam em sincronia com o mercado de ações americano, portanto são um dos raros investimentos que não caem apenas porque o Dow está em baixa. Isso pode lhe dar um pequeno alento em sua carteira de investimentos justo quando você pode precisar mais dele.[4]

MORRER A MORTE DO OPERADOR

Como já vimos no capítulo 1, as negociações realizadas em um mesmo dia (*day trades*) — a manutenção de ações por poucas horas a cada vez — são uma das melhores armas já inventadas para cometer suicídio financeiro. Algumas de suas transações podem render lucros, a maioria de suas transações fará você ter prejuízo, mas seu corretor sempre ganhará dinheiro.

Sua própria ânsia em comprar ou vender uma ação pode diminuir seu retorno. Alguém que esteja desesperado para comprar uma ação pode facilmente terminar sendo forçado a oferecer dez centavos a mais do que o preço mais recente da ação antes que qualquer vendedor se disponha a desfazer-se dela. Esse custo extra, denominado "impacto de mercado", nunca aparece

---

3 Graham não criticou as obrigações estrangeiras levianamente, pois ele trabalhou durante vários anos de sua carreira como agente de obrigações, baseado em Nova York, para tomadores japoneses.

4 Dois fundos de títulos de mercados emergentes bem administrados e de baixo custo são o Fidelity New Markets Income Fund e o T. Rowe Price Emerging Bond Fund; para obter mais informações a respeito, ver www.fidelity.com, www.troweprice.com e www.morningstar.com. Não compre qualquer fundo de títulos de mercados emergentes com despesas operacionais anuais acima de 1,25% e fique prevenido de que alguns desses fundos cobram taxas de resgate de curto prazo para encorajar os investidores a lá manterem os recursos durante, pelo menos, três meses.

nos balancetes enviados por sua corretora, mas é real. Se você estiver ansioso demais para comprar mil ações de uma ação e elevar seu preço em apenas cinco centavos, você acabará por cobrar de si mesmo invisíveis, porém muito reais, US$50. Por outro lado, quando investidores em pânico estão loucos para vender uma ação e se desfazerem dela por menos do que seu preço mais recente, o impacto de mercado entra em ação novamente.

Os custos de transação consomem seus lucros como várias raspagens de uma lixa. Comprar ou vender uma ação pequena e cobiçada pode custar de 2% a 4% (ou 4% a 8% para uma transação "ida e volta" de compra e venda).[5] Se você colocar US$1.000 em uma ação, os custos de transação podem abocanhar até aproximadamente US$40 antes que você comece a operar. Venda a ação e você pode amargar outros 4% em despesas de transação.

Ah, sim, há mais uma consideração a ser feita. Ao negociar em vez de investir, você transforma os lucros de longo prazo (tributados à alíquota máxima de ganhos de capital de 20%) em receita ordinária (tributada a uma alíquota máxima de 38,6%).

Some tudo isso e verá que um negociador de ações precisa ganhar, ao menos, 10% *apenas para sair empatado* ao comprar e vender uma ação.[6] Qualquer um pode conseguir isso uma vez, por uma simples questão de sorte. Fazer isso com a frequência que justifique a atenção obsessiva que isso exige — mais o estresse que gera — é impossível.

Milhares de pessoas tentaram e o resultado é claro: quanto mais você negocia, menos você guarda.

Os professores de finanças Brad Barber e Terrance Odean, da Universidade da Califórnia, examinaram os registros das transações de mais de 66.000 clientes de uma das maiores firmas de corretagem de desconto. De 1991 até 1996, esses clientes fizeram mais de 1,9 milhão de transações. Antes que os custos de transação raspassem seus lucros, os integrantes do estudo efetivamente

5 A fonte definitiva dos custos de corretagem é o Plexus Group, de Santa Monica, Califórnia, e sua página na internet, www.plexusgroup.com. A Plexus argumenta, de forma persuasiva, que, assim como a maior parte da massa de um iceberg fica abaixo da superfície do mar, a maioria dos custos de corretagem é invisível, levando os investidores a acreditar, erroneamente, que seus custos de transação são insignificantes se os custos de comissão forem baixos. Os custos de transação das ações da Nasdaq são consideravelmente maiores para os indivíduos do que os custos de transação das ações listadas na Bolsa de Nova York (ver p. 153, nota de rodapé 5).

6 As condições do mundo real são ainda mais severas, uma vez que estamos ignorando o imposto de renda estadual nesse exemplo.

superaram o mercado por, em média, ao menos, metade de um ponto percentual ao ano. Porém, após os custos de transação, os mais ativos entre os negociantes — os quais trocavam mais de 20% de suas ações ao mês — passaram da condição de superar o mercado para a de ser superado por ele pela marca pavorosa de 6,4 pontos percentuais ao ano. Os investidores pacientes, no entanto — os quais negociaram, em média, minúsculos 0,2% de sua carteira total ao mês — conseguiram superar o mercado por um fio, mesmo após os custos de transação. Em vez de doar uma enorme porção de seus lucros para os corretores e para o imposto de renda, eles guardaram quase tudo.[7] Para dar uma olhada nesses resultados, ver a Figura 6-1.

A lição é clara: não faça nada, fique parado. É hora de todos reconhecerem que o termo "investidor de longo prazo" é redundante. Um investidor de longo prazo é o único tipo de investidor que existe. Alguém que não pode permanecer com ações por mais que poucos meses de cada vez está fadado a terminar não como um vencedor, mas como uma vítima.

DEUS NÃO AJUDA A QUEM CEDO MADRUGA

Entre as toxinas de enriquecimento rápido que envenenaram a mente do público investidor na década de 1990, uma das mais letais foi a ideia de que você pode construir riqueza ao comprar IPOs. Um IPO é uma "oferta pública inicial", ou seja, a primeira venda ao público das ações de uma companhia. Numa primeira avaliação, investir em IPOs parece ser uma boa ideia. Afinal, se você tivesse comprado cem ações da Microsoft quando elas foram oferecidas ao público, em 13 de março de 1986, seu investimento de US$2.100 teria crescido para US$720.000 no início de 2003.[8] Os professores de finanças Jay Ritter e William Schwert mostraram que se você tivesse espalhado um montante de apenas US$1.000 em cada IPO lançado em janeiro de 1960, a seu preço de oferta, vendido sua posição no final daquele mês, e depois investido

---

7 Os resultados obtidos por Barber e Odean estão disponíveis em http://faculty.haas.berkeley.edu/odean/Current%20Research.htm e http//faculty:gsm.ucdavis.edu/~bmbarber/research/default.html. Vale comentar que inúmeros estudos encontraram resultados virtualmente idênticos entre gestores de finanças profissionais, logo, isso não constitui um problema restrito aos indivíduos ingênuos.

8 Ver www.microsoft.com/msft/stock.htm, "IPO investment results" ["Resultados de investimentos em IPOs"].

FIGURA 6-1

Quanto mais rápido você corre, mais você fica para trás

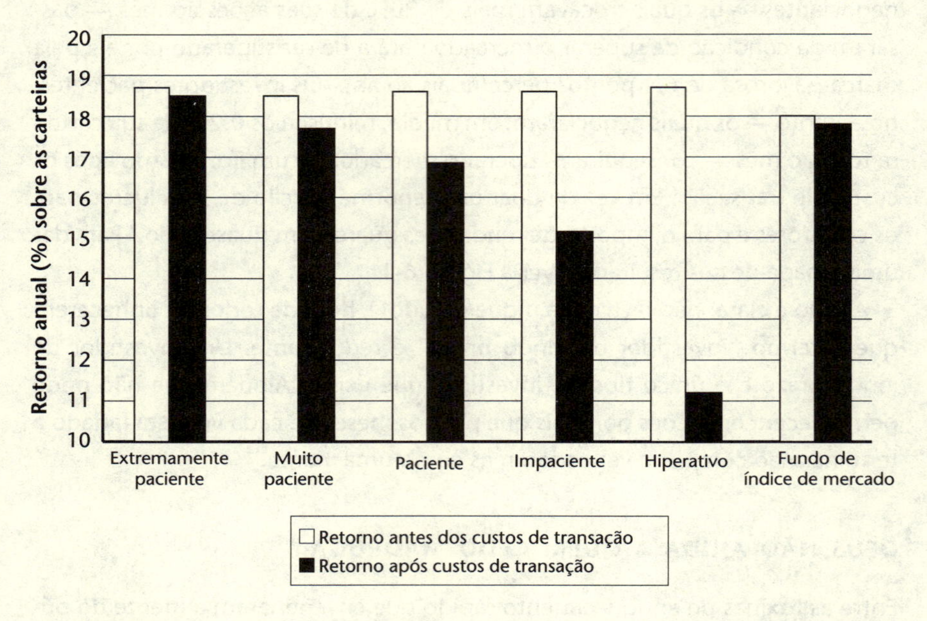

Os pesquisadores Brad Barber e Terrance Odean dividiram milhares de investidores em ações em cinco categorias com base na frequência com que negociavam suas carteiras. Aqueles que negociavam menos (à esquerda) guardaram a maioria de seus lucros. Porém, os investidores impacientes e hiperativos enriqueceram seus corretores, não eles mesmos. (As barras na extrema direita acima mostram um fundo de índice de mercado para fins de comparação.)

Fonte: Profs. Brad Barber, Universidade da Califórnia em Davis, e Terrance Odean, Universidade da Califórnia em Berkeley.

novamente na safra de IPOs de cada mês sucessivo, sua carteira valeria mais de US$533 decilhões no final do ano de 2001.

(Na página impressa, isso seria expresso da seguinte forma: US$533.000.000.000.000.000.000.000.000.000.000.000.)

Infelizmente, para cada IPO como a Microsoft, que acaba sendo um grande vencedor, há centenas de perdedores. Os psicólogos Daniel Kahnerman e Amos Tversky demonstraram que quando as pessoas estimam a probabilidade ou frequência de um evento não fazem esse julgamento com base na frequência com que o evento realmente ocorreu, mas sim com base na memória desses exemplos. Todos nós desejamos comprar "a próxima Microsoft", precisamente porque sabemos que deixamos de comprar a primeira. Porém, convenientemente não reconhecemos o fato de que a maioria dos outros IPOs foram investimentos horrorosos. Você ganharia aqueles US$533 decilhões apenas se tivesse acertado absolutamente todos aqueles vencedores raros do mercado de IPO, uma impossibilidade na prática. Finalmente, a maior parte dos retornos altos dos IPOs é capturada pelos membros de um clube privado exclusivo — os grandes bancos de investimento e os gestores de fundos que obtêm ações ao preço inicial (ou "de subscrição") antes de a ação começar a ser negociada pelo público. As maiores subidas muitas vezes ocorrem com ações tão pequenas que mesmo muitos investidores de grande porte não conseguem nenhuma ação; simplesmente não há suficientes para todos.

Se, como quase todo investidor, você consegue obter acesso a IPOs apenas *após* suas ações terem excedido em muito o preço inicial exclusivo, seus resultados serão desastrosos. De 1980 a 2001, se você tivesse comprado um IPO médio a seu primeiro preço de fechamento ao público e o mantido durante três anos, teria sido superado pelo mercado em mais de 23 pontos percentuais anuais.[9]

Talvez nenhuma ação personifique o devaneio de enriquecer com os IPOs melhor do que a VA Linux. "LNUX É A PRÓXIMA MSFT", exultava um comprador inicial; "COMPRE AGORA E SE APOSENTE EM CINCO ANOS".[10] Em 9 de dezembro de 1999, a ação foi colocada ao preço inicial de oferta ao público de US$30. Porém, a demanda pelas ações foi tão feroz que, quando a Nasdaq abriu naquela manhã, nenhum dos proprietários iniciais de VA Linux se dispôs a vender quaisquer ações até o preço bater US$299. A ação atingiu o pico de US$320 e fechou a US$239,25, um lucro de 697,5% *em um único dia.* No entanto, aquele lucro foi obtido por um número reduzido de operadores de mercado institucionais; os investidores individuais foram quase inteiramente excluídos.

Mais importante ainda, comprar IPOs é uma péssima ideia porque constitui uma violação flagrante de uma das regras mais fundamentais de Graham: não

---

9 Jay R. Ritter e Ivo Welch, "A Review of IPO Activity, Pricing, and Allocations" [Uma avaliação da atividade, preço e alocação de IPOs], *Journal of Finance*, agosto de 2002, p. 1797. A página da internet de Ritter em http://bear.cba.ufl.edu/ritter/ e a página na internet de Welch em http://welch.som.yale.edu/ são minas de ouro de dados para os interessados em IPOs.

10 Mensagem nº 9, postada por "GoldFingers69", no quadro de mensagens da VA Linux (LNUX) em messages.yahoo.com, datado de 16 de dezembro de 1999. A MSFT é o símbolo mais usado para a Microsoft Corp.

importa quanto muitas outras pessoas desejem comprar uma ação, você deve comprá-la apenas se a ação for uma forma barata de possuir um negócio desejável. No preço máximo do primeiro dia, os investidores estavam atribuindo um valor total de US$12,7 bilhões às ações da VA Linux. Quanto valia o negócio da companhia? Com menos de cinco anos de existência, a VA Linux havia vendido um valor total acumulado em US$44 milhões em programas de computador e serviços, mas havia perdido US$25 milhões. Em seu trimestre fiscal mais recente, a VA Linux havia gerado US$15 milhões em vendas, mas perdido US$10 milhões. Esse negócio então perdia quase 70 centavos de cada dólar que faturava. O déficit acumulado da VA Linux (o valor em que suas despesas totais excederam sua receita) era de US$30 milhões.

Se a VA Linux fosse uma companhia privada e de propriedade do cara que vive na casa ao lado da sua e, um dia, ele se debruçasse sobre a cerca e lhe perguntasse quanto você pagaria para tirar seu pequeno negócio em dificuldades de suas mãos, você responderia, "Ah, US$12,7 bilhões parece justo para mim"? Ou, em vez disso, você sorriria com educação, retornaria à sua churrasqueira e se perguntaria o que seu vizinho havia fumado? Confiando exclusivamente em seu próprio julgamento, nenhum de nós admitiria pagar quase US$13 bilhões por um devorador de dinheiro que já se encontrava em um buraco de US$30 milhões.

No entanto, quando você está em público, em vez de em um local privado, quando a valoração de repente se torna um concurso de popularidade, o preço de uma ação parece mais importante do que o valor do negócio que ela representa. Contanto que alguém pague mais do que você o fez por uma ação, por que se importar com o valor do negócio?

A figura 6-2 mostra por que se importar.

FIGURA 6-2

A lenda da VA Linux

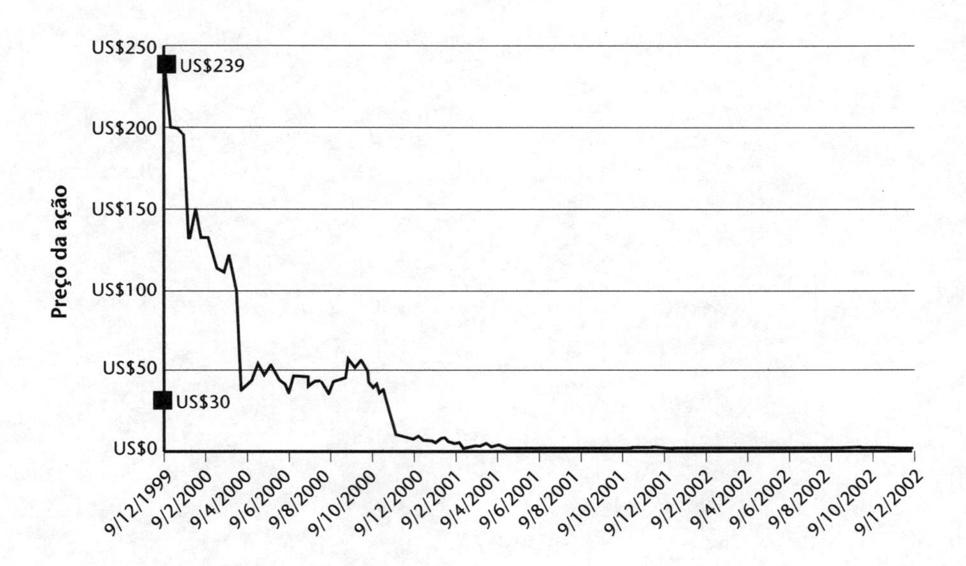

Fontes: VA Linux Systems Inc.; www.morningstar.com

Após ter subido como um foguete no primeiro dia de negociação, a VA Linux despencou meteoricamente. Em 9 de dezembro de 2002, exatamente três anos após a ação chegar a US$239,50, a VA Linux fechou a US$1,19 por ação.

CAPÍTULO 7

A POLÍTICA DE INVESTIMENTOS PARA O INVESTIDOR EMPREENDEDOR: O LADO POSITIVO

O investidor empreendedor, por definição, dedicará bastante atenção e esforço para obter um resultado acima da média de seus investimentos. Em nossa discussão sobre a política geral de investimento, fizemos algumas sugestões com relação aos *investimentos em títulos* que são dirigidos principalmente ao investidor empreendedor. Ele pode estar interessado em oportunidades especiais dos seguintes tipos:

1. obrigações isentas de tributação da Nova Agência de Habitação, efetivamente garantidas pelo governo dos Estados Unidos;
2. obrigações tributáveis, mas de alto rendimento, das Novas Comunidades, também garantidas pelo governo dos Estados Unidos;
3. obrigações industriais não-tributáveis emitidas por municípios, mas pagas com receitas derivadas de pagamentos de aluguéis feitos por companhias fortes;

Há referências a esses tipos incomuns de obrigações no capítulo 4.[1]

No outro extremo do espectro, pode haver títulos de qualidade inferior disponíveis a preços tão baixos a ponto de constituir verdadeiras oportunidades de subvalorização. Porém, isso pertenceria à categoria de "situações especiais", onde não existe uma distinção verdadeira entre títulos e ações ordinárias.[2]

---

1 Conforme já observado (ver p. 120, nota de rodapé 3), os títulos da Nova Agência de Habitação e das Novas Comunidades não são mais emitidos.

2 Hoje, essas "ações de baixa qualidade" na categoria de "situações especiais" são conhecidas como obrigações deterioradas (*distressed*) ou inadimplentes. Quando uma companhia está falida (ou a ponto de falir), suas ações ordinárias tornam-se essencialmente imprestáveis, uma vez que a lei de falências americana dá aos proprietários de obrigações prioridade sobre os proprietários de ações. Porém, se a companhia se reorganiza com sucesso e sai da falência, os portadores de obrigações muitas vezes recebem ações da nova firma e o valor das obrigações em geral se recupera assim que a companhia é novamente capaz de pagar juros. Portanto, as

Operações com ações ordinárias

As atividades essencialmente características do investidor empreendedor no terreno das ações ordinárias podem ser classificadas em quatro categorias:

1. comprar em mercados de baixa e vender em mercados de alta;
2. comprar, com cuidado, "*growth stocks*" selecionadas;
3. comprar ações subvalorizadas de diversos tipos;
4. comprar em "situações especiais".

Política de mercado geral — a fórmula da antecipação do mercado

Reservamos para o próximo capítulo a discussão das possibilidades e limitações de uma política de compra quando o mercado está deprimido; e de venda, nos estágios avançados de um *boom*. Por muitos anos, no passado, essa ideia brilhante pareceu simples e viável, pelo menos a partir da inspeção preliminar de um gráfico do mercado mostrando suas oscilações periódicas. Já admitimos, com alguma vergonha, que a evolução do mercado nos últimos vinte anos não se prestou a operações desse tipo em qualquer base matemática. As oscilações que ocorreram, embora consideráveis em extensão, teriam exigido um talento especial ou "faro" para a negociação que permita tirar vantagem delas. Isso é algo muito diferente da inteligência que estamos presumindo em nossos leitores e devemos excluir as operações com base em tais capacidades de nossos termos de referência.

O plano de 50%-50%, que propusemos ao investidor defensivo e descrevemos na p. 114, é a melhor fórmula específica ou automática que podemos recomendar a todos os investidores nas condições vigentes em 1972. Porém, deixamos uma ampla margem de manobra entre um mínimo de 25% e um máximo de 75% em ações ordinárias, a qual permitimos àqueles investidores que têm forte convicção acerca tanto do perigo como da atratividade do nível geral do mercado. Há duas décadas, era possível discutir, com grandes detalhes, diversas fórmulas simples para variar a parcela

---

obrigações de uma companhia com problemas podem ter um desempenho tão bom quanto as ações ordinárias de uma companhia saudável. Nessas situações especiais, conforme Graham afirma, "não existe uma distinção verdadeira entre obrigações e ações ordinárias".

mantida em ações ordinárias, com confiança de que tais planos teriam alguma utilidade prática.[I] Os tempos parecem ter deixado tais abordagens para trás, e não há sentido em tentar determinar níveis novos de compra e venda a partir do comportamento do mercado desde 1949. Esse é um período curto demais para embasar qualquer orientação confiável acerca do futuro.[3]

Abordagem das *growth stocks*

Todo investidor gostaria de selecionar as ações de companhias que terão um desempenho acima da média no longo prazo. Uma *growth stock* pode ser definida como uma que teve tal desempenho no passado e da qual espera-se o mesmo no futuro.[II] Portanto, parece lógico que o investidor inteligente se concentre na escolha de *growth stocks*. Na realidade, o problema é mais complicado, como tentaremos mostrar.

É uma mera questão de cálculo estatístico identificar as companhias que tiveram um "desempenho acima da média" no passado. O investidor pode obter uma lista de cinquenta ou cem delas de seu corretor.[4] Por que, então, ele não deveria simplesmente escolher as 15 ou 20 ações mais atraentes desse grupo e assim ter a certeza de possuir uma carteira de ações bem-sucedida?

Há dois problemas com essa ideia simples. A primeira é que as ações ordinárias com desempenho bom e com uma perspectiva aparentemente boa são negociadas a preços correspondentemente altos. O investidor pode estar certo em sua avaliação das perspectivas de tais ações e, mesmo assim, não se sair muito bem, simplesmente por pagar um preço "cheio" (e talvez excessivo) pela valorização esperada. O segundo é que sua avaliação do futuro pode estar equivocada. O crescimento rápido diferenciado não

---

3 Observe com muito cuidado o que Graham diz aqui. Escrevendo em 1972, ele sustenta que o período desde 1949, um intervalo superior a 22 anos, é curto demais para tirarmos conclusões confiáveis! Com seu conhecimento de matemática, Graham nunca esquece que conclusões objetivas exigem amostras grandes de grandes volumes de dados. Os charlatões que propagam estratégias de escolhas de ações "comprovadas pela experiência" quase sempre baseiam suas descobertas em amostras menores do que Graham jamais consideraria aceitável. (Graham muitas vezes utiliza períodos de cinquenta anos para analisar os dados do passado.)

4 Hoje, o investidor empreendedor pode reunir tal lista na internet visitando páginas, como a www.morningstar.com (experimente usar a ferramenta Stock Quickrank), www.quicken.com/investments/stocks/search/full e http://yahoo.marketguide.com.

pode ser mantido para sempre; quando uma companhia já registrou uma expansão brilhante, o próprio tamanho torna mais difícil a repetição desse desempenho. Em algum ponto, a curva de crescimento se estabiliza e, em muitos casos, vira para baixo.

É óbvio que se alguém se restringir a um número pequeno de exemplos selecionados com base no conhecimento de experiências do passado, essa pessoa poderia demonstrar que fortunas podem ser rapidamente construídas e perdidas no campo das *growth stocks*. Como é possível julgar de forma isenta os resultados gerais alcançáveis nesse campo? Pensamos que conclusões razoavelmente corretas podem ser extraídas de um estudo dos resultados obtidos pelos fundos de investimento especializados na abordagem das *growth stocks*. O respeitado manual intitulado *Investment Companies* [Companhias de investimento], publicado anualmente pela Arthur Wiesenberger & Company, membro da Bolsa de Valores de Nova York, computa o desempenho anual de cerca de 120 "fundos de crescimento rápido" ao longo do tempo. Desses 120, 45 têm registros que retrocedem dez anos ou mais. O ganho médio global dessas companhias — atribuindo um peso igual a todos, não importa o tamanho do fundo — fica em 108% para a década de 1961-70, comparado com 105% para o índice composto S&P e 83% para o DJIA.[III] No biênio 1969-70, a maioria desses 126 "fundos de crescimento rápido" teve um desempenho inferior a ambos os índices. Resultados semelhantes foram encontrados em nossos estudos anteriores. Isso significa que nenhuma recompensa expressiva surgiu de um investimento diversificado nas companhias de crescimento rápido em comparação com as ações ordinárias em geral.[5]

---

5 Nos dez anos terminados em 31 de dezembro de 2002, os fundos que investiram em companhias de crescimento rápido de grande porte, o equivalente atual daquilo que Graham denomina "fundos de crescimento rápido", tiveram um rendimento anual médio de 5,6%, um desempenho inferior ao mercado acionário como um todo por uma média de 3,7 pontos percentuais ao ano. No entanto, os fundos de "grande porte" que investem em companhias grandes com cotações razoáveis também tiveram um desempenho inferior ao mercado no mesmo período (por um ponto percentual ao ano). Será que o problema é meramente que os fundos de crescimento rápido não conseguem escolher com confiança as ações que terão um desempenho superior ao mercado no futuro? Ou será que os altos custos de administrar um fundo médio (seja ele voltado para a compra de companhias de crescimento rápido ou de "valor grande") excedem qualquer rendimento adicional que os gestores possam ganhar por meio da escolha de ações? Para monitorar o desempenho dos fundos de acordo com seu tipo, ver www.morningstar.com, "Category Returns" [Retornos por categoria]. Para um lembrete es-

Não há razão alguma para pensar que o investidor inteligente médio, mesmo com muito esforço dedicado, possa alcançar resultados melhores ao longo dos anos na compra de *growth stocks* do que as companhias de investimento especializadas nesse campo. Certamente, essas instituições têm mais capital intelectual e físico à sua disposição do que você. Consequentemente, desaconselhamos o tipo comum de aplicação em *growth stocks* para o investidor empreendedor.[6] Este tipo é aquele em que as perspectivas excelentes são plenamente reconhecidas pelo mercado e já refletidas em uma relação entre preços e lucros superior, digamos, a vinte. (Para o investidor defensivo, sugerimos um teto para o preço de compra igual a 25 vezes os lucros médios dos últimos sete anos. Os dois critérios seriam aproximadamente equivalentes na maioria dos casos.)[7]

O aspecto mais marcante das *growth stocks* como uma categoria é a tendência de grandes oscilações em seus preços de mercado. Isso é verdadeiro para as maiores e mais tradicionais companhias — tais como a General Electric e a International Business Machines — e ainda mais no caso de companhias mais novas e menores. Elas ilustram nossa tese de que a principal característica do mercado acionário desde 1949 tem sido a injeção de um elemento altamente especulativo nas ações das companhias de maior sucesso, as quais teriam direito a uma classificação de risco baixa. (Sua

---

clarecedor de como os desempenhos de diferentes estilos de investimento são perecíveis, ver www.callan.com/resource/periodic_table/pertable.pdf.

6 Graham levanta esse assunto para lembrá-lo de que um investidor "empreendedor" não é aquele que corre mais riscos do que a média ou que compra ações de "crescimento agressivo"; um investidor empreendedor é simplesmente aquele disposto a dedicar tempo e esforços extras na pequisa de sua carteira.

7 Observe que Graham insiste no cálculo da razão preço/lucro com base em uma média multianual de lucros no passado. Dessa forma, você diminui as chances de superestimar o valor da companhia com base em um surto temporariamente alto de lucratividade. Imagine que uma companhia tenha lucrado US$3 por ação nos últimos 12 meses, mas em média apenas cinquenta centavos por ação no período anterior de seis anos. Que números — os repentinos US$3 ou os estáveis cinquenta centavos — mais provavelmente representam uma tendência sustentável? A 25 vezes os US$3 que lucrou no ano mais recente, a ação seria cotada a US$75. Porém, a 25 vezes os lucros médios dos últimos sete anos (US$6 em lucros totais, divididos por sete, igual a 85,7 centavos por ação de lucro anual médio), a ação seria cotada a apenas US$21,43. O número escolhido faz uma grande diferença. Finalmente, vale a pena notar que o método predominante em Wall Street hoje — basear a relação preço/lucro principalmente nos "lucros do ano que vem" — seria anátema para Graham. Como você pode atribuir valor a uma companhia com base em lucros que ainda nem foram gerados? Isso é como estabelecer os preços de um imóvel com base no rumor de que a Cinderela construirá seu novo castelo na esquina mais próxima.

classificação de crédito é a melhor, e elas pagam as menores taxas de juros sobre seus empréstimos.) A classificação de risco de tais *companhias* pode não mudar em um período longo, mas as características de risco de suas *ações* dependerão do que acontece a elas no mercado acionário. Quanto mais entusiasmado o público fica com a ação e quanto mais rápido ela sobe em comparação com o crescimento efetivo dos lucros da companhia à qual pertence, mais arriscada se torna como investimento.[8]

Porém, não é verdade, o leitor pode perguntar, que as fortunas verdadeiramente grandes oriundas de ações ordinárias foram feitas por aqueles que assumiram compromissos substanciais nos anos iniciais com uma companhia em cujo futuro eles tinham grande confiança e que mantiveram suas ações originais tenazmente enquanto elas aumentaram em centenas ou até mais vezes seu valor? A resposta é "sim". No entanto, as grandes fortunas obtidas pelo investimento em uma única companhia são quase sempre construídas por pessoas que têm uma relação íntima com a companhia específica — através de emprego, conexão familiar etc. —, a qual justifica a aplicação de uma grande parte de seus recursos em um papel e a manutenção desse compromisso em todas as adversidades, apesar das numerosas tentações para vender a preços aparentemente altos ao longo do tempo. Um investidor sem tal contato pessoal íntimo precisará constantemente justificar a aplicação de uma grande proporção de seus recursos em um único meio.[9] Cada declínio — por mais temporário que seja — acentuará

---

8 Exemplos recentes reforçam o ponto levantado por Graham. Em 21 de setembro de 2000, a Intel Corp., fabricante de *chips* de computador, anunciou que esperava um crescimento de até 5% em seu faturamento no trimestre seguinte. À primeira vista, isso parece maravilhoso; a maioria das grandes companhias adoraria aumentar suas vendas em 5% em apenas três meses. Porém, em resposta, as ações da Intel caíram 22%, uma perda de aproximadamente US$91 bilhões do valor total em um dia. Por quê? Os analistas de Wall Street esperavam uma subida no faturamento da Intel de até 10%. Da mesma forma, em 21 de fevereiro de 2001, a EMC Corp., uma firma de armazenamento de dados, anunciou que esperava que seu faturamento crescesse, pelo menos, 25% em 2001, mas que uma nova onda de cautela entre os clientes "pode levar a ciclos de venda mais longos". Com base nessa hesitação passageira, as ações da EMC perderam 12,8% de seu valor em um único dia.

9 Hoje, o equivalente a investidores "que têm uma relação íntima com a companhia específica" são os assim chamados controladores, executivos graduados ou diretores, que ajudam a administrar a companhia e possuem grandes blocos de ações. Executivos como Bill Gates, da Microsoft, ou Warren Buffett, da Berkshire Hathaway, têm controle direto sobre o destino da companhia, e os investidores externos desejam ver esses executivos graduados manterem grandes blocos de ações como um sinal de confiança. Porém, os gestores menos graduados e os trabalhadores comuns não podem influenciar o preço da ação da companhia com suas decisões individuais; portanto, eles não devem colocar mais do que uma parcela pequena de seus

TABELA 7-1 Resultados médios dos "Fundos de crescimento rápido", 1961-70[a]

	1 ano 1970	*5 anos* 1966-70	*10 anos* 1961-70	*1970* Retorno de dividendos
17 fundos de crescimento rápido grandes	- 7,5%	+ 23,2%	+ 121,1%	2,3%
106 fundos de crescimento rápido menores — grupo A	- 17,7	+ 20,3	+ 102,1	1,6
38 fundos de crescimento rápido menores — grupo B	- 4,7	+ 23,2	+ 106,7	1,4
15 fundos com "crescimento" em seu nome	- 14,2	+ 13,8	+ 97,4	1,7
Índice Composto Standard & Poor's	+ 3,5%	+ 16,1	+ 104,7	3,4
Índice Industrial Dow Jones	+ 8,7	+ 2,9	+ 83,0	3,7

[a] Números fornecidos pela Wiesenberger Financial Services.

seu problema; e pressões internas e externas podem forçá-lo a realizar o que parece ser um lucro bom, mas um lucro bem menor que a bonança final.[IV]

Três campos recomendados para o "investimento empreendedor"

Obter resultados de investimento acima da média no longo prazo exige uma política de escolha ou operação que possua dois méritos: (1) ela deve passar por testes objetivos ou racionais de coerência interna; e (2) ela deve ser diferente da política seguida pela maioria dos investidores ou especuladores. Nossa experiência e nosso estudo nos levam a recomendar três abordagens de investimento que atendem a esses critérios. Elas diferem bastante uma da outra e cada uma pode exigir um tipo diferente de conhecimento e temperamento da parte daqueles que a experimentam.

A companhia grande relativamente pouco popular

Se presumirmos que o mercado habitualmente supervaloriza as ações ordinárias que têm mostrado excelente crescimento ou sejam sedutoras por alguma outra razão, é lógico esperar que ele subvalorizará — relativamente, ao menos — as companhias que estão com a popularidade em baixa por causa de acontecimentos insatisfatórios de natureza passageira. Essa tendência pode ser descrita como uma lei fundamental do mercado acionário e sugere uma abordagem de investimento que deve ser tanto conservadora como promissora.

A exigência-chave é que o investidor empreendedor se concentre em companhias grandes que estão passando por um período de impopularidade. Embora companhias pequenas também possam ser subvalorizadas por razões semelhantes, e em muitos dos casos os lucros e os preços de suas ações possam aumentar mais tarde, elas implicam risco de uma perda definitiva de lucratividade e também do desprezo continuado por parte do mercado, apesar da melhoria nos lucros. As companhias grandes, portanto, têm uma vantagem dupla sobre as outras. Primeiro, têm os recursos,

---

ativos nas ações de seu empregador. No que se refere aos investidores externos, não importa quão bem eles pensam que conhecem a companhia, a mesma objeção se aplica.

em termos de capital financeiro e intelectual, para ajudar a si mesmas a superarem as adversidades e retornarem a uma lucratividade satisfatória. Segundo, é provável que o mercado responda com uma velocidade razoável a qualquer melhoria mostrada.

Uma demonstração impressionante da validade dessa tese é encontrada nos estudos do comportamento dos preços das ações impopulares no Índice Industrial Dow Jones. Esses estudos presumiram a realização de um investimento, a cada ano, em seis ou dez das ações do DJIA que estavam sendo negociadas aos múltiplos mais baixos de seus lucros anuais atuais ou anteriores. Essas poderiam ser denominadas as ações "mais baratas" da lista, e seus preços baixos evidentemente refletiam sua relativa impopularidade entre investidores ou operadores de mercado. Foi presumido ainda que as ações compradas foram vendidas ao final de períodos de manutenção que variavam de um a cinco anos. Os resultados desses investimentos foram então comparados com os resultados apresentados tanto pelo DJIA como um todo quanto pelo grupo com o múltiplo mais alto (isto é, o mais popular).

O material detalhado à nossa disposição cobre os resultados de compras anuais hipotéticas em cada um dos últimos 53 anos.[V] No período inicial, 1917-33, essa abordagem não provou ser lucrativa. Porém, desde 1933, o método mostra resultados excelentes. Em 34 testes realizados pela Drexel & Company (hoje Drexel Firestone)[10] de manutenção em carteira por um ano — de 1937 até 1969 — as ações baratas tiveram um desempenho definitivamente pior do que o DJIA em apenas três circunstâncias; os resultados foram aproximadamente iguais em seis casos; e as ações baratas tiveram um desempenho claramente superior à média em 25 anos. O desempenho consistentemente melhor das ações com múltiplos baixos é demonstrado (Tabela 7-2) pelos resultados médios para períodos quinquenais sucessivos em comparação com os do DJIA e dos dez múltiplos mais altos.

---

10 A Drexel Firestone, um banco de investimentos da Filadélfia, se fundiu em 1973 com a Burnham & Co. e mais tarde se tornou a Drexel Burnham Lambert, famosa por financiar os *junk bonds* durante o *boom* de fusões da década de 1980.

TABELA 7-2 Ganho ou perda percentual anual médio sobre ações de teste, 1937-1969

Período	*Dez ações com múltiplos baixos*	*Dez ações com múltiplos altos*	*Trinta ações do DJIA*
1937-1942	- 2,2	- 10,0	- 6,3
1943-1947	17,3	8,3	14,9
1948-1952	16,4	4,6	9,9
1953-1957	20,9	10,0	13,7
1958-1962	10,2	- 3,3	3,6
1963-1969 (oito anos)	8,0	4,6	4,0

Além disso, o estudo da Drexel demonstra que um investimento original de US$10.000 em ações com múltiplos baixos, feito em 1936 e alterado, a cada ano, de acordo com a regra, teria crescido para US$66.900 em 1962. As mesmas operações com ações de múltiplos altos teriam terminado com um valor de apenas US$25.300; enquanto uma operação com todas as trinta ações do índice teria aumentado o fundo original para US$44.000.[11]

O conceito de comprar "companhias grandes pouco populares" e sua execução em base grupal, conforme descrito acima, são bastante simples. Porém, ao examinarmos as companhias individuais, um fator especial com um sentido contrário deve, por vezes, ser levado em consideração. As companhias que são inerentemente especulativas por causa de lucros muito instáveis tendem a vender a um preço relativamente alto e a um múltiplo relativamente baixo em anos bons e, inversamente, a preços baixos e múltiplos altos em anos ruins. Essas relações estão ilustradas na Tabela 7-3, a qual abrange as oscilações das ações ordinárias da Chrysler Corp. Nesses casos, o mercado é suficientemente cético a respeito da continuidade dos lucros altos incomuns para valorizá-las conservadoramente e, de forma inversa, quando os lucros são baixos ou inexistentes. (Observe que, por uma questão de aritmética, se o lucro de uma companhia é "quase inexistente",

11 Essa estratégia de comprar as ações mais baratas do Índice Industrial Dow Jones é agora apelidada de abordagem "Cachorros do Dow". Informações sobre os "10 do Dow" estão disponíveis em www.djindexes.com/jsp/dow510Faq.jsp.

suas ações são obrigatoriamente negociadas a um múltiplo alto desses lucros minúsculos.)

Ocorre que a Chrysler tem tido um comportamento excepcional entre as principais companhias do DJIA e, portanto, não teve um efeito forte sobre os cálculos dos múltiplos baixos. Seria muito fácil evitar a inclusão de tais ações anômalas em uma lista de múltiplos baixos por meio da inclusão de uma exigência de que o preço seja baixo em relação aos lucros *médios* do passado ou por algum teste semelhante.

TABELA 7-3 Preços das ações ordinárias e lucros da Chrysler, 1952-1970

Ano	*Lucros por ação*	*Preço máximo ou mínimo*	*Razão P/L*
1952	US$9,04	H 98	10,8
1954	2,13	L 56	26,2
1955	11,49	H 101½	8,8
1956	2,29	L 52 (1957)	22,9
1957	13,75	H 82	6,7
1958	(def.) 3,88	L 44[a]	—
1968	24,92[b]	H 294[b]	11,8
1970	def.	L 65[b]	—

[a] O ponto mínimo em 1962 foi 37,5.
[b] Ajustado para desdobramentos de ações. Def.: prejuízo líquido

Enquanto escrevíamos esta revisão, testamos os resultados do método de múltiplos baixos do DJIA aplicado a um grupo hipoteticamente adquirido no final de 1968 e reavaliado em 30 de junho de 1971. Dessa vez, os números provaram ser bastante decepcionantes, mostrando uma perda aguda para as seis ou dez ações com múltiplos baixos e um lucro bom para as escolhas com múltiplos altos. Esse exemplo ruim não deveria anular as conclusões com base em mais de trinta experiências, mas sua ocorrência no passado recente lhe confere um peso adverso especial. Talvez o investidor ativo devesse começar com a ideia do "múltiplo baixo", mas acrescentar outras exigências quantitativas e qualitativas a essa ao compor sua carteira.

Compra de ações subvalorizadas

Definimos ações subvalorizadas como aquelas que, com base em fatos estabelecidos por análise, parecem valer consideravelmente mais do que seu preço atual de venda. O gênero inclui os títulos e as ações preferenciais cotados bem abaixo do par, assim como as ações ordinárias. Para ser o mais concreto possível, deixe-nos sugerir que uma ação não é uma "subvalorizada" verdadeiramente a menos que seu valor indicado seja, pelo menos, 50% superior ao preço. Que tipos de fatos justificariam a conclusão de que uma discrepância tão grande existe? Como surgem as subvalorizações e como pode o investidor lucrar com elas?

Há duas maneiras de detectar uma ação ordinária subvalorizada. A primeira é pelo método de avaliação. Isso depende, em grande parte, da estimativa dos lucros futuros e de sua multiplicação por um fator apropriado à ação específica. Se o valor resultante for suficientemente superior ao preço de mercado — e se o investidor confiar na técnica empregada —, a ação pode ser identificada como sendo subvalorizada. O segundo teste é o valor do negócio para um proprietário privado. Esse valor também é, com frequência, determinado principalmente pelos lucros futuros esperados; nesse caso, esse resultado pode ser idêntico ao primeiro. Porém, no segundo teste, deve ser dada mais atenção ao valor realizável dos *ativos*, com ênfase especial no ativo circulante líquido ou no capital de giro.

Quando o mercado em geral atinge níveis baixos, uma proporção grande das ações ordinárias vira ações subvalorizadas, conforme medido por esses padrões. (Um exemplo típico foi a General Motors quando foi negociada a menos de trinta em 1941, equivalente a apenas cinco para as ações de 1971. Seu lucro por ação excedia US$4 e a ação pagava US$3,50, ou mais, em dividendos.) É verdade que as perspectivas imediatas e os lucros atuais podem ser ruins, mas uma avaliação desapaixonada das condições futuras médias indicaria valores muito superiores aos preços vigentes. Portanto, a sabedoria de ter coragem em mercados deprimidos é comprovada não apenas pela voz da experiência, mas também pela aplicação de técnicas plausíveis de análise de valores.

Os mesmos caprichos do mercado que recorrentemente criam uma situação de subvalorização na lista geral explicam a existência de muitas subvalorizações individuais em quase todos os níveis de mercado. O mercado gosta de fazer tempestade em copo d'água e exagerar a ponto de transformar adversidades corriqueiras em grandes reveses.[12] Até mesmo uma simples falta de interesse ou entusiasmo pode levar a uma queda de preços a níveis absurdamente baixos. Portanto, temos o que parecem ser duas fontes grandes de subvalorização: (1) resultados atuais decepcionantes e (2) impopularidade ou desprezo continuado.

No entanto, nenhuma dessas causas, considerada de forma isolada, pode servir de orientação para o investimento bem-sucedido em ações ordinárias. Como podemos ter certeza de que os atuais resultados decepcionantes são, de fato, temporários? É verdade que podemos apresentar exemplos excelentes desse tipo de acontecimento. As ações das siderúrgicas eram famosas por sua natureza cíclica, e o comprador sagaz conseguia comprálas a preços baixos quando os lucros estavam baixos e vendê-las em anos de *boom* a um lucro satisfatório. Um exemplo espetacular é fornecido pela Chrysler Corporation, conforme mostrado pelos dados da Tabela 7-3.

Se esse fosse o *comportamento-padrão* das ações com lucros oscilantes, então lucrar com o mercado acionário seria uma tarefa fácil. Infelizmente, poderíamos citar muitos exemplos de quedas de lucros e preços que não foram automaticamente seguidas por uma recuperação de ambos os indicadores. Um desses é a Anaconda Wire and Cable, que registrou lucros grandes até 1956, atingindo seu preço máximo de 85 naquele ano. Os lucros então caíram, de forma intermitente, durante seis anos, o preço baixou para 23,5 em 1962 e, no ano seguinte, ela foi comprada por sua companhia controladora (a Anaconda Corporation) ao equivalente a apenas 33.

As diversas experiências desse tipo sugerem que o investidor precisaria mais do que uma simples queda de lucros e preços para fornecer-lhe uma boa base de compra. Ele deveria exigir uma indicação de, pelo menos, uma estabilidade razoável nos lucros ao longo da última década ou mais,

---

12 Entre as tempestades em copo d'água mais recentes estão: em maio de 1998, a Pfizer Inc. e a agência governamental responsável pelo controle de medicações anunciaram que seis usuários da droga contra impotência Viagra, da Pfizer, haviam morrido de ataque cardíaco enquanto faziam sexo. As ações da Pfizer caíram imediatamente, perdendo 3,4% em um único dia de negociação pesada. Porém, as ações da Pfizer subiram acentuadamente quando pesquisas posteriores mostraram que não havia razão para pânico; a ação subiu aproximadamente um terço nos dois anos seguintes. No final de 1997, as ações da Warner-Lambert Co. caíram 19% em um dia quando a venda de sua nova droga contra diabetes foi temporariamente suspensa na Inglaterra; seis meses depois, a ação quase dobrou. No final de 2002, a Carnival Corp., que opera navios de cruzeiro, perdeu aproximadamente 10% de seu valor após turistas contraírem uma diarreia severa e vomitarem em navios operados por outras companhias.

isto é, nenhum ano de prejuízo, além de tamanho e força financeira suficientes para lidar com possíveis problemas no futuro. Nesse sentido, a combinação ideal é, portanto, a de uma companhia grande e destacada que está sendo negociada a um valor bem abaixo de seu preço médio no passado e de seu múltiplo médio de preço/lucro. Isso, sem dúvida, teria levado ao descarte da maioria das oportunidades lucrativas em companhias tais como a Chrysler, uma vez que seus anos de preço baixo foram, em geral, acompanhados por razões preço/lucro elevadas. Porém, deixe-nos assegurar ao leitor agora — e, sem dúvida, o faremos novamente — que há uma grande diferença entre os "lucros discerníveis apenas em retrospecto" e os "lucros reais". Duvidamos seriamente de que a montanha-russa da Chrysler seja um papel apropriado para as operações de nosso investidor empreendedor.

Mencionamos a impopularidade ou o desprezo prolongado como uma segunda causa de queda de preços para níveis indevidamente baixos. Um caso atual desse tipo parece ser o da National Presto Industries. No mercado de alta de 1968, essa ação atingiu um pico de 45, que representava apenas oito vezes os lucros de US$5,61 daquele ano. Os lucros por ação aumentaram em 1969 e 1970, mas o preço caiu para apenas 21 em 1970. Isso representava menos de quatro vezes os lucros (recordes) daquele ano e menos do que o valor de seu ativo circulante líquido. Em março de 1972, a ação estava sendo negociada a 34, ainda apenas 5,5 vezes os últimos lucros registrados e, aproximadamente, igual ao valor do ativo circulante líquido mais alto.

Outro exemplo desse tipo é fornecido atualmente pela Standard Oil of California, uma companhia de grande importância. No início de 1972, ela estava sendo negociada a aproximadamente o mesmo preço que há 13 anos, digamos, 56. Seus lucros haviam sido surpreendentemente estáveis, com um crescimento relativamente pequeno, e apenas um pequeno declínio em todo o período. Seu valor contábil era aproximadamente igual ao preço de mercado. Com esse histórico conservadoramente favorável de 1958-1971, a companhia nunca mostrou um preço anual médio tão alto quanto 15 vezes seus lucros atuais. No início de 1972, a razão preço/lucro era apenas cerca de 10.

Uma terceira causa para o preço indevidamente baixo de uma ação ordinária pode ser o fato de o mercado não reconhecer sua real situação de lucros. Nosso exemplo clássico aqui é a Northern Pacific Railway, que de 1946 a 1947 caiu de 36 para 13,5. Os lucros verdadeiros da ferrovia em 1947 chegaram perto de US$10 por ação. O preço da ação foi mantido em níveis baixos em grande parte por causa de seu dividendo de US$1. Foi desprezado também porque muito de seus lucros eram ocultos pelos métodos contábeis peculiares às ferrovias.

O tipo de ação subvalorizada que pode mais facilmente ser identificado é a ação ordinária que vende por menos que o capital de giro líquido da companhia, após a dedução de todos os compromissos assumidos.[13] Isso significaria que o comprador nada pagaria por todos os ativos fixos, prédios, máquinas etc., ou por quaisquer itens intangíveis que possam existir. Muito poucas companhias acabam tendo um valor final inferior ao de seu capital de giro apenas, embora um pequeno número de exemplos dispersos possa ser encontrado. O surpreendente é constatar, ao contrário, que existiram tantas empresas disponíveis que foram avaliadas pelo mercado nessa base de subvalorização. Uma compilação feita em 1957, quando o nível do mercado não poderia ser considerado baixo, mostrou aproximadamente 150 ações ordinárias desse tipo. Na Tabela 7-4, resumimos o resultado da compra, em 31 de dezembro de 1957, de uma ação de cada uma das 85 companhias naquela lista cujos dados apareceram no *Monthly Stock Guide* [Guia mensal de ações] da Standard & Poor's e sua manutenção por dois anos.

Por uma coincidência, cada um dos grupos cresceu em dois anos a uma taxa similar à do valor total do ativo circulante líquido. O ganho para a "carteira" inteira naquele período foi de 75%, comparado com 50% para as 425 ações industriais da Standard & Poor's. O que é mais impressionante é que nenhuma das ações apresentou perdas significativas, sete ficaram mais ou menos empatadas e 78 mostraram ganhos apreciáveis.

---

13 Por "capital de giro líquido", Graham quer dizer os ativos correntes da companhia (tais como dinheiro em caixa, valores mobiliários negociáveis e estoques) menos seus passivos totais (incluindo ações preferenciais e endividamento de longo prazo).

TABELA 7-4 Experiência de lucratividade de ações subvalorizadas, 1957-59

Local do mercado	*Número de companhias*	*Ativo circulante líquido agregado por ação*	*Preço agregado Dez. 1957*	*Preço agregado Dez. 1959*
Bolsa de Nova York	35	US$748	US$419	US$838
Bolsa American	25	495	289	492
Bolsa Midwest	5	163	87	141
Mercado de balcão	20	425	288	433
Total	85	US$1.831	US$1.083	US$1.904

Nossa experiência com esse tipo de escolha de investimentos — em uma base diversificada — foi uniformemente positiva durante muitos anos antes de 1957. Pode-se provavelmente afirmar sem hesitação que ele constitui um método seguro e rentável de determinar e tirar vantagem de situações subvalorizadas. No entanto, durante a alta generalizada do mercado após 1957, a frequência de tais oportunidades caiu bastante e muitas das ações disponíveis apresentaram lucros operacionais pequenos ou mesmo prejuízos. O declínio do mercado de 1969 a 1970 produziu uma nova safra dessas ações "inferiores ao valor do capital de giro". Discutiremos esse grupo no capítulo 15, quando abordamos a escolha de ações pelo investidor empreendedor.

Padrão das ações subvalorizadas nas companhias de segunda linha. Definimos uma companhia de segunda linha como aquela que não é líder de um setor razoavelmente importante. Portanto, em geral, ela é uma das companhias menores em seu campo, mas pode igualmente bem ser a principal unidade de um ramo menos importante. Como exceção, qualquer companhia que tenha se estabelecido como uma *growth stock* não é comumente considerada "de segunda linha".

No grande mercado de alta da década de 1920, fazia-se relativamente pouca distinção entre os líderes de um setor e as outras ações listadas, contanto que as últimas fossem de um tamanho respeitável. O público sentia que uma companhia de tamanho médio seria forte o suficiente para sobreviver a turbulências e que tinha uma chance melhor para de fato se expandir espetacularmente do que uma que já fosse de grande porte. Os anos de depressão de 1931-1932, no entanto, tiveram um impacto especialmente devastador sobre as companhias abaixo da primeira linha, seja em termos de tamanho, seja em termos de estabilidade inerente. Como resultado daquela experiência, desde então os investidores desenvolveram uma preferência pronunciada pelos líderes setoriais e, na maioria das vezes, uma falta de interesse correspondente pelas companhias comuns de segunda linha. Isso significou que o segundo grupo foi geralmente vendido a preços muito mais baixos em relação aos lucros e ativos do que o primeiro. Significou ainda que, em muitas circunstâncias, o preço caiu de tal modo a colocar o papel na categoria subvalorização.

Ao rejeitarem as ações de companhias de segunda linha, muito embora elas estivessem sendo negociadas a preços relativamente baixos, os investidores estavam expressando uma crença ou medo de que tais companhias enfrentassem um futuro pouco promissor. Na verdade, pelo menos subconscientemente, eles calcularam que *qualquer* preço era alto demais para tais empresas, uma vez que elas estavam a caminho da extinção. Da mesma forma, em 1929 a teoria similar relativa aos *blue chips* (ações com grau de investimento) dizia que nenhum preço era alto demais para essas ações porque suas possibilidades futuras eram ilimitadas. Ambas as visões eram exageradas e induziram a graves erros de investimento. Na realidade, a típica companhia de tamanho médio listada em bolsa é grande quando comparada com o negócio privado médio. Não há razão alguma para que tais companhias não continuem em operação indefinidamente e enfrentando as adversidades características de nossa economia, ao mesmo tempo geralmente registrando um retorno justo para o capital investido.

Essa breve resenha indica que a atitude do mercado acionário relativa às companhias de segunda linha tende a ser irrealista e, consequentemente, a criar inúmeros exemplos de grandes subvalorizações em tempos normais. Na verdade, o período da Segunda Guerra Mundial e o *boom* do pós-guerra foram mais benéficos às companhias menores do que às maiores, porque a disputa normal por mercados foi então suspensa e os pequenos conseguiram expandir as vendas e as margens de lucro mais espetacularmente. Portanto, em 1946, o padrão do mercado havia se invertido completamente em relação ao que era antes da guerra. Enquanto as principais ações do Índice Industrial Dow Jones cresciam apenas 40% entre o final de 1938 e o pico em 1946, o índice da Standard & Poor's de ações de preços baixos subia nada menos que 280% no mesmo período. Os especuladores e muitos autodenominados investidores — com as memórias proverbialmente curtas dos envolvidos no mercado acionário — estavam ansiosos para comprar velhas e novas ações de companhias pouco importantes com níveis inflados. Portanto, o pêndulo havia oscilado claramente para o lado oposto. A mesma classe das ações de segunda linha, que havia anteriormente fornecido de longe a maior proporção de oportunidades de subvalorizações, estava agora apresentando o maior número de exemplos de entusiasmo exagerado e de supervalorização. De uma forma diferente, esse fenômeno foi repetido em 1961 e 1968, sendo a ênfase agora nas novas ofertas de ações de companhias menores abaixo da segunda linha e em quase todas as companhias pertencentes a certos ramos favoritos, tais como "eletrônicos", "computadores", "franquias" e outras.[14]

Como era de se esperar, as quedas subsequentes do mercado pesaram mais fortemente nas supervalorizadas. Em alguns casos, a oscilação do pêndulo pode ter resultado em uma nítida *sub*valorização.

Se a maioria das emissões secundárias tende normalmente a ser subvalorizada, que razão tem o investidor para acreditar que ele pode lucrar com tal situação? Se essa situação persistir indefinidamente, ele não estará sempre na mesma posição de mercado na qual estava quando comprou a ação? A resposta, nesse caso, é bastante complexa. Lucros substanciais oriundos da compra de companhias secundárias a preços subvalorizados surgem em uma variedade de formas. Primeiro, o retorno de dividendos é relativamente alto. Segundo, os lucros reinvestidos são substanciais em relação ao preço pago e afetarão o preço mais adiante. Em um período de cinco a sete anos, essas vantagens podem ter um peso considerável sobre

---

14 De 1975 até 1983, as ações de pequenas empresas ("de segunda linha") superaram as grandes por uma média surpreendente de 17,6 pontos percentuais ao ano. O público investidor abraçou com entusiasmo as pequenas ações; as gestoras de fundos mútuos se apressaram a inaugurar centenas de novos fundos especializados nelas e, como retribuição, as pequenas ações tiveram um desempenho *inferior* às grandes em cinco pontos percentuais ao ano na década seguinte. O ciclo aconteceu novamente em 1999, quando as ações de empresas menores bateram as grandes por quase nove pontos percentuais, inspirando os bancos de investimento a venderem centenas de ações populares de empresas menores e de alta tecnologia ao público pela primeira vez. Em vez de "eletrônicos", "computadores" ou "franquias" em seus nomes, as novas palavras da moda eram ".com", "fibra óptica", "sem fio" e até mesmo prefixos como "e-" e "I-". As palavras da moda do mundo de investimentos acabam sempre derrubando aqueles que acreditam nelas.

uma lista bem selecionada. Terceiro, em geral, um mercado de alta é comumente mais generoso com as ações de preços baixos; portanto, ele tende a elevar a ação subvalorizada típica para, pelo menos, um nível razoável. Quarto, mesmo durante os períodos de mercado relativamente estáveis, ocorre um processo contínuo de ajuste de preços, dentro do qual as ações de segunda linha que estavam subvalorizadas podem subir, pelo menos, ao nível normal para esse tipo de papel. Quinto, os fatores específicos que, em muitos casos, contribuíram para um histórico de lucros decepcionante podem ser corrigidos por novas condições ou pela adoção de novas políticas ou por uma mudança de administração.

Um fator novo e importante, surgido recentemente, é a aquisição de pequenas companhias por grandes, em geral, como parte de um programa de diversificação. Nesses casos, o pagamento realizado quase sempre tem sido relativamente generoso e muito acima dos níveis de subvalorização existentes no passado recente.

Quando as taxas de juros eram bem inferiores às de 1970, o campo dos títulos subvalorizados abrangia os títulos e as ações preferenciais que vendiam a descontos grandes com relação ao par. Atualmente, temos uma situação diferente em que mesmo papéis bastante seguros são negociados com grandes descontos se pagarem juros, digamos, iguais ou inferiores a 4,5%. Exemplo: a American Telephone & Telegraph de 2,625%, com vencimento em 1986, vendeu a um nível tão baixo quanto 51 em 1970; e a Deere & Co., de 4,5%, com vencimento em 1983, vendeu tão baixo quanto 62. Os papéis desse tipo podem acabar sendo oportunidades de subvalorização no futuro próximo, contanto que as taxas de juros vigentes caiam substancialmente. Para um título subvalorizado no sentido mais tradicional, talvez precisemos voltar mais uma vez às obrigações de primeira hipoteca de ferrovias atualmente em dificuldades financeiras, as quais são negociadas entre 20 e 30. Tais situações não são talhadas para o investidor inexperiente; por carecer de uma avaliação bem fundamentada dos valores nessa área, ele pode se machucar. Porém, há uma tendência subjacente para que a queda de mercado nesse campo seja excessiva; consequentemente, o conjunto como um todo oferece um convite especialmente recompensador para a análise cuidadosa e corajosa. Na década que terminou em 1948, o grupo das obrigações de ferrovias inadimplentes, com um valor de bilhões de dólares, ofereceu diversas oportunidades espetaculares nessa área. Tais oportunidades se tornaram muito escassas desde então, mas seu retorno na década de 1970 parece provável.[15]

Situações especiais ou workouts *(recuperações)*

Até recentemente, esse era um campo no qual uma taxa de retorno atraente era quase garantida para aqueles que conheciam a matéria; e isso foi verdade em quase qualquer tipo de situação no mercado como um todo. Não era um terreno formalmente proibido ao público em geral. Alguns que tinham um faro para esse tipo de negócio podiam aprender o básico e se tornarem praticantes bastante capazes sem a necessidade de aprendizado formal ou estudos acadêmicos prolongados. Outros tiveram inteligência suficiente para reconhecer a lógica subjacente dessa abordagem e se juntarem a jovens brilhantes que administram fundos dedicados principalmente a tais "situações especiais". Porém, recentemente, por razões que detalharemos mais tarde, o campo da "arbitragem e recuperações" tornou-se mais arriscado e menos lucrativo. Pode ser que as condições nesse campo se tornem mais propícias em anos vindouros. De qualquer forma, vale a pena delinear a natureza geral e a origem dessas operações por meio de um ou dois exemplos ilustrativos.

A "situação especial" típica deriva do número crescente de aquisições de firmas pequenas por grandes à medida que o evangelho da diversificação de produtos foi sendo adotado por mais e mais executivos. Muitas vezes, parece ser um bom negócio para tal empresa adquirir uma companhia existente no ramo em que deseja ingressar, em vez de começar uma companhia do zero. Para tornar tal aquisição possível, e obter a aceitação da transação pela grande maioria necessária dos acionistas da companhia pequena, é preciso quase sempre oferecer um preço consideravelmente superior ao do nível atual. Tais aquisições têm produzido oportunidades de lucros interessantes para os estudiosos dessa matéria que possuem uma boa capacidade de análise reforçada por uma ampla experiência.

---

15 Os títulos de ferrovias inadimplentes não oferecem oportunidades significativas hoje. No entanto, como já observado, *junk bonds* deterioradas e inadimplentes, assim como as obrigações conversíveis emitidas por companhias de alta tecnologia, podem oferecer um valor real no rastro da quebra de mercado entre 2000 e 2002. Porém, a diversificação nessa área é essencial e impraticável sem, pelo menos, US$100.000 para dedicar apenas aos papéis de empresas em reestruturação ou dificuldade financeira. A menos que você seja multimilionário, esse tipo de diversificação não é uma opção viável.

Os investidores astutos tiveram grandes lucros no passado recente através da compra de títulos de ferrovias falidas, papéis que eles sabiam que teriam um valor superior ao custo quando as ferrovias finalmente fossem reorganizadas. Após a promulgação dos planos de reorganização, surgiu um mercado "a ser lançado" para novos papéis. Estes quase sempre podiam ser vendidos por um preço consideravelmente superior ao custo dos papéis antigos, pelos quais teriam que ser posteriormente trocados. Existiam riscos relativos à não-efetivação dos planos ou a atrasos inesperados, mas tais "operações de arbitragem" foram altamente lucrativas como um todo.

Oportunidades semelhantes surgiram da divisão das *holdings* de concessionárias de serviços públicos de acordo com a legislação de 1935. Quase todas essas empresas provaram valer consideravelmente mais fora das companhias *holdings* ao operarem de forma separada.

O fator subjacente aqui é a tendência dos mercados de valores mobiliários a subvalorizar os papéis envolvidos em qualquer tipo de procedimento jurídico complicado. Um velho ditado de Wall Street afirma: "Nunca compre uma ação judicial." Isso pode ser um conselho apropriado para o especulador que busca resultados rápidos em sua carteira. Mas a adoção dessa atitude pelo público em geral propicia a criação de oportunidades de subvalorizações nos papéis assim afetados, uma vez que o preconceito contra eles mantém seus preços em níveis indevidamente baixos.[16]

A exploração das situações especiais é um braço técnico do investimento que exige mentalidade e capacidades um tanto incomuns. Provavelmente, apenas uma fração pequena de nossos investidores empreendedores se envolverá nessa atividade, e este livro não é o meio apropriado para tratar dessas complicações.[VI]

---

16 Um exemplo clássico recente é a Philip Morris, cujas ações perderam 23% em dois dias após um tribunal da Flórida autorizar os jurados a imputarem danos punitivos de até US$200 bilhões contra a companhia, a qual havia finalmente admitido que os cigarros podem causar câncer. Um ano depois, o preço das ações da Philip Morris havia dobrado, para em seguida cair após um processo multibilionário posterior em Illinois. Várias outras ações foram virtualmente destruídas por processos de responsabilização jurídica, incluindo Johns Manville, W.R. Grace e USG Corp. Portanto, "nunca compre uma ação judicial" permanece uma regra válida para todos os investidores, exceto os mais intrépidos.

Implicações mais amplas de nossas regras de investimento

A política de investimento, conforme desenvolvida aqui, depende em primeiro lugar de o investidor escolher o papel defensivo (passivo) ou o empreendedor (ativo). O investidor ativo deve ter um conhecimento considerável de quanto valem os valores mobiliários, suficiente, na verdade, para justificar encarar suas operações de investimento como equivalentes a um negócio empresarial. Não há espaço nessa filosofia para um meio-termo ou uma série de gradações entre o status passivo e ativo. Muitos, talvez a maioria, dos investidores procuram colocar-se em tal categoria intermediária; em nossa opinião, essa é uma atitude que provavelmente renderá mais decepção do que realização.

Como investidor, você não pode coerentemente se tornar um "meio homem de negócios" e esperar, assim, atingir metade da taxa normal de lucro em seus ativos.

Segue-se desse raciocínio que a maioria dos portadores de valores mobiliários deveria optar pela classificação defensiva. Eles não possuem o tempo, a determinação ou o capacidade mental para encarar os investimentos como um quase-negócio. Devem, portanto, se satisfazer com o excelente retorno agora possível com uma carteira defensiva (e com até menos) e devem resistir corajosamente à tentação recorrente de aumentar esse retorno ao se desviar por outros caminhos.

O investidor empreendedor pode se envolver, de forma apropriada, em qualquer operação de valores mobiliários para a qual seu treinamento e capacidade de julgamento sejam adequados e que pareça suficientemente promissora *quando medida pelos padrões empresariais estabelecidos.*

Em nossas recomendações e precauções dirigidas a esse grupo de investidores, tentamos aplicar tais padrões empresariais. No que se refere ao investidor defensivo, fomos orientados, em grande parte, pelas três exigências de: segurança subjacente; simplicidade de escolha; e promessa de resultados satisfatórios em termos psicológicos, assim como aritméticos. O uso desses critérios nos levou a excluir do campo dos investimentos recomendados várias classes de valores mobiliários que são normalmente consideradas apropriadas para diversos tipos de investidores. Essas proibições foram listadas em nosso primeiro capítulo, na p. 49.

Vamos considerar com mais profundidade do que antes as implicações dessas exclusões. Desaconselhamos a compra a "preço cheio" de três categorias importantes de valores mobiliários: (1) obrigações estrangeiras; (2) ações preferenciais comuns; e (3) ações ordinárias de segunda linha, incluindo, é claro, as ofertas originais de tais ações. Por "preço cheio" queremos dizer preços próximos à paridade no caso dos títulos ou ações preferenciais e preços que representam, de forma aproximada, o valor comercial justo da empresa no caso das ações ordinárias. A grande maioria dos investidores defensivos deve evitar essas categorias, não importa qual seja o preço; o investidor empreendedor deve comprá-las apenas quando forem uma subvalorização, a qual definimos como preços não superiores a dois terços do valor avaliado dos valores mobiliários.

O que aconteceria se todos os investidores seguissem nosso conselho nesses assuntos? Essa questão foi considerada em relação aos títulos estrangeiros, na p. 164, e nada temos a acrescentar a esta altura. As ações preferenciais de grau de investimento seriam compradas apenas por empresas, tais como seguradoras, que se beneficiariam do status fiscal especial das ações por elas possuídas.

A consequência mais problemática de nossa política de exclusão está no campo das ações ordinárias de segunda linha. Se a maioria dos investidores, por estar enquadrada na classe defensiva, não devesse comprá-las de jeito algum, o conjunto de possíveis compradores se tornaria seriamente limitado. Ademais, se os investidores agressivos as comprassem apenas quando fossem uma subvalorização, então essas ações estariam fadadas a serem vendidas a preços inferiores ao seu valor justo, exceto no caso em que fossem compradas de forma nada inteligente.

Isso pode soar severo e até mesmo vagamente pouco ético. No entanto, na verdade, estamos simplesmente reconhecendo o que realmente aconteceu nesse campo durante a maior parte dos quarenta anos precedentes. As ações de segunda linha, em sua maior parte, *de fato* oscilam em torno de um nível central que é bastante inferior ao seu valor justo. Elas atingem e mesmo superam esse valor por vezes; mas isso ocorre no cúmulo dos mercados de alta, quando as lições derivadas da experiência prática desaconselhariam pagar os preços vigentes na compra de ações ordinárias.

Portanto, estamos sugerindo apenas que os investidores agressivos reconheçam os fatos da vida como ela é vivida pelas ações de segunda linha e que aceitem os níveis centrais de mercado que sejam normais para aquela classe como guia no estabelecimento de seus próprios níveis de compra.

Mesmo assim, há um paradoxo aqui. Uma companhia média de segunda linha bem selecionada pode ser tão promissora quanto uma típica companhia líder de um ramo industrial. O que falta à companhia pequena em termos de estabilidade inerente pode prontamente ser compensado pelas possibilidades de crescimento maiores. Consequentemente, pode parecer ilógico a muitos leitores denominar de "nada inteligente" a compra de tais ações de segunda linha a seu "valor comercial" pleno. Pensamos que a lógica mais forte é a da experiência. A história financeira diz claramente que o investidor pode esperar resultados satisfatórios, em média, a partir das ações de segunda linha comuns apenas se ele as comprar por um preço inferior ao seu valor para um proprietário privado, isto é, como uma subvalorização.

A última frase indica que esse princípio se refere ao investidor *externo* comum. Qualquer um que possa *controlar* uma companhia de segunda linha ou que faça parte de um grupo coeso que detém tal controle está completamente justificado em comprar as ações nas mesmas bases como se estivesse investindo em uma "empresa fechada" ou outra companhia privada. A distinção entre a posição e a consequente política de investimento dos investidores internos e externos se torna mais importante à medida que a empresa em si se torna *menos* importante. Trata-se de uma característica básica de uma companhia com grau de investimento ou líder o fato de que uma única ação isolada seja geralmente tão valiosa quanto uma ação em um bloco controlador. Nas companhias de segunda linha, o valor *médio* de mercado de uma ação isolada é substancialmente inferior ao seu valor para um proprietário controlador. Em função desse fato, as questões das relações entre administradores e acionistas e daquelas entre acionistas internos e externos tendem a ser muito mais importantes e controversas no caso das companhias de segunda linha do que nas com grau de investimento.

No final do capítulo 5, comentamos sobre a dificuldade de estabelecer qualquer distinção rígida entre as companhias de primeira e de segunda linha. As muitas ações ordinárias na área fronteiriça podem exibir, de forma apropriada, um comportamento de preços intermediário. Não seria ilógico para um investidor comprar tal ação com um desconto *pequeno* em relação a seu valor indicado ou avaliado com base na teoria de que está apenas a uma distância pequena da classificação com grau de investimento e que ela pode adquirir tal classificação sem restrições em um futuro não muito distante.

Logo, a distinção entre as ações de primeira e de segunda linha não precisa ser feita com grande precisão, pois, se assim fosse, uma diferença pequena de qualidade deveria resultar em uma grande diferença no preço de compra justificado. Ao dizer isso, estamos admitindo a existência de um meio-termo na classificação das ações ordinárias, embora tenhamos aconselhado contra tal meio-termo na classificação dos investidores. Nossa razão para tal aparente inconsistência é a seguinte: nenhum dano grave surge de alguma incerteza de opinião com relação a um único papel, porque tais casos são excepcionais e grandes somas não estão em jogo. Porém, a escolha do investidor entre o status defensivo e ativo traz importantes consequências para ele, e ele não deve se permitir ficar confuso ou dividido com relação a essa decisão básica.

COMENTÁRIOS AO CAPÍTULO 7

É preciso muita audácia e muita cautela para ganhar muito dinheiro; e quando você acumula muito dinheiro, é preciso dez vezes mais inteligência para não perdê-lo.
Nathan Mayer Rothschild

A ANTECIPAÇÃO DO MERCADO NÃO É NADA

Em um mundo ideal, o investidor inteligente manteria ações apenas quando elas estivessem baratas e as venderia quando se tornassem supervalorizadas. Em seguida, buscaria proteção nos títulos e no dinheiro até que as ações novamente se tornassem baratas o suficiente para serem compradas. De 1966 até o final de 2001, segundo um estudo, US$1 mantido continuamente em ações teria aumentado para US$11,71. Porém, se você tivesse saído das ações logo antes dos cinco piores dias de cada ano, seu US$1 original teria aumentado para US$987,12.[1]

Como a maioria das ideias mágicas de mercado, essa está baseada na prestidigitação. Como exatamente você (ou qualquer outra pessoa) saberia que dias seriam os piores *antes* de o fato ocorrer? Em 7 de janeiro de 1973, o *New York Times* publicou uma entrevista com um dos melhores analistas financeiros dos Estados Unidos, o qual incentivou os investidores a comprar ações sem hesitar: "É muito raro que você possa ser tão confiantemente otimista como agora." Aquele analista chama-se Alan Greenspan, e é muito raro que alguém tenha alguma vez estado tão confiantemente enganado como o futuro presidente do Federal Reserve naquele dia: 1973 e 1974 acabaram sendo os piores anos para o crescimento da economia e para o mercado acionário desde a Grande Depressão.[2]

---

1 "The Truth About Timing" [A verdade sobre a antecipação do mercado], *Barron's*, 5 de novembro de 2001, p. 20. O título desse artigo é um lembrete útil de um princípio duradouro para o investidor inteligente. Sempre que você vir a palavra "verdade" em um artigo sobre investimento, prepare-se, muitas das citações provavelmente serão mentiras. (Para começar, um investidor que tivesse comprado ações em 1966 e as tivesse mantido até o final de 2001 teria terminado com, pelo menos, US$40, e não com US$11,71; o estudo citado na *Barron's* parece ter ignorado o reinvestimento de dividendos.)

2 *The New York Times*, 7 de janeiro de 1973, seção especial "Economic Survey" [Resenha da economia], p. 2, 19 e 44.

Os profissionais conseguem prever o mercado melhor do que Alan Greenspan? "Não vejo razão alguma para não acreditar que a maior parte da queda já tenha ficado para trás", declarou Kate Leary Lee, presidente da firma de previsão de mercado R.M. Leary & Co., em 3 de dezembro de 2001. "Essa é a hora de marcar presença no mercado", ela acrescentou, prevendo que as ações "parecem boas" para o primeiro trimestre de 2002.[3] Nos três meses seguintes, as ações renderam míseros 0,28%, perdendo para a renda fixa por 1,5 ponto percentual.

Leary não estava sozinha. Um estudo realizado por dois professores de finanças da Duke University mostrou que, se você tivesse seguido as recomendações dos 10% melhores boletins de previsão de mercado, o retorno anual obtido teria sido de 12,6% entre 1991 e 1995. Porém, se você os tivesse ignorado e mantido seu dinheiro em um fundo de índice de ações, o rendimento teria sido de 16,4%.[4]

Conforme observou o filósofo dinamarquês Søren Kierkegaard, a vida só pode ser entendida em retrospecto, mas deve ser vivida para a frente. Olhando para trás, você é sempre capaz de ver exatamente quando deveria ter comprado e vendido suas ações. No entanto, não permita que isso o leve a pensar que você é capaz de identificar, em tempo real, o momento exato de entrar e sair do mercado. Nos mercados financeiros, o olhar retrospectivo é sempre perfeito, mas a previsão é turva. Portanto, para a maioria dos investidores, a antecipação ao mercado é uma impossibilidade prática e emocional.[5]

TUDO QUE SOBE...

Como as naves espaciais que ganham velocidade à medida que entram na estratosfera da Terra, as *growth stocks* muitas vezes parecem desafiar a gravida-

---

3 Comunicado à imprensa, "É hora de marcar presença no mercado, diz R.M. Leary & Company", 3 de dezembro de 2001.

4 Você também teria poupado centenas de dólares em custos anuais de assinaturas (que não foram deduzidas dos cálculos dos retornos desses boletins). Os custos de corretagem e os impostos sobre os ganhos de capital de curto prazo são, em geral, muito maiores para os antecipadores de mercado do que para os investidores que compram papéis e os mantêm em carteira. No que concerne ao estudo da Duke, ver John R. Graham e Campbell R. Harvey, "Grading the Performance of Market-Timing Newsletters" [Uma avaliação do desempenho dos boletins de antecipação de mercado], *Financial Analysts Journal*, novembro/dezembro de 1997, p. 54-66, também disponível em www.duke.edu/~charvey/research.htm.

5 Para obter mais informações a respeito de alternativas sensatas à antecipação de mercado, ou seja, o método do custo médio em dólares com acertos periódicos, ver capítulos 5 e 8.

de. Olhemos a trajetória de três das ações mais cobiçadas da década de 1990: General Electric, Home Depot e Sun Microsystems (ver Figura 7-1).

Em cada ano entre 1995 e 1999, todas cresceram e aumentaram sua lucratividade. O faturamento da Sun dobrou e o da Home Depot mais que dobrou. De acordo com a Value Line, o faturamento da GE cresceu 29%; seus lucros aumentaram 65%. Na Home Depot e na Sun, os lucros por ação quase triplicaram.

Porém, algo mais estava acontecendo que não teria surpreendido Graham nem um pouco. Quanto mais rápido essas companhias cresciam, mais caras ficavam suas ações. Quando as ações crescem mais rápido do que as companhias, os investidores acabam sempre se arrependendo. Conforme mostra a Figura 7-2:

Uma grande companhia não é um grande investimento quando você paga demais pela ação.

Quanto mais sobe uma ação, mais provável parece que continue a subir. Porém, essa crença instintiva é cabalmente contradita por uma lei fundamental da física financeira: quanto maior o tamanho, mais lento o crescimento. Uma companhia de US$1 bilhão pode dobrar suas vendas com certa facilidade; mas onde uma companhia de US$50 bilhões pode encontrar outros US$50 bilhões em negócios?

As *growth stocks* valem a pena ser compradas quando seus preços são razoáveis, mas quando suas razões preço/lucro sobem acima de 25 ou 30 as probabilidades ficam diminutas:

- A jornalista Carol Loomis descobriu que, entre 1960 e 1999, apenas oito das 150 maiores integrantes da lista de quinhentas grandes companhias da *Fortune* conseguiram aumentar seus lucros por uma média anual de, pelo menos, 15% ao longo de duas décadas.[6]
- Ao analisar cinco décadas de dados, a firma de pesquisa Sanford C. Bernstein & Co. concluiu que apenas 10% das grandes companhias americanas haviam aumentado seus lucros em 20% durante, pelo menos, cinco anos consecutivos; apenas 3% tinham crescido a uma taxa de

6 Carol J. Loomis, "The 15% Delusion" [A fantasia dos 15%], *Fortune*, 5 de fevereiro de 2001, p. 102-108.

FIGURA 7-1 Para cima, para cima e para longe

		1995	1996	1997	1998	1999
General Electric	Faturamento (US$ milhões)	43.013	46.119	48.952	51.546	55.645
	Lucros por ação (US$)	0,65	0,73	0,83	0,93	1,07
	Retorno anual das ações (%)	44,5	40,0	50,6	40,7	53,2
	Razão preço/lucro no final do ano	18,4	22,8	29,9	36,4	47,9
Home Depot	Faturamento (US$ milhões)	15.470	19.536	24.156	30.219	38.434
	Lucros por ação (US$)	0,34	0,43	0,52	0,71	1,00
	Retorno anual das ações (%)	4,2	5,5	76,8	108,3	68,8
	Razão preço/lucro no final do ano	32,3	27,6	37,5	61,8	73,7
Sun Microsystems	Faturamento (US$ milhões)	5.902	7.095	8.598	9.791	11.726
	Lucros por ação (US$)	0,11	0,17	0,24	0,29	0,36
	Retorno anual das ações (%)	157,0	12,6	55,2	114,7	261,7
	Razão preço/lucro no final do ano	20,3	17,7	17,9	34,5	97,7

Fontes: Bloomberg, Value Line

Observações: O faturamento e os lucros se referem a anos fiscais; o retorno das ações a anos-calendário; a razão preço/lucro é o preço de 31 de dezembro dividido pelos lucros registrados nos quatro trimestres anteriores.

20% durante, pelo menos, dez anos diretos; e nenhuma conseguiu fazer isso durante 15 anos seguidos.[7]

FIGURA 7-2 Cuidado com o tombo

	Preço da ação 31/12/1999	Preço da ação 31/12/2002	Razão P/L 31/12/1999	Razão P/L Março de 2003
General Electric	US$51,58	US$24,35	48,1	15,7
Home Depot	US$68,75	US$23,96	97,4	14,3
Sun Microsystems	US$38,72	US$3,11	123,3	n/a

n/a: Não aplicável; a Sun teve prejuízo líquido em 2002.
Fontes: www.morningstar.com, yahoo.marketguide.com

- Um estudo acadêmico de centenas de ações americanas entre 1951 e 1998 concluiu que os lucros líquidos cresceram, em média, 9,7% ao ano em todos os períodos decenais. Porém, para as 20% maiores empresas, os lucros cresceram a uma média anual de apenas 9,3%.[8]

Até mesmo muitos líderes empresariais importantes não conseguem entender essas probabilidades (ver boxe na p. 213). O investidor inteligente, no entanto, se interessa por ações de alto crescimento não quando elas são as mais populares, mas quando algo dá errado. Em julho de 2002, a Johnson & Johnson anunciou que as agências reguladoras federais estavam investigando acusações de manutenção de registros falsos em uma de suas fábricas de remédios e sua ação caiu 16% em um único dia. Isso reduziu o preço das ações da J&J de 24 vezes os lucros dos 12 meses anteriores para apenas vinte vezes. Naquele nível mais baixo, a Johnson & Johnson podia mais uma vez virar uma *growth stock* com espaço para crescer, tornando-a um exemplo do que Graham denomina "companhia grande relativamente pouco popular".[9] Esse

---

7 Ver Jason Zweig, "A Matter of Expectations" [Uma questão de expectativas], *Money*, janeiro de 2001, p. 49-50.

8 Louis K.C. Chan, Jason Karceski e Josef Lakonishok, "The Level and Persistence of Growth Rates" [O nível e a persistência das taxas de crescimento], National Bureau of Economic Research, Working Paper nº 8.282, maio de 2001, disponível em www.nber.org/papers/w8282.

9 Quase exatamente vinte anos antes, em outubro de 1982, as ações da Johnson & Johnson perderam 17,5% de seu valor em uma semana quando várias pessoas morreram após ingerirem

GRANDE POTENCIAL DE EXAGERO

Os investidores não são as únicas pessoas que se deixam levar pela fantasia de que o hipercrescimento pode durar indefinidamente. Em fevereiro de 2000, perguntaram a John Roth, presidente da Nortel Networks, a que tamanho a companhia de fibra óptica poderia chegar. "O setor está crescendo entre 14% e 15% ao ano", respondeu Roth, "e estamos crescendo seis pontos acima disso. Para uma companhia de nosso tamanho, isso é inebriante". As ações da Nortel, que haviam subido 51% ao ano nos seis anos anteriores, estavam então sendo negociadas a 87 vezes o que Wall Street adivinhava que ela lucraria em 2000. A ação estava supervalorizada? "Está chegando lá", Roth disse com indiferença, "mas há ainda muito espaço para aumentar nosso valor à medida que executamos nossa estratégia no mercado sem fio" (Afinal, ele acrescentou, a Cisco Systems estava sendo negociada a 121 vezes seus lucros projetados!).[1]

No que se refere à Cisco, em novembro de 2000, seu presidente, John Chambers, insistiu que sua companhia poderia continuar crescendo a uma taxa de, pelo menos, 50% ao ano. "A lógica", declarou ele, "indicaria que essa ação descolou do mercado". As ações da Cisco haviam caído violentamente, estavam então sendo negociadas a meros 98 vezes seus lucros no ano anterior e Chambers incitava os investidores a comprar. "Então, em quem você vai apostar?", perguntou ele. "Esta pode ser a oportunidade."[2]

Em vez disso, essas companhias de crescimento rápido encolheram e suas ações supervalorizadas murcharam. O faturamento da Nortel caiu 37% em 2001 e a companhia perdeu mais de US$26 bilhões naquele ano. De fato, o faturamento da Cisco aumentou 18% em 2001, mas a companhia terminou com um prejuízo líquido de mais de US$1 bilhão. As ações da Nortel, cotadas a US$113,50 quando Roth falou, terminaram 2002 a US$1,65. As ações da Cisco, que valiam US$52 quando Chambers chamou sua companhia de "descolada do mercado", desmoronaram para US$13.

Ambas as companhias desde então se tornaram mais cautelosas com relação à previsão do futuro.

---

1 Lisa Gibbs, "Optic Uptick" [Subida óptica], *Money*, abril de 2000, p. 54-55.

2 Brooks Southall, "Cisco's Endgame Strategy" [A estratégia de fim de jogo da Cisco], *InvestmentNews*, 30 de novembro de 2000, p. 1 e 23.

tipo de impopularidade temporária pode criar riqueza duradoura ao permitir que você compre uma grande companhia a um bom preço.

VOCÊ DEVERIA COLOCAR TODOS OS OVOS EM UMA SÓ CESTA?

"Coloque todos os ovos em uma cesta e depois a vigie", proclamou Andrew Carnegie há um século. "Não atire para todos os lados... Os grandes sucessos da vida se devem à concentração." Conforme observado por Graham, "as fortunas realmente grandes oriundas de ações ordinárias" foram feitas por pessoas que colocaram todo seu dinheiro em um investimento que conheciam muito bem.

Quase todas as pessoas ricas dos Estados Unidos devem sua riqueza ao investimento concentrado em uma única indústria ou mesmo uma única companhia (pense em Bill Gates e a Microsoft, Sam Walton e a Wal-Mart ou os Rockefellers e a Standard Oil). A lista da *Forbes* dos quatrocentos americanos mais ricos, por exemplo, é dominada por fortunas não diversificadas desde que começou a ser compilada em 1982.

No entanto, quase nenhuma fortuna pequena foi feita dessa forma, e poucas fortunas grandes foram *mantidas* dessa forma. O que Carnegie deixou de mencionar é que a concentração também leva à maior parte dos grandes *fracassos* da vida. Olhe novamente a "Lista dos ricos" da *Forbes*. Em 1982, o patrimônio médio necessário para entrar na lista era US$230 milhões. Para entrar na lista dos quatrocentos da *Forbes* em 2002, o membro médio de 1982 precisaria obter um retorno anual médio de apenas 4,5% sobre seu capital, durante um período em que mesmo as contas bancárias renderam muito mais do que isso e em que o mercado acionário teve um ganho anual médio de 13,2%.

Então, quantas das quatrocentas fortunas da *Forbes* de 1982 permaneciam na lista vinte anos mais tarde? Apenas 64 dos membros originais, meros 16%, continuavam na lista em 2002. Ao manter todos os seus ovos na mesma cesta que os havia colocado na lista no primeiro momento (os setores então em expansão, como petróleo e gás, *hardware* de computadores ou manufaturas básicas), todos os outros membros originais desapareceram. Em tempos difíceis, nenhuma dessas pessoas, apesar de todas as grandes vantagens que as

---

Tylenol que havia sido envenenado com cianeto por um desconhecido. A Johnson & Johnson reagiu introduzindo, de forma pioneira, a embalagem à prova de violação! E suas ações continuaram sendo um dos melhores investimentos da década de 1980.

grandes fortunas podem trazer, estava preparada da forma apropriada. Tudo que podiam fazer era ficarem paradas e lamentarem os estalos dolorosos à medida que a economia em permanente mudança esmagava sua única cesta e todos os seus ovos.[10]

O CESTO DE SUBVALORIZAÇÕES

Você pode até pensar que, em nosso mundo todo conectado em rede, seria fácil elaborar e comprar uma lista de ações que atendessem aos critérios de Graham para subvalorizações (p. 197). Embora a internet ajude, você ainda terá que fazer grande parte do trabalho de forma manual.

Pegue um exemplar do *Wall Street Journal* de hoje, procure a seção "Money & Investing" [Dinheiro e investimentos] e dê uma olhada nos indicadores da NYSE e da Nasdaq para encontrar as listas de ações que, naquele dia, atingiram um novo patamar mínimo dos 12 meses anteriores, uma forma rápida e fácil de pesquisar as companhias que poderiam passar pelos testes de capital de giro líquido elaborados por Graham. (Na internet, tente http://quote.morningstar.com/highlow.html?msection=HighLow.)

Para verificar se uma ação está vendendo por menos do que o valor do capital de giro líquido (o que os seguidores de Graham chamam de "líquido do líquido"), procure o relatório trimestral ou anual mais recente da companhia em sua página na internet ou no banco de dados EDGAR em www.sec.gov. Do ativo circulante da companhia, subtraia seu passivo total, incluindo quaisquer ações preferenciais e endividamento de longo prazo. (Ou consulte a mais nova edição da pesquisa de investimentos da Value Line em sua biblioteca pública local, poupando-se de pagar uma assinatura anual cara. Cada edição possui uma lista de "Ações subvalorizadas básicas" que se aproximam da definição de Graham.) A maioria dessas ações estava em ramos atribulados, como telecomunicações e alta tecnologia.

Em 31 de outubro de 2002, por exemplo, a Comverse Technology tinha US$2,4 bilhões em ativo circulante e US$1,0 bilhão em passivo total, totalizando um capital de giro líquido de US$1,4 bilhão. Com menos de 190 milhões de ações e um preço inferior a US$8 por ação, a Comverse tinha uma

---

10 Pela observação de que é surpreendentemente difícil permanecer entre os quatrocentos da *Forbes*, agradeço ao gestor de investimentos Kenneth Fisher (ele mesmo um colunista da *Forbes*).

capitalização de mercado total um pouco inferior a US$1,4 bilhão. Com a ação cotada igual ao valor do caixa e dos estoques da Comverse, os negócios da companhia estavam basicamente sendo vendidos por nada. Como Graham sabia, você pode ainda perder dinheiro em uma ação como a Comverse, o que constitui a razão por que você deve comprá-la apenas se puder encontrar uma dúzia de cada vez e mantê-la pacientemente. Porém, naquelas raras ocasiões em que o Sr. Mercado gera tantas subvalorizações verdadeiras, você certamente ganhará dinheiro.

QUAL É A SUA POLÍTICA INTERNACIONAL?

Investir em ações estrangeiras pode não ser obrigatório para o investidor inteligente, mas é definitivamente aconselhável. Por quê? Vamos fazer um pequeno exercício mental. Estamos no final de 1989 e você é japonês. Aqui estão os fatos:

- Ao longo dos últimos dez anos, seu mercado acionário subiu em média de 21,2% ao ano, muito acima dos ganhos anuais de 17,5% nos Estados Unidos;
- As companhias japonesas estão comprando tudo nos Estados Unidos, desde o campo de golfe Pebble Beach ao Rockefeller Center; enquanto isso, firmas americanas, como Drexel Burnham Lambert, Financial Corp. of America e Texaco estão falindo;
- A indústria de alta tecnologia americana está morrendo. A japonesa está em franca expansão.

Em 1989, na terra do sol nascente, você forçosamente concluiria que investir fora do Japão é a ideia mais idiota desde as máquinas automáticas de vender *sushi*. Logo, é claro que você aplicaria todo seu dinheiro em ações japonesas.

O resultado? Ao longo da década seguinte, você teria perdido aproximadamente dois terços de seu investimento.

A moral da história? Não é que você nunca deva investir em mercados estrangeiros, como o Japão, mas que os japoneses nunca deveriam ter mantido todo seu dinheiro em casa. Tampouco você. Se você vive nos Estados Unidos, trabalha nos Estados Unidos e é pago em dólares americanos, já está fazendo uma aposta em múltiplas camadas na economia americana. Para ser prudente, você deve colocar parte de sua carteira de investimentos em outro lugar, simplesmente porque ninguém, em lugar algum, pode em qualquer momento saber o que o futuro trará no âmbito doméstico ou no exterior. Aplicar até um terço de seu dinheiro de ações em fundos mútuos que mantenham ações estrangeiras (incluindo aquelas em mercados emergentes) ajuda a garantir contra o risco de que nosso próprio país nem sempre seja o melhor lugar no mundo para se investir.

CAPÍTULO 8
O INVESTIDOR E AS FLUTUAÇÕES DO MERCADO

Na medida em que os recursos do investidor são aplicados em títulos com grau de investimento com vencimentos relativamente curtos, digamos, de sete anos ou menos, ele não será afetado significativamente pelas mudanças nos preços de mercado e não precisará levá-las em consideração. (Isso se aplica à sua carteira de obrigações de poupança americanas, que ele pode sempre reaver a um preço igual ou superior ao de custo.) As obrigações de longo prazo podem sofrer oscilações de preço relativamente grandes até o vencimento, sendo quase certo que o valor de sua carteira de ações ordinárias oscilará ao longo de qualquer período de vários anos.

O investidor deve tomar conhecimento dessas possibilidades e se preparar para elas, tanto financeira quanto psicologicamente. Ele desejará se beneficiar das mudanças nos níveis de mercado, certamente através do crescimento no valor de sua carteira de ações ao longo do tempo, e talvez também comprando e vendendo a preços vantajosos. Esse interesse de sua parte é inevitável e bastante legítimo. Porém, isso envolve o perigo muito real de que ele seja levado a tomar atitudes e realizar atividades especulativas. É fácil para nós dizermos a você para não especular, difícil será você seguir esse conselho. Deixe-nos repetir o que dissemos no início: se você deseja especular, faça-o com os olhos bem abertos, sabendo que provavelmente perderá dinheiro no fim; certifique-se de limitar a quantia em risco e de separá-la completamente de seu programa de investimento.

Lidaremos primeiro com a questão mais importante das mudanças de preço das ações ordinárias e passaremos mais adiante para a área das obrigações. No capítulo 3, apresentamos um resumo histórico do movimento do mercado acionário nos últimos cem anos. Nesta seção, retornaremos a esse material esporadicamente para ver o que o registro do passado promete ao investidor tanto na forma de apreciação a longo prazo de uma carteira relativamente imutável em meio às sucessivas subidas e descidas quanto nas possibilidades de compra próximas dos pontos mínimos dos mercados de baixa e nas de venda pouco abaixo dos picos dos mercados de alta.

Flutuações de mercado como um guia para as decisões do investidor

Já que as ações ordinárias, mesmo aquelas com classificação de risco baixa, estão sujeitas a oscilações grandes e recorrentes em seus preços, o investidor inteligente deveria estar interessado nas possibilidades de lucrar com essas oscilações pendulares. Há duas formas possíveis pelas quais ele pode tentar fazer isso: o caminho da antecipação do mercado (*timing*) e o da precificação (*pricing*). Por *timing*, queremos dizer o esforço para antecipar os movimentos do mercado acionário, ou seja, para comprar ou manter um investimento quando a evolução futura é considerada ascendente e para vender ou abster-se de comprar quando a evolução for considerada descendente. Por *pricing*, queremos dizer o esforço para comprar ações quando elas estiverem cotadas abaixo de seu valor justo e vendê-las quando elas subirem acima de tal valor. Uma forma menos ambiciosa da precificação é o simples esforço para se certificar de não pagar alto demais por suas ações. Isso pode ser suficiente para o investidor defensivo cuja ênfase está na manutenção em carteira para o longo prazo, mas tal atitude representa o mínimo essencial de atenção aos patamares do mercado.[1]

Estamos convencidos de que o investidor inteligente pode obter resultados satisfatórios pela precificação dos dois tipos. Da mesma forma, estamos convencidos de que se ele enfatizar a antecipação do mercado, no sentido de previsão, ele acabará agindo como um especulador e colherá os resultados financeiros de um especulador. Essa distinção pode parecer bastante tênue para um leigo, não sendo amplamente aceita em Wall Street. Como resultado de suas práticas comerciais, ou talvez de uma convicção profunda, os corretores de ações e os serviços de investimento parecem atrelados ao princípio de que tanto os investidores quanto os especuladores em ações ordinárias devem dedicar muita atenção às previsões do mercado.

Acreditamos que quanto mais longe de Wall Street estivermos, mais céticos ficaremos a respeito das pretensões das previsões ou da antecipação do mercado acionário. É difícil para o investidor levar a sério as inúmeras previsões que aparecem quase diariamente e estão disponíveis para todos. No entanto, em muitos casos, ele presta atenção a elas e até mesmo age em função delas. Por quê? Porque foi convencido de que é importante que ele forme *alguma* opinião sobre a evolução futura do mercado acionário e também por ele sentir que a previsão de uma corretora ou de um serviço de investimentos é, pelo menos, mais confiável do que a dele.[1]

Não temos espaço aqui para discutir em detalhe os prós e contras da previsão de mercado. Dedica-se muito esforço intelectual a esse campo, e não há dúvida de que *algumas pessoas* conseguem ganhar dinheiro sendo bons analistas de mercado acionário. Porém, é absurdo pensar que o *público em geral* pode alguma vez ganhar dinheiro com base nas previsões do mercado. Afinal, quem irá comprar quando o público em geral, a um dado sinal, correr para vender com lucro? Se você, leitor, espera ficar rico ao longo dos anos seguindo algum sistema ou guia de previsão de mercado, você deve estar esperando tentar fazer o que inúmeros outros estão fazendo e ser capaz de ter um desempenho melhor do que seus numerosos concorrentes no mercado. Não há como se afirmar, com base na lógica ou na experiência, que qualquer investidor típico ou médio pode antecipar os movimentos do mercado com mais sucesso do que o público em geral, do qual ele mesmo faz parte.

---

1 No final da década de 1990, as previsões dos "estrategistas do mercado" se tornaram mais influentes do que nunca. Infelizmente, não se tornaram mais precisas. Em 10 de março de 2000, no mesmo dia em que o índice composto Nasdaq atingiu seu ponto mais alto de todos os tempos, 5.048,62, o principal analista técnico da Prudential Securities, Ralph Acampora, disse ao *USA Today* que ele esperava que a Nasdaq atingisse 6.000 dentro de 12 a 18 meses. Cinco semanas mais tarde, a Nasdaq já havia murchado para 3.321,29, mas Thomas Galvin, um estrategista de mercado da Donaldson, Lufkin & Jenrette, declarou que "há apenas 200 ou 300 pontos possíveis de baixa para a Nasdaq e 2.000 de alta". Acabou acontecendo que não havia nenhum ponto de alta e havia mais de 2.000 de baixa, enquanto a Nasdaq continuou caindo até finalmente chegar ao fundo em 9 de outubro de 2002, a 1.114,11. Em março de 2001, Abby Joseph Cohen, estrategista-chefe de investimento da Goldman, Sachs & Co., previu que o índice de 500 ações da Standard & Poor's fecharia o ano a 1.650 e que o Índice Industrial Dow Jones fecharia 2001 a 13.000. "Não esperamos uma recessão", disse Cohen, "e acreditamos que os lucros corporativos provavelmente subirão a taxas de crescimento próximas de suas tendências mais adiante neste ano". A economia americana foi afundando na recessão à medida que ela falava e o S&P 500 terminou 2001 a 1.148,08, enquanto o Dow terminou a 10.021,50, 30% e 23% abaixo de suas previsões, respectivamente.

Há um aspecto da filosofia da antecipação do mercado que parece ter escapado à observação das pessoas. A antecipação é de grande importância psicológica para o especulador porque ele deseja lucrar rapidamente. A ideia de esperar por um ano até que suas ações subam é repugnante para ele. Porém, um período de espera desses não tem consequências para o investidor. Qual a vantagem dele em não investir seu dinheiro até receber algum sinal (presumivelmente) confiável de que chegou a hora de comprar? Ele terá vantagem apenas se, ao esperar, tiver sucesso em comprar mais tarde a um *preço* suficientemente *baixo* para compensar a perda das receitas de dividendos. O que isso significa é que o *timing* não tem qualquer valor real para o investidor a menos que ele coincida com o *pricing*, isto é, a menos que ele o capacite a recomprar suas ações a um preço substancialmente mais baixo do que o preço de venda anterior.

Nesse sentido, a famosa teoria Dow de *timing* das compras e vendas possui uma história incomum.[2] Resumindo, essa técnica considera como sinal para compra um tipo especial de "ruptura" dos índices de ações para cima e um rompimento semelhante para baixo como sinal de venda. Os resultados calculados — não necessariamente reais — do uso desse método mostram uma série quase ininterrupta de lucros nas operações de 1897 até o início da década de 1960. Com base nessa apresentação, o valor prático da teoria Dow pareceria firmemente estabelecido; a dúvida, se houvesse, se aplicaria à confiabilidade desse "histórico" publicado como um retrato do que o teórico de Dow efetivamente teria conseguido no mercado.

Um estudo mais acurado dos números indica que a qualidade dos resultados mostrados pela teoria Dow mudou radicalmente após 1938, poucos anos após a teoria ter começado a ser levada a sério em Wall Street. Sua realização espetacular tinha sido dar um sinal de venda, a 306 pontos, cerca de um mês antes da quebra de 1929, e manter seus seguidores distantes do longo mercado de baixa até que as coisas melhorassem, ao nível de 84 pontos, em 1933. Porém, de 1938 em diante, a teoria Dow operou, sobretudo, de modo a levar seus praticantes a sair do mercado a um preço bastante bom, mas depois trazê-los de volta novamente a um preço mais elevado. Durante os trinta anos seguintes, o investidor teria alcançado resultados consideravelmente melhores se tivesse apenas comprado e mantido o DJIA.[II]

---

2 Ver p. 21.

Em nossa perspectiva, com base em muitos estudos desse problema, a mudança nos resultados da teoria Dow não é acidental. Ela demonstra uma característica inerente das fórmulas de previsão e negociação nos campos dos negócios e das finanças. Aquelas fórmulas que atraíram adeptos e importância o fizeram porque funcionaram bem por um tempo ou, às vezes, simplesmente porque podiam ser adaptadas, de forma plausível, ao registro estatístico do passado. No entanto, à medida que aumenta a aceitação, sua confiabilidade tende a diminuir. Isso acontece por duas razões: primeiro, a passagem do tempo traz novas condições às quais a fórmula velha não se ajusta; segundo, nos assuntos de mercado acionário, a popularidade de uma teoria de negociação exerce, por si mesma, uma influência no comportamento do mercado que diminui suas possibilidades de lucrar no longo prazo. (A popularidade de algo como a teoria Dow pode parecer criar sua própria comprovação, uma vez que faria o mercado subir ou descer pelo próprio comportamento de seus seguidores quando um sinal de compra ou venda é dado. Um "estouro da boiada" desse tipo é, claro, muito mais perigoso do que vantajoso para o operador de mercado.)

Abordagem compre na baixa e venda na alta

Estamos convencidos de que o investidor médio não pode alcançar o sucesso por meio da tentativa de antecipar os movimentos de preço. Será que ele pode se beneficiar deles *após* tais movimentos terem ocorrido, isto é, comprar após cada baixa grande e vender após cada subida grande? As flutuações do mercado ao longo de um período de vários anos antes de 1950 fornecem apoio considerável a essa ideia. Na verdade, uma definição clássica de um "investidor astuto" é "alguém que compra em mercados de baixa, quando todo mundo está vendendo, e vende em mercados de alta, quando todo mundo está comprando". Se examinarmos nosso Gráfico I, que cobre as flutuações do índice composto Standard & Poor's entre 1900 e 1970 e os números correspondentes na Tabela 3-1 (p. 88), podemos rapidamente ver por que essa perspectiva parecia válida até poucos anos atrás.

Entre 1897 e 1949, houve dez ciclos de mercado completos, abrangendo desde o vale do mercado de baixa até o pico do mercado de alta e novamente até o vale do mercado de baixa. Seis desses ciclos duraram não mais que quatro anos, quatro ciclos duraram seis ou sete anos, e um — o famoso ciclo

"Nova Era", de 1921 a 1932 — durou 11 anos. A percentagem do aumento dos vales até os picos variou de 44% a 500%, ficando a maioria entre aproximadamente 50% e 100%. A queda percentual subsequente variou entre 24% e 89%, ficando a maioria entre 40% e 50%. (É preciso lembrar que uma queda de 50% anula completamente um avanço anterior de 100%.)

Quase todos os mercados de alta tiveram várias características bem definidas em comum, tais como (1) nível histórico de preços altos, (2) razões preço/lucro elevadas, (3) rendimentos de dividendos baixos em comparação com os rendimentos das obrigações, (4) muita especulação na margem e (5) muitos lançamentos de ações ordinárias novas de qualidade baixa. Portanto, para o estudante da história do mercado acionário pareceu que o investidor inteligente teria sido capaz de identificar os mercados de baixa e de alta recorrentes de modo a comprar durante os primeiros e vender durante os segundos, e, em geral, fazer isso a intervalos de tempo razoavelmente curtos. Vários métodos foram desenvolvidos para determinar os níveis de compra e venda do mercado como um todo com base em fatores de valor ou nos movimentos percentuais dos preços ou em ambos.

No entanto, devemos destacar que, até mesmo antes do mercado de alta sem precedentes iniciado em 1949, ocorreram variações suficientes nos ciclos de mercado sucessivos para complicar e, às vezes, frustrar o processo desejável de comprar na baixa e vender na alta. O mais notável desses desvios foi, claro, o grande mercado de baixa do final da década de 1920, o qual contrariou todos os cálculos.[3] Até mesmo em 1949, portanto, não havia qualquer certeza de que o investidor poderia basear suas políticas e operações financeiras principalmente na tentativa de comprar a níveis baixos em mercados de baixa e vender a níveis altos em mercados de alta.

---

3 Sem os mercados de baixa que levam os preços das ações para baixo novamente, qualquer um que esteja esperando para "comprar barato" se sentirá completamente deixado para trás e, com muita frequência, terminará abandonando qualquer precaução anterior e entrando com entusiasmo excessivo. Essa é a razão pela qual a mensagem de Graham sobre a importância de se ter *disciplina emocional* é tão veemente. De outubro de 1990 a janeiro de 2000, o Índice Industrial Dow Jones caminhou incessantemente para cima, nunca perdendo mais que 20% e sofrendo uma perda igual ou superior a 10% apenas três vezes. A valorização total (sem contar os dividendos) foi de 395,7%. De acordo com a Crandall, Pierce & Co., esse foi o segundo mais duradouro e ininterrupto mercado de alta do século passado; apenas o *boom* de 1949-61 durou mais. Quanto mais longo o mercado de alta, mais os investidores serão acometidos de um caso grave de amnésia; após cinco anos ou mais, muitas pessoas deixam de acreditar na possibilidade de um mercado de baixa. Todos aqueles que esquecem estão fadados a serem lembrados; e, no mercado acionário, as memórias recuperadas são sempre desagradáveis.

Aconteceu, na sequência, o oposto. O comportamento do mercado nos últimos vinte anos não seguiu o padrão anterior, não obedeceu a sinais de perigo anteriormente bem estabelecidos, não permitiu sua exploração bem-sucedida por meio da aplicação das regras antigas de comprar barato e vender caro. Não sabemos se o padrão regular e antigo de baixa e de alta do mercado retornará em algum momento. Porém, parece irrealista para nós que o investidor envide esforços para basear sua política atual na fórmula clássica, isto é, esperar por níveis demonstráveis de um mercado de baixa antes de comprar *qualquer* ação ordinária. A política que recomendamos prevê, no entanto, mudanças nas *proporções* relativas entre ações ordinárias e obrigações em carteira, caso o investidor escolha agir dessa forma, de acordo com a maior ou menor atratividade dos níveis de preços das ações, conforme medidos pelos padrões de valor.[4]

Métodos de investimento automático

Nos primeiros anos da subida do mercado acionário, iniciada em 1949-50, vários métodos de tirar vantagem dos ciclos de mercado acionário atraíram considerável interesse. Esses métodos foram conhecidos como "planos de investimento automático". A essência de tais planos, exceto o caso simples do custo médio em dólares, é que o investidor automaticamente vende *algumas* ações ordinárias quando o mercado sobe substancialmente. Em muitos deles, uma subida substancial no nível de mercado resultaria na venda de todas as ações ordinárias em carteira; outros preveriam a manutenção de uma proporção pequena de ações em qualquer circunstância.

Essa abordagem tinha o apelo duplo de soar lógica (e conservadora) e mostrar resultados excelentes quando aplicada retroativamente ao mercado acionário ao longo de muitos anos no passado. Infelizmente, sua popularidade cresceu muito e justamente no momento em que era improvável funcionar tão bem. Muitos dos "investidores automáticos" encontraram-se totalmente ou quase totalmente fora do mercado acionário em algum nível em meados da década de 1950. É verdade, eles haviam obtido lucros

---

4 Graham discute essa "política que recomendamos" no capítulo 4 (p. 112-115). Essa política, hoje chamada de "alocação tática de ativos", é amplamente seguida por investidores institucionais, como os fundos de pensão e os *endowment funds* das universidades.

excelentes, mas, de maneira geral, o mercado depois "fugiu" deles e suas fórmulas lhes ofereceram poucas oportunidades de recomprar uma posição em ações ordinárias.[5]

Há uma semelhança entre a experiência daqueles que adotaram a abordagem do investimento automático no início da década de 1950 e os que abraçaram a versão puramente mecânica da teoria Dow cerca de vinte anos antes. Em ambos os casos, o advento da popularidade marcou o momento quase exato em que o sistema parou de funcionar bem. Tivemos uma experiência incômoda semelhante com nosso próprio "método de valor central" de determinação dos níveis indicados para compra e venda do Índice Industrial Dow Jones. A moral da história parece ser que qualquer abordagem promissora no mercado acionário passível de ser facilmente descrita e seguida por muitas pessoas é, em si mesma, simples e fácil demais para durar.[6] A observação conclusiva de Spinoza se aplica a Wall Street assim como à filosofia: "Todas as coisas excelentes são tão difíceis quanto raras."

Flutuações de mercado da carteira do investidor

Todo investidor que possua ações ordinárias deve estar preparado para ver seu valor oscilar ao longo dos anos. O comportamento do DJIA desde que nossa última edição foi escrita em 1964 provavelmente reflete bastante bem o que aconteceu à carteira de ações de um investidor conservador que tenha limitado seus investimentos em ações àquelas de corporações grandes, conceituadas e conservadoramente financiadas. O valor total aumentou de um nível médio de aproximadamente 890 pontos até um pico de 995 em 1966 (e 985 novamente em 1968), caiu para 631 em 1970 e teve

---

5 Muitos desses "investidores automáticos" teriam vendido todas as suas ações no final de 1954, após o mercado acionário americano subir 52,6%, o segundo maior retorno anual já registrado. Nos cinco anos seguintes, esses usuários do *timing* de mercado provavelmente teriam ficado nas margens enquanto as ações dobravam.

6 As formas fáceis de ganhar dinheiro no mercado acionário desaparecem por duas razões: a vocação natural das tendências se inverterem ao longo do tempo ou "retornarem à média" e a adoção rápida do esquema de escolha de ações por um número grande de pessoas, que entram e estragam o prazer daqueles que chegaram lá primeiro. (Note que, ao se referir à sua "experiência incômoda", Graham está, como sempre, sendo honesto ao admitir os próprios fracassos.) Ver Jason Zweig, "Murphy was an investor" [Murphy era um investidor], *Money*, julho de 2002, p. 61-62, e "New Year's Play" [Jogo do Ano-novo], *Money*, dezembro de 2000, p. 89-90.

uma recuperação quase total para 940 no início de 1971. (Uma vez que os papéis individuais estabelecem suas marcas máximas e mínimas em momentos diferentes, as oscilações do grupo Dow Jones como um todo são menos severas do que aquelas dos componentes tomados isoladamente.) Rastreamos, pelo tempo, oscilações de outros tipos de carteiras de ações ordinárias diversificadas e conservadoras e encontramos resultados globais que provavelmente não são muito diferentes dos explicitados anteriormente. Em geral, as ações das companhias de segunda linha[7] flutuam mais fortemente do que as das companhias maiores, mas isso não significa necessariamente que um grupo de companhias bem estabelecidas, porém menores, terá um desempenho inferior durante um período longo de tempo. Em qualquer caso, o investidor deve também se conformar antecipadamente com a probabilidade, em vez de a simples possibilidade, de que a maioria de sua carteira cresça, digamos, 50% ou mais a partir de seu ponto mínimo e caia o equivalente a um terço ou mais a partir do ponto mais alto em vários períodos nos cinco anos seguintes.[8]

Não se espera que um investidor sério acredite que as oscilações do dia a dia, ou mesmo de mês a mês, do mercado acionário o farão rico ou pobre. Porém, qual o impacto das mudanças mais amplas e em períodos mais longos? Aqui, questões práticas se apresentam e problemas psicológicos podem gerar complicações. Uma subida substancial do mercado é, simultaneamente, uma razão legítima de satisfação e uma causa para preocupação, mas pode também trazer a tentação forte de cometer um ato imprudente. Suas ações subiram, bom! Você está mais rico do que era, bom! Mas será que o preço subiu *demais* e você deve pensar em vender? Ou você deve se flagelar por não ter comprado mais ações quando os pre-

---

7 O equivalente hoje ao que Graham chama de "companhias de segunda linha" seria qualquer dos milhares de ações não incluídas no índice de 500 ações da Standard & Poor's. Uma lista revisada regularmente, contendo as 500 ações no índice S&P, está disponível em www.standardandpoors.com.

8 Observe com cuidado o que Graham está dizendo aqui. Não é apenas possível, mas provável, que a maioria das ações que você possui suba, pelo menos, 50% a partir de seu preço mais baixo e caia, pelo menos, 33% a partir de seu preço mais alto, sejam quais forem as ações que você possui ou se o mercado como um todo sobe ou desce. Se você não consegue conviver com isso ou pensa que sua carteira é, de alguma forma, magicamente imune a esses movimentos, então você não pode se chamar de investidor. (Graham se refere a um declínio de 33% como "um terço equivalente" porque uma valorização de 50% leva uma ação de US$10 para US$15. A partir de US$15, uma perda de 33% [ou uma queda de US$5] a traz de volta para US$10, onde começou.)

ços estavam mais baixos? Ou, pior de tudo, você deveria agora se render à atmosfera do mercado de alta, se deixar infectar pelo entusiasmo, a super--confiança e a ganância do grande público (do qual, afinal de contas, você faz parte) e assumir compromissos maiores e mais perigosos? Apresentada assim, por escrito, a resposta à última pergunta é um evidente *não*, mas mesmo o investidor inteligente pode precisar de uma força de vontade considerável para evitar acompanhar a multidão.

É por razões de natureza humana, muito mais do que pelo cálculo de ganhos ou prejuízos financeiros, que somos a favor de algum tipo de método automático para variar as proporções relativas entre títulos e ações na carteira do investidor. A vantagem principal talvez seja que tal fórmula lhe dará *algo para fazer*. À medida que o mercado avança, ele vende ações de tempos em tempos, aplicando a receita em títulos; à medida que desce, ele inverte o procedimento. Essas atividades fornecerão alguma maneira de usar energias de outra forma muito represadas. Se ele for o tipo certo de investidor, tirará satisfação adicional da noção de que suas operações são exatamente opostas àquelas da multidão.[9]

Valorações contábeis *versus* valorações do mercado acionário

O impacto das oscilações de mercado sobre a situação real do investidor pode ser considerado também do ponto de vista do acionista como proprietário de participações em vários negócios. O dono de ações negociáveis efetivamente tem um *status* duplo e, com isso, o privilégio de tirar vantagem de ambos a seu critério. Por um lado, sua posição é análoga à de um acionista minoritário ou parceiro silencioso em um negócio privado. Nesse sentido, seus resultados são inteiramente dependentes dos lucros do negócio ou de uma mudança no valor subjacente de seus ativos. Em geral, ele determinaria o valor de tal participação em um negócio privado pelo cálculo de sua parcela do patrimônio líquido, conforme mostrado nos balanços mais recentes. Por outro lado, o investidor em ações ordinárias detém um pedaço de papel, um certificado de ação impresso, que pode ser vendido em questão de minutos a um preço que varia de momento a mo-

---

9 Para o investidor de hoje, a estratégia ideal para perseguir essa "fórmula" são os acertos periódicos, a qual discutimos nas p. 128-129.

mento, isto é, quando o mercado está aberto, e, com frequência, é bastante diferente do valor contábil.[10]

O desenvolvimento do mercado acionário em décadas recentes tornou o investidor típico mais dependente da evolução das cotações de preço e menos livre do que anteriormente para considerar-se simplesmente o dono de um negócio. A razão é que as empresas bem-sucedidas, nas quais é provável que ele concentre sua carteira, são quase sempre negociadas a preços bem acima do valor líquido de seus ativos (valor contábil ou "valor de balanço"). Ao pagar esses prêmios de mercado, o investidor se torna um refém da sorte, pois dependerá do mercado acionário em si para validar seus compromissos.[11]

Esse é um fato de suma importância no que se refere aos investimentos na atualidade, mas que não tem recebido a atenção que merece. Toda a estrutura de cotações do mercado acionário embute uma contradição. Quanto melhores o histórico e as perspectivas de uma companhia, menos relação terá o preço de suas ações com o valor contábil. Porém, quanto maior o prêmio acima do valor contábil, menos certa estará a base para determinar seu valor intrínseco, isto é, seu "valor" dependerá mais das mudanças dos humores e dos métodos de avaliação do mercado acionário. Assim, chegamos ao paradoxo final de que quanto mais bem-sucedida é a companhia, maiores as oscilações de preço de suas ações. Isso significa que, em um sentido muito real, quanto melhor a qualidade de uma ação ordinária, é provável que ela seja mais *especulativa*, pelo menos, em comparação com as ações intermediárias e pouco destacadas.[12] (O que

---

10 A maioria das companhias hoje fornece um "certificado de ação impresso" apenas sob solicitação especial. As ações existem, na maioria, em uma forma puramente eletrônica (da mesma forma que sua conta bancária contém créditos e débitos computadorizados, não espécie), portanto ficou mais fácil negociá-las do que era na época de Graham.

11 Valor líquido dos ativos, valor contábil, valor de balanço e valor tangível dos ativos são todos sinônimos de patrimônio líquido, ou seja, o valor total dos ativos financeiros e físicos da companhia após a dedução de todas as suas dívidas. Ele pode ser calculado por meio dos balanços publicados nos relatórios anuais e trimestrais da companhia. Do total do capital acionário, subtraia todos os ativos "moles", tais como marcas e outros intangíveis, e divida pelo número plenamente diluído de ações no mercado para chegar ao valor contábil por ação.

12 O uso por Graham da palavra "paradoxo" é, provavelmente, uma alusão ao artigo clássico escrito por David Durand, "Growth Stocks and the Petersburg Paradox" [As *growth stocks* e o paradoxo de Petersburg], *The Journal of Finance*, v. XII, nº 3, setembro de 1957, p. 348-363, que compara o investimento em *growth stocks* de preço muito alto com uma aposta em uma série de cara e coroa, na qual o resultado sobe a cada jogada da moeda. Durand enfatiza que se uma

dissemos se aplica a uma comparação das principais companhias de crescimento rápido com a maioria das companhias estabelecidas; excluímos de nossa análise presente aquelas ações que são altamente especulativas porque os negócios associados a elas são, em si, especulativos.)

O argumento apresentado anteriormente explicaria o comportamento frequentemente errático dos preços de nossas companhias mais bem-sucedidas e imponentes. Nosso exemplo favorito é a rainha de todas elas, a International Business Machines. O preço de suas ações caiu de 607 pontos para 300 em sete meses, de 1962 a 1963; após dois desdobramentos, seu preço caiu de 387 para 219 em 1970. Da mesma forma, a Xerox — cujos lucros em décadas recentes foram ainda mais impressionantes — caiu de 171 pontos para 87, de 1962 a 1963, e de 116 para 65 em 1970. Essas perdas impressionantes não indicam qualquer dúvida acerca do crescimento futuro e a longo prazo da IBM ou da Xerox; refletem, ao contrário, uma falta de confiança na valoração do prêmio que o mercado acionário em si havia colocado nessas excelentes perspectivas.

A discussão anterior nos leva a uma conclusão de importância prática para o investidor conservador em ações ordinárias. Se ele precisar prestar atenção especial à escolha de sua carteira, pode ser melhor para ele se concentrar nas ações que vendem a um preço razoavelmente próximo ao valor dos ativos tangíveis, digamos, a não mais que um terço acima daquele número. As compras realizadas em tais níveis, ou em patamares inferiores, podem logicamente ser consideradas como relacionadas ao balanço da companhia e como tendo uma justificativa ou uma base independente dos preços de mercado oscilantes. O prêmio acima do valor contábil que pode estar envolvido pode ser considerado como um tipo de taxa extra paga pela vantagem de ser negociada em bolsa e pela liquidez que isso representa.

É preciso cautela nesse ponto. Uma ação não se torna um investimento sensato simplesmente porque ela pode ser comprada a um nível próximo de seu valor contábil. O investidor deveria exigir também uma razão preço/lucro satisfatória, uma posição financeira forte e a perspectiva de que

---

growth stock pudesse continuar a crescer a uma taxa alta por um período de tempo indefinido, um investidor deveria (teoricamente) estar disposto a pagar um preço infinito por tais ações. Por que, então, nenhuma ação foi vendida por um preço infinito por ação? Porque quanto mais alta a taxa de crescimento futura presumida, e mais longo o período de tempo durante o qual ela é esperada, mais a margem de erro cresce e maior se torna o custo de até mesmo um erro de cálculo ínfimo. Graham discute esse problema no Apêndice 4 (p. 614).

seus rendimentos serão, pelo menos, mantidos ao longo dos anos. Isso pode parecer exigir demais de uma ação com uma cotação modesta, mas a combinação não é difícil de ocorrer em todas as condições de mercado, com exceção das perigosamente altas. Desde que o investidor esteja disposto a abster-se dos papéis com perspectivas brilhantes, isto é, com crescimento médio acima do esperado, ele não terá dificuldade em encontrar uma ampla gama de ações que atendam a esses critérios.

Em nossos capítulos sobre a escolha de ações ordinárias (capítulos 14 e 15), apresentaremos dados mostrando que mais da metade das ações do DJIA atendia ao nosso critério de valoração de ativos no final de 1970. O investimento mais amplamente mantido — as ações da American Tel. & Tel. — está até sendo negociado abaixo do valor dos ativos tangíveis da companhia no momento em que escrevemos. Além de possuir outras vantagens, a maioria das ações de concessionárias de energia elétrica está agora (início de 1972) disponível a preços razoavelmente próximos de seus valores contábeis.

O investidor com uma carteira de ações respaldada por tais valores contábeis pode ter uma visão bem mais independente e distante das oscilações do mercado acionário do que aqueles que pagaram múltiplos altos dos lucros e ativos tangíveis. Enquanto a lucratividade de sua carteira permanecer satisfatória, o investidor pode dar a atenção que quiser aos caprichos do mercado acionário. Mais do que isso, ele pode usar, às vezes, esses caprichos para participar do jogo magistral de comprar na baixa e vender na alta.

O exemplo da A&P

Nesse ponto, introduziremos um de nossos exemplos originais, que data de muitos anos, mas exerce uma certa fascinação em nós por combinar tantos aspectos de experiência empresarial e de investimento. Ele envolve a Great Atlantic & Pacific Tea Co. Aqui está a história:

As ações da A&P começaram a ser negociadas no mercado "paralelo", como era conhecida a bolsa que se tornou a American Stock Exchange em 1929, e chegaram a ser vendidas a um preço tão alto quanto 494. Em 1932, elas haviam caído para 104, embora os rendimentos da companhia tenham sido quase tão grandes naquele ano catastrófico quanto tinham sido anteriormente. Em 1936, variaram entre 111 e 131. Em seguida, na recessão dos negócios e no mercado de baixa de 1938, as ações caíram para um novo ponto mínimo de 36.

Aquele preço era extraordinário. Ele significava que as ações preferenciais e ordinárias combinadas estavam sendo vendidas por US$126 milhões, embora a companhia tivesse acabado de informar que mantinha US$85 milhões em caixa e tinha um capital de giro (ou ativo circulante líquido) de US$138 milhões. A A&P era a maior empresa varejista dos Estados Unidos, se não do mundo, com um histórico ininterrupto e impressionante de lucros elevados por vários anos. No entanto, em 1938, essa companhia de grande destaque foi avaliada por Wall Street como valendo menos até do que seu ativo circulante apenas, o que significa que valia menos como uma companhia em funcionamento do que se fosse liquidada. Por quê? Primeiro, porque havia ameaças de introdução de impostos especiais sobre as redes varejistas; segundo, porque os lucros líquidos haviam caído no ano anterior; e, terceiro, porque o mercado como um todo estava deprimido. A primeira dessas razões foi um medo exagerado e, em última análise, desprovido de fundamento; as outras duas foram típicas influências temporárias.

Vamos supor que o investidor tivesse comprado ações ordinárias da A&P em 1937 a, digamos, 12 vezes seus lucros médios nos últimos cinco anos, ou seja, a aproximadamente 80. Estamos longe de afirmar que o declínio subsequente para 36 não teria sido significativo para ele. Seria recomendável que ele tivesse avaliado a conjuntura com certo cuidado para ver se havia cometido algum erro de cálculo. Porém, se os resultados dessa análise fossem tranquilizadores — como deveriam ter sido — ele teria direito então a desconsiderar o declínio do mercado por ser um capricho financeiro temporário, a menos que tivesse os recursos e a coragem de tirar vantagem disso comprando ainda mais nas bases de subvalorização oferecidas.

Sequência e reflexões

No ano seguinte, 1939, as ações da A&P subiram para 117,5, ou seja, três vezes o preço mínimo de 1938 e bem acima da média de 1937. Tal reviravolta no comportamento das ações ordinárias não é, sem dúvida, incomum, mas o caso da A&P foi mais surpreendente do que a maioria. Nos anos após 1949, as ações da cadeia de supermercados subiram junto com o mercado como um todo, até que, em 1961, a ação desdobrada (10 por 1) atingiu um pico de 70,5, que era equivalente a 705 em termos das ações de 1938.

O preço de 70,5 foi extraordinário pelo fato de que era igual a trinta vezes os lucros de 1961. Tal razão preço/lucro, que deve ser comparada a 23 vezes no caso do DJIA naquele mesmo ano, deve ter sido baseada em expectativas de um crescimento brilhante da lucratividade da empresa. Esse otimismo não tinha justificativa no histórico dos lucros da companhia em anos anteriores, provando estar completamente errado. Em vez de subir com rapidez, a evolução dos lucros no período subsequente foi, em geral, decrescente. No ano seguinte, o preço caiu em mais da metade, até 34, após o pico de 70,5. Porém, dessa vez, as ações não tinham a qualidade de subvalorização que aparentavam às cotações baixas de 1938. Após diversas flutuações, o preço caiu para outro ponto mínimo de 21,5, em 1970, e a 18, em 1972, quando a companhia registrou o primeiro *prejuízo* trimestral de sua história.

Vemos neste relato como podem ser amplas as adversidades de uma grande companhia americana em pouco mais do que uma geração e também os erros de cálculo e excessos de otimismo e pessimismo com os quais o público havia avaliado suas ações. Em 1938, o negócio estava efetivamente sendo entregue de graça, sem qualquer interessado; em 1961, o público estava clamando por ações a preços ridiculamente altos. Depois disso, veio uma perda rápida de metade do valor de mercado e, alguns anos mais tarde, um declínio substancial ainda maior. Entretanto, a companhia passaria de uma lucratividade excepcional a uma medíocre; seu lucro no ano de *boom* de 1968 foi menor que em 1958; ela pagou uma série de dividendos pequenos e confusos para os acionistas, os quais não eram justificados por aumentos de lucros; e assim por diante. A A&P era uma companhia maior em 1961 e 1972 do que em 1938, mas não tão bem administrada, nem tão lucrativa ou tão atraente.[13]

Há duas morais importantes para essa história: a primeira é que o mercado acionário, com frequência, erra por muito, e às vezes um investidor alerta e corajoso pode tirar vantagem de seus erros evidentes. A segunda

---

13 A história mais recente da A&P não é diferente. No final de 1999, o preço de suas ações era US$27,875; no final de 2000, US$7,00; um ano mais tarde, US$23,78; no final de 2002, US$8,06. Embora algumas irregularidades contábeis viessem à luz somente mais tarde na A&P, acreditar que o valor de um negócio relativamente estável como o de alimentos possa cair 75% em um ano, triplicar no ano seguinte e depois cair 66% novamente no ano seguinte desafia toda a lógica.

é que a maioria dos negócios muda em caráter e qualidade ao longo dos anos, às vezes para melhor, talvez com mais frequência para pior. O investidor não precisa acompanhar o desempenho das companhias com olhos de águia; mas ele deve dar um olhada minuciosa de vez em quando.

Voltemos para nossa comparação entre o proprietário de ações negociadas em bolsa e o indivíduo com uma participação em um negócio privado. Dissemos que o primeiro tem a *opção* de considerar-se simplesmente um sócio-proprietário de uma participação em várias companhias nas quais investiu ou como portador de ações que são negociáveis a qualquer momento a seu preço de mercado.

Mas observe este fato importante: o verdadeiro investidor raramente *é forçado a vender* suas ações e está livre, grosso modo, para desconsiderar a cotação atual. Ele precisa prestar atenção no preço e levá-lo em consideração em suas atividades na medida em que isso interessa a ele, e não mais.[14] Portanto, o investidor que se deixa influenciar pela massa ou se preocupar sem razão com o efeito de quedas de mercado injustificadas sobre sua carteira está transformando, de forma perversa, sua vantagem básica em uma desvantagem básica. Esse indivíduo estaria, então, em uma melhor situação se suas ações não fossem cotadas em bolsa, pois seria poupado da angústia causada pelos erros de avaliação *de outras pessoas*.[15]

Incidentalmente, uma situação abrangente desse tipo efetivamente existiu durante os dias negros de depressão entre 1931 e 1933. Havia, naquela época, uma vantagem psicológica em possuir papéis que não eram cotados em bolsa. Por exemplo, as pessoas que possuíam primeiras hipotecas de imóveis que continuaram a pagar juros podiam dizer a si mesmas que seus investimentos haviam mantido o valor pleno, não havendo cotações de mercado para indicar de forma diferente. Por outro lado, muitas obrigações de corporações listadas em bolsa, de uma qualidade melhor e força intrínseca maior, sofreram reduções severas em suas cotações de mercado, fazendo, portanto, seus proprietários acreditarem que estavam

---

14 "Apenas na medida em que isso interessa a ele" significa "apenas na medida em que o preço é favorável o suficiente para justificar vender a ação".

15 É possível que esse seja o parágrafo mais importante de todo o livro de Graham. Nessas 115 palavras, Graham resume a experiência de uma vida. Essas palavras não podem deixar de ser lidas com muita frequência; elas são como criptonita para os mercados de baixa. Se as mantiver à mão e as deixar guiá-lo por toda sua vida de investidor, você sobreviverá, seja qual for o comportamento do mercado.

ficando significativamente mais pobres. Na verdade, os proprietários estavam em melhores condições com os títulos listados em bolsa apesar dos preços baixos desses papéis. Se eles quisessem ou tivessem sido obrigados, poderiam, pelo menos, ter vendido os papéis possivelmente para trocá-los por subvalorizações até melhores. Ou poderiam logicamente ter ignorado os movimentos do mercado por serem passageiros e basicamente sem sentido. Porém, seria iludir a si mesmo dizer que você não havia sofrido qualquer perda de valor *simplesmente porque* seus títulos não são cotados em bolsa de forma alguma.

Voltando para nosso acionista da A&P em 1938, afirmamos que, contanto que tivesse mantido suas ações, ele não sofreria perda durante as quedas de preço além daquela que sua própria avaliação pudesse indicar como sendo decorrente de uma redução de seu valor subjacente ou intrínseco. Se nenhuma redução desse tipo havia ocorrido, ele tinha o direito de esperar que, em um dado momento, a cotação de mercado retornasse para um nível igual ou superior ao de 1937, como de fato ocorreu no ano seguinte. Nesse sentido, sua posição era pelo menos tão boa quanto se ele fosse proprietário de uma companhia privada não cotada em bolsa. Nesse caso também, ele estaria ou não justificado em, mentalmente, cortar parte do custo de sua carteira por causa do impacto da recessão de 1938, dependendo do que havia acontecido com sua companhia.

Os críticos da abordagem de valor para os investimentos em ações afirmam que as ações ordinárias listadas em bolsa não podem ser consideradas ou avaliadas da mesma forma que uma participação em uma companhia fechada semelhante, já que a presença de um mercado de títulos organizado "injeta no capital acionário o atributo novo e extremamente importante da liquidez". Porém, o que essa liquidez realmente significa é que, primeiro, o investidor tem o benefício de uma avaliação diária e variante de sua carteira realizada pelo mercado acionário, *qualquer que seja o mérito dessa avaliação*, e, segundo, que o investidor é capaz de aumentar ou diminuir seu investimento de acordo com a cotação diária do mercado, *caso ele assim decida*. Portanto, a existência de um mercado cotado oferece ao investidor *certas opções* que ele não teria se seu papel não fosse cotado. Porém, isso não impõe a cotação atual a um investidor que prefere formular sua ideia de valor a partir de outra fonte.

Vamos fechar esta seção com algo parecido com uma parábola. Imagine que você possui uma participação pequena em uma companhia de capital fechado que lhe custou US$1.000. Um de seus sócios, chamado Sr. Mercado, é de fato muito prestativo. Todo dia ele lhe informa o que pensa ser o valor de sua participação e, além disso, se dispõe a comprar de você ou vender a você uma participação adicional naquelas bases. Às vezes, sua ideia de valor parece plausível e justificada pela evolução e pelas perspectivas do negócio da forma como você as conhece. Por outro lado, o Sr. Mercado deixa frequentemente o entusiasmo ou o receio tomar conta dele e o valor proposto por ele lhe parece pura bobagem.

Se você é um investidor prudente ou um empresário inteligente, deixaria as comunicações diárias do Sr. Mercado influenciarem sua opinião sobre o valor de uma participação de US$1.000 na companhia? Só se você concordasse com ele ou então desejasse negociar com ele. Você pode ficar feliz em vender para ele quando ele cota um preço ridiculamente alto e igualmente feliz em comprar dele quando seu preço é baixo. No entanto, no resto do tempo, você seria mais esperto se formulasse suas próprias ideias acerca do valor de sua carteira com base nos relatórios completos da companhia sobre suas operações e posições financeiras.

O verdadeiro investidor está nessa mesma posição quando possui uma ação ordinária listada em bolsa. Ele pode tirar vantagem do preço de mercado diário ou desconsiderá-lo, conforme ditado por suas próprias ideias e inclinação, mas também precisa tomar conhecimento dos movimentos de preço importantes, pois de outra forma seu julgamento será desprovido de uma base. É possível que esses movimentos possam dar ao investidor um sinal de alerta ao qual ele deve prestar atenção. Isso, em linguagem clara, significa que ele deve vender suas ações *porque* o preço baixou, sugerindo que o pior ainda está por vir. Do nosso ponto de vista, tais sinais são, pelo menos, tão enganosos quanto úteis. Basicamente, as oscilações de preço têm apenas um significado importante para o verdadeiro investidor. Elas lhe oferecem uma oportunidade de comprar com perspicácia quando os preços caem drasticamente e vender com perspicácia quando aumentam demais. Em outros momentos, a melhor atitude para ele é esquecer o mercado acionário e prestar atenção aos retornos de dividendos e aos resultados operacionais de suas companhias.

Resumo

A distinção mais realista entre o investidor e o especulador reside em sua atitude com relação aos movimentos do mercado acionário. O principal interesse do especulador está em antecipar as oscilações de mercado e lucrar com elas. O principal interesse do investidor é adquirir e manter papéis apropriados a preços apropriados. Os movimentos de mercado são importantes para ele em um sentido prático, uma vez que alternadamente criam patamares de preços baixos, nos quais a compra é uma atitude inteligente, e patamares de preços altos, nos quais ele certamente se absteria de comprar e provavelmente seria esperto se vendesse.

Não é certo que o investidor típico deveria, em geral, se abster de comprar até que níveis de mercado baixos aparecessem, porque isso pode envolver uma longa espera, muito provavelmente a perda de renda e a possível perda de uma oportunidade de investimento. Grosso modo, pode ser melhor para o investidor comprar ações sempre que tiver dinheiro para colocar em ações, *exceto* quando o nível geral de mercado é muito mais alto do que pode ser justificado pelos padrões de valor estabelecidos. Se ele deseja ser astuto, pode procurar as oportunidades de subvalorizações sempre presentes em papéis individuais.

Além de prever os movimentos do mercado em geral, muito esforço e capacidade são utilizados em Wall Street na escolha de ações ou ramos industriais que, em termos de preço, "superarão" os demais ao longo de um período razoavelmente curto no futuro. Ainda que esse esforço pareça ser lógico, não acreditamos que seja talhado para as necessidades ou o temperamento do verdadeiro investidor, sobretudo por ele estar competindo com um grande número de operadores do mercado acionário e analistas financeiros de primeira classe que estão envolvidos em atividades similares. Como em todas as outras abordagens que privilegiam os movimentos de preços e deixam os valores intrínsecos em segundo plano, o trabalho de muitas mentes inteligentes e constantemente engajadas nesse campo tende a ser autoanulante e inútil ao longo dos anos.

O investidor com uma carteira composta de ações saudáveis deveria estar preparado para que seus preços oscilassem e não deveria se preocupar com quedas consideráveis, tampouco se entusiasmar com subidas consideráveis. Ele deveria sempre lembrar que as cotações do mercado estão lá para sua conveniência, tanto para tirar vantagem delas quanto para ignorá-las. Ele nunca deveria comprar uma ação *porque* ela baixou de preço ou vendê-la *porque* subiu. Ele não erraria por muito se adotasse esse lema mais simples: "Nunca compre uma ação imediatamente após uma subida substancial ou a venda imediatamente após uma queda substancial em seu preço."

Uma consideração a mais

Algo precisa ser dito a respeito da importância dos preços médios de mercado como uma medida de competência gerencial. O acionista julga se seus próprios investimentos foram bem-sucedidos em termos tanto dos dividendos recebidos quanto da tendência de longo prazo do valor médio de mercado. O mesmo critério deveria logicamente ser aplicado para testar a eficácia de gestão de uma companhia e da qualidade de suas atitudes para com os proprietários do negócio.

Essa afirmativa pode soar como um truísmo, mas precisa ser enfatizada. Até o momento, não há técnica ou abordagem aceita que permita a avaliação da gestão pelo mercado. Pelo contrário, os gestores sempre insistiram no fato de que eles não têm responsabilidade *de qualquer tipo* pelo que acontece com o valor do mercado de suas ações. É verdade, claro, que não são responsáveis por aquelas *oscilações* de preço que, como temos insistido, não guardam relação com as condições e tampouco com os valores intrínsecos. Porém, é apenas a falta de atenção e inteligência dos acionistas comuns que permite essa imunidade se estender à gama inteira dos preços de mercado, incluindo o estabelecimento permanente de um patamar depreciado e insatisfatório. Boas gestões produzem um bom preço médio de mercado e gestões ruins produzem preços de mercado ruins.[16]

Oscilações dos preços dos títulos

O investidor deveria estar consciente de que muito embora a segurança do principal e dos juros possa ser inquestionável, o preço de mercado de um título de longo prazo pode variar amplamente em resposta a mudanças

---

16 Graham tem muito mais a dizer sobre o que é agora conhecido como "governança corporativa". Ver comentários ao capítulo 19.

nas taxas de juros. Na Tabela 8-1, apresentamos dados para vários anos, a partir de 1902, abrangendo os rendimentos das obrigações corporativas com grau de investimento e das isentas de impostos. Como ilustrações individuais, acrescentamos as oscilações de preço de duas obrigações de ferrovias representativas durante um período semelhante. (São elas a hipoteca geral de 4% da Atchison, Topeka & Santa Fe, com vencimento em 1995, durante décadas uma de nossas principais obrigações *noncallable* [sem direito a "chamada" para recompra], e a Northern Pacific Ry., de 3%, com vencimento em 2047, originalmente um prazo de vencimento de 150 anos!, há muito uma típica obrigação da categoria Baa.)

Por causa de sua relação inversa, os rendimentos baixos correspondem a preços altos e vice-versa. A queda da Northern Pacific, com juros de 3%, em 1940 foi causada principalmente por dúvidas quanto à segurança do papel. É extraordinário que o preço tenha se recuperado até atingir um recorde nos anos seguintes e depois tenha perdido dois terços de seu preço principalmente por causa da subida das taxas de juros em geral. Houve variações de preço surpreendentes também até nas obrigações da mais alta qualidade nos últimos quarenta anos.

Observe que os preços dos títulos não oscilam na mesma proporção (inversa) que os rendimentos calculados, porque seu valor de vencimento fixo de 100% exerce uma influência moderadora. No entanto, para vencimentos muito longos, como em nosso exemplo da Northern Pacific, os preços e rendimentos mudam aproximadamente à mesma taxa.

Desde 1964, ocorreram movimentos recordes em *ambas as direções* no mercado das obrigações com grau de investimento. Tomando as "municipais com grau de investimento" (isentas de tributação) como exemplo, seu rendimento mais do que dobrou, de 3,2% em janeiro de 1965 para 7% em junho de 1970. Seu índice de preço caiu, correspondentemente, de 110,8 para 67,5. Em meados de 1970, os rendimentos das obrigações de longo prazo e com grau de investimento foram maiores do que *em qualquer momento em quase duzentos anos de história econômica dos Estados Unidos*.[17]

---

17 Pelo que Graham chama de "a regra de opostos", em 2002 os rendimentos dos títulos de longo prazo do Tesouro americano atingiram seus níveis mais *baixos* desde 1963. Já que os rendimentos das obrigações se movimentam no sentido inverso aos preços, aqueles rendimentos baixos significavam que os preços haviam aumentado, tornando os investidores mais ansiosos para comprar justamente quando os títulos estavam com seus preços mais altos e seus rendimentos futuros seriam quase inevitavelmente baixos. Isso fornece outra prova de que Graham

Vinte e cinco anos atrás, um pouco antes do início de um prolongado mercado de baixa, os rendimentos das obrigações estavam no ponto *mais baixo* de sua história, as municipais de longo prazo rendiam tão pouco quanto 1% e as industriais rendiam 2,40%, comparados com os 4,5% a 5% anteriormente considerados "normais". Aqueles de nós com uma longa experiência em Wall Street tinham visto a lei de Newton de "ação e reação, iguais e opostas" se aplicar repetidamente no mercado acionário, sendo o exemplo mais notável a subida no DJIA de 64 pontos em 1921 para 381 em 1929, seguida por um colapso recorde para 41 em 1932. Porém, dessa vez, os maiores movimentos do pêndulo ocorreram nos lentos e pouco voláteis preços e rendimentos das obrigações com grau de investimento. Moral da história: não se pode confiar que alguma coisa importante vai acontecer em Wall Street exatamente da mesma forma que aconteceu antes. Isso representa a primeira parte de nosso ditado favorito: "*Quanto mais as coisas mudam,* mais ficam iguais."

Se é virtualmente impossível fazer previsões que prestem sobre os movimentos de preço das ações, é completamente impossível fazer o mesmo com as obrigações.[18] Antigamente, pelo menos, era possível, com frequência, encontrar uma pista útil acerca do final iminente de um mercado de baixa ou de alta pelo estudo do comportamento anterior dos títulos, mas não havia nenhuma pista semelhante acerca de uma mudança iminente nas taxas de juros e nos preços das obrigações. Portanto, o investidor deve escolher entre os investimentos em obrigações de longo e curto prazo com base principalmente em suas preferências pessoais. Se ele deseja ter certeza de que os valores de mercado não cairão, suas melhores escolhas são provavelmente as *savings bonds* americanas, das Séries E ou H, que foram descritas anteriormente, p. 116. Cada papel dará a ele um rendimento de 5% (após o primeiro ano), as da Série E até 5,83 anos, as da Série H durante dez anos, com um valor de revenda garantido a preço de custo ou melhor.

Se o investidor deseja os 7,5% ora disponíveis nas obrigações privadas de longo prazo ou os 5,3% das municipais isentas de impostos, ele deve

---

estava certo ao afirmar que o investidor inteligente deve se recusar a tomar decisões com base nas oscilações do mercado.

18 Uma análise atualizada para os leitores de hoje, explicando os rendimentos recentes e a variedade mais ampla de títulos e fundos de títulos atualmente disponíveis, pode ser encontrada em comentários ao capítulo 4.

TABELA 8-1 Oscilações nos rendimentos das obrigações e nos preços de duas obrigações representativas, 1902-1970

Rendimentos das obrigações			*Preços das obrigações*		
	S&P AAA Composto	S&P Municipais		A.T.&S.F. 4%, 1995	Nor. Pac. 3%, 2047
1902 mínimo	4,31%	3,11%	1905 máximo	105½	79
1920 máximo	6,40	5,28	1920 mínimo	69	49½
1928 mínimo	4,53	3,90	1930 máximo	105	73
1932 máximo	5,52	5,27	1932 mínimo	75	46¾
1946 mínimo	2,44	1,45	1936 máximo	117¼	85¼
1970 máximo	8,44	7,06	1939-1940 mínimo	99½	31½
1971 fechamento	7,14	5,35	1946 máximo	141	94¾
			1970 mínimo	51	32¾
			1971 fechamento	64	37¼

estar preparado para ver o preço delas oscilar. Os bancos e as companhias de seguro têm o privilégio de poder avaliar as obrigações com grau de investimento desse tipo em bases matemáticas de "custo amortizado", o que desconsidera os preços de mercado; não seria uma má ideia se o investidor individual fizesse algo semelhante.

As oscilações de preço dos títulos *conversíveis* e ações preferenciais são resultantes de três fatores diferentes: (1) variações de preço da ação ordinária correspondente; (2) variações na classificação de crédito da companhia; e (3) variações nas taxas de juros em geral. Muitas ações conversíveis foram vendidas por companhias que têm uma classificação de crédito bastante inferior à das melhores.[III] Algumas dessas ações foram duramente afetadas pelo aperto financeiro em 1970. Como resultado, as ações conversíveis, em seu conjunto, estiveram sujeitas às três influências inquietantes nos últimos anos, tendo as variações de preço sido atipicamente amplas. No caso típico, portanto, o investidor estaria se iludindo se esperasse encontrar nas ações conversíveis aquela combinação ideal da segurança de uma obrigação com grau de investimento e a proteção de preço e oportunidade de se beneficiar de um aumento no preço de uma ação ordinária.

Este pode ser um bom momento para se fazer uma sugestão a respeito do "título de longo prazo do futuro". Por que os efeitos das taxas de juros variáveis não poderiam ser divididos, em uma base prática e igualitária, entre credor e tomador? Uma possibilidade seria vender obrigações de longo prazo com pagamentos de juros que variariam de acordo com um índice apropriado da taxa vigente. Os principais resultados de tal arranjo seriam: (1) o título do investidor sempre teria um valor de principal próximo a 100 se a companhia mantivesse sua classificação de crédito, mas o juro recebido variaria, digamos, com a taxa oferecida em novos lançamentos de obrigações; (2) a empresa teria as vantagens do endividamento de longo prazo, ficando livre dos problemas e custos de renovações frequentes de refinanciamento, porém seus custos de juros mudariam de ano para ano.[IV]

Ao longo da última década, o investidor em títulos tem sido confrontado por um dilema cada vez mais sério: deve ele optar pela estabilidade plena do valor do principal, porém com taxas de juros de curto prazo variáveis e, em geral, baixas? Ou ele deve optar por uma renda com juros fixos, com variações consideráveis (em geral para baixo, parece) no valor do principal? Para a maioria dos investidores, seria bom se eles pudessem escolher um meio-termo entre esses extremos e ter certeza de que nem os rendimentos de juros nem o valor do principal cairiam abaixo de um mínimo preestabelecido durante um período de, digamos, vinte anos. Isso poderia ser implementado sem grande dificuldade por meio de um contrato de obrigação apropriado e com um novo formato. Nota importante: na verdade, o governo americano fez algo semelhante ao combinar os contratos de *savings bonds* originais com prorrogações a taxas de juros mais altas. A sugestão que fizemos aqui cobriria um período de investimento fixo mais longo do que as *savings bonds* e introduziria mais flexibilidade nos dispositivos de taxa de juros.[19]

Quase não vale a pena falar sobre as ações preferenciais não-conversíveis, uma vez que seu status fiscal especial torna aquelas que são seguras muito mais cobiçadas pelas empresas, por exemplo as companhias seguradoras, do que pelos indivíduos. As de pior qualidade quase sempre sofrem fortes oscilações, em termos percentuais, não muito diferentes das ações ordinárias. Não podemos oferecer outro comentário útil sobre elas. A Tabela 16-2, na p. 446, apresenta algumas informações sobre as mudanças nos preços das ações preferenciais não-conversíveis de qualidade inferior entre dezembro de 1968 e dezembro de 1970. A queda média foi de 17%, contra 11,3% para o índice composto S&P de ações ordinárias.

19 Conforme mencionado em comentários aos capítulos 2 e 4, os Títulos do Tesouro Protegidos da Inflação, ou TIPS, são uma versão nova e melhorada daquilo que Graham está sugerindo aqui.

COMENTÁRIOS AO CAPÍTULO 8

A felicidade daqueles que desejam ser populares depende dos outros; a felicidade daqueles que buscam o prazer oscila com humores que estão fora de seu controle; mas a felicidade dos sábios deriva de seus próprios atos livres.

Marco Aurélio

DR. JEKYLL E SR. MERCADO

Grande parte das vezes, o mercado é bastante preciso em sua avaliação dos preços da maioria das ações. Ao negociarem ações, milhões de compradores e vendedores fazem, na média, um trabalho estupendo de avaliação de companhias. Porém, às vezes o preço não está correto; ocasionalmente, está muito equivocado. Em tais momentos, você precisa entender a imagem do Sr. Mercado elaborada por Graham, provavelmente a metáfora mais brilhante já criada para explicar como as ações acabam tendo preços errados.[1] O Sr. Mercado, maníaco-depressivo, nem sempre cota as ações da forma que um avaliador ou comprador privado avaliaria um negócio. Em vez disso, quando as ações estão subindo, ele paga acima do valor objetivo sem pestanejar, e quando elas estão caindo, ele fica desesperado para se livrar delas por menos que seu valor verdadeiro.

O Sr. Mercado ainda está por aí? Ele ainda é bipolar? Pode apostar que sim.

Em 17 de março de 2000, as ações da Inktomi Corp. atingiram um novo pico de US$231,625. Desde que elas haviam surgido no mercado pela primeira vez, em junho de 1998, as ações da companhia de *software* de busca na internet haviam subido aproximadamente 1.900%. Em apenas poucas semanas desde dezembro de 1999, a ação havia quase que triplicado.

O que estava acontecendo no negócio Inktomi que poderia tornar a ação Inktomi tão valiosa? A resposta parece óbvia: um crescimento de uma rapidez fenomenal. Nos três meses que terminaram em dezembro de 1999, a Inktomi vendeu US$36 milhões em produtos e serviços, mais do que havia vendido no ano inteiro encerrado em dezembro de 1998. Se a Inktomi pudesse sustentar essa taxa de crescimento dos 12 meses anteriores durante apenas mais cinco

---

1 Ver o texto de Graham nas p. 235-236.

anos, suas receitas explodiriam de US$36 milhões por trimestre para US$5 bilhões por mês. Com tal crescimento em vista, quanto mais rápido a ação subia, mais alto ela parecia destinada a chegar.

Porém, nesse caso de amor selvagem com as ações da Inktomi, o Sr. Mercado estava deixando de notar algo com relação a seus negócios. A companhia estava perdendo dinheiro, muito dinheiro. Ela havia perdido US$6 milhões no semestre mais recente, US$24 milhões nos 12 meses anteriores àquele semestre e US$24 milhões no ano anterior. Em toda sua vida corporativa, a Inktomi nunca havia ganhado um centavo de lucro. No entanto, em 17 de março de 2000, o Sr. Mercado avaliou esse minúsculo negócio a um total de US$25 bilhões (isso mesmo, *bilhões*, com "b").

Em seguida, o Sr. Mercado entrou em uma depressão repentina e terrível. Em 30 de setembro de 2002, apenas dois anos e meio após ter alcançado US$231,625 por ação, as ações da Inktomi fecharam a 25 centavos, desabando de um valor total de mercado de US$25 bilhões para menos de US$40 milhões. O negócio da Inktomi havia secado? De jeito nenhum; ao longo dos últimos 12 meses, a companhia havia gerado US$113 milhões em receitas. Portanto, o que havia mudado? Apenas o humor do Sr. Mercado: no início de 2000, os investidores estavam tão enlouquecidos com a internet que cotaram as ações da Inktomi em 250 vezes as receitas da companhia. Agora, no entanto, elas representavam apenas 0,35 vez suas receitas. O Sr. Mercado havia se metamorfoseado passando de Dr. Jekyll a Sr. Hyde e estava atacando furiosamente todas as ações que o haviam feito de bobo.

Porém, nem a fúria noturna do Sr. Mercado nem sua euforia maníaca estava justificada. Em 23 de dezembro de 2002, a Yahoo! Inc. anunciou que compraria a Inktomi por US$1,65 por ação. Isso representava quase sete vezes os preços das ações da Inktomi em 30 de setembro. A história provavelmente mostrará que a Yahoo! conseguiu uma subvalorização. Quando o Sr. Mercado torna as ações tão baratas, não surpreende que companhias inteiras sejam compradas imediatamente bem embaixo de seu nariz.[2]

---

2 Conforme Graham observou em uma série clássica de artigos em 1932, a Grande Depressão provocou a queda das ações de dezenas de companhias para abaixo do valor do dinheiro em caixa e de outros patrimônios líquidos, tornando-as "mais valiosas mortas do que vivas".

PENSE POR SI MESMO

Você permitiria de bom grado a um lunático de carteirinha dizer-lhe, pelo menos cinco vezes por semana, que você deve se sentir exatamente igual a ele? Você concordaria, alguma vez, em ficar eufórico apenas porque ele está, ou se sentir infeliz apenas porque ele pensa que você deveria se sentir assim? Claro que não. Você insistiria em seu direito de assumir o controle de sua própria vida emocional, com base em suas experiências e crenças. Porém, quando se trata de sua vida financeira, milhões de pessoas deixam o Sr. Mercado dizer-lhes como se sentir e o que fazer apesar do fato óbvio de que de tempos em tempos ele tem surtos de loucura.

Em 1999, quando o Sr. Mercado estava gargalhando prazerosamente, os empregados americanos destinaram, em média, 8,6% de seus salários para seus planos de aposentadoria em contas 401(k). Em 2002, após o Sr. Mercado ter gasto três anos arremessando ações para dentro de sacos de lixo pretos, a taxa média de contribuição havia baixado em quase um quarto, ou seja, para apenas 7%.[3] Quanto mais baratas as ações, menos ansiosas as pessoas ficaram para comprá-las, porque estavam imitando o Sr. Mercado em vez de pensarem por si mesmas.

O investidor inteligente não deveria ignorar inteiramente o Sr. Mercado. Em vez disso, você deveria fazer negócios com ele, mas apenas na medida em que ele servir a seus interesses. O trabalho do Sr. Mercado é fornecer preços; o seu é decidir se é vantajoso para você agir com base neles. *Você não precisa negociar com ele apenas porque ele constantemente suplica que você o faça.*

Ao impedir que o Sr. Mercado se torne seu amo, você o transforma em seu servo. Afinal, mesmo quando ele parece estar destruindo valores, ele os está criando em outro lugar. Em 1999, o índice Wilshire 5000, a medida mais ampla do desempenho das ações americanas, subiu 23,8%, em grande parte por causa do desempenho das ações de tecnologia e telecomunicações. No entanto, 3.743 das 7.234 ações no índice Wilshire caíram de valor mesmo enquanto a média estava subindo. Ao mesmo tempo em que aquelas ações de alta tecnologia e telecomunicações estavam mais quentes do que o capô

---

3 Comunicado à imprensa do The Spectrem Group: "Plan Sponsors Are Losing the Battle to Prevent Declining Participation and Deferrals into Defined Contribution Plans" [Os patrocinadores de planos estão perdendo a batalha para evitar o declínio da participação e do diferimento nos planos de contribuição definidos], 25 de outubro de 2002.

FIGURA 8-1 De perdedores a estrelas

Companhia	Setor	Retorno total 1999	2000	2001	2002	Valor final de US$1.000 investidos em 1/1/1999
Angelica	uniformes industriais	-43,7	1,8	19,3	94,1	1.328
Ball Corp.	embalagens de metal e plástico	-12,7	19,2	55,3	46,0	2.359
Checkers Drive-In Restaurants	lanches	-45,5	63,9	66,2	2,1	1.517
Family Dollar Stores	varejista de desconto	-25,1	33,0	41,1	5,0	1.476
Intern. Game Technology	equipamento para jogos de azar	-16,3	136,1	42,3	11,2	3.127
J B Hunt Clothiers	frete rodoviário	-39,1	21,9	38,0	26,3	1.294
Jos. A. Bank Clothiers	vestuário	-62,5	50,0	57,1	201,6	2.665
Lockheed Martin	defesa e aeroespacial	-46,9	58,0	39,0	24,7	1.453
Pier 1 Imports	móveis e decoração	-33,2	63,9	70,5	10,3	2.059
UST Inc.	rapé	-23,5	21,6	32,2	1,0	1.241
Wilshire Internet Index		139,1	-55,5	-46,2	-45,0	315
Índice 5000 Wilshire (mercado de ações total)		23,8	-10,9	-11,0	-20,8	778

Fontes: Aronson + Johnson + Ortiz, L.P.; www.wilshire.com

de um carro de corrida em uma tarde de verão, centenas de ações da "Velha Economia" estavam atoladas na lama, ficando cada vez mais baratas.

As ações da CMGI, uma companhia "incubadora" ou *holding* de firmas de internet iniciantes, subiram surpreendentes 939,9% em 1999. Nesse meio tempo, a Berkshire Hathaway, a companhia *holding* através da qual o maior discípulo de Graham, Warren Buffett, possui símbolos da Velha Economia, tais como a Coca-Cola, a Gillette e a Washington Post Co., caiu em 24,9%.[4]

Mas então, como tão frequentemente acontece, o mercado teve uma mudança de humor repentina. A Figura 8-1 oferece um exemplo de como os perdedores de 1999 se tornaram as estrelas de 2000 a 2002.

No que se refere àquelas duas companhias *holding*, a CMGI veio a perder 96% em 2000, outros 70,9% em 2001 e ainda mais 39,8% em 2002 — uma perda acumulada de 99,3%. A Berkshire Hathaway subiu 26,6% em 2000 e 6,5% em 2001; em seguida, teve uma pequena perda de 3,8% em 2002, perfazendo um ganho acumulado de 30%.

VOCÊ PODE GANHAR DOS PROFISSIONAIS NO JOGO DELES?

Uma das percepções mais poderosas de Graham é esta: "O investidor que se deixa arrebatar ou se preocupar sem razão com o efeito de quedas de mercado injustificadas sobre sua carteira está transformando, de forma perversa, sua vantagem básica em uma desvantagem básica."

O que Graham quis dizer com as palavras "vantagem básica"? Ele quis dizer que o investidor inteligente individual tem total liberdade para escolher seguir ou não o Sr. Mercado. Você pode se dar ao luxo de pensar por si mesmo.[5]

---

4 Poucos meses mais tarde, em 10 de março de 2000, no mesmo dia em que a Nasdaq chegou ao ponto mais alto de todos os tempos, o especialista on-line em operações James J. Cramer escreveu que recentemente ele tinha ficado "repetidas vezes" tentado a vender a Berkshire Hathaway a descoberto, uma aposta de que a ação de Buffett poderia cair ainda mais. Com um requebro vulgar de sua pélvis retórica, Cramer ainda declarou que as ações de Berkshire estavam "prontas para levar um tranco". Naquele mesmo dia, o estrategista de mercado Ralph Acampora, da Prudential Securities, perguntou: "Norfolk Southern ou Cisco Systems: onde você quer estar no futuro?" A Cisco, uma companhia-chave para a supervia da internet de amanhã, parecia reunir amplas condições para superar a Norfolk Southern, parte do sistema ferroviário de ontem. (Ao longo do ano seguinte, a Norfolk Southern subiu 35%, enquanto a Cisco caiu 70%.)

5 Quando perguntado sobre o que faz com que a maioria dos investidores individuais não tenha êxito, Graham deu uma resposta concisa: "A causa principal do fracasso é prestar atenção demais ao desempenho atual do mercado acionário." Ver "Benjamin Graham: Thoughts on

O típico gestor de recursos, no entanto, não tem qualquer escolha a não ser imitar todos os movimentos do Sr. Mercado, a saber, comprar na alta, vender na baixa, caminhar quase sem raciocinar no rastro de seus passos erráticos. Aqui estão algumas das desvantagens dos gestores de fundos mútuos e de outros investidores profissionais:

- Com bilhões de dólares sob seu controle, eles devem gravitar em direção às maiores ações, as únicas que podem comprar nas quantidades multimilionárias exigidas para preencher suas carteiras. Portanto, muitos fundos terminam comprando os mesmos gigantes supervalorizados.
- Os investidores tendem a colocar mais dinheiro nos fundos à medida que o mercado sobe. Os gestores usam esse novo dinheiro para comprar uma quantidade maior das ações que já possuem, levando os preços a alturas ainda mais perigosas.
- Se os investidores em fundos pedirem seu dinheiro de volta quando o mercado cair, os gestores podem precisar vender ações para pagá-los. Assim como os fundos são forçados a comprar ações a preços inflacionados em um mercado de alta, eles se tornam vendedores forçados à medida que as ações ficam novamente baratas.
- Muitos gestores de carteira recebem um bônus se baterem o mercado, por isso medem obsessivamente seus lucros comparando-os com referências, como o índice de 500 ações da S&P. Se uma companhia é incorporada a um índice, centenas de fundos a compram compulsivamente. (Se não comprarem, e aquela ação tiver um bom desempenho, os gestores parecem bobos; por outro lado, se eles a compram e ela não se sair bem, ninguém os condenará por isso.)
- Cada vez mais, espera-se que os gestores de fundos se especializem. Assim como ocorre na medicina, onde o clínico geral deu lugar aos especialistas em alergia pediátrica e otorrinolaringologia geriátrica, os gestores de fundo devem comprar apenas ações "pequenas de crescimento rápido" ou apenas ações de "valor intermediário" ou nada além de ações de "conglomerados grandes".[6] Se uma companhia fica grande demais,

---

Security Analysis" [Benjamin Graham: ideias sobre a análise dos valores mobiliários] (transcrição de palestra na Northeast Missouri State University Business School, março, 1972), revista *Financial History*, nº 42, março de 1991, p. 8.

6 Não se preocupe com o que esses termos significam ou deveriam significar. Embora em público essas classificações sejam tratadas com respeito máximo, informalmente a maioria das

ou pequena demais, ou um pouco cara demais, o fundo precisa vendê-la, ainda que o *gestor* adore a ação.

Portanto, não há razão para que você não possa alcançar resultados tão bons quanto os dos profissionais. O que você não pode fazer (apesar de todos os sábios terem dito que você podia) é "ganhar dos profissionais no jogo deles". *Os profissionais não conseguem nem ganhar em seu próprio jogo!* Por que você desejaria até mesmo jogá-lo? Se você seguir suas regras, perderá, pois terminará tão escravo do Sr. Mercado quanto são os profissionais.

Em vez disso, reconheça que investir com inteligência envolve controlar o controlável. Você não pode controlar se as ações ou os fundos que você está comprando superarão o mercado hoje, na próxima semana ou este ano; no curto prazo, seus retornos serão sempre reféns do Sr. Mercado e de seus caprichos. No entanto, você *pode* controlar:

- **seus custos com corretagem**, ao negociar pouco, com paciência e de forma barata;
- **seus custos de propriedade**, ao recusar comprar fundos mútuos com despesas anuais excessivas;
- **suas expectativas**, ao utilizar o realismo, não a fantasia, para prever seus rendimentos;[7]
- **seus riscos**, ao decidir qual a proporção de seus ativos a ser colocada em risco no mercado acionário, diversificando e reequilibrando;
- **suas contas de impostos**, ao manter ações durante, pelo menos, um ano e, sempre que possível por, pelo menos, cinco anos, para baixar os impostos sobre ganhos de capital;
- e, mais importante de tudo, **seu próprio comportamento.**

Se você assistir à TV financeira ou ler a maioria das colunas sobre mercado, pensará que investir é algum tipo de esporte ou uma guerra ou uma luta para sobreviver em uma selva hostil. *No entanto, investir não significa ganhar dos outros em seu jogo. Significa controlar-se em seu próprio jogo.* O desafio para o investidor inteligente não é encontrar as ações que mais subirão e menos cairão, mas, em vez disso, evitar ser seu próprio pior inimigo, ou seja, comprar

---

pessoas no mercado de capitais as encara com o desprezo normalmente reservado às piadas sem graça.

7 Ver a coluna brilhante de Walter Updegrave, "Keep It Real" [Fala sério!], *Money*, fevereiro de 2002, p. 53-56.

na alta apenas porque o Sr. Mercado diz "Compre!" e vender porque o Sr. Mercado diz "Venda!".

Se seu horizonte de investimento é longo, pelo menos 25 ou trinta anos, há apenas uma abordagem sensata: comprar todo mês, automaticamente, e sempre que você tiver dinheiro sobrando. A melhor escolha isolada para essa carteira de longo prazo é um fundo de índice do mercado acionário. Venda apenas quando você precisar de dinheiro (para levantar seu ânimo, recorte e assine o "Contrato do investidor", que pode ser encontrado na p. 257).

Para ser um investidor inteligente, você deve também se recusar a julgar seu próprio sucesso financeiro de acordo com o desempenho de um bando de desconhecidos. Você não ficará um centavo mais pobre se alguém em Dubuque ou Dallas ou Denver bater o S&P 500 e você não. Você não lerá "ELE VENCEU O MERCADO" na lápide de ninguém.

Uma vez entrevistei um grupo de aposentados em Boca Raton, uma das comunidades de aposentados mais ricas da Flórida, e perguntei a essas pessoas, a maioria com mais de setenta anos, se elas haviam superado o mercado durante suas vidas de investidores. Algumas disseram que sim, algumas disseram que não; a maioria não tinha certeza. Então, um homem disse: "E daí? Tudo que eu sei é que meus investimentos renderam o suficiente para que eu acabasse em Boca."

Poderia haver resposta melhor? Afinal, o objetivo do investimento não é ganhar mais dinheiro do que a média, mas ganhar o suficiente para suas necessidades. A melhor forma de medir seu sucesso nos investimentos não é se você está superando o mercado, mas se você colocou em prática um plano financeiro e a disciplina comportamental que o possam levar aonde deseja chegar. No fim, o que importa não é cruzar a linha de chegada antes dos outros, mas se certificar de que a cruzará.[8]

SEU DINHEIRO E SEU CÉREBRO

Por que então os investidores acham o Sr. Mercado tão sedutor? Ocorre que nossos cérebros são estruturados para nos trazer problemas no mercado de capitais; os humanos são animais que procuram padrões. Psicólogos mostraram

---

8 Ver Jason Zweig, "Did You Beat the Market?" [Você bateu o mercado?], *Money*, janeiro de 2000, p. 55-58.

que se você apresentar às pessoas uma sequência aleatória e lhes disser que ela é imprevisível, mesmo assim elas insistirão em tentar adivinhar o próximo número. Da mesma forma, "sabemos" que o próximo arremesso de dados será um sete, que o jogador de beisebol está prestes a acertar uma rebatida, que os próximos números vencedores da loteria definitivamente serão 4-27-9-16-42-10 e que essa pequena ação cobiçada é a próxima Microsoft.

Pesquisas novas e pioneiras no campo da neurociência mostram que nosso cérebro é projetado para encontrar padrões mesmo onde eles possam não existir. Após a ocorrência de um evento, apenas duas ou três vezes seguidas, regiões do cérebro humano chamadas de cingulado anterior e *nucleus accumbens* automaticamente antecipam que aquilo acontecerá novamente. Se o evento se repetir, uma substância química chamada dopamina é liberada, inundando seu cérebro com uma euforia suave. Portanto, se uma ação sobe algumas vezes seguidas, você espera automaticamente que ela continue a subir, e sua química cerebral mudará à medida que a ação sobe, dando-lhe uma "euforia natural". Você efetivamente acaba de se viciar em suas próprias previsões.

Porém, quando as ações caem, aquela perda financeira estimula sua amígdala, a parte do cérebro que processa o medo e a ansiedade e gera a famosa resposta "lutar ou fugir", que é comum a todos os animais encurralados. Assim como você não pode evitar que seu batimento cardíaco suba se um alarme de incêndio soar, você não conseguirá evitar sentir medo quando os preços das ações estiverem despencando.[9]

De fato, os brilhantes psicólogos Daniel Kahneman e Amos Tversky mostraram que a intensidade da dor de uma perda financeira é mais do que duas vezes superior ao prazer de um ganho equivalente. Ganhar US$1.000 com uma ação é ótimo, mas uma perda de US$1.000 exerce um golpe emocional duas vezes mais poderoso. Perder dinheiro é tão doloroso que muitas pessoas, aterrorizadas com a perspectiva de qualquer perda adicional, vendem tudo no ponto mínimo ou se recusam a comprar mais.

---

9 A neurociência de investimento é explorada em Jason Zweig, "Are You Wired for Wealth?" [Você está programado para a riqueza?], *Money*, outubro de 2002, p. 74-83, também disponível em http://money.cnn.com/2002/09/25/pf/investing/agenda_brain_short/index.htm. Ver também Jason Zweig, "The Trouble with Humans" [O problema com os humanos], *Money*, novembro de 2000, p. 67-70.

Isso ajuda a explicar por que nos fixamos na magnitude absoluta de uma queda de mercado e esquecemos de colocar a perda em sua devida proporção. Portanto, se um repórter de TV grita "O mercado está *despencando* — o Dow caiu *100 pontos*!", a maioria das pessoas instintivamente fica apavorada. Porém, no nível recente do Dow de 8.000 pontos, essa é uma queda de apenas 1,2%. Agora, pense como soaria ridículo se, em um dia em que a temperatura lá fora fosse de 26,3 graus, o meteorologista da TV gritasse "A temperatura está *despencando*, caiu de *26,3 graus* para *26 graus*!". Essa também é uma queda de 1,2%. Quando você esquece de ver as mudanças dos preços de mercado em termos percentuais, é fácil demais entrar em pânico por causa de vibrações pequenas. (Se você tem décadas de investimento à frente, há uma forma melhor de visualizar as previsões dos noticiários financeiros. Ver boxe na p. 254.)

No final da década de 1990, muitas pessoas se sentiam desinformadas se não verificassem os preços de suas ações várias vezes por dia. No entanto, como Graham diz, o típico investidor "estaria melhor se suas ações não tivessem qualquer cotação de mercado, pois ele seria então poupado da angústia mental causada pelos erros de avaliação de *outras pessoas*". Se após verificar o valor de sua carteira de ações às 13h24 você se sente compelido a verificá-lo novamente às 13h37, faça essas perguntas a si mesmo:

- Liguei para um corretor de imóveis para verificar o preço de mercado de minha casa às 13h24? Liguei novamente às 13h37?
- Se eu tivesse ligado, o preço teria mudado? Se tivesse mudado, eu teria corrido para vender minha casa?
- Ao não verificar ou mesmo nem saber o preço de mercado de minha casa a cada minuto, eu impeço que seu valor suba ao longo do tempo?[10]

A única resposta possível para essas questões é: *claro que não!* E você deveria encarar sua carteira da mesma forma. Ao longo de um horizonte de investimento de dez, vinte ou trinta anos, o sobe e desce diário do Sr. Mercado simplesmente não importa. De qualquer forma, para qualquer um que invista por anos a fio, a queda dos preços de ações é uma notícia boa e não má, uma vez que ela lhe capacita a comprar mais com menos dinheiro. Quanto mais e por mais tempo as ações caem, e quanto mais constante você mantiver suas compras à medida

---

10 Vale também perguntar se você conseguiria gozar a vida em sua casa se o preço de mercado dela fosse divulgado até o último centavo todo dia nos jornais e na TV.

NOTÍCIAS QUE VOCÊ PODE USAR

As ações estão em queda vertiginosa, por isso você sintonizou a televisão para conferir as últimas notícias do mercado. No entanto, em vez da CNBC ou CNN, imagine que você pudesse sintonizar a Rede Financeira Benjamin Graham. Na RFBG, o áudio não capta aquele toque famoso da campainha de fechamento do mercado, o vídeo não foca os corretores zanzando pelo pregão da bolsa de ações como roedores irados. Tampouco a RFBG apresenta quaisquer imagens de investidores boquiabertos nas calçadas congeladas enquanto flechas vermelhas disparam acima de suas cabeças nos mostradores eletrônicos de ações.

Em vez disso, a imagem que enche a tela de sua TV é a fachada da Bolsa de Valores de Nova York, decorada com uma bandeira gigantesca onde se lê: "LIQUIDAÇÃO! 50% DE DESCONTO!" Como música de introdução, o conjunto Bachman-Turner Overdrive pode ser ouvido tocando bem alto seu sucesso "You Ain't Seen Nothin' Yet" [Você ainda não viu nada]. Em seguida, o âncora anuncia alegremente: "As ações se tornaram *novamente* mais atraentes hoje à medida que o Dow caía *outros* 2,5% com volume pesado, *o quarto dia seguido* em que as ações se tornaram *mais baratas.* Os investidores em tecnologia tiveram um dia *ainda melhor* à medida que companhias importantes, como a Microsoft, *perderam quase 5% no dia,* tornando-as *ainda mais atraentes para a compra.* Isso vem em *acréscimo* às *boas* notícias do ano passado de que as ações *já* haviam perdido *50%,* colocando-as em níveis de *subvalorização* não vistos há *anos.* E *alguns* analistas destacados estão *otimistas* de que os preços podem cair *ainda mais* nas semanas e nos meses seguintes."

O noticiário corta para o estrategista de mercado Ignatz Anderson, da firma de Wall Street Ketchum & Skinner, que diz: "Minha previsão é de que as ações perderão *mais 15%* em junho. Estou cautelosamente *otimista* com o fato de que, se *tudo caminhar bem,* as ações podem cair *25%,* talvez *mais.*"

"Esperemos que Ignatz Anderson esteja *certo*", o âncora diz alegremente. "Preços de ações *em queda* seriam uma notícia *fabulosa* para *qualquer* investidor com um *horizonte* muito extenso. E agora voltamos a Wally Wood para nossa previsão meteorológica *exclusiva.*"

que elas caem, mais dinheiro ganhará *se* permanecer inabalável até o fim. Em vez de temer um mercado de baixa, você deveria abraçá-lo. O investidor inteligente deveria se sentir perfeitamente à vontade na posse de uma ação ou de um fundo mútuo mesmo se o mercado acionário parasse de fornecer preços diários durante os próximos dez anos.[11]

Paradoxalmente, "você terá muito mais controle", explica o neurocientista Antonio Damasio, "se você perceber quanto não está no controle". Ao reconhecer sua tendência biológica de comprar na alta e vender na baixa, você pode admitir a necessidade de usar o método do custo médio em dólares, reequilibrar e assinar o contrato do investidor. Ao colocar grande parte de sua carteira em regime permanente de piloto automático, você pode lutar contra o vício da antecipação do mercado, focar em seus objetivos financeiros de longo prazo e ignorar as oscilações de humor do Sr. Mercado.

QUANDO O SR. MERCADO LHE DER LIMÕES, FAÇA UMA LIMONADA

Embora Graham ensine que você deve comprar quando o Sr. Mercado está gritando "Venda!", há uma exceção que o investidor inteligente precisa entender. Vender em um mercado de baixa pode fazer sentido se isso gerar um ganho fiscal. As regras do imposto de renda nos EUA permitem que você utilize as perdas realizadas (qualquer queda no valor que você realiza ao vender suas ações) para compensar até US$3.000 em renda ordinária.[12] Digamos que em janeiro de 2000 você tenha comprado duzentas ações da Coca-Cola a US$60 por ação, perfazendo um investimento total de US$12.000. Ao final de 2002, o preço da ação havia baixado até US$44 por ação ou US$8.800 para seu lote, um prejuízo de US$3.200.

Você poderia ter feito o que a maioria das pessoas faz: se lamentar pela perda ou varrê-la para debaixo do tapete e fingir que nunca aconteceu. Ou

11 Em uma série de experiências memoráveis no final da década de 1980, um psicólogo de Columbia e Harvard, Paul Andreassen, mostrou que os investidores que receberam atualizações frequentes de suas ações ganharam metade dos retornos dos investidores que não tiveram quaisquer notícias. Ver Jason Zweig, "Here's How to Use the News and Tune Out the Noise" [Como usar as notícias e ignorar o barulho], *Money,* julho de 1998, p. 63-64.

12 A lei de imposto federal está sujeita a mudanças constantes. O exemplo das ações da Coca-Cola apresentado aqui é válido de acordo com os dispositivos do código tributário americano como ele era no início de 2003.

poderia ter assumido o controle. Antes que 2002 terminasse, você poderia ter vendido todas as ações da Coca-Cola, realizando a perda de US$3.200. Em seguida, após esperar 31 dias para cumprir as regras do imposto de renda, você compraria duzentas ações da Coca-Cola novamente. O resultado: você reduziria sua renda tributável em US$3.000 em 2002 e poderia usar os US$200 restantes para compensar sua renda em 2003. E melhor ainda: poderia possuir uma companhia em cujo futuro você acredita, mas agora você a possuiria por um preço inferior em quase um terço ao que você pagou da primeira vez.[13]

Com o Tio Sam subsidiando seus prejuízos, pode fazer sentido vender e realizar uma perda. Se o Tio Sam deseja fazer o Sr. Mercado parecer um mestre da lógica em comparação com si mesmo, quem somos nós para reclamar?

13 Esse exemplo pressupõe que o investidor não tenha ganhos de capital realizados em 2002 e não reinvestiu quaisquer dividendos da Coca-Cola. Essas operações de compensação fiscal não devem ser executadas levianamente, uma vez que podem facilmente ser utilizadas de forma imprópria. Antes de fazer uma operação desse tipo, leia a Publicação 550 do imposto de renda (www.irs.gov/pub/irspdf/p550.pdf). Um bom guia para gerenciar seus impostos de investimento é o livro escrito por Robert N. Gordon e Jan M. Rosen, *Wall Street Secrets for Tax-Efficient Investing* [Segredos de Wall Street para investimentos eficientes do ponto de vista fiscal] (Bloomberg Press, Princeton, New Jersey, 2001). Finalmente, antes de puxar o gatilho, consulte um consultor fiscal profissional.

CONTRATO DO INVESTIDOR

Eu, ________, por meio deste instrumento, declaro que sou um investidor que está buscando acumular riqueza por muitos anos no futuro.

Sei que haverá muitos momentos em que ficarei tentado a investir em ações ou títulos porque seus preços subiram (ou estão subindo) e, em outros momentos, que ficarei tentado a vender meus investimentos porque seus preços caíram (estão caindo).

Por meio deste declaro minha recusa em deixar que uma horda de desconhecidos tome decisões financeiras por mim. Além disso, me comprometo solenemente a nunca investir porque o mercado acionário subiu e a nunca vender porque ele caiu. Em vez disso, investirei US$........,00 por mês, a cada mês, através de um plano de investimento automático ou "programa de custo médio em dólares", no(s) fundo(s) a seguir ou em carteira(s) diversificada(s):

____________________________________,

____________________________________,

____________________________________.

Da mesma forma, investirei quantias adicionais sempre que tenha dinheiro sobrando (e condições de correr o risco de perdê-lo no curto prazo).

Por meio deste instrumento, declaro que manterei cada um desses investimentos continuamente até, pelo menos, a seguinte data (a qual deve ser um mínimo de dez anos após a data deste contrato): _________________, 20__. As únicas exceções permitidas segundo os dispositivos deste contrato são uma necessidade repentina e inadiável de dinheiro, como uma emergência médica ou perda de emprego, ou um gasto planejado, como dar entrada em um imóvel ou despesas com educação.

Ao assinar abaixo, afirmo que minha intenção não é apenas cumprir os termos deste contrato, mas reler este documento sempre que ficar tentado a vender qualquer dos meus investimentos.

Este contrato é válido apenas quando assinado por, pelo menos, uma testemunha, devendo ser mantido em lugar seguro e facilmente acessível para futura referência.

Assinado: ______________________________

Data: ______________________, 20__

Testemunhas:

____

____

CAPÍTULO 9
COMO INVESTIR EM FUNDOS DE INVESTIMENTO

Uma opção disponível ao investidor defensivo é aplicar seu dinheiro em cotas de companhias de investimento. As resgatáveis mediante solicitação, pelo valor líquido dos ativos, são comumente denominadas "fundos mútuos" ("fundos de capital aberto" ou "fundos *open-end*"). As cotas da maioria deles são ativamente vendidas por um grupo de vendedores. Os fundos com cotas não resgatáveis são chamados fundos ou companhias de capital fechado (*closed-end*); e o número de suas cotas permanece relativamente constante. Todos os fundos de porte significativo são registrados na Securities & Exchange Commission [Comissão de Valores Mobiliários] (SEC, na sigla em inglês) e estão sujeitos a seus controles e regulamentações.[1]

Esse setor é muito grande. No final de 1970, havia 383 fundos registrados na SEC com ativos que totalizavam US$54,6 bilhões. Desse total de fundos, 356 companhias, com US$50,6 bilhões, eram fundos mútuos e 27 companhias, com US$4,0 bilhões, eram de capital fechado.[2]

Há várias maneiras de classificar os fundos. Uma dessas classificações se baseia na composição da carteira; "fundos balanceados" são aqueles que detêm um componente significativo (em geral, cerca de um terço) de títulos, enquanto "fundos de ações" são aqueles cujos recursos são quase exclusivamente aplicados em ações ordinárias. (Existem algumas outras variedades, tais como "fundos de obrigações", "fundos de *hedge*", "fundos de *letter stock*"

1 Constitui uma violação da lei federal a venda de cotas ao público por um fundo mútuo *open-end,* um fundo *closed-end* ou um fundo listado em bolsa, a menos que ele tenha "se registrado" (ou cumprido o registro obrigatório de seus resultados financeiros) na SEC.

2 A indústria de fundos passou de "muito grande" a imensa. No final de 2002, havia 8.279 fundos mútuos que administravam US$6,56 trilhões; 514 fundos *closed-end* com US$149,6 bilhões em ativos; e 116 *exchange-trade funds*, ou ETFs, com US$109,7 bilhões. Esses números excluem investimentos afins, tais como anuidades variáveis e *unit investment trusts* (fundos com uma carteira de obrigações fixa e uma data de vencimento específica).

etc.)[3] Outra classificação se baseia nos objetivos do fundo, seja seu objetivo principal receita, estabilidade de preços ou apreciação do capital ("crescimento"). Outra distinção é pelo método de venda. Os chamados "*load funds*" acrescentam encargos de venda (em geral de aproximadamente 9% do valor dos ativos sobre compras mínimas) ao valor antes dos encargos.[1] Outros, conhecidos como fundos "*no load*", não fazem tal cobrança; os administradores se contentam com as taxas de consultoria de investimento usuais para aplicarem o capital. Já que não podem pagar comissões a vendedores, o tamanho dos fundos *no load* tende a ser menor.[4] Os preços de compra e venda dos fundos *closed-end* não são fixados pelas companhias, e sim flutuam no mercado aberto, assim como fazem as ações corporativas ordinárias.

A maioria dessas companhias opera segundo dispositivos especiais da legislação do imposto de renda, projetados para aliviar os acionistas da dupla taxação sobre seus rendimentos. De fato, os fundos são obrigados a distribuir virtualmente toda sua receita ordinária, isto é, dividendos e juros recebidos, após a dedução das despesas. Além disso, eles podem distribuir seus lucros realizados de longo prazo sobre a venda de investimentos — na forma de "dividendos de ganhos de capital" —, os quais são tratados pelos acionistas como se fossem oriundos de sua própria negociação de papéis. (Existe uma outra opção, a qual omitimos para evitar confusão.)[5] Quase todos os fundos possuem apenas uma classe de papel negociada no mercado.

---

3 Listas dos principais tipos de fundos mútuos podem ser encontradas em www.ici.org/pdf/g2understanding.pdf e http://news.morningstar.com/fundReturns/CategoryReturns.html. Os fundos de *letter stock* não existem mais, enquanto os fundos de *hedge* são geralmente proibidos pelas regras do SEC de vender cotas para investidores cuja renda anual seja inferior a US$200.000 ou cujo patrimônio líquido seja inferior a US$1 milhão.

4 Hoje, os encargos máximos sobre a venda de um fundo de ações tendem a ser de aproximadamente 5,75%. Se você investir US$10.000 em um fundo com um encargo de venda básico de 5,75%, US$575 irão para a pessoa (e para a firma de corretagem) que o vendeu a você, deixando-o com um investimento líquido inicial de US$9.425. Na verdade, os US$575 de encargos de venda representam 6,1% daquela quantia, razão pela qual Graham chama a forma-padrão de cálculo dos encargos de uma "artimanha comercial". Desde a década de 1980, os fundos *no load* se tornaram populares e não tendem mais a serem menores do que os fundos com encargos.

5 Quase todos os fundos mútuos são atualmente taxados como uma "companhia de investimento regulada" (RIC, na sigla em inglês), as quais são isentas do imposto de renda de pessoas jurídicas, contanto que distribuam essencialmente toda a sua receita aos acionistas. Na "opção" que Graham omite "para evitar confusão", um fundo pode solicitar à SEC permissão especial para distribuir um de seus investimentos diretamente aos acionistas do fundo, como fez a Graham-Newman Corp., em 1948, ao distribuir ações da Geico para os próprios investidores da Graham-Newman. Esse tipo de distribuição é extraordinariamente raro.

Uma novidade, introduzida em 1967, divide a capitalização em ações preferenciais, as quais recebem toda a receita ordinária, e ações de capital ou ações ordinárias, as quais recebem todos os lucros sobre as vendas de papéis. (Estes são denominados "fundos de duplo objetivo".)[6]

Muitas das companhias que declaram que seu objetivo principal é o ganho de capital se concentram na compra das assim chamadas "*growth stocks*" e, muitas vezes, incluem a palavra "crescimento" em seu nome. Algumas se especializam em um ramo específico, tais como produtos químicos, aviação, investimentos em países estrangeiros; em geral, essa especialização é indicada em seus nomes.

O investidor que deseja ter um envolvimento inteligente com as cotas de fundos tem, portanto, à sua disposição uma gama de escolhas ampla e um tanto confusa, a qual não é muito diferente daquela oferecida no caso do investimento direto. Neste capítulo, lidaremos com algumas das principais questões, a saber:

1. Há alguma maneira pela qual o investidor possa assegurar-se de obter resultados acima da média pela escolha dos fundos certos? (Subquestão: E que tais os "fundos de desempenho"?)[7]
2. Caso contrário, como ele poderá evitar escolher fundos que lhe darão resultados inferiores à média?
3. Ele pode fazer escolhas inteligentes entre os diferentes tipos de fundo, por exemplo, balanceados *versus* só ações, de capital aberto *versus* fechado, com encargos *versus* sem encargos?

Desempenho dos fundos de investimento como um todo

Antes de tentar responder a essas questões, precisamos avaliar o desempenho da indústria de fundos como um todo. Ela tem feito um bom trabalho para seus acionistas? Grosso modo, como os investidores em fundos se saíram

---

6 Os fundos de duplo objetivo, populares no final da década de 1980, praticamente desapareceram do mercado, o que é uma pena, uma vez que eles ofereciam aos investidores uma forma mais flexível de tirar vantagem das capacidades de grandes selecionadores de ações, como John Neff. Talvez o mercado de baixa recente leve a um renascimento desse veículo de investimento atraente.

7 Os "fundos de desempenho" foram a coqueluche no final da década de 1960. Eles eram o equivalente aos fundos de crescimento agressivo do final da década de 1990 e trataram seus investidores da mesma forma lamentável.

em comparação com aqueles que fizeram seus investimentos diretamente? Estamos convencidos de que, como um todo, os fundos foram grau de investimento. Eles promoveram bons hábitos de poupança e investimento, protegeram inúmeros indivíduos contra erros custosos no mercado acionário e trouxeram, para seus participantes, renda e lucros compatíveis com os retornos gerais das ações ordinárias. Em termos comparativos, poderíamos arriscar um palpite de que o indivíduo médio que aplicou seu dinheiro exclusivamente em cotas de fundos de investimento nos últimos dez anos se saiu melhor do que a pessoa média que comprou ações ordinárias diretamente.

O último ponto é provavelmente verdadeiro, muito embora o desempenho efetivo dos fundos não pareça ter sido melhor do que o das ações ordinárias como um todo, e apesar do custo de investimento em fundos mútuos ser possivelmente mais alto do que o das compras diretas. A escolha verdadeira do indivíduo médio não tem sido entre construir e adquirir uma carteira de ações ordinárias bem equilibrada ou fazer a mesma coisa, de forma um pouco mais cara, por meio da compra de fundos. Mais provavelmente, sua escolha tem sido entre sucumbir à astúcia dos vendedores de porta em porta dos fundos mútuos, por um lado, e sucumbir aos ainda mais astuciosos, e bem mais perigosos, mascates que oferecem novos lançamentos de segunda e de terceira categoria. Não conseguimos deixar de pensar também que o indivíduo médio que abre uma conta de corretagem com a ideia de fazer investimentos conservadores em ações ordinárias provavelmente será assediado por influências perniciosas em favor da especulação e das perdas especulativas; essas tentações devem ser bem menores no caso do comprador de fundos mútuos.

Porém, como os fundos de investimento se saíram em comparação com o mercado em geral? Esse é um assunto um tanto controverso, mas tentaremos lidar com ele de modo simples, porém adequado. A Tabela 9-1 fornece alguns resultados calculados para o período 1961-1970 para os dez maiores fundos de ações no final de 1970, mas escolhendo apenas o maior dos fundos geridos por cada uma das gestoras de fundos. Ela resume o retorno geral de cada um desses fundos em 1961-1965, 1966-1970 e nos anos isolados de 1969 e 1970. Apresentaremos também resultados médios com base na soma de uma cota de cada um dos dez fundos. Essas administradoras controlavam um conjunto de ativos com valor superior a US$15 bilhões no final de 1969, ou seja, aproximadamente um terço de todos os fundos de ações ordinárias. Portanto, elas devem ser bastante representativas da

TABELA 9-1 Resultados de gestão dos dez maiores fundos mútuos[a]

	(Indicado) 5 anos, 1961-65 (todos +)	*5 anos, 1966-70*	*10 anos, 1961-70 (todos +)*	*1969*	*1970*	*Patrimônios líquidos, Dezembro 1970 (milhões)*
Affiliated Fund	71%	+ 19,7%	105,3%	- 14,3%	+ 2,2%	US$1.600
Dreyfus	97	+ 18,7	135,4	- 11,9	- 6,4	2.232
Fidelity Fund	79	+ 31,8	137,1	- 7,4	+ 2,2	819
Fundamental Inv.	79	+ 1,0	81,3	- 12,7	- 5,8	1.054
Invest. Co. of Am.	82	+ 37,9	152,2	- 10,6	+ 2,3	1.168
Investors Stock Fund	54	+ 5,6	63,5	- 80,0	- 7,2	2.227
Mass. Inv. Trust	18	+ 16,2	44,2	- 4,0	+ 0,6	1.956
National Investors	61	+ 31,7	112,2	+ 4,0	- 9,1	747
Putnam Growth	62	+ 22,3	104,0	- 13,3	- 3,8	684
United Accum.	74	- 2,0	72,7	- 10,3	- 2,9	1.141
Média	72	18,3	105,8	- 8,9	- 2,2	US$13.628 (total)
Índice composto da Standard & Poor's	77	+ 16,1	104,7	- 8,3	+ 3,5	
DJIA	78	+ 2,9	83,0	- 11,6	+ 8,7	

[a] Essas são as gestoras de fundos de ações que possuíam os maiores patrimônios líquidos no final de 1970, mas usando apenas um fundo de cada administradora. Os dados foram fornecidos pela Wiesenberger Financial Services.

indústria como um todo. (Em teoria, deveria haver um viés nessa lista a favor de um desempenho superior ao da indústria, uma vez que essas companhias melhores deveriam ter uma expansão mais rápida e maior do que as outras; mas isso pode não ter ocorrido na prática.)

Alguns fatos interessantes podem ser constatados analisando-se essa tabela. Primeiro, concluímos que os resultados gerais dos dez fundos para o período 1961-1970 não foram muito diferentes daqueles do índice composto de 500 ações da Standard & Poor's (ou do índice de 425 ações industriais da S&P). Porém, eles foram definitivamente melhores do que aqueles do DJIA. (O que suscita a questão instigante sobre a razão de os trinta gigantes do DJIA terem um desempenho inferior ao de uma lista heterogênea e muito mais numerosa usada pela Standard & Poor's.)[8] Um segundo ponto se refere ao desempenho agregado dos fundos, que, com relação ao índice S&P, mostrou uma certa melhora nos últimos cinco anos se comparado com os cinco anteriores. O ganho dos fundos, foi um pouco inferior ao do mesmo índice em 1961-65 e um pouco acima do S&P em 1966-70. O terceiro ponto se refere à existência de uma ampla variação entre os resultados dos fundos individuais.

Não pensamos que a indústria de fundos mútuos deva ser criticada por não ter um desempenho acima do mercado como um todo. Seus gestores e concorrentes profissionais administram uma parcela tão grande de todas as ações ordinárias negociáveis que o que acontece com o mercado como um todo deve necessariamente acontecer (de forma aproximada) com a soma de seus fundos. (Observe que os ativos dos serviços de administração de bens de terceiros (*trust departments*) de bancos comerciais assegurados incluíam US$181 bilhões de ações ordinárias no final de 1969. Se acrescentarmos a esse valor as ações ordinárias em contas administradas por consultores de investimento e mais os US$56 bilhões de fundos mútuos e similares, chegaremos à conclusão de que o conjunto de decisões tomadas por esses profissionais determina, em grande medida, os movimentos dos índices de ações e que o movimento desses índices determina, em grande parte, os resultados agregados dos fundos.)

---

8 Para períodos tão longos quanto dez anos, os retornos do Dow e da S&P 500 podem ser muito diferentes. Ao longo de uma vida de investimento típica, no entanto, digamos de 25 a cinquenta anos, seus retornos tendem a se assemelhar bastante.

Existem fundos acima da média? O investidor pode selecioná-los a fim de obter resultados superiores para si mesmo? Obviamente, todos os investidores não poderiam fazer isso, uma vez que, nesse caso, logo estaríamos de volta ao ponto de partida onde nenhum consegue alcançar um desempenho melhor do que o outro. Consideremos, em primeiro lugar, a questão de forma simplificada. Por que o investidor não poderia descobrir qual fundo teve o melhor desempenho em um número suficiente de anos no passado, presumir daí que seus administradores seriam mais capazes e, portanto, teriam um desempenho acima da média no futuro, e aplicar seu dinheiro naquele fundo? Essa ideia parece mais viável ainda porque, no caso dos fundos mútuos, o investidor poderia obter essa "administração mais capaz" sem pagar qualquer prêmio especial por ela em comparação com outros fundos. (Em contrapartida, entre as empresas não-financeiras, as companhias mais bem administradas são negociadas a preços correspondentemente altos em relação a seus lucros e ativos atuais.)

Os indícios a esse respeito têm sido conflitantes ao longo dos anos. Porém, a Tabela 9-1, que abrange os dez maiores fundos, indica que os resultados apresentados pelos cinco de melhor desempenho entre 1961 e 1965 continuaram, *em grande medida*, entre 1966 e 1970, muito embora dois integrantes desse conjunto não tenham se saído tão bem quanto dois dos outros cinco. Nossos estudos indicam que o investidor em cotas de fundos mútuos pode considerar, de forma apropriada, o desempenho comparativo ao longo de um período de, digamos, pelo menos cinco anos no passado, *contanto que* os dados não representem um grande movimento ascendente do mercado como um todo. Nesse caso, resultados espetacularmente favoráveis podem ser obtidos de formas pouco ortodoxas, conforme será demonstrado na seção a seguir, que abordará os fundos de "desempenho". Tais resultados em si podem indicar apenas que os gestores de fundos estão assumindo riscos especulativos indevidos e evitando suas consequências *por enquanto*.

Fundos de "desempenho"

Um dos fenômenos novos observado em anos recentes foi o surgimento do culto ao "desempenho" na gestão dos fundos de investimento (e mesmo de muitos fundos *trust*). Devemos começar esta seção com a ressalva importante de que ela não se aplica à grande maioria dos fundos bem estabelecidos, mas apenas a uma parte relativamente pequena da indústria que tem atraído um volume desproporcional de atenção. A história é bastante simples. Alguns dos que estão no comando buscaram obter resultados muito acima da média (ou do DJIA). Eles conseguiram tais resultados durante um tempo, acumulando publicidade considerável e recursos adicionais para administrar. O objetivo era em si legítimo; infelizmente, parece que, no contexto do investimento de recursos realmente substanciais, o objetivo não pode ser realizado sem incorrer em riscos consideráveis. E, em um espaço de tempo comparativamente curto, os riscos cobraram seu preço.

Várias das circunstâncias que envolvem o fenômeno do "desempenho" foram objeto de desaprovação por parte daqueles entre nós cuja experiência era extensa, até mesmo remontando à década de 1920, e cujos pontos de vista, precisamente por essa razão, foram considerados antiquados e irrelevantes a essa (segunda) "Nova Era". Em primeiro lugar, e pertinente ao ponto em questão, quase todos esses executores brilhantes eram jovens — entre trinta e cinquenta anos — cuja experiência financeira direta estava limitada ao mercado de alta, praticamente ininterrupto, que durou de 1948 a 1968. Em segundo lugar, eles agiam muitas vezes como se a definição de um "investimento seguro" fosse uma ação que provavelmente teria uma subida significativa nos meses imediatamente seguintes. Essa postura levou-os a fazer grandes investimentos em empresas novas a preços completamente desproporcionais em comparação com os ativos ou lucros registrados. A única justificativa possível para tal decisão seria a combinação de uma esperança ingênua nas realizações futuras dessas companhias com uma aparente esperteza na exploração dos entusiasmos especulativos de um público desinformado e ganancioso.

Esta seção não mencionará nomes de pessoas. Porém, temos muitos motivos para apresentarmos exemplos concretos de companhias. O "fundo de desempenho" mais conhecido do público foi indubitavelmente o Manhattan Fund, Inc., organizado no final de 1965. Sua primeira oferta foi de 27 milhões de cotas a um preço entre US$9,25 e 10 por cota. A companhia iniciou suas operações com um capital de US$247 milhões. Ela enfatizava, claro, os ganhos de capital. A maioria de seus recursos era investida em ações que vendiam a múltiplos altos dos lucros atuais, que não pagavam dividendos (ou pagavam dividendos muito reduzidos), apresentaram um grande componente especulativo e movimentos de preço espetaculares. O fundo apresentou um ganho total de 38,6% em 1967, comparados aos 11% do índice composto S&P. No entanto, seu desempenho deixou muito a desejar daí em diante, conforme mostrado na Tabela 9-2.

A carteira do Manhattan Fund no final de 1969 poderia ser considerada, sem qualquer exagero, como pouco ortodoxa. É um fato extraordinário que dois de seus maiores investimentos fossem em companhias que pediram falência em seis meses a partir daquela data, e uma terceira enfrentou cobrança judicial de credores em 1971. Constitui um outro fato extraordinário as ações de pelo menos uma dessas companhias condenadas terem sido compradas não apenas por fundos de investimento, mas por *endowment funds* de universidades, pelos departamentos de administração de *trust funds* de terceiros de grandes instituições bancárias e por entidades similares.[9] Um terceiro fato extraordinário foi que o *gestor* fundador do Manhattan Fund vendeu sua participação em uma companhia de gestão, organizada em separado, para outra empresa grande por mais de US$20 milhões em ações da companhia compradora; naquele momento, a companhia de gestão vendida administrava menos de US$1 milhão em ativos. Isso é indubitavelmente uma das maiores disparidades de todos os tempos entre os resultados do "administrador" e dos "administrados".

Um livro publicado no final de 1969[II] apresentou perfis de 19 homens "os quais são líderes no jogo exigente de administrar bilhões de dólares do dinheiro de terceiros". O resumo nos diz ainda que "eles são jovens... alguns ganham mais de um milhão de dólares ao ano... são uma nova casta financeira... todos têm uma fascinação imensa pelo mercado... e uma aptidão espetacular para escolher vencedores". Uma ideia razoável das realizações desse grupo de líderes pode ser obtida ao examinarmos os resultados publicados dos fundos que gerenciam. Os resultados dos fundos dirigidos por 12 das 19 pessoas descritas em *The Money Managers* estão disponíveis ao público. Em geral, eles se saíram bem em 1966 e brilhantemente em

---

9 Uma das companhias "condenadas" à qual Graham se refere foi a National Student Marketing Corp., uma trapaça travestida de ação cuja saga foi contada de forma brilhante por Andrew Tobias em seu livro *The Funny Money Game* [O jogo do dinheiro esquisito] (Playboy Press, New York, 1971). Entre os investidores supostamente sofisticados que foram iludidos pelo fundador carismático da NSM, Cort Randell, estavam os *endowment funds* de Cornell e Harvard e os departamentos de administração de bens de terceiros de bancos prestigiosos, como o Morgan Guaranty e o Bankers Trust.

TABELA 9-2 Uma carteira de um fundo de desempenho e seu desempenho

(Principais aplicações do Manhattan Fund, 31 de dezembro de 1969.)

Ações em carteira (milhões)	*Ação*	*Preço*	*Lucro 1969*	*Dividendo 1969*	*Valor de mercado (milhões)*
60	Teleprompter	99	US$0,99	Nenhum	US$6,0
190	Deltona	60½	2,32	Nenhum	11,5
280	Fedders	34	1,28	US$0,35	9,5
105	Horizon Corp.	53½	2,68	Nenhum	5,6
150	Rouse Co.	34	0,07	Nenhum	5,1
130	Mattel Inc.	64¼	1,11	0,20	8,4
120	Polaroid	125	1,90	0,32	15,0
244[a]	Nat'l Student Mkt'g	28½	0,32	Nenhum	6,1
56	Telex Corp.	90½	0,68	Nenhum	5,0
100	Bausch & Lomb	77¾	1,92	0,80	7,8
190	Four Seasons Nursing	66	0,80	Nenhum	12,3[b]
20	Int. Bus. Machines	365	8,21	3,60	7,3
41,5	Nat'l Cash Register	160	1,95	1,20	6,7
100	Saxon Ind.	109	3,81	Nenhum	10,9
105	Career Academy	50	0,43	Nenhum	5,3
285	King Resources	28	0,69	Nenhum	8,1
					US$130,6
				Outras ações ordinárias	93,8
				Outras aplicações	19,6
				Total dos investimentos[c]	US$244,0

[a] Após desdobramento 2 por 1.
[b] Inclui US$1,1 milhão de ações afiliadas.
[c] Excluindo os equivalentes em dinheiro.

Desempenho anual comparado com o índice composto S&P

	1966	1967	1968	1969	1970	1971
Manhattan Fund	- 6,0%	+ 38,6%	- 7,3%	- 13,3%	- 36,9%	+ 9,6%
S & P Composite	- 10,1%	+ 23,0%	+ 10,4%	- 8,3%	+ 3,5%	+ 13,5%

1967. Em 1968, seu desempenho continuou bom em termos agregados, mas com altos e baixos no que se refere a fundos individuais. Em 1969, todos apresentaram perdas, tendo apenas um alcançado um desempenho pouco superior ao do índice composto S&P. Em 1970, seu desempenho comparativo foi ainda pior do que em 1969.

Apresentamos esse quadro para extrair uma moral, que talvez seja melhor expressa pelo velho provérbio francês: "Quanto mais as coisas mudam, mais ficam iguais." Pessoas brilhantes e com muita energia — em geral bastante jovens — prometem fazer milagres com o "dinheiro de terceiros" desde tempos imemoriais. Em geral, elas conseguem fazer isso durante um tempo — ou, pelo menos, parecem conseguir fazer isso —, trazendo inevitavelmente prejuízos para o público no final.[10] Há aproximadamente um século, os "milagres" eram muitas vezes acompanhados por manipulação flagrante, balanços corporativos enganosos, estruturas de capitalização escandalosas e outras práticas financeiras semifraudulentas. Tudo isso ensejou um sistema elaborado de controle financeiro por parte da SEC, assim como uma atitude cautelosa para com as ações ordinárias por parte do público em geral. As operações dos novos "gestores de dinheiro" em 1965-1969 ocorreram pouco mais de uma geração completa após as espertezas de 1926-1929.[11] Aquelas práticas erradas especificamente proibidas após a quebra de 1929 não foram mais usadas, pois envolviam o risco de prisão. Porém, em muitas esquinas de Wall Street, elas foram substituídas por brinquedos e truques mais novos que acabaram produzindo resultados muito semelhantes. A manipulação flagrante de preços desapareceu, mas existem muitos outros métodos de chamar a atenção do público ingênuo para as possibilidades de lucros com ações "quentes". Blocos de *letter stock*[III], sujei-

---

10 Como prova mais recente de que "quanto mais as coisas mudam, mais ficam iguais", considere que Ryan Jacob, um garoto-prodígio de 29 anos, lançou o Jacob Internet Fund no final de 1999, após produzir um retorno de 216% em seu fundo de internet anterior. Os investidores despejaram quase US$300 milhões no fundo de Jacob nas primeiras semanas de 2000. O fundo então perdeu 79,1% em 2000, 56,4% em 2001 e 13% em 2002, um colapso acumulado de 92%. Essa perda pode ter tornado os investidores de Jacob ainda mais velhos e sábios do que haviam tornado o próprio.

11 Curiosamente, o ciclo desastroso de *boom* e derrocada no período de 1999 a 2002 também surgiu cerca de 35 anos após o ciclo anterior de insanidade. Talvez leve aproximadamente 35 anos para os investidores que se lembram da loucura da última "Nova Economia" se tornarem menos influentes do que aqueles que não se lembram. Se essa intuição estiver correta, o investidor inteligente deve tomar cuidado especial próximo ao ano de 2030.

tos a restrições não reveladas sobre sua venda, podiam ser comprados bem abaixo do preço de mercado. Esse tipo de ação podia ser imediatamente lançado nos balanços ao valor de mercado pleno, mostrando um lucro encantador e ilusório. E assim por diante. É surpreendente, em uma atmosfera completamente diferente em termos de regulação e proibição, Wall Street ter sido capaz de duplicar muitos excessos e erros da década de 1920.

Sem dúvida, novos regulamentos e novas proibições surgirão. Os abusos específicos do final da década de 1960 serão banidos de Wall Street de uma forma razoavelmente eficaz. Porém, talvez seja demais esperar que o impulso para especular desapareça algum dia ou que a exploração desse impulso possa ser abolida de vez. Faz parte do armamento do investidor inteligente conhecer essas "Ilusões Populares Extraordinárias"[IV] e manter-se o mais longe possível delas.

A situação da maioria dos fundos de desempenho é ruim se começarmos a analisá-los *após* seu desempenho espetacular em 1967. Com a inclusão dos números de 1967, seu desempenho geral não é de forma alguma desastroso. Nessa base, um dos operadores citados no livro *Gestores de recursos* teve um desempenho bastante superior ao do índice composto S&P, três se saíram nitidamente pior e seis mais ou menos empataram. Para fins de verificação, analisemos outro grupo de fundos de desempenho — os dez que tiveram o melhor desempenho em 1967, com ganhos variando de 84% até 301% naquele único ano. Desses, quatro tiveram, em quatro anos, um desempenho total melhor do que o índice S&P, se os ganhos de 1967 forem incluídos, e dois superaram o índice em 1968-70. Nenhum desses fundos era grande e seu tamanho médio era de aproximadamente US$60 milhões. Portanto, existe uma indicação forte de que ser pequeno é um fator necessário para a obtenção de resultados destacados e contínuos.

O relato precedente contém a conclusão implícita de que pode haver riscos especiais associados à busca de um desempenho superior por parte dos gestores de fundos de investimento. Toda a experiência financeira até o presente indica que os fundos grandes, administrados com sensatez, podem produzir, na melhor das hipóteses, resultados apenas um pouco superiores à média ao longo dos anos. Se forem administrados de forma insensata, podem produzir lucros espetaculares, mas completamente ilusórios, durante um certo tempo, seguidos inevitavelmente por perdas calamitosas. Houve casos de fundos que superaram, de forma consistente, os índices de mercado ao longo de, digamos, dez anos ou mais. No entanto, eles constituem exceções raras, têm a maioria de suas operações em áreas especializadas, com limites autoimpostos sobre o capital empregado, e não são ativamente vendidos ao público.[12]

Fundos de capital aberto *versus* capital fechado

Quase todos os fundos mútuos ou fundos de capital aberto (*open-end*), que oferecem a seus proprietários o direito de transformarem suas cotas em dinheiro ao valor da carteira no dia, têm uma maquinaria correspondente para vender novas cotas. Dessa forma, a maioria deles cresceu em tamanho ao longo dos anos. Os fundos fechados, quase todos eles organizados há muito tempo, têm uma estrutura de capital fixa e, portanto, sua importância relativa diminuiu em termos do volume de dólares sob sua administração. Fundos abertos estão sendo vendidos por milhares de vendedores enérgicos e persuasivos, enquanto as cotas em fundos fechados não têm ninguém em especial interessado em distribuí-las. Consequentemente, tem sido possível vender a maioria dos "fundos mútuos" ao público a um prêmio fixo de cerca de 9% acima do valor líquido dos ativos (para cobrir comissões de vendedores etc.), enquanto a maioria das cotas em fundos fechados tem sido consistentemente negociada *abaixo* do valor de seus ativos. Esse deságio no preço varia entre os fundos individuais, e o deságio médio para o grupo como um todo também varia de uma data para outra. A Tabela 9-3 apresenta os números para 1961-70.

Não é necessária muita inteligência para suspeitar de que o menor preço relativo das cotas em fundos fechados em comparação com as dos fundos abertos tem muito pouco a ver com a diferença nos resultados totais de investimento entre os dois grupos. A verdade desse fato é comprovada pela comparação dos resultados anuais para 1961-70 dos dois grupos incluídos na Tabela 9-3.

12 O equivalente hoje da expressão "exceções raras" de Graham tende a ser os fundos de capital aberto que se fecham a novos investidores, o que significa que os gestores pararam de aceitar mais dinheiro. Embora essa atitude reduza as taxas de administração que possam ganhar, ela maximiza os retornos que os cotistas existentes podem obter. Já que a maioria dos gestores de fundos preferiria cuidar de si mesma em vez de obter um melhor desempenho, fechar um fundo a novos investidores é um passo raro e corajoso.

TABELA 9-3 Alguns dados sobre fundos fechados, fundos mútuos e o índice composto S&P

Ano	*Deságio médio de fundos fechados*	*Resultados médios de fundos fechados*[a]	*Resultados médios de fundos mútuos de ações*[b]	*Resultados do índice S&P*[c]
1970	- 6%	empate	- 5,3%	+ 3,5%
1969		- 7,9%	- 12,5	- 8,3
1968	(+ 7)[d]	+13,3	+ 15,4	+ 10,4
1967	- 5	+ 28,2	+ 37,2	+ 23,0
1966	- 12	- 5,9	- 4,1	- 10,1
1965	- 14	+ 14,0	+ 24,8	+ 12,2
1964	- 10	+ 16,9	+ 13,6	+ 14,8
1963	- 8	+ 20,8	+ 19,3	+ 24,0
1962	- 4	- 11,6	- 14,6	- 8,7
1961	- 3	+ 23,6	+ 25,7	+ 27,0
Média de dez anos		+ 9,14%	+ 9,95%	+ 9,79%

[a] Média Wiesenberger de dez companhias diversificadas.
[b] Média das cinco médias Wiesenberger de fundos de ações ordinárias a cada ano.
[c] Em todos os casos as distribuições são reinvestidas.
[d] Ágio.

Assim, chegamos a uma das poucas regras claramente evidentes para as escolhas dos investidores. Se você deseja colocar seu dinheiro em fundos de investimento, compre uma cota em um fundo fechado com um deságio de, digamos, 10% a 15% sobre o valor dos ativos, em vez de pagar um prêmio de aproximadamente 9% acima do valor dos ativos para cotas de um fundo aberto. Presumindo que as mudanças no valor dos ativos e os dividendos futuros continuem a ser aproximadamente iguais para os dois grupos, você terá então um ganho aproximadamente 20% superior com as cotas em fundos fechados.

O vendedor de fundo mútuo rapidamente levantará um contra-argumento: "Ah, mas se você possui cotas em um fundo fechado, nunca poderá saber com certeza qual o preço de venda. O deságio pode ser maior do que é hoje, e você sofrerá por causa do *spread* maior. Com nossas cotas, você terá garantido o direito de revendê-las por um preço igual a 100% do valor dos ativos, nunca inferior." Examinemos esse argumento um pouco, será um interessante exercício de lógica e simples bom senso. Pergunta: Supondo que o deságio sobre cotas fechadas aumente, qual a probabilidade de você ter um desempenho pior com aquelas cotas do que com uma compra equivalente de cotas em um fundo aberto?

Isso requer um pouco de aritmética. Suponha que o Investidor A compre algumas cotas *open-end* a 109% do valor dos ativos e o Investidor B compre cotas *closed-end* a 85%, mais 1,5% de comissão. Ambos os conjuntos de cotas ganham e pagam 30% desse valor de ativos em, digamos, quatro anos e terminam com um valor igual ao inicial. O Investidor A resgata suas cotas a 100% de seu valor, perdendo o prêmio de 9% que pagou. Seu retorno total para o período é 30% menos 9%, ou seja, 21% sobre o valor dos ativos. Isso, por sua vez, representa 19% sobre o valor investido. Qual a taxa que o Investidor B precisa obter de suas cotas *closed-end* para realizar o mesmo retorno sobre o investimento que o Investidor A? A resposta é 73% ou um deságio de 27% a partir do valor dos ativos. Em outras palavras, o investidor *closed-end* poderia sofrer uma ampliação de 12 pontos (ou seja, aproximadamente o dobro) no deságio de mercado antes que seu retorno caísse até aquele do investidor *open-end*. Uma mudança adversa dessa magnitude raramente ocorre, se é que alguma vez ela aconteceu, na história das cotas *closed-end*. Em consequência, é muito improvável que você obtenha um retorno total inferior de um fundo fechado (representativo), comprado com deságio, se o desempenho do investimento for aproximadamente igual àquele de um fundo mútuo representativo. Se um fundo com encargos baixos (ou nenhum encargo) substituir um com os encargos usuais de "8,5%", a vantagem dos investimentos *closed-end* é, claro, reduzida, mas ela persiste.

TABELA 9-4 Resultados médios de fundos fechados diversificados, 1961-1970[a]

	1970	*5 anos 1966-1970*	*1961-1970*	*Ágio ou deságio, Dezembro de 1970*
Três fundos vendidos com ágio	- 5,2%	+ 25,4%	+ 115,0%	11,4% ágio
Dez fundos vendidos com deságio	+ 1,3	+ 22,6	+ 102,9	9,2% deságio

[a] Dados da Wiesenberger Financial Services

O fato de alguns poucos fundos fechados serem vendidos com um ágio maior do que a carga efetiva de 9% que incide sobre a maior parte dos fundos mútuos introduz uma pergunta separada para o investidor. Essas companhias vendidas com prêmio têm gestão superior com um valor suficientemente comprovado para justificar seus preços elevados? Se a resposta for procurada nos resultados comparativos que abrangem os últimos cinco ou dez anos, a resposta parece ser negativa. Três dos seis fundos vendidos com ágio se concentram em investimentos estrangeiros. Uma característica notável delas é a grande variação de preços em um curto período de tempo; no final de 1970, um fundo foi negociado a apenas um quarto de seu valor mais alto, o segundo a um terço e o terceiro a menos da metade. Se considerarmos os três fundos domésticos que vendem acima do valor dos ativos, encontramos que a média de seus retornos totais decenais foi um pouco melhor do que a dos dez fundos com deságios, mas aconteceu o oposto nos últimos cinco anos. Apresentamos uma comparação dos históricos, entre 1961 e 1970, da Lehman Corp. e da General American Investors, dois dos maiores e mais antigos fundos fechados, na Tabela 9-5. Um deles vendeu 14% acima e o outro, 7,6% abaixo do valor líquido dos ativos no final de 1970. A diferença nas razões preço/patrimônios líquidos não parece justificada por esses números.

TABELA 9-5 Comparação entre dois importantes fundos fechados[a]

	1970	*5 anos 1966-1970*	*1961-1970*	*Ágio ou deságio, Dezembro de 1970*
General Am. Investors Co.	- 0,3%	+ 34,0%	+ 165,6%	7,6% deságio
Lehman Corp.	- 7,2	+ 20,6	+ 108,0	13,9% ágio

[a] Dados da Wiesenberger Financial Services

Investimento em fundos balanceados

Os 23 fundos balanceados incluídos no relatório da Wiesenberger mantinham de 25% a 59% de seus ativos em ações preferenciais e títulos, a média sendo de 40%. O saldo era mantido em ações ordinárias. Pareceria mais lógico para o investidor típico fazer seus investimentos diretamente em instrumentos do tipo obrigação, em vez de tê-los como parte de uma aplicação em um fundo mútuo. O retorno médio mostrado pelos fundos balanceados em 1970 foi de apenas 3,95% ao ano sobre o valor dos ativos, ou cerca de 3,6% sobre o preço de venda. A melhor escolha para o componente de títulos seria a compra de *savings bonds* do governo dos EUA, ou obrigações privadas americanas cuja classificação fosse A ou superior, ou obrigações isentas de impostos para a carteira de títulos do investidor.

COMENTÁRIOS AO CAPÍTULO 9

A professora pergunta ao Joãozinho:
"Se você tivesse 12 ovelhas e uma pulasse a cerca,
quantas ovelhas você ainda teria?

Joãozinho responde: "Nenhuma."

"Bem", disse a professora, "certamente
você não entende nada de subtração".

"Talvez não", disse Joãozinho, "mas entendo tudo de ovelhas".

Velha piada texana

QUASE PERFEITO

O fundo mútuo foi uma criação genuinamente americana, introduzido em 1924 por um ex-vendedor de potes e panelas de alumínio chamado Edward G. Leffler. Os fundos mútuos são bastante baratos, muito convenientes, usualmente diversificados, profissionalmente administrados e rigidamente regulados por alguns dos dispositivos mais rigorosos da legislação federal de valores mobiliários. Ao tornar o investimento fácil e viável para quase todo mundo, os fundos incorporaram cerca de 54 milhões de famílias americanas (e milhões mais pelo mundo afora) ao investimento convencional, provavelmente o maior avanço na democracia financeira jamais atingido.

No entanto, os fundos mútuos não são perfeitos: eles são *quase* perfeitos, e essa palavra faz toda a diferença. Em função de suas imperfeições, a maioria dos fundos tem um desempenho inferior ao do mercado, cobra caro demais de seus investidores, cria dores de cabeça fiscais e está sujeita a oscilações erráticas em seu desempenho. O investidor inteligente deve escolher fundos com extrema cautela para evitar terminar como proprietário de um enorme abacaxi.

NÚMERO UM NA PARADA DE SUCESSOS

A maioria dos investidores simplesmente compra um fundo que tem apresentado um crescimento rápido, presumindo que ele continuará a crescer. E por que não? Os psicólogos mostraram que os humanos têm uma tendência inata a acreditarem que o longo prazo pode ser previsto a partir de uma série curta de eventos. E mais: sabemos pela própria experiência que alguns bombeiros são melhores do que outros, que alguns jogadores de futebol têm muito mais probabilidade de marcar gols do que outros, que nosso restaurante favorito serve uma comida consistentemente superior e que crianças espertas sempre conseguem notas boas. Capacidade, inteligência e trabalho árduo são reconhecidos, recompensados — e constantemente repetidos — ao nosso redor. Portanto, se um fundo supera o mercado, nossa intuição nos diz que podemos esperar que ele continue a fazê-lo.

Infelizmente, nos mercados financeiros, a sorte é mais importante do que a capacidade. Se um gestor estiver, por acaso, no lugar certo e no momento certo do mercado, ele parecerá brilhante, mas, com muita frequência, o que foi quente de repente torna-se frio e o QI do gestor simplesmente baixa em 50 pontos. A Figura 9-1 mostra o que aconteceu com os fundos mais quentes de 1999.

Este é mais um outro lembrete de que o setor mais quente do mercado que, em 1999, foi a tecnologia, com frequência fica frio como nitrogênio líquido a uma velocidade estonteante e sem nenhum aviso.[1] E é um lembrete de que a compra de fundos baseada apenas no desempenho passado é uma das coisas mais estúpidas que um investidor pode fazer. Os estudiosos das finanças têm avaliado o desempenho dos fundos mútuos durante, pelo menos, meio século e são virtualmente unânimes em vários pontos:

- o fundo médio não escolhe ações com uma precisão suficiente para compensar seus custos de pesquisa e corretagem;
- quanto maiores as despesas do fundo, menores os retornos;
- quanto mais um fundo negocia suas ações, menos ele tende a ganhar;

---

1 Desde a década de 1920 existem fundos setoriais especializados em quase todos os setores imagináveis. Após aproximadamente oitenta anos de história, os dados são contundentes: o setor mais lucrativo e, portanto, mais popular em qualquer ano dado, frequentemente acaba tendo um dos piores desempenhos no ano seguinte. Assim como as cabeças vazias são a oficina do diabo, os fundos setoriais são o castigo justo do investidor.

FIGURA 9-1 O clube do desastre total

Fundo	Retorno total 1999	2000	2001	2002	Valor em 31/12/2002 de US$10.000 investidos em 01/01/1999
Van Wagoner Emerging Growth	291,2	-20,9	-59,7	-64,6	4.419
Monument Internet	273,1	-56,9	-52,2	-51,2	3.756
Amerindo Technology	248,9	-64,8	-50,8	-31,0	4.175
PBHG Technology & Communications	243,9	-43,7	-52,4	-54,5	4.198
Van Wagoner Post-Venture	237,2	-30,3	-62,1	-67,3	2.907
ProFunds Ultra OTC	233,2	-73,7	-69,1	-69,4	829
Van Wagoner Technology	223,8	-28,1	-61,9	-65,8	3.029
Thurlow Growth	213,2	-56,0	-26,1	-31,0	7.015
Firsthand Technology Innovators	212,3	-37,9	-29,1	-54,8	6.217
Janus Global Technology	211,6	-33,7	-40,0	-40,9	7.327
Wilshire 5000 index (total do mercado de ações)	23,8	-10,9	-11,0	-20,8	7.780

Fonte: Lipper

Nota: O Monument Internet foi posteriormente renomeado Orbitex Emerging Technology.

Esses dez fundos tiveram alguns dos melhores desempenhos de 1999 — e, de fato, figuram entre os desempenhos anuais mais expressivos de todos os tempos. Porém, os três anos seguintes apagaram todos os lucros de 1999 e ainda mais alguma coisa

- os fundos altamente voláteis, que oscilam para cima e para baixo mais do que a média, provavelmente continuarão a ser voláteis;
- é pouco provável que os fundos que tiveram retornos altos no passado consigam permanecer vencedores por muito tempo.[2]

Suas chances de selecionar os melhores fundos de desempenho do futuro com base nos retornos do passado são aproximadamente tão altas quanto a probabilidade de o Barba Azul e o Abominável Homem das Neves aparecerem em sapatilhas de balé cor-de-rosa no próximo coquetel em que você estiver presente. Em outras palavras, suas chances não são nulas, mas chegam bem perto disso. (Ver boxe na p. 290.)

No entanto, há boas notícias também. Em primeiro lugar, entender por que é tão difícil encontrar um bom fundo o ajudará a se tornar um investidor mais inteligente. Em segundo, embora o desempenho passado seja um previsor fraco dos retornos futuros, há outros fatores que você pode usar para aumentar a probabilidade de encontrar um bom fundo. Finalmente, um fundo pode oferecer um valor excelente mesmo que não supere o mercado, ao fornecer uma forma econômica de diversificar seus investimentos e liberar seu tempo para todas as outras coisas que você preferiria estar fazendo em vez de escolher ações por conta própria.

OS PRIMEIROS SERÃO OS ÚLTIMOS

Por que um número maior de fundos vencedores não consegue se manter na dianteira?

Quanto melhor o desempenho de um fundo, mais obstáculos seus investidores enfrentam.

Mudança de gestor. Quando um gestor de fundo aparenta ter o toque de Midas, todos o desejam, incluindo as gestoras de fundo rivais. Se você comprou a Transamerica Premier Equity Fund para aproveitar as capacidades de Glen Bickerstaff, que ganhou 47,5% em 1997, você deu azar rapidamente; a TCW arrebatou-o em meados de 1998 para dirigir o TCW Galileo

---

2 O volume de pesquisas sobre o desempenho dos fundos mútuos é extenso demais para ser citado. Resumos e links grau de investimento podem ser encontrados em: www.investorhome.com/mutual.htm#do, www.ssm.com (digite *"mutual fund"* na janela de busca) e www.stanford.edu/~wfsharpe/art/art.htm.

Select Equities Fund e o fundo Transamerica teve um desempenho inferior ao do mercado em três dos quatro anos seguintes. Se você comprou o Fidelity Aggressive Growth Fund, no início de 2000, para desfrutar os retornos altos obtidos por Erin Sullivan — que havia quase triplicado o dinheiro dos acionistas desde 1997 —, que pena: ela pediu demissão para lançar seu próprio fundo de *hedge* em 2000 e seu ex-fundo perdeu mais de três quartos do valor ao longo dos três anos seguintes.[3]

Elefantíase de ativos. Quando um fundo atinge retornos altos, os investidores prestam atenção nele, muitas vezes aplicando centenas de milhões de dólares em uma questão de semanas. Isso deixa o gestor de fundo com poucas opções — todas ruins. Ele pode manter aquele dinheiro em um lugar seguro para se resguardar contra turbulências, mas, nesse caso, os retornos baixos sobre o dinheiro diminuirão os resultados do fundo se as ações continuarem a subir. Ele pode colocar dinheiro novo em ações que já possui, as quais provavelmente subiram desde que ele as comprou e se tornarão perigosamente supervalorizadas caso recebam uma injeção de milhões de dólares adicionais. Ou então ele pode comprar ações novas que anteriormente não considerava suficientemente boas para possuir, mas terá que pesquisá-las profundamente e vigiar muito mais companhias do que está acostumado a fazer.

Finalmente, quando o Nimble Fund de US$100 milhões coloca 2% de seus ativos (ou US$2 milhões) na Minnow Corp., uma ação com um valor de mercado total de US$500 milhões, ele está comprando menos que a metade de 1% da Minnow. Porém, se o desempenho espetacular inchar o Nimble Fund até US$10 bilhões, então um investimento de 2% de seus ativos totalizaria US$200 milhões, isto é, quase a metade do valor total da Minnow, um nível de participação que é vedado por lei federal. Se o gerente de carteira da Nimble deseja possuir ações de empresas menores, ele terá que dispersar seu dinheiro por um número muito maior de companhias e, provavelmente, terminará por dispersar em demasia sua atenção.

Fim das manobras fantásticas. Algumas companhias se especializam na "incubação" de fundos, testando-os em particular antes de vendê-los ao público. (Em geral, os únicos acionistas são empregados e afiliados da própria administradora de fundos.) Ao mantê-los pequenos, o patrocinador pode

---

3 Isso não significa dizer que esses fundos teriam um desempenho melhor se seus gestores "estrelas" tivessem permanecido em seus cargos; toda a certeza que podemos ter é a de que os dois fundos tiveram um mau desempenho sem eles.

usar esses fundos incubados como ratos de laboratório para estratégias arriscadas que funcionam melhor com pequenos montantes de dinheiro, como comprar ações verdadeiramente diminutas ou praticar a negociação rápida de ofertas iniciais ao público. Se as estratégias forem bem-sucedidas, o fundo pode atrair a massa de investidores públicos ao divulgar seus retornos privados. Em outros casos, o gestor de fundo "renuncia" a taxas de administração (ou deixa de cobrá-las), aumentando o retorno líquido, e somente após os retornos altos terem atraído muitos clientes introduz tais taxas. Quase sem exceção, os retornos dos fundos incubados e isentos de taxas de administração tornaram-se medíocres depois que investidores externos injetaram milhões de dólares neles.

Despesas crescentes. Frequentemente, é mais caro negociar ações em blocos muito grandes do que pequenos; com poucos compradores e vendedores, é mais difícil fazer um casamento. Um fundo com US$100 milhões em ativos pode pagar 1% ao ano em custos de corretagem. Porém, se os altos retornos fizerem o fundo crescer rapidamente até US$10 bilhões, os custos de corretagem podem facilmente abocanhar, pelo menos, 2% daqueles ativos. O fundo típico mantém suas ações por apenas 11 meses a cada vez, portanto os custos de corretagem corroem os retornos como um ácido. Ao mesmo tempo, os outros custos de gestão do fundo raramente caem — e às vezes até sobem — à medida que os ativos crescem. Com despesas operacionais de 1,5% em média e custos de corretagem em torno de 2%, o fundo típico precisaria superar o mercado por 3,5 pontos percentuais ao ano antes da dedução dos custos apenas para empatar com ele depois de tal dedução!

Comportamento de ovelha. Finalmente, quando um fundo se torna bem-sucedido, seus gestores tendem a se tornar tímidos e imitadores. À medida que o fundo cresce, suas taxas se transformam em uma fonte importante de lucro, o que torna seus gestores relutantes em fugirem do convencional. Os mesmos riscos que os gestores assumiram para gerar os retornos iniciais altos poderiam agora afastar os investidores e prejudicar toda aquela receita gorda derivada de taxas. Portanto, os fundos maiores lembram um rebanho de ovelhas idênticas e superalimentadas, andando umas atrás das outras preguiçosamente, todas dizendo "bééééé" ao mesmo tempo. Quase todo fundo de crescimento rápido possui ações da Cisco, GE, Microsoft, Pfizer e Wal-Mart, e em proporções quase idênticas. Esse comportamento é tão comum que os estudiosos das finanças simplesmente o denominam comportamento de manada.[4] No entanto, ao proteger sua própria receita derivada das taxas de administração, os gestores de fundos comprometem sua capacidade de gerar retornos superiores para os investidores externos.

Como resultado de custos inchados e de mau comportamento, a maioria dos fundos deixa de valer a pena. Não surpreende que os retornos altos sejam quase tão perecíveis quanto um peixe fora da geladeira. E mais: à medida que o tempo passa, o peso das despesas excessivas deixa a maioria dos fundos cada vez mais para trás, como mostra a Figura 9-2.[5]

O que, então, deve fazer o investidor inteligente?

Em primeiro lugar, reconhecer que um fundo de índice — que possui todas as ações do mercado, o tempo inteiro, sem qualquer pretensão de ser capaz de escolher a "melhor" e evitar a "pior" — superará a maioria dos fundos no longo prazo. (Se sua companhia não oferece um fundo de índice de baixo custo em sua conta 401(k), reúna seus colegas de trabalho e solicite que um fundo desse tipo seja incluído.) As despesas operacionais e de custeio mínimas, de 0,2% ao ano, e os custos de corretagem anuais de apenas 0,1% oferecem ao fundo de índice uma vantagem incomensurável. Se as ações gerarem, digamos, um retorno anualizado de 7% ao longo dos vinte anos seguintes, um fundo de índice de baixo custo, como o Vanguard Total Stock Market, gerará retornos pouco inferiores a 6,7%. (Isso transformaria um investimento de US$10.000 em mais de US$36.000.) No entanto, o fundo de ações médio, com despesas operacionais de 1,5% e custos de corretagem de cerca de 2%, precisará

---

4 Há uma segunda lição a ser aprendida aqui: para ser bem-sucedido, o investidor individual deve evitar comprar da mesma lista de ações favoritas que já foram escolhidas pelas grandes instituições ou deve ter mais paciência ao possuí-las. Ver Erik R. Sirri e Peter Tufano, "Costly Search and Mutual Fund Flows" [A busca custosa e os fluxos dos fundos mútuos], *The Journal of Finance,* v. 53, nº 8, outubro de 1998, p. 1589-1622; Keith C. Brown, W. V. Harlow e Laura Starks, "Of Tournaments and Temptations" [Sobre torneios e tentações], *The Journal of Finance,* v. 51, nº 1, março de 1996, p. 85-110; Josef Lakonishok, Andrei Shleifer e Robert Vishny, "What Do Money Managers Do?" [O que fazem os gestores de recursos?], Universidade de Illinois, fevereiro de 1997; Stanley Eakins, Stanley Stansell e Paul Wertheim, "Institutional Portfolio Composition" [A composição de carteiras institucionais], *Quarterly Review of Economics and Finance,* v. 38, nº 1, primavera de 1998, p. 93-110; Paul Gompers e Andrew Metrick, "Institutional Investors and Equity Prices" [Os investidores institucionais e os preços das ações], *The Quarterly Journal of Economics,* v. 116, nº 1, fevereiro de 2001, p. 229-260.

5 Surpreendentemente, essa ilustração *subdimensiona* a vantagem dos fundos de índice, uma vez que o banco de dados a partir do qual ela é tirada não inclui os registros de centenas de fundos que desapareceram ao longo desses períodos. Medida de forma mais precisa, a vantagem da indexação seria arrasadora.

FIGURA 9-2

O funil do desempenho dos fundos

Olhando retroativamente desde 31 de dezembro de 2002, quantos fundos de ações superaram o Vanguard 500 Index Fund?

Um ano:
1.186 entre 2.423 fundos (ou 48,9%)

Três anos:
1.157 entre 1.944 fundos (ou 59,5%)

Cinco anos:
768 entre 1.494 fundos (ou 51,4%)

Dez anos:
227 entre 728 fundos (ou 31,2%)

Quinze anos:
125 entre 445 fundos (ou 28,1%)

Vinte anos:
37 entre 248 fundos (ou 14,9%)

Fonte: Lipper Inc.

de muita sorte para render 3,5% ao ano. (Isso transformaria US$10.000 em pouco menos de US$20.000, ou *quase 50% menos* que o resultado do fundo de índice.)

Os fundos de índice possuem apenas um defeito grave: são enfadonhos. Você nunca poderá chegar a um churrasco e se gabar de possuir o fundo de melhor desempenho no país. Você nunca poderá vangloriar-se de ganhar do mercado, porque o objetivo de um fundo de índice é igualar o retorno do mercado, não excedê-lo. É improvável que o *gestor* de um fundo de índice "gire a roleta" e arrisque que a próxima grande indústria será o teletransporte ou as páginas na internet que emitem cheiros ou as clínicas de perda de peso por telepatia; o fundo sempre possuirá todas as ações, não apenas o melhor palpite de um gestor a respeito da próxima novidade. No entanto, à medida que os anos passam, a vantagem da indexação em termos de custos se acumula implacavelmente. Mantenha um fundo de índice durante vinte anos ou mais, acrescentando a ele dinheiro novo todo mês, e é quase certo que você conseguirá superar a vasta maioria dos investidores profissionais e individuais. Mais tarde em sua vida, Graham elogiava os fundos de índice como a melhor escolha para os investidores individuais, como faz Warren Buffett.[6]

COMO AUMENTAR AS PROBABILIDADES A SEU FAVOR

Se você somar todas as desvantagens, o que espanta não é que tão poucos fundos superem o índice, mas que qualquer um o faça. E, no entanto, alguns conseguem. Que qualidades eles têm em comum?

Seus gestores são os maiores acionistas. O conflito de interesse entre o que é melhor para o administrador de fundo e o que é melhor para seus investidores é mitigado quando o administrador está entre os maiores proprietários das ações do fundo. Algumas firmas, como a Longleaf Partners, proíbem inclusive que os empregados possuam qualquer aplicação que não seja em seus próprios fundos. Na Longleaf e em outras firmas, como a Davis e a FPA, os gestores possuem uma participação tão grande nos fundos que provavelmente gerenciam seu dinheiro como se fosse o deles, diminuindo assim as probabilidades de um aumento dos emolumentos, de deixar os fundos incharem até atingirem um tamanho gigantesco ou deixá-lo com uma conta de impostos monstruosa. A declaração de informações obrigatórias do fundo e a Declaração de Informações Adicionais, ambas disponíveis na Securities and Exchange Commission, através do banco de dados EDGAR em www.sec.gov, revela se os gestores possuem, pelo menos, 1% das ações do fundo.

---

6 Ver Benjamin Graham, *Benjamin Graham: Memoirs of the Dean of Wall Street* [Benjamin Graham: memórias do decano de Wall Street], Seymour Chatman (ed.) (McGraw-Hill, New York, 1996), p. 273, e Janet Lowe, *The Rediscovered Benjamin Graham: Selected Writings of the Wall Street Legend* [Benjamin Graham redescoberto: textos selecionados da lenda de Wall Street] (John Wiley & Sons, New York, 1999), p. 273. Conforme escreveu Warren Buffett em seu relatório anual de 1996: "A maioria dos investidores, tanto institucionais quanto individuais, descobrirá que a melhor forma de possuir ações ordinárias é através de um fundo de índice que cobra taxas mínimas. Aqueles que seguirem esse caminho certamente superarão os resultados líquidos (após deduzidas as taxas e despesas) gerados pela grande maioria de profissionais de investimento." (Ver www.berkshirehathaway.com/1996ar/1996.html.)

Eles são baratos. Um dos mitos mais comuns no ramo dos fundos é que "você recebe aquilo que pagou", ou seja, que os retornos altos são a melhor justificativa para taxas elevadas. Há dois problemas com esse argumento. O primeiro é que isso não é verdade; décadas de pesquisa provaram que os fundos com taxas mais altas ganham retornos *menores* ao longo do tempo. Em segundo lugar, retornos altos são temporários, enquanto encargos altos são quase tão permanentes quanto granito. Se você comprar um fundo por causa de seus retornos quentes, pode terminar com um punhado de cinzas frias, mas é quase certo que os custos de possuir o fundo não cairão à medida que seus retornos despencarem.

Eles ousam ser diferentes. Quando Peter Lynch dirigia a Fidelity Magellan, ele comprava tudo que lhe parecia barato, qualquer que fosse a posição dos gestores de outros fundos. Em 1982, seu maior investimento foi em títulos do tesouro; em seguida, transformou a Chrysler no principal componente de sua carteira, muito embora a maioria dos especialistas esperasse que a montadora de automóveis pedisse falência. Em 1986, Lynch aplicou quase 20% dos recursos da Fidelity Magellan em ações estrangeiras, como Honda, Norsk Hydro e Volvo. Portanto, antes de comprar um fundo de ações americano, compare a carteira listada em seu relatório mais recente com a lista do índice S&P 500; se elas forem muito parecidas, procure outro fundo.[7]

Eles fecharam a porta. Os melhores fundos, com frequência, são fechados a novos investidores, permitindo apenas que acionistas existentes invistam mais. Isso impede o assédio frenético de novos compradores que desejam entrar no jogo e protege o fundo do mal da elefantíase de ativos. É também um sinal de que os gestores do fundo não estão colocando as próprias contas bancárias à frente da sua. No entanto, o fechamento deve ocorrer antes — não após — de o fundo explodir de tão inflado. Algumas companhias com um histórico exemplar de trancarem as próprias portas são Longleaf, Numeric, Oakmark, T. Rowe Price, Vanguard e Wasatch.

Eles não se promovem. Da mesma forma que Platão diz em *A República* que os governantes ideais são aqueles que não desejam governar, os melhores gestores de fundos muitas vezes se comportam como se não quisessem seu dinheiro. Não aparecem constantemente na televisão financeira ou publicam

---

7 Uma lista completa das companhias constituintes do S&P 500 está disponível em www.standardandpoors.com.

anúncios se gabando de que são os maiorais. O consistente e pequeno Mairs & Power Growth Fund nem mesmo tinha uma página na internet até 2001 e ainda vende suas ações em apenas 24 estados. O Torray Fund nunca fez publicidade para o público em geral desde seu lançamento em 1990.

Com o que mais você deveria se preocupar? A maioria dos compradores de fundos foca primeiro no desempenho passado, depois na reputação do gestor, em seguida no nível de risco do fundo e, finalmente, nas despesas do fundo (se é que olham para isso).[8]

O investidor inteligente olha para as mesmas coisas, mas em ordem inversa.

Por serem muito mais previsíveis do que o risco ou retorno futuros, as despesas de um fundo deveriam ser seu primeiro filtro. Não existe uma boa razão para pagar mais do que os seguintes níveis de despesas operacionais anuais por categoria de fundo:

- obrigações tributáveis e municipais 0,75%
- ações americanas (ações grandes e de médio porte) 1,0%
- obrigações de alto rendimento (*junk bonds*) 1,0%
- ações americanas (ações de empresas menores) 1,25%
- ações estrangeiras 1,50%[9]

Em seguida, o investidor inteligente avalia o risco. Em seu prospecto de lançamento (ou no guia do comprador), cada fundo deve apresentar um gráfico de barras ilustrando seu pior prejuízo ao longo de um trimestre-calendário. Se você não aguenta perder, pelo menos, um volume igual de dinheiro em três meses, procure outro lugar. Vale a pena também verificar a classificação de fundos elaborada pela Morningstar. Essa importante firma de pesquisa de

---

8 Ver Noel Capon, Gavan Fitzsimons e Russ Alan Prince, "An Individual Level Analysis of the Mutual Fund Investment Decision" [Uma análise individual das decisões de investimento em fundos mútuos], *Journal of Financial Services Research*, v. 10, 1996, p. 59-82; Investment Company Institute, "Understanding Shareholders Use of Information and Advisers" [Como entender o uso pelos acionistas de informações e assessores], primavera, 1997, em www.ici.org/pdf/rpt_undstnd_share.pdf, p. 21; Gordon Alexander, Jonathan Jones e Peter Nigro, "Mutual Fund Shareholders: Characteristics, Investor Knowledge, and Sources of Information" [Os acionistas de fundos mútuos: características, conhecimento do investidor e fontes de informação], texto para discussão da OCC, dezembro de 1997, em www.occ.treas.gov/ftp/workpaper/wp97-13.pdf.

9 Os investidores podem procurar com facilidade fundos que atendem a esses critérios de despesa pelo uso das ferramentas de seleção de fundos em www.morningstar.com e http://money.cnn.com.

investimento estabelece uma classificação por "estrelas" para os fundos, com base no grau de risco que eles assumem para alcançar seus retornos (uma estrela é a pior, cinco é a melhor). No entanto, assim como o desempenho passado em si, essas classificações usam o espelho retrovisor; elas lhe dizem quais fundos eram melhores, não quais serão. Os fundos de cinco estrelas, na verdade, possuem um hábito desconcertante de posteriormente ter um desempenho inferior ao dos fundos de uma estrela. Portanto, primeiro encontre um fundo de custos baixos cujos gestores têm uma participação significativa no capital, que ouse ser diferente, que não fique comemorando seus retornos e mostre uma disposição de fechar o capital antes de ficar grande. Então, e somente então, consulte a classificação da Morningstar.[10]

Finalmente, ao olhar para o desempenho passado, lembre-se de que ele é apenas um previsor fraco dos retornos futuros. Como já vimos, os vencedores de ontem muitas vezes se tornam os perdedores de amanhã. Porém, os pesquisadores mostraram que uma coisa é quase certa: os perdedores de ontem quase nunca se tornam os vencedores de amanhã. Portanto, evite fundos que tenham registrado retornos consistentemente fracos no passado, sobretudo se possuírem despesas anuais acima da média.

O MUNDO FECHADO DOS FUNDOS DE CAPITAL FECHADO

Os fundos de ações de capital fechado (*closed-end*), embora populares durante a década de 1980, vagarosamente se atrofiaram. Hoje, existem apenas trinta fundos diversificados de ações americanas, muitos deles muito pequenos, negociando algumas centenas de ações por dia, com despesas altas e estratégias estranhas (como o Morgan Fun-Shares, especializado em ações das indústrias "formadoras de hábitos", como bebidas alcoólicas, cassinos e cigarros). Pesquisas realizadas pelo especialista em fundos fechados Donald Cassidy, da Lipper Inc., reforçam as observações anteriores feitas por Graham: os fundos de ações *closed-end* diversificados e negociados com deságio não apenas tendem a ter um desempenho melhor do que aqueles negociados com

10 Ver Matthew Morey, "Rating the Raters: An Investigation of Mutual Fund Rating Services" [Classificando os classificadores: uma investigação dos serviços de classificação de fundos mútuos], *Journal of Investment Consulting*, v. 5, nº 2, novembro/dezembro de 2002. Embora suas classificações com estrelas sejam um previsor fraco dos resultados futuros, a Morningstar é a melhor fonte isolada de informação sobre fundos para investidores individuais.

ágio, mas provavelmente terão um retorno superior ao de um fundo mútuo aberto médio. Lamentavelmente, no entanto, os fundos de ações *closed-end* diversificados nem sempre estão disponíveis com deságio nesse mercado que se tornou empoeirado e declinante.[11]

No entanto, existem centenas de fundos de títulos fechados, que possuem opções especialmente interessantes no campo das obrigações municipais. Quando esses fundos são negociados com deságio, seu rendimento aumenta, o que pode torná-los atraentes se as despesas anuais forem inferiores aos níveis listados anteriormente.[12]

A nova casta de fundos de índice negociados em bolsa (*exchange-traded funds*) pode valer a pena ser explorada também. Às vezes, esses "ETFs" de custo baixo oferecem o único meio pelo qual um investidor pode ingressar em um mercado restrito como, por exemplo, as companhias sediadas na Bélgica ou as ações da indústria de semicondutores. Outros ETFs oferecem uma exposição de mercado muito mais ampla. No entanto, eles em geral não são apropriados para investidores que desejem investir mais dinheiro regularmente, uma vez que a maioria dos corretores cobrará uma comissão separada por cada aplicação nova que você fizer.[13]

SABER A HORA DE CAIR FORA

Quando você já é proprietário de uma participação em um fundo, como saber a hora de vender? O conselho-padrão é livrar-se de um fundo se ele tiver um desempenho inferior ao mercado (ou a carteiras semelhantes) por um — ou dois? — ou três? — anos seguidos. Porém, esse conselho não faz sentido. Desde seu nascimento em 1970 até 1999, o Sequoia Fund teve um

---

11 Diferentemente dos fundos mútuos, um fundo *closed-end* não emite novas ações diretamente para qualquer um que deseje comprá-las. Em vez disso, um investidor precisa comprar ações não do fundo em si, mas de outro acionista que esteja disposto a se desfazer delas. Portanto, o preço das ações oscila acima e abaixo do valor líquido dos ativos, dependendo da oferta e da demanda.

12 Para obter mais informações, ver www.morningstar.com e www.etfconnect.com.

13 Ao contrário dos fundos mútuos de índice, os ETFs de índice estão sujeitos às comissões-padrão do mercado acionário quando você os compra e vende, sendo essas comissões muitas vezes aplicadas a compras adicionais ou aos dividendos reinvestidos. Mais detalhes sobre esse assunto podem ser encontrados em www.ishares.com, www.streettracks.com, www.amex.com e www.indexfunds.com.

desempenho inferior ao índice S&P 500 em 12 de seus 29 anos, ou mais de 41% do tempo. No entanto, o Sequoia subiu mais de 12.500% ao longo daquele período, comparados com os 4.900% do índice.[14]

O desempenho da maioria dos fundos cai simplesmente porque o tipo de ação que eles preferem sai de moda temporariamente. Se você contratou um gestor para investir de uma forma específica, por que despedi-lo por fazer aquilo que prometeu? Ao vender quando um estilo de investimento sai de moda, você não apenas garante o prejuízo, mas se priva da recuperação quase inevitável. Um estudo mostrou que os investidores em fundos mútuos se saíram pior do que os próprios fundos por 4,7 pontos percentuais anualmente, entre 1998 e 2001, simplesmente por comprar caro e vender barato.[15]

Portanto, quando você deve vender? Aqui estão alguns sinais de alerta incontestáveis:

- **uma mudança grande e inesperada de estratégia**, tal como um fundo de "valor" se entupir de ações de tecnologia em 1999 ou um fundo de "crescimento rápido" comprar toneladas de ações de seguradoras em 2002;
- **um aumento nas despesas**, sugerindo que os gestores estão forrando os próprios bolsos;
- **contas de impostos** grandes e frequentes geradas por um excesso de transações;
- **retornos repentinamente erráticos**, como acontece quando um fundo anteriormente conservador gera um grande prejuízo (ou até mesmo produz um lucro gigantesco).

Conforme diz o consultor de investimentos Charles Ellis, "se você não está preparado para continuar casado, não deveria *casar*".[16] Investir em um fundo não é diferente. Se você não estiver pronto para ficar com um fundo durante, pelo menos, três anos ruins, você não deveria comprá-lo nunca. A paciência é o aliado mais poderoso do investidor em fundos.

---

14 Ver o relatório para os acionistas datado de 30 de junho de 1999 da Sequoia em www.sequoiafund.com/Reports/Quarterly/SemiAnn99.htm. O Sequoia está fechado a novos investidores desde 1982, o que reforçou seu desempenho estupendo.

15 Jason Zweig, "What Fund Investors Really Need to Know" [O que os investidores em fundos realmente precisam saber], *Money*, junho de 2002, p. 110-115.

16 Ver a entrevista com Ellis em Jason Zweig, "Wall Street's Wisest Man" [O homem mais sagaz de Wall Street], *Money*, junho de 2001, p. 49-52.

POR QUE AMAMOS NOSSOS TABULEIROS DE OUIJA*

Acreditar na possibilidade — ou mesmo apenas ter a esperança — de selecionar os melhores fundos do futuro nos faz sentir melhor. Isso nos dá a sensação prazerosa de estar no controle de nosso destino como investidores. Esse sentimento de "estar no controle" faz parte da condição humana; é o que os psicólogos chamam de excesso de confiança. Aqui estão alguns exemplos de como esse fenômeno funciona:

- Em 1999, a revista *Money* perguntou a mais de quinhentas pessoas pessoas se suas carteiras haviam superado o mercado. Uma em quatro disse que sim. Quando solicitados a especificarem qual tinha sido seu retorno, no entanto, 80% desses investidores informaram ganhos *inferiores* ao do mercado. (Quatro por cento não tinham qualquer ideia de quanto suas carteiras haviam subido, mas estavam certos de haverem batido o mercado mesmo assim!)
- Um estudo sueco pediu a motoristas que haviam se envolvido em acidentes de automóvel sérios que classificassem a própria capacidade ao volante. Essas pessoas, incluindo algumas que a polícia havia apontado como culpadas por acidentes e outras que sofreram ferimentos graves e responderam à pesquisa da cama do hospital, insistiram em dizer que eram motoristas superiores à média.
- Em uma pesquisa realizada no fim de 2000, a *Time* e a CNN perguntaram a mais de mil potenciais eleitores se eles acreditavam estarem enquadrados entre o 1% da população com o maior nível de renda. Dezenove por cento colocaram-se entre o 1% mais rico dos americanos.
- No final de 1997, uma pesquisa com 750 investidores descobriu que 74% acreditavam que suas aplicações em fundos mútuos "iriam consistentemente superar o Standard & Poor's 500 todos os anos", muito embora a maioria dos fundos não consiga bater o S&P 500 no longo prazo e muitas não conseguiam em ano *algum*.[1]

Embora esse tipo de otimismo seja um sinal normal de uma psique saudável, isso não o torna uma boa política de investimentos. Faz sentido acreditar que você pode prever algo apenas se esse algo for realmente previsível. A menos que você seja realista, sua procura por autoestima acabará em autoderrota.

---

1 Ver Jason Zweig, "Did You Beat the Market?" [Você superou o mercado?], *Money*, janeiro de 2000, p. 55-58; pesquisa *Time*/CNN nº 15, 25-26 de outubro de 2000, pergunta nº 29.

* Quadro provido do alfabeto e outros símbolos utilizado para entrar em contato com espíritos ou fazer telepatia. (N.E.)

CAPÍTULO 10
O INVESTIDOR E SEUS ASSESSORES

O investimento financeiro é singular entre as operações comerciais, no sentido de que está quase sempre baseado, em alguma medida, na assessoria recebida de terceiros. Os investidores, em sua grande maioria, são amadores. Naturalmente, sentem que podem se beneficiar de uma orientação profissional na escolha de títulos para sua carteira. No entanto, existem peculiaridades inerentes ao próprio conceito de assessoria de investimento.

Se a razão para as pessoas investirem é ganhar dinheiro, então, ao buscar uma assessoria, elas estão pedindo a outros que lhes digam como ganhar dinheiro. Essa ideia contém um certo elemento de ingenuidade. Os empresários buscam assessoria profissional em vários aspectos de seus negócios, mas não esperam que lhes digam o que fazer para obterem lucro. Essa é a sua área de atividade. Quando eles, ou pessoas que não estão ligadas aos negócios, confiam em outros para obterem *lucros de investimento,* esperam um tipo de resultado para o qual não existe uma contrapartida verdadeira na prática comercial comum.

Se presumirmos que há resultados de *receita* normais ou padrões a serem obtidos com o investimento de dinheiro em valores mobiliários, então o papel do assessor pode ser mais facilmente determinado. Ele usará seu treinamento e sua experiência superiores para proteger seus clientes de erros e para se certificar de que obterão os resultados aos quais seu dinheiro fizer jus. Quando o investidor demanda um retorno acima da média para seu dinheiro ou quando seu assessor se compromete a alcançar um desempenho superior ao normal, surge a questão: está-se exigindo ou prometendo mais do que provavelmente se poderá cumprir?

A assessoria em investimentos pode ser obtida de várias fontes, as quais incluem: (1) um parente ou amigo, teoricamente conhecedor do mercado;

(2) um banco local (comercial); (3) uma corretora ou banco de investimento; (4) uma publicação ou um serviço financeiro; e (5) um assessor de investimentos.[1] O caráter heterogêneo dessa lista sugere que nenhuma abordagem lógica ou sistemática a essa questão se cristalizou, até hoje, nas mentes dos investidores.

Certas considerações de bom senso se relacionam com o critério de resultados normais ou padrões mencionados anteriormente. Nossa tese básica é a seguinte: se o investidor confiar principalmente nos conselhos de terceiros para administrar seus recursos, ele deve limitar suas operações a formas de investimento estritamente padrão, conservadoras e até mesmo não criativas, ou deve ter um conhecimento íntimo incomum e favorável da pessoa que dirigirá seus recursos para outros fins. No entanto, caso exista uma relação profissional ou de negócios entre o investidor e seus assessores, ele pode ser receptivo a sugestões *menos convencionais* apenas na medida em que ele mesmo tenha aumentado seu conhecimento e experiência e tenha se tornado competente para avaliar, de forma independente, as recomendações de terceiros. Ele terá então passado da categoria de investidor defensivo ou passivo para investidor agressivo ou ativo.

Assessoria de investimento e os serviços de administração de bens de terceiros prestados por bancos

Os assessores de investimento verdadeiramente profissionais — isto é, as firmas de assessoria de investimento estabelecidas, que cobram emolumentos anuais substanciais — são bastante modestas em suas promessas e pretensões. A maioria aplica os recursos de seus clientes em títulos padrão que rendem juros e dividendos e confiam, sobretudo, na experiência de investimento normal para obter seus resultados globais. De maneira geral, é duvidoso que mais de 10% do fundo total seja, a qualquer momento,

1 A lista de fontes de assessoria em investimentos permanece tão variada quanto era quando Graham escreveu. Uma pesquisa entre investidores, conduzida no final de 2002 para a Associação da Indústria de Valores Mobiliários — uma entidade de classe de Wall Street —, revelou que 17% deles dependiam, em grande medida, da assessoria de investimentos fornecida por um cônjuge ou amigo; 2% de um banqueiro; 16% de um corretor; 10% de publicações financeiras; e 24% de um planejador financeiro. A única diferença dos dias de Graham para os de hoje é que 8% dos investidores dependem muito da internet e 3% da televisão financeira. (Ver www.sia.com.)

investido em papéis que não sejam de companhias com grau de investimento, além de em obrigações do governo (incluindo papéis estaduais e municipais); nem existe um esforço sério por parte desses assessores para tirar vantagem dos movimentos do mercado como um todo.

As principais firmas de assessoria de investimento não se gabam de ser brilhantes; elas se orgulham de serem cautelosas, conservadoras e competentes. Seu objetivo primeiro é conservar o valor do principal ao longo dos anos e produzir uma taxa de retorno conservadoramente aceitável. Qualquer realização além dessa — e eles se esforçam para ultrapassar esse objetivo — é considerada por eles como um serviço extra bem prestado. Talvez o principal valor desse tipo de assessoria para seus clientes resida em protegê-los de erros custosos. Eles oferecem aquilo que o investidor defensivo tem direito de esperar de um assessor que atenda o público em geral.

O que dissemos sobre as firmas de assessoria de investimento estabelecidas se aplica, em geral, aos serviços de administração de bens e de assessoria (*trust departments*) de bancos grandes.[2]

Serviços financeiros

Os assim chamados serviços financeiros são organizações que enviam boletins uniformes (às vezes na forma de telegramas) a seus assinantes. Os assuntos cobertos por esses boletins podem incluir o estado e as perspectivas da economia, o comportamento e a previsão dos mercados de valores mobiliários, além de informações e assessoria com relação a papéis individuais. Existe, com frequência, um "departamento de consulta" que pode responder a questões que afetam assinantes individuais. O custo do serviço é, em geral, muito inferior aos emolumentos cobrados pelos assessores de investimento dos clientes individuais. Algumas organizações — principalmente a Babson's e a Standard & Poor's — operam, em níveis separados, como serviço financeiro e como assessoria de investimento.

---

2 A natureza das firmas de assessoria de investimentos e dos *trust departments* dos bancos não mudou, mas hoje, de forma geral, não oferecem seus serviços a investidores com menos de US$1 milhão em ativos financeiros; em alguns casos, US$5 milhões ou mais são exigidos. Hoje, milhares de firmas de planejamento financeiro independentes realizam funções muito semelhantes, embora (como observa o analista Robert Veres) o fundo mútuo tenha substituído as ações com grau de investimento como o investimento preferido, e a diversificação substituído a "qualidade" como padrão de segurança.

(Incidentalmente, outras organizações — tais como a Scudder, Stevens & Clark — operam separadamente como assessoria de investimento e como um ou mais fundos de investimento.)

Os serviços financeiros são voltados, como um todo, para um segmento do público muito diferente do alvo das firmas de assessoria de investimentos. Os clientes das últimas, em geral, desejam se livrar da preocupação e da necessidade da tomada de decisões. Os serviços financeiros oferecem informações e orientações àqueles que administram seus próprios investimentos ou mesmo àqueles que aconselham terceiros. Muitos desses serviços se restringem exclusivamente, ou quase exclusivamente, à previsão dos movimentos do mercado por meio de vários métodos "técnicos". Devemos descartá-los com a observação de que seu trabalho não envolve os "investidores", na forma como o termo é utilizado neste livro.

Por outro lado, alguns dos mais conhecidos — tais como a Moody's Investment Service e a Standard & Poor's — são identificados como organizações estatísticas que compilam dados estatísticos volumosos, os quais formam a base de estudos profundos do mercado de valores mobiliários. Esses serviços possuem uma clientela variada, abrangendo desde o investidor mais conservador ao especulador mais empedernido. Por isso, podem encontrar dificuldades em aderir a qualquer filosofia bem definida ou fundamental para chegarem às suas opiniões e recomendações.

É óbvio que os serviços há muito estabelecidos, do tipo da Moody's e outros, devem fornecer algo que valha a pena para uma classe ampla de investidores. O que seria isso? Grosso modo, eles abordam as questões nas quais o investidor-especulador ativo médio está interessado, sendo seus pontos de vista sobre essas questões vistos como categorizados ou, pelo menos, mais confiáveis do que aqueles do cliente não assessorado.

Por anos a fio, os serviços financeiros fizeram previsões acerca do mercado acionário sem que ninguém levasse muito a sério essa atividade. Como todo mundo no ramo, às vezes acertaram e às vezes não. Sempre que possível, esses serviços moderam suas opiniões para evitar o risco de serem considerados completamente errados. (Há uma arte bem desenvolvida de linguajar délfico que se ajusta com sucesso a tudo que o futuro trouxer.) De nossa perspectiva — talvez preconceituosa —, esse segmento de seu trabalho não tem real significância, exceto no que ele revela sobre o comportamento humano nos mercados de valores mobiliários. Quase todo mundo interessado em ações ordinárias deseja que lhe digam como o mercado se comportará. Havendo tal demanda, ela precisa ser atendida.

Suas interpretações e previsões das condições dos negócios, claro, são muito mais embasadas e informativas. Constituem parte importante do grande corpo de inteligência econômica que se espalha continuamente entre compradores e vendedores de títulos e que tende a criar preços razoavelmente racionais para as ações e obrigações na maioria das situações. Sem dúvida, o material publicado pelos serviços financeiros aumenta o repertório de informações disponíveis e reforça as avaliações de seus clientes sobre os investimentos.

É difícil avaliar as recomendações de papéis individuais. Cada serviço tem direito a ser julgado separadamente, e uma avaliação justa precisaria ser baseada em um estudo profundo e abrangente que cobrisse muitos anos. Em nossa experiência, observamos entre eles uma atitude enraizada, que, a nosso ver, tende a prejudicar o que poderia de outra forma ser um trabalho de assessoria mais útil. Trata-se da visão geral de que uma ação deveria ser comprada se as perspectivas da empresa no curto prazo fossem favoráveis e deveria ser vendida se essas condições fossem desfavoráveis — *qualquer que seja o preço atual*. Tal princípio superficial muitas vezes impede que os serviços façam o trabalho analítico sensato que suas equipes são capazes de fazer, a saber, verificar se uma dada ação parece super ou subvalorizada, se comparadas com o preço atual, à luz de sua capacidade de rendimento futuro a longo prazo.

O investidor inteligente não fará suas compras e vendas com base apenas nas recomendações recebidas de um serviço financeiro. Uma vez entendido esse ponto, o papel do serviço financeiro — de fornecedor de informações e sugestões torna-se útil.

Assessoria de corretoras

É provável que a maior parte do volume de informações e assessoria para o público que possui valores mobiliários venha das corretoras de ações. Essas corretoras são membros da Bolsa de Valores de Nova York, e de outras bolsas, que executam ordens de compra e venda em troca de uma comissão-padrão. Praticamente todas as casas que lidam com o público mantêm um departamento analítico ou de "estatísticas", o qual responde a perguntas e faz recomendações. Um grande volume de literatura analítica, parte da qual é bastante elaborada e cara, é distribuída gratuitamente aos fregueses das firmas, mais pomposamente chamados de clientes.

Dá-se muita importância à questão aparentemente inocente do nome mais apropriado ser "freguês" ou "cliente". Um negócio tem fregueses; um indivíduo ou uma organização profissional tem clientes. A fraternidade dos corretores de Wall Street tem provavelmente os padrões éticos mais elevados de qualquer *negócio*, mas ela ainda engatinha em direção aos padrões e ao status de uma profissão de verdade.[3]

No passado, Wall Street prosperou principalmente com a especulação, ficando os especuladores do mercado acionário, como um todo, quase certamente fadados a perderem dinheiro. Portanto, tem sido logicamente impossível para as corretoras operarem em bases puramente profissionais. Isso teria exigido que eles direcionassem seus esforços para reduzir seus negócios, ao invés de aumentá-los.

O máximo que certas corretoras fizeram — e mais não poderia ter sido esperado delas — foi se absterem de induzir ou encorajar qualquer um a especular. Tais casas se restringem a executar as ordens dadas a elas, fornecer informações e análises financeiras, além de dar opiniões sobre os méritos do investimento em certos títulos. Portanto, em teoria pelo menos, elas estão isentas de qualquer responsabilidade pelos lucros ou prejuízos de seus fregueses especuladores.[4]

A maioria das corretoras, no entanto, ainda adere ao velho lema de que sua função é ganhar comissões e que o caminho para o sucesso nos negócios é dar aos fregueses aquilo que desejam. Uma vez que os fregueses mais lucrativos desejam assessoria e sugestões especulativas, o pensamento e as atividades da corretora típica estão muito intimamente ligados à operação diária do mercado. Portanto, ela faz um grande esforço para ajudar seus

---

3 De modo geral, Graham foi o observador mais duro e cínico jamais visto em Wall Street. Nesse caso raro, no entanto, ele não foi suficientemente cínico. Wall Street pode ter padrões éticos mais elevados do que *alguns* negócios (contrabando, prostituição, *lobby* do Congresso e jornalismo são alguns dos que vêm à mente), mas o mundo dos investimentos, não obstante, inclui um número suficiente de mentirosos, trapaceadores e ladrões para manter os responsáveis pela admissão ao inferno freneticamente ocupados por décadas a fio.

4 Os milhares de pessoas que compraram ações no final da década de 1990 na crença de que os analistas de Wall Street estavam fornecendo conselhos imparciais e valiosos aprenderam, de forma dolorosa, como Graham estava certo neste ponto.

fregueses a ganhar dinheiro com uma atividade regida por leis da matemática que, ao fim, os condena a perder.[5] Em outras palavras, queremos dizer que a parte especulativa de suas operações não pode ser lucrativa, a longo prazo, para a maioria dos fregueses das casas de corretagem. Porém, na medida em que essas operações se assemelharem a investimentos verdadeiros, elas podem produzir ganhos de investimentos que mais do que compensam as perdas especulativas.

O investidor obtém assessoria e informações das corretoras por meio de dois tipos de empregado, hoje conhecidos oficialmente como "corretores pessoais" (ou "gerentes de conta") e analistas financeiros.

O corretor pessoal, também chamado de "representante registrado", carrega formalmente o título menos digno de "homem do freguês". Hoje, em grande parte, são indivíduos de bom caráter e considerável conhecimento sobre os valores mobiliários e que operam de acordo com um código rígido de conduta. Mesmo assim, já que seu negócio é ganhar comissões, é difícil que não tenham uma mentalidade especulativa. Portanto, o comprador de títulos que deseja evitar ser influenciado por considerações especulativas terá, em geral, de ser cauteloso e explícito ao lidar com seu corretor pessoal; ele precisará mostrar claramente, por meio de palavras e atos, que não está interessado em nada que, nem de longe, pareça uma "dica" do mercado acionário. Assim que o corretor pessoal entender claramente que tem um investidor real em suas mãos, ele respeitará esse ponto de vista e cooperará com ele.

O analista financeiro, anteriormente conhecido como analista de valores mobiliários, é uma pessoa com a qual este autor se preocupa especificamente, por ter o próprio desempenhado essa função durante mais de cinco décadas e ter ajudado a educar muitos outros. Nessa altura, nos referimos apenas aos analistas financeiros empregados pelas casas de corretagem. A função do analista de valores mobiliários pode ser deduzida a partir do

---

5 É curioso que essa crítica contundente, que Graham dirigia aos corretores tradicionais, acaba se dirigindo às corretoras de desconto da internet no final da década de 1990. Essas firmas gastaram milhões de dólares em publicidade berrante que incitava seus fregueses a negociar mais e mais rápido. A maioria daqueles fregueses terminou esvaziando os próprios bolsos, em vez de pagar a um terceiro para fazer isso por eles, sendo as comissões baratas sobre aqueles tipos de transações uma consolação fraca para os resultados. As firmas de corretagem mais tradicionais, no entanto, começaram a enfatizar o planejamento financeiro e a "gestão integrada de ativos", em vez de compensar seus corretores apenas com base no valor das comissões geradas.

título de seu cargo. É ele quem prepara os estudos detalhados de papéis individuais, desenvolve comparações cuidadosas de vários papéis em um mesmo ramo e forma uma opinião especializada da segurança ou atratividade ou valor intrínseco dos diferentes tipos de ações e títulos.

No que pode parecer uma idiossincrasia para o não-iniciado, não há exigências formais para se tornar um analista de títulos. Compare esse fato com a necessidade de o corretor pessoal ser aprovado em um exame, atender aos testes de caráter e ser devidamente aceito e registrado pela Bolsa de Valores de Nova York. Do ponto de vista prático, quase todos os analistas jovens receberam treinamento extensivo em escolas de administração e os mais antigos adquiriram o equivalente, pelo menos, na escola da vida. Na grande maioria dos casos, pode-se esperar que as corretoras que os empregam assegurem-se das qualificações e da competência de seus analistas.[6]

O freguês de uma firma de corretagem pode lidar com os analistas de valores mobiliários diretamente ou seu contato pode ser indireto, ou seja, por meio do corretor pessoal. Em qualquer caso, o analista está disponível ao cliente para fornecer uma quantidade considerável de informações e conselhos. Façamos aqui uma afirmação enfática. O valor do analista de valores mobiliários para o investidor depende, em grande medida, da própria atitude do investidor. Se o investidor fizer as perguntas certas ao analista, provavelmente obterá respostas corretas ou, pelo menos, valiosas. Estamos convencidos de que os analistas contratados pelas corretoras sofrem da grande desvantagem de haver um sentimento geral de que supostamente são também analistas de mercado. Quando lhes perguntam

---

6 Essas observações permanecem verdadeiras, embora muitos dos melhores analistas de Wall Street mantenham o título de analista financeiro credenciado. O certificado de CFA é emitido pela Association of Investment Management & Research [Associação de Gestão e Pesquisa de Investimentos] (anteriormente, Financial Analysts Federation [Federação de Analistas Financeiros]) somente após o candidato ter completado anos de estudo rigoroso e ter sido aprovado em uma série de exames difíceis. Mais de cinquenta mil analistas no mundo inteiro foram certificados como CFAs. Infelizmente, uma pesquisa recente, realizada pelo prof. Stanley Block, revelou que a maioria dos CFAs ignora os ensinamentos de Graham: o crescimento potencial ocupa uma posição mais alta do que a qualidade dos rendimentos, os riscos e a política de dividendos na determinação da razão P/L, enquanto um número muito maior de analistas baseia suas classificações de compra mais no preço recente do que nas perspectivas de longo prazo da companhia. Ver Stanley Block, "A Study of Financial Analysts: Practice and Theory" [Um estudo dos analistas financeiros: prática e teoria], *Financial Analysts Journal,* julho/agosto de 1999, em www.aimrpubs.org. Como Graham gostava de dizer, seus próprios livros foram lidos — e ignorados — por mais pessoas do que quaisquer outros livros sobre finanças.

se uma determinada ação ordinária é "sólida", a questão muitas vezes significa "é provável que essa ação suba nos próximos meses?". Em consequência, muitos deles são compelidos a fazer suas análises com um olho nas cotações do mercado, uma postura que não conduz a um pensamento sensato ou a conclusões que valham a pena.[7]

Na próxima seção deste livro, trataremos de alguns dos conceitos e realizações possíveis da análise de valores mobiliários. Muitos dos analistas que trabalham para corretoras de ações podem ser fontes de auxílio valioso para o investidor legítimo que deseja se certificar de que obtém um valor justo e, possivelmente, um pouco mais por seu dinheiro. Como no caso do corretor pessoal, é necessário que o analista entenda claramente, desde o início, as atitudes e os objetivos do investidor. Após o analista se convencer de que está lidando com um indivíduo focado no valor e não nas cotações, há uma excelente chance de que suas recomendações sejam de real benefício.

O certificado CFA para analistas financeiros

Um passo importante foi dado em 1963 para atribuir status e responsabilidade profissionais aos analistas financeiros. O título oficial de analista financeiro credenciado (CFA, na sigla em inglês) é agora concedido àqueles praticantes graduados aprovados em exames compulsórios e que atendem a outros testes de probidade.[1] As matérias abrangidas incluem a análise de valores mobiliários e a gestão de carteiras. A analogia com o título profissional, há muito estabelecido, de contador público credenciado (CPA, na sigla em inglês) é evidente e intencional. Esse mecanismo relativamente novo de reconhecimento e controle deverá servir para elevar os padrões

---

7 É muito pouco comum hoje em dia que um analista de valores mobiliários permita que o público o contate diretamente. Em geral, é permitido que apenas uma elite de investidores institucionais seja autorizada a se aproximar dos tronos daquelas excelências exaltadas que são os analistas de Wall Street. Um investidor individual poderia talvez ter a sorte de falar com analistas que trabalham em firmas de corretagem "regionais" sediadas fora da cidade de Nova York. A área de relações com investidores das páginas da internet da maioria das companhias negociadas publicamente fornecerá uma lista dos analistas que acompanham a ação. As páginas da internet como a www.zacks.com e a www.multex.com oferecem acesso a relatórios de pesquisa de analistas, mas o investidor inteligente deve lembrar que a maioria dos analistas não analisa os negócios. Em vez disso, faz um exercício de adivinhação acerca dos preços futuros das ações.

dos analistas financeiros e, por fim, colocar seu trabalho em bases verdadeiramente profissionais.[8]

Como lidar com corretoras

Uma das novidades mais inquietantes do período durante o qual escrevemos esta revisão foram as dificuldades financeiras — mais especificamente, falências ou quase falências — de um número bastante elevado de firmas da Bolsa de Valores de Nova York, incluindo pelo menos duas de tamanho substancial.[9] Essa é a primeira vez em mais de cinquenta anos que tal coisa acontece e é alarmante por mais de um motivo. Ao longo de muitas décadas, a Bolsa de Valores de Nova York tem procurado obter um controle mais rígido e estreito das operações e condições financeiras de seus membros, incluindo exigências mínimas de capital, auditorias sem aviso prévio etc. Além disso, tivemos 37 anos de controle sobre as bolsas e seus membros pela SEC. Finalmente, a indústria de corretagem de ações em si operou sob condições favoráveis, a saber, um grande aumento de volume, taxas de comissão mínimas fixas (eliminando, em grande parte, a concorrência que cobrava emolumentos) e um número limitado de firmas membros.

Os primeiros problemas financeiros das corretoras (em 1969) foram atribuídos ao aumento do volume em si. Esse fato, alegou-se, teria excedido a capacidade de suas infraestruturas, aumentado os custos fixos e criado muitos problemas na liquidação financeira. Cabe destacar que essa foi, provavelmente, a primeira vez na história que empresas importantes quebraram por terem mais negócios do que conseguiam administrar. Em 1970, à medida que aumentaram as quebras de corretoras, estas foram atribuídas principalmente à "queda no volume". Uma reclamação estranha

---

8 Benjamin Graham foi a força principal por trás do poder do programa CFA, o qual defendeu por quase duas décadas antes de ele se tornar uma realidade.

9 As duas firmas que Graham tinha em mente eram provavelmente a Du Pont, Glore, Forgan & Co. e a Goodbody & Co. A Du Pont (fundada pelos herdeiros da fortuna química) foi salva da insolvência em 1970 somente após o empresário texano H. Ross Perot emprestar mais de US$50 milhões para a firma; a Goodbody, quinta maior firma de corretagem dos Estados Unidos, teria quebrado em 1970 se a Merril Lynch não a tivesse comprado. A Hayden, Stone & Co. também teria tido o mesmo destino não tivesse também sido adquirida. Em 1970, não menos que sete firmas de corretagem quebraram. A história ridícula da expansão frenética de Wall Street no final da década de 1960 é contada de forma apaixonante por John Brooks em seu livro *The Go-Go Years* [Os anos frenéticos] (John Wiley & Sons, Nova York, 1999.)

quando lembramos que o volume total negociado na Bolsa de Nova York em 1970 totalizou 2.937 milhões de ações, o *maior* volume de sua história e mais de duas vezes superior ao de qualquer ano anterior a 1965. Durante os 15 anos de mercado de alta encerrados em 1964, o volume anual foi de "apenas" 712 milhões de ações — um quarto do número de 1970 —, mas o ramo da corretagem havia gozado a maior prosperidade de sua história. Se, como parece, as firmas membros como um todo haviam permitido que suas despesas fixas e outras despesas aumentassem a uma taxa que seria insustentável mesmo em face de uma redução pequena do volume em parte de um ano, isso não constitui uma demonstração positiva de sua capacidade administrativa ou seu conservadorismo financeiro.

Uma terceira explicação dos problemas financeiros finalmente emergiu de uma névoa de ocultação, e suspeitamos que essa é a mais plausível e significativa das três. Parece que boa parte do capital de certas casas de corretagem era constituído de ações ordinárias de propriedade dos sócios individuais. Algumas dessas ações parecem ter sido altamente especulativas e avaliadas a valores inflados negociando com casas de corretagem. Quando o mercado declinou em 1969, as cotações de tais títulos caíram drasticamente e uma parte substancial do capital das firmas sumiu junto com elas.[II] Na verdade, os sócios estavam especulando com o capital, o qual teoricamente deveria proteger seus clientes contra os perigos financeiros comuns do ramo de corretagem, para obter um lucro duplo. Essa conduta é imperdoável; nos abstemos de falar mais sobre esse caso.

O investidor deveria usar sua inteligência não apenas para formular sua política financeira, mas também os detalhes a ela associados, os quais incluem a escolha de um corretor que goze de boa reputação para executar suas ordens. Até agora, foi suficiente aconselhar nossos leitores a lidar apenas com membros da Bolsa de Valores de Nova York, a menos que tivessem razões fortes para usar uma firma não-membro. Relutantemente, devemos acrescentar um conselho adicional nessa área. Pensamos que as pessoas que não possuem contas de margem — e em nosso vocabulário isso significa *todos* os *investidores* não-profissionais — deveriam ter a entrega e o recebimento de seus títulos administrados por seu banco. Ao dar uma ordem de compra a seu corretor, você pode instruí-lo a entregar os títulos comprados ao banco contra o pagamento correspondente pelo banco; de forma inversa, ao vender, você pode instruir seu banco a entregar os títulos a um corretor contra o pagamento da receita. Esses serviços custarão um pouco mais, mas a despesa valerá a pena em termos de segurança e paz de espírito. Esse conselho pode ser desconsiderado, por ser desnecessário, após o investidor estar seguro de que todos os problemas das corretoras tenham sido resolvidos, mas não antes disso.[10]

Bancos de investimento

O termo "banco de investimento" se aplica às firmas que se envolvem, de forma significativa, na organização, subscrição e venda de lançamentos de ações e obrigações. (Subscrição significa garantir a uma companhia ou a outra entidade emissora que o título será inteiramente vendido.) Várias corretoras têm alguma participação nas atividades de subscrição. Em geral, essa participação é restrita a grupos de subscrição organizados por bancos de investimentos importantes. Há uma tendência adicional para as corretoras originarem e patrocinarem um volume pequeno de financiamentos de lançamentos de papéis, principalmente na forma de lançamentos de pequeno porte de ações ordinárias quando um mercado de alta está em plena efervescência.

Os bancos de investimento são talvez o segmento mais respeitado da comunidade de Wall Street, já que é aqui que as finanças desempenham seu papel construtivo de fornecer capital novo para a expansão da indústria. Na verdade, boa parte da justificativa teórica para a existência dos mercados acionários ativos, a despeito de seus frequentes excessos especulativos, reside no fato de que as bolsas de valores organizadas facilitam o lançamento de obrigações e ações. Se os investidores ou especuladores não puderem contar com um mercado líquido para absorver os títulos novos a eles oferecidos, é possível que se recusem a comprá-los.

10 Quase todas as transações das corretoras são agora conduzidas eletronicamente, e os títulos não são mais fisicamente "entregues". Graças ao estabelecimento da Securities Investor Protection Corporation [Corporação de Proteção ao Investidor em Títulos], ou SIPC, na sigla em inglês, em 1970, os investidores têm, em geral, a certeza de recuperar seu investimento total se sua corretora se tornar insolvente. O SIPC é um consórcio de corretores que recebeu um mandato do governo; todos os membros concordam em reunir seus ativos em um fundo comum para cobrir as perdas incorridas pelos clientes de qualquer firma que se torne insolvente. A proteção da SIPC elimina a necessidade de os investidores fazerem pagamentos e efetuarem o recebimento por meio de um banco intermediário, como insiste Graham.

A relação entre o banco de investimento e o investidor é basicamente igual àquela entre o vendedor e o comprador em potencial. Por muitos anos, grande parte das novas ofertas consistiu no lançamento de títulos que foram comprados sobretudo por instituições financeiras, tais como bancos e companhias de seguro. Nesse ramo, os vendedores de títulos lidam com compradores astutos e experientes. Portanto, qualquer recomendação feita pelos bancos de investimento a tais clientes precisa passar por um crivo cuidadoso e cético. Logo, essas transações são quase sempre efetuadas de igual para igual.

Porém, uma situação diferente ocorre na relação entre o comprador de títulos *individual* e os bancos de investimento, incluindo as corretoras que agem como subscritoras. Nesse caso, o comprador é frequentemente inexperiente e pouco astuto. Ele é facilmente influenciado por aquilo que o vendedor lhe diz, sobretudo no caso dos lançamentos de ações ordinárias, uma vez que muitas vezes seu desejo não confesso na hora da compra é sobretudo obter um lucro rápido. O resultado de tudo isso é que a proteção do investidor de mercado reside menos em sua própria capacidade crítica do que nos escrúpulos e na ética das casas subscritoras.[III]

A capacidade de conciliar razoavelmente bem os papéis discordantes de assessor e vendedor constitui um tributo à honestidade e à competência das firmas subscritoras. No entanto, é imprudente para o comprador confiar no julgamento do vendedor. Em 1959, afirmamos a essa altura: "Os resultados ruins dessa atitude insensata apresentam-se recorrentemente no ramo das subscrições e com efeitos notáveis na venda de lançamentos de ações ordinárias durante períodos de especulação ativa." Logo em seguida, essa advertência provou-se urgentemente necessária. Como já apontado, os anos de 1960-61 e, novamente, 1968-69 foram marcados por uma avalanche sem precedentes de lançamentos da mais baixa qualidade, vendidos ao público a preços absurdamente altos e, em muitos casos, empurrados muito mais alto ainda pela especulação imprudente e por uma certa semimanipulação. Várias das casas mais importantes de Wall Street participaram, em certa medida, dessas atividades dignas de pouco crédito, as quais demonstraram que a combinação familiar de ganância, insensatez e irresponsabilidade não foi exorcizada da cena financeira.

O investidor inteligente prestará atenção aos conselhos e recomendações recebidos dos bancos de investimento, sobretudo aqueles conhecidos por ele como dotados de uma excelente reputação, mas precisará compará-los com uma avaliação sensata e independente de sua própria autoria, se for competente para tal, assim como nas fornecidas por algum outro tipo de assessor.[11]

Outros assessores

É um velho e bom costume, sobretudo em cidades pequenas, consultar um banqueiro local sobre investimentos. Um banqueiro comercial pode não ser um especialista em investimentos financeiros, mas tem experiência e é conservador. Ele é, sobretudo, útil para o investidor inexperiente, que muitas vezes é tentado a se desviar do caminho reto e pouco emocionante de uma política defensiva e que precisa da influência constante de uma mente prudente. O investidor mais alerta e agressivo, que busca assessoria na seleção de títulos a preços convidativos, raramente achará o ponto de vista do banqueiro comercial talhado para seus objetivos.[12]

Assumimos uma atitude mais crítica com relação ao costume amplamente disseminado de solicitar assessoria sobre investimentos a parentes ou amigos. O solicitante sempre acha que tem boas razões para presumir que a pessoa consultada possui experiência ou conhecimentos superiores aos seus. Porém, nossa própria experiência indica que é quase tão difícil selecionar satisfatoriamente assessores leigos quanto selecionar os títulos apropriados sem ajuda. Muitos maus conselhos são fornecidos gratuitamente.

Resumo

Os investidores dispostos a pagar uma taxa pela gestão de seus recursos podem com segurança selecionar alguma firma de assessoria de investimentos estabelecida e bem recomendada. Outra alternativa é utilizar o departamento de investimentos de uma grande administradora de bens ou o serviço de supervisão, fornecido mediante pagamento de honorários, de

---

11 Aqueles que seguiram os conselhos de Graham não foram enganados para comprar IPOs de internet em 1999 e 2000.

12 Esse papel tradicional dos banqueiros foi assumido, em grande parte, por contadores, advogados ou planejadores financeiros.

várias corretoras importantes da Bolsa de Valores de Nova York. Os resultados a serem esperados não são excepcionais, porém equivalentes aos da média dos investidores bem informados e cautelosos.

A maioria dos compradores de valores mobiliários obtém assessoria sem pagar por ela de forma específica. Portanto, é lógico que, na maioria dos casos, eles não tenham direito a resultados melhores que a média e tampouco devam esperá-los. Eles devem ter cautela com todas as pessoas, sejam elas corretores pessoais ou vendedores de títulos, que prometem rendimentos ou lucros espetaculares. Isso se aplica tanto à seleção de títulos quanto à orientação na arte difícil (e talvez ilusória) de operar no mercado.

Em geral, os investidores defensivos, conforme nossa definição, não estarão equipados para fazer uma avaliação independentemente das recomendações de investimentos feitas por seus assessores. No entanto, podem declarar de forma explícita — e até mesmo repetitiva — o tipo de papel que desejam comprar. Se seguirem nossa receita, esses investidores se restringirão às obrigações de alta qualidade e às ações ordinárias para investidores defensivos de companhias importantes, preferencialmente aquelas que podem ser compradas em níveis de preços individuais que não são altos à luz da experiência e da análise. O analista de títulos de qualquer corretora de valores respeitada pode preparar uma lista apropriada de tais ações ordinárias e informar ao investidor, com base em sua experiência nesse campo, se os níveis de preço atuais são razoavelmente conservadores.

Em geral, o investidor agressivo cooperará ativamente com seus assessores. Ele desejará que as recomendações deles sejam explicadas em detalhes e insistirá em revelar suas próprias avaliações. Isso significa que o investidor ajustará suas expectativas e a natureza de suas operações com títulos à evolução de seu próprio conhecimento e experiência no campo. Apenas em casos excepcionais, nos quais a integridade e a competência dos assessores tenham sido plenamente demonstradas, o investidor deve agir de acordo com o conselho de terceiros sem entender e aprovar a decisão tomada.

Sempre existiram vendedores de ações sem princípios e corretores de ações pouco escrupulosos, portanto — como questão de princípio — avisamos aos leitores para restringirem suas transações, se possível, aos membros da Bolsa de Valores de Nova York. No entanto, somos relutantemente compelidos a acrescentar conselhos ainda mais cautelosos no sentido de que a entrega de títulos e os pagamentos sejam feitos por intermédio do banco do investidor. O quadro aflitivo das corretoras de Wall Street pode se resolver completamente em poucos anos, porém, no final de 1971, ainda sugerimos: "Melhor um pássaro na mão do que dois voando."

COMENTÁRIOS AO CAPÍTULO 10

Sinto-me grato pela serviçal milesiana que, ao ver o filósofo Tales gastando seu tempo continuamente na contemplação dos céus, sempre olhando para cima, colocou algo em seu caminho para fazê-lo tropeçar, para lembrá-lo de que o tempo para ocupar seus pensamentos com as coisas dos céus viria após ele ter resolvido as coisas da terra. Na verdade, ela lhe deu um bom conselho, olhar para si em vez de para o céu.

Michel de Montaigne

VOCÊ PRECISA DE AJUDA?

Nos gloriosos dias do final da década de 1990, muitos investidores decidiram agir sozinhos. Ao pesquisarem por conta própria, escolherem ações sozinhos e fazerem operações de compra e venda através de um corretor on-line, esses investidores dispensaram a dispendiosa infraestrutura de pesquisa, assessoria e negociação de Wall Street. Infelizmente, muitos desses adeptos da bricolagem afirmaram sua independência um pouco antes do pior mercado de baixa desde a Grande Depressão, fazendo com que se sentissem, no fim, tolos por haverem agido sozinhos. Isso não é necessariamente verdade, claro; as pessoas que delegaram todas as decisões a um corretor tradicional também perderam dinheiro.

No entanto, muitos investidores apreciam a experiência, a sabedoria e a segunda opinião que um bom assessor financeiro pode oferecer. Alguns investidores podem precisar de um terceiro para lhes mostrar qual a taxa de retorno que precisam ganhar com seus investimentos ou quanto dinheiro adicional precisam guardar para atingirem seus objetivos financeiros. Outras pessoas podem simplesmente se beneficiar de terem alguém para culpar quando seus investimentos caírem; dessa forma, em vez de ficarem se roendo por causa da agonia da dúvida, criticam alguém que pode se defender e motivá-las ao mesmo tempo. Isso pode fornecer o estímulo psicológico que necessitam para manter seus investimentos constantes nas horas em que o coração de outros investidores falha. Em resumo, assim como não há razão para que você não consiga gerenciar sua própria carteira, também não há razão para sentir vergonha por procurar ajuda profissional para fazê-lo.[1]

Como saber se você precisa de ajuda? Aqui estão alguns sinais:

Prejuízos grandes. Se sua carteira perdeu mais de 40% do valor desde o início de 2000 até o final de 2002, então você se saiu ainda pior do que o desempenho pífio do mercado acionário em si. Não importa muito se isso aconteceu porque você foi preguiçoso, imprudente ou apenas azarado; após tal perda gigantesca, sua carteira clama por ajuda.

Orçamentos estourados. Se você luta constantemente para fechar as contas, não tem a menor ideia do destino de seu dinheiro, acha impossível poupar dinheiro de forma regular e cronicamente deixa de pagar suas contas em dia, então suas finanças estão fora de controle. Um assessor pode ajudá-lo a controlar seu dinheiro ao elaborar um planejamento financeiro abrangente que delineará como — e quanto — você deve gastar, emprestar, poupar e investir.

Carteiras caóticas. No final da década de 1990, muitos investidores acreditavam estar diversificando ao possuírem 39 ações de internet "diferentes" ou sete fundos de ações americanas de crescimento rápido "diferentes". Porém, essa forma de pensar é igual a imaginar que um coro composto apenas de sopranos consegue cantar "Old Man River" melhor do que um soprano solista. Não importa quantos sopranos forem acrescentados, o coro nunca será capaz de atingir todas as notas baixas exigidas, a não ser que um barítono se junte ao grupo. Da mesma forma, se todos os seus ativos sobem e descem em conjunto, você perde a harmonia do investimento trazida pela verdadeira diversificação. Um plano profissional de "alocação de ativos" pode ajudar.

Grandes mudanças. Se você se tornou autônomo e precisa fazer um plano de aposentadoria, se seus pais idosos não têm as finanças em ordem ou se a educação universitária de seus filhos parece muito cara, um assessor pode fornecer não apenas paz de espírito, mas também ajudá-lo a conseguir melhorar, de forma genuína, sua qualidade de vida. E mais: um profissional qualificado pode garantir que você se beneficiará da assombrosa complexidade da legislação tributária e das regras de aposentadoria e as cumpra.

---

1 Para ler uma discussão instigante sobre essas questões, ver Walter Updegrave, "Advice on Advice" [Conselhos sobre conselhos], *Money*, janeiro de 2003, p. 53-55.

CONFIE E, EM SEGUIDA, VERIFIQUE

Lembre-se de que os golpistas financeiros prosperam sempre que o convencem a depositar confiança neles e que o desestimulem a investigá-los. Antes de colocar seu futuro financeiro nas mãos de um assessor, é fundamental que você encontre alguém que não apenas o deixe à vontade, mas que também tenha uma reputação acima de qualquer suspeita. Como Ronald Reagan costumava dizer: "Confie e, em seguida, verifique." Comece pensando nas pessoas que você conhece bem e em quem confia. Depois, peça que lhe indiquem um assessor em quem *elas* confiam e que apresente uma boa relação custo/benefício: um voto de confiança de alguém que você admira é um bom começo.[2]

Com os nomes do assessor e de sua firma em mãos, assim como sua área de especialização, pense: Ele é um corretor de ações? Planejador financeiro? Contador? Agente de seguros? Você pode começar sua própria avaliação detalhada. Digite o nome do assessor e de sua firma no campo de um *site* de busca, como o Google, para ver se aparece algo sobre eles (procure termos como "multa", "reclamação", "processo legal", "ação disciplinar" ou "suspensão"). Se o assessor for um corretor de ações ou de seguros, entre em contato com a agência estadual reguladora do mercado de valores mobiliários (há uma lista conveniente de *links* on-line em www.nasaa.org) para averiguar se foram instauradas quaisquer ações disciplinares ou registradas reclamações de clientes contra ele.[3] Se você estiver pensando em um contador que também funciona como um assessor financeiro, o órgão estadual regulador dos contadores (os quais podem ser encontrados por meio da National Association of State Boards of Accountancy [Associação Nacional dos Conselhos Regionais de Contabilidade] em www.nasba.org) lhe dirá se seu registro está limpo.

Os planejadores financeiros (ou suas firmas) precisam se registrar na SEC ou no órgão regulador do mercado de valores mobiliários do estado em que prestam serviços. Como parte dos requisitos, o assessor deve registrar um documento em duas partes chamado Formulário ADV. Você pode vê-lo e baixá-lo em

---

2 Se não puder obter uma referência de alguém em quem confia, você pode encontrar um planejador financeiro de custo fixo em www.napfa.org (ou www.feeonly.org), cujos membros são íntegros e, em geral, oferecem um padrão elevado de serviços.

3 Por si só, a reclamação de um cliente não é suficiente para desqualificar um assessor, mas um padrão persistente de reclamações, sim. Uma ação disciplinar por parte de reguladores estaduais ou federais nos diz que devemos procurar outro assessor. Uma outra fonte para verificar o registro de um corretor é http://pdpi.nasdr.com/PDPI.

www.advisorinfo.sec.gov, www.iard.com ou na página de seu regulador de títulos estadual. Preste bastante atenção às Disclosure Reporting Pages [Páginas de Relatórios de Revelação], onde o assessor deve revelar quaisquer ações disciplinares impostas por reguladores. (Como alguns assessores inescrupulosos são conhecidos por retirarem essas páginas antes de entregarem um ADV ao cliente em potencial, você deve obter uma cópia completa, de forma independente.) É uma boa ideia fazer uma verificação cruzada do registro do planejador financeiro em www.cfp-board.org, pois alguns planejadores que foram disciplinados fora de seu estado de domicílio podem escapar dos reguladores. Para obter mais dicas sobre como fazer uma avaliação rigorosa, ver boxe a seguir.

AVISOS

A necessidade de uma avaliação rigorosa não cessa quando se contrata um assessor. Melanie Senter Lubin, comissionária de valores mobiliários do estado de Maryland, sugere que fiquemos em alerta para certas palavras e frases que podem significar problemas. Se seu assessor insiste em dizê-las — ou em forçá-lo a fazer algo que não o deixa à vontade —, "então entre em contato com as autoridades assim que possível", avisa Lubin. Aqui está o tipo de jargão que faz soar as campainhas de alarme:

- "paraíso fiscal"
- "a oportunidade de sua vida"
- "banco com grau de investimento"
- "Essa criança vai crescer"
- "garantido"
- "você precisa correr"
- "É certo"
- "nosso modelo de computador exclusivo"
- "o dinheiro esperto está comprando este papel"
- "estratégia de opções"
- "é uma barbada"
- "você não pode se dar ao luxo de perder isso"
- "Nós podemos superar o mercado"
- "Você vai se arrepender de não ter feito..."
- "exclusivo"
- "você deve focar no desempenho, não nos honorários"
- "Você não quer ficar rico?"
- "não pode dar errado"
- "o potencial de subida é enorme"
- "Não há chance de baixa"
- "Estou colocando minha mãe nisso"
- "Pode confiar em mim"
- "negociação de *commodities*"
- "retornos mensais"
- "estratégia ativa de alocação de ativos"
- "Podemos limitar seu prejuízo"
- "Ninguém mais sabe como fazer isso"

AUTOCONHECIMENTO

Recentemente, um importante boletim de planejamento financeiro realizou uma pesquisa com dezenas de assessores para revelar suas ideias sobre como se deve abordá-los.[4] Ao buscar um assessor, seus objetivos devem ser:

- determinar se ele se preocupa em ajudar os clientes ou apenas aparenta fazer isso;
- estabelecer se ele entende os princípios fundamentais do investimento, conforme delineados neste livro;
- avaliar se ele possui estudos, treinamento e experiência suficientes para ajudá-lo.

Aqui estão algumas das perguntas que os planejadores financeiros de destaque recomendaram que qualquer cliente em potencial fizesse:

Por que você está nesse negócio? Qual é a missão de sua firma? Além de seu despertador, o que o faz levantar de manhã?

Qual é a sua filosofia de investimento? Você usa ações ou fundos mútuos? Você utiliza a análise técnica? Você tenta antecipar os movimentos do mercado? (Um "sim" para uma dessas duas últimas perguntas é um sinal de "não" para você.)

Você foca apenas na gestão de ativos ou também em assessoria fiscal, planejamento de espólios e aposentadorias, gestão de orçamentos, dívidas e seguros? De que forma sua instrução, experiência e credenciais o qualificam para fornecer tais tipos de assessoria financeira?[5]

Quais as necessidades mais comuns de seus clientes? Como você pode me ajudar a atingir meus objetivos? Como você vai acompanhar e informar sobre meu progresso? Você fornece uma lista de verificação que eu possa usar para monitorar a implementação de qualquer plano financeiro que venhamos a desenvolver?

---

4 Robert Veres, redator e editor do boletim *Inside Information*, muito generosamente cedeu essas respostas para este livro. Outras listas de perguntas de verificação podem ser encontradas em www.cfp-board.org e www.napfa.org.

5 Credenciais como CFA, CFP ou CPA nos dizem que o assessor passou por um curso rigoroso e foi aprovado. (A maioria das outras "sopas de letrinhas" de credenciais brandidas pelos planejadores financeiros, incluindo o "CFM" ou o "CMFC", significa muito pouco.) Mais importante: você pode contatar a organização que atribui as credenciais para verificar o registro do assessor e se ele não foi punido por violar as regras ou a ética.

Como você escolhe os investimentos? Que abordagem de investimento você acredita ser mais bem-sucedida e que provas você pode me dar de que atingiu esse tipo de sucesso para seus clientes? O que você faz quando um investimento tem um desempenho ruim durante um ano inteiro? (Qualquer assessor que responda "vendo" não vale a pena ser contratado.)

Ao recomendar investimentos, você aceita qualquer forma de compensação de terceiros? Por que sim ou por que não? Em que circunstâncias? Quanto, em moeda corrente, você calcula que seus serviços custariam no primeiro ano? O que faria esse valor subir ou descer ao longo do tempo? (Se as taxas consumirem mais de 1% de seus ativos anualmente, você provavelmente deveria procurar outro assessor.)[6]

Quantos clientes você possui e com que frequência se comunica com eles? Qual feito você mais se orgulha de ter realizado para um cliente? Quais são as características comuns de seus clientes favoritos? Qual foi a pior experiência que você teve com um cliente e como você a resolveu? O que determina se um cliente vai falar com você ou com um de seus auxiliares? Por quanto tempo seus clientes permanecem com você?

Posso ver uma amostra de uma prestação de contas sua? (Se você não conseguir entendê-la, peça ao assessor que a explique. Se você não entende suas explicações, ele não é o assessor certo para você.)

Você se considera bem-sucedido financeiramente? Por quê? Como você define sucesso financeiro?

Qual o nível mais alto de retorno anual médio que você considera viável para meus investimentos? (Qualquer coisa acima de 8% a 10% não é realista.)

Você vai me fornecer um currículo, seu formulário ADV e, pelo menos, três referências? (Se o assessor, ou sua firma, for obrigado a registrar um ADV e não lhe fornecer uma cópia, levante-se e saia sem se descuidar de sua carteira de dinheiro.)

Alguma vez foi feita alguma reclamação formal contra você? Por que o último cliente que o dispensou tomou tal decisão?

---

6 Se você tiver menos de US$100.000 para investir, pode ser impossível encontrar um assessor financeiro que deseje administrar sua conta. Nesse caso, compre uma carteira diversificada de fundos de índice de baixo custo, siga os conselhos de comportamento oferecidos ao longo deste livro e sua carteira deverá crescer até atingir, em algum momento, um nível que viabilize a contratação de um assessor.

COMO DERROTAR SEU PIOR INIMIGO

Finalmente, lembre-se de que os grandes assessores financeiros não brotam em árvores. Frequentemente, os melhores já possuem um número suficiente de clientes e possivelmente só estarão dispostos a aceitá-lo caso isso seja altamente compatível com seus objetivos. Portanto, eles farão algumas perguntas que podem ser:

Por que você acha que precisa de um assessor financeiro?

Quais são seus objetivos de longo prazo?

Qual foi sua maior frustração ao lidar com outros assessores (incluindo você mesmo)?

Você tem um orçamento? Você vive dentro de suas possibilidades? Que percentual de seus ativos você gasta por ano?

Daqui a um ano, o que precisarei ter feito para você se sentir feliz com seu progresso?

Como você lida com conflitos e desacordos?

Como você reagiu emocionalmente ao mercado de baixa iniciado em 2000?

Quais são seus piores temores financeiros? Suas maiores esperanças financeiras?

Qual a taxa de retorno que você considera razoável para seus investimentos? (Baseie sua resposta no capítulo 3.)

Um assessor que não faz perguntas como essas — e que não mostra interesse suficiente para sentir, de forma intuitiva, que outras perguntas você considera adequadas — não é uma boa escolha.

Acima de tudo, você deveria confiar em seu assessor o suficiente para permitir que ele o proteja de seu pior inimigo — você mesmo. "Você contrata um assessor", explica o comentarista Nick Murray, "não para administrar seu dinheiro, mas sim para se administrar".

"Se o assessor é uma linha de defesa entre você e suas piores tendências impulsivas", diz o analista de planejamento financeiro Robert Veres, "então ele precisa ter sistemas instalados que o ajudarão, e também a você, a controlálas". Entre esses sistemas estão:

- um planejamento financeiro abrangente que delineie como você ganhará, poupará, gastará, tomará emprestado e investirá seu dinheiro;

- uma declaração de política de investimentos que revele sua abordagem fundamental do ramo dos investimentos;
- um plano de alocação de ativos que detalhe quanto dinheiro você destinará às diferentes categorias de investimento.

Estas são as fundações sobre as quais boas decisões financeiras devem ser erguidas e elas devem ser criadas em conjunto por você e por seu assessor, em vez de impostas de forma unilateral. Você não deveria investir um dólar ou tomar uma decisão até estar satisfeito com o fato de que tais fundações estão no lugar e em conformidade com seus desejos.

CAPÍTULO 11

ANÁLISE DE VALORES MOBILIÁRIOS PARA O INVESTIDOR LEIGO: UMA ABORDAGEM GERAL

A análise financeira tornou-se uma profissão ou semiprofissão bem estabelecida e próspera. As várias entidades de analistas que constituem a Federação Nacional dos Analistas Financeiros possuem mais de 13 mil membros, a maioria dos quais ganha a vida com esse tipo de atividade mental. Os analistas financeiros possuem livros didáticos, um código de ética e um periódico trimestral.[1] Eles têm também diversos problemas a serem resolvidos. Uma tendência a substituir o conceito geral de "análise de valores mobiliários" pela "análise financeira" surgiu recentemente. O segundo termo tem uma abrangência mais ampla e é mais bem-talhado para descrever o trabalho da maioria dos analistas graduados de Wall Street. Seria útil conceber a análise de títulos como limitada, em grande parte, ao exame e à avaliação das ações e dos títulos, enquanto que a análise financeira abarcaria esse trabalho, mais a determinação da política de investimentos (seleção de carteira), além de uma porção substancial de análise econômica geral.[I] Neste capítulo, usaremos a designação que seja a mais pertinente, com ênfase principalmente no trabalho do analista de títulos em si.

O analista de títulos lida com o passado, o presente e o futuro de qualquer determinado valor mobiliário. Ele descreve a companhia; resume os resultados de suas operações e posição financeira; apresenta os pontos fortes e fracos, as perspectivas e os riscos; estima sua lucratividade futura com base em vários pressupostos ou como um "melhor palpite". Ele faz comparações detalhadas entre várias companhias ou analisa uma mesma companhia em momentos diversos. Finalmente, ele expressa uma

---

1 A Federação Nacional de Analistas Financeiros agora se chama Associação para a Gestão e Pesquisa de Investimentos e sua publicação de pesquisa "trimestral", o *Financial Analysts Journal,* aparece em meses alternados.

opinião em relação à segurança do papel, caso seja uma obrigação ou ação preferencial de empresa com grau de investimento, ou em relação à sua atratividade, caso seja uma ação ordinária.

Ao fazer tudo isso, o analista de títulos utiliza várias técnicas, abrangendo da mais elementar à mais obscura. Ele pode modificar substancialmente os dados dos relatórios anuais das companhias, muito embora eles ostentem o selo sagrado de um contador público credenciado. Acima de tudo, procura itens nesses relatórios que possam significar muito mais ou muito menos do que aparentam.

O analista de títulos desenvolve e aplica padrões de segurança por meio dos quais podemos avaliar se um dado título ou uma dada ação preferencial podem ser considerados suficientemente sólidos a ponto de justificar sua compra para fins de investimento. Esses padrões se referem sobretudo aos lucros médios do passado, mas envolvem também a estrutura de capital, o capital de giro, os valores dos ativos e outras questões.

Ao lidar com ações ordinárias, o analista de títulos, até recentemente, apenas raramente aplicava padrões de valor tão bem definidos quanto eram seus padrões de segurança para os títulos e ações preferenciais. Na maioria das vezes, ele se contentava com um resumo do desempenho no passado, uma previsão do futuro mais ou menos geral — com ênfase especial nos 12 meses seguintes — e uma conclusão bastante arbitrária. A última era, e ainda é, com frequência, elaborada com um olho nas cotações ou nos gráficos de mercado. Nos últimos anos, no entanto, muita atenção foi dada pelos analistas praticantes ao problema da avaliação dos preços das *growth stocks*. Muitas delas foram negociadas a preços tão altos em relação aos lucros atuais e do passado que aqueles que as recomendaram sentiram-se na obrigação de justificar sua compra por meio de projeções razoavelmente definidas dos lucros esperados durante um prazo relativamente longo. Certas técnicas matemáticas bastante sofisticadas têm sido, por força das circunstâncias, invocadas para apoiar as avaliações divulgadas.

Lidaremos com essas técnicas, de forma resumida, mais adiante. No entanto, cabe ressaltar um paradoxo problemático, que é o das avaliações matemáticas terem prevalecido mais precisamente naquelas áreas em que podem ser consideradas menos confiáveis. Isso porque, à medida que a avaliação se torna mais dependente das projeções do futuro — e quanto menos ela está amarrada a um número demonstrado pelo desempenho passado —, mais vulnerável ela se torna a possíveis erros de cálculo e tropeços sérios. Grande parte do valor encontrado para as *growth stocks* com múltiplos altos é derivada de projeções do futuro que diferem acentuadamente do desempenho do passado, exceto talvez na taxa de crescimento em si. Portanto, pode-se dizer que os analistas de títulos hoje são compelidos a se tornarem mais matemáticos e "científicos" justamente nas situações que menos se prestam a um tratamento exato.[2]

Prossigamos, no entanto, com nossa discussão acerca dos elementos e técnicas mais importantes da análise de títulos. O tratamento altamente condensado que se segue é dirigido às necessidades do investidor não-profissional. No mínimo, ele deveria entender aquilo que os analistas de títulos estão falando e pretendendo; além disso, ele deveria estar equipado, se possível, para distinguir entre a análise superficial e a sensata.

A análise de títulos para o investidor leigo inicia-se pela interpretação do balanço anual de uma companhia. Tratamos desse assunto em um livro separado, dirigido a leigos, intitulado *The Interpretation of Financial Statements* [A interpretação de balanços financeiros].[II] Não consideramos necessário ou apropriado percorrer o mesmo percurso neste capítulo, sobretudo porque a ênfase do presente livro é em princípios e atitudes, em vez de em informações e descrições. Abordaremos duas questões básicas que fundamentam a escolha de investimentos. Quais são os principais

---

2 Quanto maior a taxa de crescimento projetada e maior o período futuro ao longo do qual ela é projetada, mais sensível a previsão se torna ao menor erro. Se, por exemplo, você estima que uma companhia que lucra US$1 por ação pode aumentar esse lucro em 15% ao ano ao longo dos próximos 15 anos, seus lucros terminariam em US$8,14. Se o mercado avalia a companhia em 35 vezes os lucros, a ação terminaria o período a aproximadamente US$285. Porém, se os lucros crescerem a 14% em vez de 15%, a companhia ganharia US$7,14 ao final do período e, chocados com esse desempenho abaixo do previsto, os investidores não mais estariam dispostos a pagar 35 vezes os lucros. A, digamos, vinte vezes os lucros, a ação terminaria valendo cerca de US$140, ou um preço mais do que 50% inferior. Por causa da aparente precisão trazida pela matemática avançada ao processo inerentemente complicado de prever o futuro, os investidores devem ser altamente céticos com relação a qualquer um que diga que possui uma solução computadorizada complexa para problemas financeiros básicos. Conforme Graham diz: "Em 44 anos de experiência e estudos em Wall Street, nunca vi cálculos confiáveis feitos a respeito do valor de ações ordinárias ou das políticas de investimento afins que fossem além da aritmética simples ou da álgebra mais elementar. Quando o cálculo ou a álgebra mais elevada são introduzidos, você poderá considerá-los como um aviso de que o operador está tentando substituir experiência por teoria e, em geral, também dar à especulação uma fachada enganosamente disfarçada de investimento." (Ver p. 614.)

testes de segurança das obrigações ou ações preferenciais de uma companhia? Quais são os principais fatores que afetam a avaliação de uma ação ordinária?

Análise de títulos

O ramo mais confiável e, portanto, mais respeitável da análise de títulos é voltado para a segurança ou qualidade das obrigações e ações preferenciais de baixo nível de risco. O principal critério usado para as obrigações corporativas é o número de vezes em que o total dos encargos de juros é coberto pelos lucros auferidos durante um certo número de anos no passado. No caso das ações preferenciais, é o número de vezes em que são cobertos os juros das obrigações e os dividendos das ações preferenciais combinados.

Os padrões exatos aplicados variarão conforme as diferentes autoridades. Já que, em última análise, os testes são arbitrários, não há forma de determinar precisamente os critérios mais apropriados. Na revisão de 1961 de nosso livro *Security Analysis* [Análise de títulos] recomendamos certos padrões de "cobertura", os quais aparecem na Tabela 11-1.[3]

Nosso teste básico é aplicado apenas aos resultados *médios* relativos a um período anual. Outras autoridades exigem também que um nível *mínimo* de cobertura seja mostrado em cada ano analisado. Aprovamos o teste de "ano mais fraco" como uma *alternativa* ao teste da média dos sete anos; seria suficiente que a obrigação ou a ação preferencial atendesse a um desses critérios.

Pode-se alegar que o grande aumento nas taxas de juros das obrigações desde 1961 justificaria alguma redução compensatória na cobertura necessária dos encargos. Obviamente, seria muito mais difícil para uma companhia industrial mostrar uma cobertura de juros equivalente a sete

3 Em 1972, um investidor em obrigações corporativas tinha pouca escolha a não ser montar sua própria carteira de investimentos. Hoje, aproximadamente quinhentos fundos mútuos investem em obrigações corporativas, criando uma cesta de títulos convenientes e bem diversificados. Visto que não é viável montar uma carteira de obrigações diversificada sozinho, a menos que você tenha, pelo menos, US$100.000, o típico investidor inteligente se sairá melhor simplesmente comprando um fundo de obrigações de custo baixo e deixando o trabalho árduo de pesquisas de crédito para seus administradores. Para obter mais informações sobre os fundos de obrigações, ver comentários ao capítulo 4.

TABELA 11-1 "Cobertura" mínima recomendada para obrigações e ações preferenciais

A. Para obrigações de investment grade

Razão mínima entre lucros e encargos fixos totais:

	Antes do IR		*Após o IR*	
Ramo de negócios	Média dos últimos 7 anos	Alternativa medida pelo "ano mais fraco"	Média dos últimos 7 anos	Alternativa medida pelo "ano mais fraco"
Concessionárias de serviços públicos	4 vezes	3 vezes	2,65 vezes	2,10 vezes
Ferrovias	5	4	3,20	2,65
Indústrias	7	5	4,30	3,20
Varejistas	5	4	3,20	2,65

B. Para ações preferenciais de empresa com grau de investimento

Os mesmos números mínimos apresentados anteriormente devem ser mostrados pela razão entre os lucros *antes* do imposto de renda e a soma dos encargos fixos mais duas vezes os dividendos das ações preferenciais.

NOTA: A inclusão dos dividendos das ações preferenciais por duas vezes compensa o fato de que os dividendos preferenciais não são dedutíveis do imposto de renda, enquanto que os encargos de juros o são.

C. Outras categorias de obrigações e ações preferenciais

Os padrões mostrados não são aplicáveis a (1) concessionárias de serviços públicos, (2) companhias financeiras e (3) companhias imobiliárias. Os requisitos para esses grupos especiais foram omitidos aqui.

vezes os encargos de juros a 8% do que a 4,5%. Para dar conta dessa situação alterada, sugerimos agora uma exigência alternativa relacionada ao percentual de lucro sobre o valor do *principal* da dívida. Esses números devem ser 33% antes dos impostos para uma companhia industrial, 20% para uma de serviços públicos e 25% para uma ferrovia. Devemos nos lembrar aqui que a taxa de juros efetivamente paga pela maioria das companhias sobre sua dívida total é consideravelmente menor do que os patamares vigentes de 8%, uma vez que elas têm o benefício de terem lançado obrigações mais antigas com taxas de juros inferiores. O requisito do "ano mais fraco" podia ser estabelecido a aproximadamente dois terços do índice mínimo de sete anos.

Além do teste de cobertura dos lucros, vários outros são comumente aplicados e incluem o seguinte:

1. *Tamanho da companhia.* Existe um padrão mínimo em termos do volume de faturamento, no caso de uma companhia — variando entre indústrias, concessionárias de serviços públicos e ferrovias —, e de população, no caso das municipalidades.
2. *Razão entre o capital social e o patrimônio.* Essa é a relação entre o preço de mercado das ações juniores[4] e o valor nominal total da dívida ou da dívida mais as ações preferenciais. É uma medida aproximada da proteção ou "colchão" proporcionada pela presença de um investimento júnior que deve ser o primeiro a absorver o impacto de mudanças desfavoráveis. Esse fator inclui a avaliação pelo mercado das perspectivas futuras da companhia.
3. *Valor dos ativos.* O valor dos ativos, conforme mostrado no balanço ou conforme avaliado, era anteriormente considerado a principal fonte de segurança e proteção para uma obrigação. A experiência tem mostrado que, na maioria dos casos, a segurança reside na lucratividade e, se ela é deficiente, os ativos perdem grande parte de seu valor estimado. O valor dos ativos, no entanto, permanece importante como teste em separado da ampla segurança das obrigações e ações preferenciais em três ramos de negócios: serviços públicos (porque as tarifas podem depender, em grande medida, dos investimentos em ativos), empresas imobiliárias e companhias de investimento.

Nessa altura, o investidor atento deveria perguntar: "Até que ponto os testes de segurança que são medidos pelo desempenho passado e pelo desempenho presente são confiáveis, haja vista que o pagamento de juros e do principal depende do que o futuro trará?" A resposta pode ser baseada somente na experiência. A história dos investimentos mostra que as obrigações e ações preferenciais que passaram por rigorosos testes de segurança, baseados no desempenho passado, têm sido capazes, na grande maioria dos casos, de enfrentar as adversidades do futuro com sucesso. Isso foi admiravelmente demonstrado no campo importante das obrigações das

---

4 Por "ações juniores", Graham quer dizer ações ordinárias. As ações preferenciais são consideradas "seniores" em relação às ações ordinárias porque a companhia precisa pagar todos os dividendos sobre as preferenciais antes de pagar qualquer dividendo sobre as ordinárias.

ferrovias — um ramo que tem sido marcado pela frequência calamitosa de falências e prejuízos sérios. Em quase todos os casos, as ferrovias que tiveram problemas tinham há muito sido caracterizadas pelo lançamento excessivo de obrigações, haviam mostrado uma cobertura inadequada dos encargos fixos em períodos de prosperidade média e teriam sido, portanto, rejeitadas por investidores que aplicassem testes de segurança rigorosos. Por outro lado, praticamente todas as ferrovias aprovadas em tais testes escaparam de dificuldades financeiras. Nossa premissa foi notadamente comprovada pela história financeira de várias ferrovias reorganizadas na década de 1940 e em 1950. Todas elas, com uma exceção, começaram suas carreiras com os encargos fixos reduzidos a um ponto em que a cobertura atual das necessidades fixas de pagamento de juros era ampla ou, pelo menos, respeitável. A exceção foi a New Haven Railroad, que, em seu ano de reorganização — 1947 — teve um lucro igual a apenas aproximadamente 1,1 vez os novos encargos. Consequentemente, enquanto todas as outras ferrovias foram capazes de enfrentar tempos difíceis sem que sua solvência ficasse abalada, a New Haven pediu proteção contra os credores (pela terceira vez) em 1961.

No capítulo 17, abordaremos alguns aspectos da falência da Penn Central Railroad, a qual estremeceu a comunidade financeira em 1970. Um fato elementar nesse caso foi que a cobertura dos encargos fixos não atendia a padrões conservadores desde o início de 1965; portanto, um investidor em obrigações que fosse prudente teria evitado ou negociado as obrigações do sistema muito antes de seu colapso financeiro.

Nossas observações sobre a adequação dos registros do passado para julgar a segurança do futuro se aplicam, e em um grau ainda maior, às concessionárias de serviços públicos, as quais constituem um campo de grande relevância para o investimento em obrigações. O recurso à proteção contra os credores por parte de uma concessionária ou de um sistema de serviços públicos (elétricos) adequadamente capitalizado é quase impossível. Após a instituição do controle pela Securities and Exchange Commission,[5] juntamente com o desmembramento da maioria dos sistemas de companhias

---

5 Após investidores perderem bilhões de dólares em ações de concessionárias de serviços públicos reunidas de forma imprudente em 1929-1932, o Congresso autorizou a SEC a regulamentar o lançamento de ações de serviços públicos por meio da Lei das Companhias Holding de Serviços Públicos de 1935.

holdings, o financiamento das concessionárias de serviços públicos foi efetuado de forma sólida, sendo desconhecida qualquer falência. Os problemas financeiros das companhias de serviços públicos elétricos e de gás na década de 1930 foram causados quase exclusivamente por excessos financeiros e gestão equivocada, os quais claramente deixaram suas marcas nas estruturas de capitalização das companhias. Testes de segurança simples, porém rígidos, no entanto, teriam afastado o investidor das obrigações que mais tarde se tornaram inadimplentes.

Entre as obrigações industriais, o desempenho de longo prazo tem sido diferente. Embora o grupo industrial como um todo tenha apresentado um crescimento maior de sua lucratividade do que as ferrovias e as concessionárias de serviços públicos, ele revelou um grau menor de estabilidade inerente das companhias individuais e dos ramos de atividade. Portanto, no passado, pelo menos, houve razões convincentes para confinar a compra de obrigações e ações preferenciais industriais a companhias que não apenas eram de grande porte, mas que também haviam demonstrado capacidade para aguentar uma depressão séria no passado.

Ocorreram poucas inadimplências de obrigações industriais desde 1950, mas esse fato é, em parte, atribuível à ausência de uma depressão significativa durante esse longo período. Desde 1966, houve uma evolução adversa na posição financeira de muitas companhias industriais. Surgiram dificuldades consideráveis como resultado de expansão imprudente. De um lado, essa expansão envolveu aumentos grandes de empréstimos bancários e de endividamento de longo prazo; por outro lado, frequentemente produziu perdas operacionais em vez dos lucros esperados. No início de 1971, foi calculado que, nos sete anos anteriores, os pagamentos de juros de todas as firmas não-financeiras haviam aumentado de US$9,8 bilhões, em 1963, para US$26,1 bilhões, em 1970, e que os pagamentos de juros correspondiam a 29% dos lucros brutos antes dos juros e impostos em 1971, contra apenas 16% em 1963.[III] Obviamente, a carga sobre várias firmas individuais havia aumentado muito mais do que isso. Casos de companhias com um endividamento excessivo em obrigações se tornaram demasiadamente corriqueiros. Há muitas razões para repetir a advertência expressa em nossa edição de 1965:

Não pretendemos sugerir que o investidor possa contar com uma continuação indefinida dessa situação favorável e, portanto, relaxar seus padrões de escolha de obrigações do grupo industrial ou de qualquer outro.

Análise das ações ordinárias

A forma ideal de análise das ações ordinárias gera uma avaliação delas que pode ser comparada ao seu preço atual para determinar se o papel é, ou não, uma compra atraente. Essa avaliação, por sua vez, seria comumente realizada ao se estimar os lucros médios ao longo de um período de anos no *futuro* e depois multiplicar tal estimativa por um "fator de capitalização" apropriado.

O procedimento-padrão atual para estimar a lucratividade futura começa com dados médios do passado relativos ao volume físico, aos preços recebidos e às margens operacionais. As vendas futuras em dólares são então projetadas com base em premissas acerca de como o volume e o nível de preços mudarão com relação à base anterior. Essas estimativas, por sua vez, são fundamentadas primeiramente nas previsões econômicas gerais do produto nacional bruto e, em seguida, em cálculos especiais aplicáveis ao ramo industrial e à companhia em questão.

Uma ilustração desse método de avaliação pode ser vista em nossa edição de 1965 e atualizada com a inclusão dos acontecimentos desde então. A Value Line, um serviço de investimento importante, elabora previsões de ganhos e dividendos futuros usando o procedimento delineado anteriormente e, em seguida, deriva uma "potencialidade de preço" (ou valor de mercado projetado) por meio da aplicação, a cada ação, de uma fórmula de avaliação baseada, em grande parte, em certas relações do passado. Na Tabela 11-2, reproduzimos as projeções para 1967-69, feitas em junho de 1964, e as comparamos com os lucros e o preço médio de mercado efetivamente registrados em 1968 (os quais correspondem, grosso modo, ao período de 1967-69).

As previsões como um todo provaram estar um pouco inferiores ao efetivamente ocorrido, mas não muito. As previsões correspondentes realizadas seis anos antes haviam se mostrado excessivamente otimistas quanto aos lucros e dividendos; porém, isso havia sido compensado pelo uso de um multiplicador baixo, resultando numa "potencialidade de preço", o qual foi aproximadamente igual ao preço médio real registrado em 1963.

TABELA 11-2 O Índice Industrial Dow Jones

(Previsão da Value Line para 1967-69 (feita em meados de 1964) comparada com os resultados efetivamente registrados de 1968.)

	Lucros				
	Previstos 1967-69	Registrados 1968[a]	Preço 30 de junho de 1964	Preço previsto 1967-1969	Preço médio 1968[a]
Allied Chemical	US$3,70	US$1,46	54½	67	36½
Aluminum Comp. of Am.	3,85	4,75	71½	85	79
American Can	3,50	4,25	47	57	48
American Tel. & Tel.	4,00	3,75	73½	68	53
American Tobacco	3,00	4,38	51½	33	37
Anaconda	6,00	8,12	44½	70	106
Bethlehem Steel	3,25	3,55	36½	45	31
Chrysler	4,75	6,23	48½	45	60
DuPont	8,50	7,82	253	240	163
Eastman Kodak	5,00	9,32	133	100	320
General Electric	4,50	3,95	80	90	90½
General Foods	4,70	4,16	88	71	84½
General Motors	6,25	6,02	88	78	81½
Goodyear Tire	3,25	4,12	43	43	54
Internat. Harvester	5,75	5,38	82	63	69
Internat. Nickel	5,20	3,86	79	83	76
Internat. Paper	2,25	2,04	32	36	33
Johns Manville	4,00	4,78	57½	54	71½
Owens-Ill Glass	5,25	6,20	99	100	125½
Procter & Gamble	4,20	4,30	83	70	91
Sears Roebuck	4,70	5,46	118	78	122½
Standard Oil of Cal.	5,25	5,59	64½	60	67
Standard Oil of N.J.	6,00	5,94	87	73	76
Swift & Co.	3,85	3,41[b]	54	50	57
Texaco	5,50	6,04	79½	70	81
Union Carbide	7,35	5,20	126½	165	90
United Aircraft	4,00	7,65	49½	50	106
U.S. Steel	4,50	4,69	57½	60	42
Westinghouse Elec.	3,25	3,49	30½	50	69
Woolworth	2,25	2,29	29½	32	29½
Total	138,25	149,20	2222	2186	2450
DJIA (total % 2,67)	52,00	56,00	832	820	918[c]
DJIA efetivo 1968	57,89				906[c]
DJIA efetivo 1967-69	56,26				

[a] Ajustado para desdobramentos de ações desde 1964.
[b] Média de 1967-69.
[c] Diferença devida a mudança no divisor.

O leitor notará que um número razoável de previsões individuais estava significativamente equivocado. Esse é um exemplo que dá sustentação à nossa visão geral de que as estimativas do índice composto ou de grupos tendem a ser bem mais confiáveis do que aquelas de companhias individuais. Teoricamente talvez, o analista de títulos devesse escolher as três ou quatro companhias cujo futuro ele acredita conhecer melhor e concentrar os próprios interesses e os de seus clientes em suas previsões sobre elas. Infelizmente, parece ser quase impossível distinguir antecipadamente entre aquelas previsões individuais que são confiáveis e as que estão fortemente sujeitas a erro. Em última análise, essa é a razão da ampla diversificação praticada pelos fundos de investimento, pois é indubitavelmente melhor concentrar em uma ação que você *tem certeza* que acabará sendo altamente rentável do que diluir seus resultados e colher resultados medíocres, somente por causa da busca pela diversificação. Mas isso não acontece, por não poder ser feito de forma *confiável*.[IV] A predominância de diversificação ampla é em si um repúdio pragmático ao fetiche da "seletividade", o qual Wall Street constantemente defende da boca para fora.[6]

Fatores que afetam a taxa de capitalização

Embora teoricamente os lucros médios futuros sejam o principal determinante do valor, o analista de títulos leva em consideração vários outros

---

6 Mais recentemente, a maioria dos fundos mútuos imitou, quase roboticamente, o índice de 500 ações da Standard & Poor's, temendo que qualquer carteira diferente fizesse seus resultados desviarem daqueles do índice. Numa tendência contrária, algumas companhias de fundos lançaram o que denominam carteiras "focadas", as quais possuíam de 25 a 50 ações que os administradores declararam ser suas "melhores ideias". Isso faz os investidores perguntarem se os outros fundos dirigidos pelos mesmos administradores contêm suas piores ideias. Considerando que a maioria dos fundos de "melhores ideias" não teve um desempenho acentuadamente superior ao dos índices, os investidores podem também questionar se vale a pena ter acesso às ideias dos administradores. Para investidores indiscutivelmente capacitados, como Warren Buffett, a diversificação ampla seria uma tolice, uma vez que ela diluiria a força concentrada de um punhado de grandes ideias. Porém, para o administrador de fundo ou investidor individual típico, *não* diversificar é bobagem, uma vez que é muito difícil selecionar um número limitado de ações que incluirá a maioria dos vencedores e excluirá a maioria dos perdedores. Quanto mais ações você possuir, menor o dano que qualquer perdedor isolado pode causar, ao mesmo tempo em que as probabilidades de você possuir todos os grandes vencedores aumentarão. A escolha ideal para a maioria dos investidores é um fundo de índice do mercado acionário total, uma maneira de manter em carteira todas as ações que valem a pena com um custo baixo.

fatores. A maioria deles se expressa na taxa de capitalização, a qual pode variar amplamente, dependendo da "qualidade" da ação. Portanto, embora duas companhias possam ter tido os mesmos lucros previstos por ação em 1973-1975 — digamos, US$4 —, o analista pode avaliar a primeira a um nível tão baixo quanto 40 e a segunda tão alto quanto 100. Consideremos alguns aspectos que afetam esses multiplicadores divergentes.

1. *Perspectivas gerais de longo prazo.* Ninguém realmente sabe o que acontecerá no futuro distante, mas mesmo assim os analistas e os investidores possuem pontos de vista fortes sobre o assunto. Essas perspectivas são refletidas nos diferenciais substanciais entre as razões preço/lucro de companhias individuais e de grupos industriais. A essa altura, acrescentamos na edição de 1965:

   Por exemplo, no final de 1963, as ações das companhias de produtos químicos do DJIA estavam sendo negociadas a multiplicadores consideravelmente mais altos do que as petrolíferas, o que indicava maior confiança nas perspectivas das primeiras do que das últimas. Tais distinções feitas pelo mercado muitas vezes possuem uma fundamentação lógica, mas quando ditadas principalmente pelo desempenho passado, é provável que estejam tão erradas quanto certas.

   Apresentaremos, na Tabela 11-3, material sobre as ações de companhias petrolíferas e químicas no DJIA no final de 1963 e acompanharemos seus lucros até o final de 1970. Pode ser visto que as companhias químicas, apesar de seus multiplicadores altos, praticamente não obtiveram qualquer melhora nos lucros no período após 1963. As companhias petrolíferas tiveram um desempenho muito melhor do que as químicas, ficando aproximadamente em linha com o crescimento implícito em seus multiplicadores de 1963.[V] Portanto, nosso exemplo das ações do setor químico provou ser um dos casos em que os multiplicadores de mercado estavam errados.[7]

---

7 O ponto de vista de Graham sobre as companhias químicas e petrolíferas na década de 1960 se aplica a quase todo setor em quase qualquer período de tempo. O consenso de opinião em Wall Street a respeito do futuro de qualquer setor determinado é usualmente otimista demais ou pessimista demais. Pior, o consenso fica mais otimista justamente quando a maioria das ações está cara demais e mais pessimista justamente quando estão baratas demais. O exemplo mais recente, claro, é o das ações de tecnologia e de telecomunicações, as quais atingiram níveis altos quando seu futuro parecia mais promissor em 1999 e no início de 2000 e, depois,

TABELA 11-3 Desempenho de ações químicas e petrolíferas do DJIA, 1970 *versus* 1964

	Preço de fechamento	1963 lucro por ação	Razão P/L	Preço de fechamento	1970 lucro por ação	Razão P/L
Companhias químicas						
Allied Chemical	55	2,77	19,8 x	24⅛	1,56	15,5 x
DuPont[a]	77	6,55	23,5	133½	6,76	19,8
Union Carbide[b]	60¼	2,66	22,7	40	2,60	15,4
			25,3 em média			
Companhias petrolíferas						
Standard Oil of Cal.	59½	4,50	13,2 x	54½	5,36	10,2 x
Standard Oil of N.J.	76	4,74	16,0	73½	5,90	12,4
Texaco[b]	35	2,15	16,3	35	3,02	11,6
			15,3 em média			

[a] Dados de 1963 ajustados para distribuição de ações da General Motors.
[b] Dados de 1963 ajustados para desdobramentos de ações subsequentes.

2. *Gestão.* Em Wall Street, muito se fala sobre esse assunto, mas muito pouco dessa conversa é realmente útil. Até que testes de competência gerencial objetivos, quantitativos e razoavelmente confiáveis sejam projetados e aplicados, esse fator continuará a ser examinado em meio a um nevoeiro. É justo presumir que as companhias destacadamente bem-sucedidas têm uma gestão atipicamente boa. Isso já terá se manifestado no desempenho do passado; isso se mostrará novamente nas estimativas relativas aos cinco anos seguintes e uma vez mais no fator previamente discutido das perspectivas de longo prazo. A tendência para contar isso ainda mais uma vez como uma consideração altista em separado só pode facilmente levar a uma supervalorização cara. O fator de gestão é mais útil, acreditamos, naqueles casos em que uma mudança recente tenha ocorrido e que ainda não tenha tido tempo de mostrar seu significado em termos de resultados efetivos.

   Duas ocorrências espetaculares desse tipo foram associadas à Chrysler Motor Corporation. A primeira aconteceu nos idos de 1921, quando Walter Chrysler assumiu o comando da quase moribunda Maxwell Motors e, em poucos anos, transformou-a em uma companhia grande e altamente rentável, enquanto inúmeras outras montadoras de automóveis foram forçadas a deixar o mercado. A segunda aconteceu mais recentemente, em 1962, quando a Chrysler tinha caído muito desde seu auge glorioso e suas ações estavam sendo negociadas ao preço mais baixo registrado em muitos anos. Foi então que novos interessados, associados à Consolidation Coal, assumiram o comando. Os lucros cresceram de US$1,24 por ação em 1961 para o equivalente a US$17 em 1963, e o preço aumentou de um ponto mínimo de 38,5 em 1962 para o equivalente a aproximadamente 200 no ano seguinte.[VI]

3. *Força financeira e estrutura de capital.* As ações de uma companhia com um grande volume de dinheiro em caixa e sem quaisquer credores com prioridade superior à das ações ordinárias são claramente uma compra melhor (ao mesmo preço) do que outras com o mesmo lucro

---

despencaram durante todo o ano de 2002. A história prova que os previsores "especialistas" de Wall Street são igualmente incapazes de prever o desempenho de 1) o mercado como um todo, 2) ramos da indústria e 3) ações específicas. Conforme Graham destaca, as probabilidades de que os investidores individuais consigam um desempenho melhor não são boas. O investidor inteligente se destaca ao tomar decisões que não dependem da precisão das previsões de ninguém, inclusive das suas próprias. (Ver capítulo 8.)

por ação, mas grandes dívidas bancárias e títulos seniores. Tais fatores são apropriada e cuidadosamente avaliados pelos analistas de títulos. Uma quantidade modesta de obrigações ou ações preferenciais, no entanto, não é necessariamente uma desvantagem para as ações ordinárias, tampouco é o uso modesto de crédito bancário de forma sazonal. (Incidentalmente, uma estrutura pesada em seu ápice — muito poucas ações ordinárias em relação às obrigações e preferenciais — pode, em condições favoráveis, resultar em um lucro *especulativo* grande para as ordinárias. Esse é o fator conhecido como "alavancagem".)

4. *Histórico de dividendos.* Um dos testes mais persuasivos da alta qualidade é um registro ininterrupto de pagamentos de dividendos que retrocede muitos anos. Acreditamos que um histórico contínuo de pagamentos de dividendos pelos últimos vinte anos ou mais é um fator positivo importante na classificação de qualidade de uma companhia. Na verdade, o investidor defensivo pode ter razão em restringir suas compras às aprovadas com base nesses testes.
5. *Taxa de dividendos atual.* Este último fator adicional é o mais difícil de tratar de forma satisfatória. Felizmente, a maioria das companhias tem seguido o que podemos chamar de um padrão de política de dividendos. Isso significa a distribuição de aproximadamente dois terços de seus lucros médios, com exceção do período recente de lucros altos e demandas inflacionárias por mais capital, quando os números tenderam a ser inferiores. (Em 1969, foi 59,9% para as ações do índice Dow Jones e 55% para todas as companhias americanas.)[8] Nos casos em que os dividendos têm uma relação normal com os lucros, a avaliação pode ser feita em ambas as bases sem afetar o resultado de forma substancial. Por exemplo, uma típica companhia de segunda linha com lucros médios esperados de US$3 e dividendos esperados de US$2 pode ser avaliada tanto em 12 vezes seus lucros ou 18 vezes seus dividendos que gerará um valor de 36 em ambos os casos.

---

8 Esse número, hoje conhecido como "índice de pagamento de dividendos", caiu consideravelmente desde os dias de Graham à medida que a legislação fiscal americana desencorajava os investidores a buscarem dividendos e as corporações de os pagarem. No ano de 2002, o índice de pagamento de dividendos ficou em 34,1% para o índice de quinhentas ações da S&P e, recentemente, ou seja, em abril de 2000, ele atingiu o menor piso de todos os tempos, de apenas 25,3%. (Ver www.barra.com/research/fundamentals.asp.) Discutimos a política de dividendos mais profundamente em comentários ao capítulo 19.

No entanto, um número crescente de companhias de crescimento rápido está deixando de cumprir a política-padrão de distribuição de 60% ou mais dos lucros na forma de dividendos, com base na alegação de que os objetivos dos acionistas estarão mais bem servidos com a retenção de quase todos os lucros para financiar a expansão. A questão apresenta problemas e exige distinções cuidadosas. Decidimos adiar nossa discussão sobre a questão vital da política de dividendos apropriada para uma seção posterior — o capítulo 19 —, onde lidaremos com ela como parte do problema geral das relações entre acionistas e administradores.

Taxas de capitalização para as *growth stocks*

A maioria dos textos escritos pelos analistas de títulos sobre avaliações formais aborda o valor das *growth stocks*. Após estudarmos vários métodos, sugerimos uma fórmula curta e bastante simples para calcular o valor das *growth stocks*, a qual pretende produzir números bastante próximos dos que resultam de cálculos matemáticos mais rebuscados. Nossa fórmula é:

Valor = lucros (normais) atuais X (8,5 acrescido
de duas vezes a taxa de crescimento anual esperada).

A taxa de crescimento deverá ser a esperada nos sete a dez anos seguintes.[VII]

Na Tabela 11-4, mostramos como nossa fórmula funciona para várias taxas de crescimento presumido. É fácil fazer o cálculo inverso e determinar qual taxa de crescimento rápido é prevista pelo preço de mercado atual, supondo que nossa fórmula seja válida. Na última edição deste livro, fizemos esse cálculo para o DJIA e para seis ações importantes. Esses números são reproduzidos na Tabela 11-5. Comentamos naquela altura:

A diferença entre a taxa de crescimento anual implícita de 32,4% para a Xerox e os extremamente modestos 2,8% para a General Motors é, de fato, surpreendente. Ela é explicável em parte pelo sentimento do mercado acionário de que os lucros de 1963 da General Motors — os maiores de qualquer companhia na história — dificilmente poderiam ser mantidos e, na melhor das hipóteses, apenas modestamente excedidos. A razão preço/lucro da

Xerox, por outro lado, é bastante representativa do entusiasmo especulativo associado a uma companhia que fez grandes realizações e prometia talvez ainda mais.

A taxa de crescimento implícita ou esperada de 5,1% para o DJIA se compara ao crescimento anual de 3,4% (composto) entre 1951-53 e 1961-63.

Deveríamos ter acrescentado um alerta como o seguinte: as avaliações do valor das ações com uma alta taxa de crescimento esperada estão necessariamente subestimadas se presumirmos que tais taxas de crescimento serão efetivamente realizadas. De fato, de acordo com a aritmética, se presumirmos que uma companhia crescerá a uma taxa igual ou superior a 8% *indefinidamente* no futuro, seu valor seria infinito e nenhum preço seria alto demais para pagar por suas ações. O que o avaliador efetivamente faz nesses casos é introduzir uma *margem de segurança* em seus cálculos — semelhante ao que um engenheiro faz ao elaborar as especificações de uma estrutura. Nessas bases, as compras alcançariam seu objetivo designado (em 1963, um retorno futuro global de 7,5% ao ano) mesmo se a taxa de crescimento efetivamente realizada provasse ser substancialmente menor do que a projetada pela fórmula. É claro, então, que se tal taxa fosse realmente atingida, o investidor certamente gozaria de um retorno adicional generoso. De fato, não há uma forma de avaliar uma companhia de alto crescimento (com uma taxa esperada superior, digamos, a 8% ao ano), pela qual o analista possa adotar hipóteses realistas a respeito *tanto* do múltiplo apropriado para os lucros atuais *quanto* do múltiplo esperado para os lucros futuros.

Na verdade, o crescimento real da Xerox e da IBM acabou ficando muito próximo das taxas altas derivadas de nossa fórmula. Conforme explicado, esse belo desempenho inevitavelmente produziu um grande aumento no preço de ambas as ações. O crescimento do DJIA em si ficou também aproximadamente alinhado com o projetado pelo preço de mercado ao fechamento de 1963. Porém, a taxa moderada de 5% não envolveu o dilema matemático da Xerox e da IBM. Verifica-se que o aumento de preço de 23% até o final de 1970, mais os 28% referentes ao retorno dos dividendos agregados recebidos, resultou em uma taxa parecida com os 7,5% de ganho anual total calculados por meio de nossa fórmula. No caso das outras quatro companhias, basta dizer que seu crescimento não se igualou às expectativas implícitas no preço de 1963 e que suas cotações não cresceram tanto quanto o DJIA. *Aviso*: Esses

TABELA 11-4 Multiplicadores de lucros anuais com base em taxas de crescimento esperadas, baseados em uma fórmula simplificada

Taxa de crescimento esperada	0,0%	2,5%	5,0%	7,2%	10,0%	14,3%	20,0%
Crescimento em dez anos	0,0	28,0%	63,0%	100,0%	159,0%	280,0%	319,0%
Multiplicador de lucros atuais	8,5	13,5	18,5	22,9	28,5	37,1	48,5

TABELA 11-5 Taxas de crescimento implícitas ou esperadas, dezembro de 1963 e dezembro de 1969

Ação	*Razão P/L, 1963*	*Taxa de crescimento projetada[a], 1963*	*Lucro por ação 1963*	*Lucro por ação 1969*	*Crescimento anual efetivo, 1963-1969*	*Razão P/L, 1969*	*Taxa de crescimento projetada[a], 1969*
American Tel. and Tel.	23,0 x	7,3%	3,03	4,00	4,75%	12,2 x	1,8%
General Electric	29,0	10,3	3,00	3,79[b]	4,0	20,4	6,0
General Motors	14,1	2,8	5,55	5,95	1,17	11,6	1,6
IBM	38,5	15,0	3,48[c]	8,21	16,0	44,4	17,9
International Harvester	13,2	2,4	2,29[c]	2,30	0,1	10,8	1,1
Xerox	25,0	32,4	,38[c]	2,08	29,2	50,8	21,2
DJIA	18,6	5,1	41,11	57,02	5,5	14,0	2,8

[a] Baseada na fórmula da p. 330.
[b] Média de 1968 e 1970, já que os lucros de 1969 foram reduzidos em função de uma greve.
[c] Ajustado para desdobramentos de ações.

dados são fornecidos apenas para propósitos ilustrativos e em função da necessidade inescapável, na análise de títulos, de projetar a taxa de crescimento futuro da maioria das companhias estudadas. Não deixemos que o leitor seja levado a pensar que tais projeções têm um alto grau de confiabilidade ou, de forma contrária, que é provável que os preços futuros assim se comportarão, na medida em que as profecias forem realizadas, superadas ou descartadas.

Devemos destacar que qualquer avaliação "científica" de ações ou, pelo menos razoavelmente confiável, baseada em resultados futuros previstos, deve levar em consideração as taxas de juros futuras. Um dado fluxo de lucros ou dividendos esperados terá um valor presente menor se presumirmos uma taxa de juros mais alta em vez de uma mais baixa.[9] Tais hipóteses sempre foram difíceis de fazer com qualquer grau de confiança, e as recentes oscilações violentas nas taxas de juros de longo prazo tornam previsões desse tipo quase presunçosas. Portanto, mantivemos a nossa velha fórmula simplesmente porque nenhuma nova parecia mais plausível.

Análise setorial

Em função das perspectivas gerais de uma companhia terem um grande peso no estabelecimento dos preços de mercado, é natural que o analista de títulos dedique grande atenção à posição econômica do setor e da companhia individual dentro desse setor. Estudos desse tipo podem entrar nos mínimos detalhes. Eles constituem, às vezes, fontes de ideias valiosas sobre fatores importantes que vigorarão no futuro, sendo insuficientemente apreciados pelo mercado atual. Nos casos em que uma conclusão desse tipo pode ser tirada com um alto grau de confiança, ela proporcionará uma base sólida para as decisões de investimento.

Nossas próprias observações, no entanto, nos levam a minimizar, em certa medida, o valor prático da maioria dos estudos setoriais que são disponibilizados para os investidores. Em geral, o material desenvolvido

---

9 Por que isso? Pela "regra de 72", a juros de 10%, uma determinada quantia de dinheiro dobra em pouco mais de sete anos, enquanto a 7% ela dobra em pouco mais de dez anos. Quando as taxas de juros são altas, a quantidade de dinheiro que você precisa separar hoje para atingir um dado valor no futuro é *menor*, uma vez que aquelas taxas de juros altas possibilitarão seu crescimento a uma taxa mais rápida. Portanto, uma elevação das taxas de juros hoje torna menos valioso um fluxo futuro de lucros ou dividendos, já que a alternativa de investir em títulos se torna relativamente mais atraente.

é de um tipo com o qual o público já está familiarizado, já tendo exercido considerável influência nas cotações de mercado. Raramente se encontra um estudo de uma corretora de valores que indique, com base em fatos convincentes, que um setor popular tende a despencar ou que um não popular está prestes a prosperar. A visão de Wall Street do longo prazo é notoriamente falível e isso necessariamente se aplica àquela parte importante de suas investigações, que está voltada para a previsão do comportamento dos lucros em setores diversos.

Devemos reconhecer, no entanto, que o crescimento rápido e geral da tecnologia em anos recentes teve um efeito significativo sobre a atitude e o trabalho dos analistas de títulos. Mais do que no passado, o progresso ou retrocesso da companhia típica na década seguinte pode depender de sua relação com novos produtos e processos, os quais o analista pode ter a oportunidade de estudar e avaliar *antecipadamente*. Portanto, sem dúvida existe uma área promissora para o trabalho efetivo por parte do analista, baseado em incursões no campo, entrevistas com pesquisadores e investigação tecnológica intensiva por conta própria. Existem perigos associados a conclusões de investimento derivadas em grande parte de tais vislumbres do futuro e que não são respaldadas por qualquer valor palpável na atualidade. Entretanto, existem perigos talvez iguais em se ater aos limites de valor estabelecidos por cálculos sensatos baseados nos resultados atuais. O investidor não pode ter as duas coisas ao mesmo tempo. Ele pode ser imaginativo e buscar obter grandes lucros que são as recompensas para uma visão que tenha se provado sensata pela evolução dos eventos; mas então ele precisará correr um risco substancial de cálculos errôneos de grande ou pequena monta. Ou ele pode ser conservador e se recusar a pagar mais do que um prêmio pequeno por possibilidades ainda não comprovadas; porém, nesse caso, ele deverá estar preparado para posteriormente contemplar oportunidades de ouro perdidas.

Um processo de avaliação em duas partes

Voltemos por um momento à ideia da valoração ou avaliação de uma ação ordinária, que começamos a discutir na p. 323. Muita reflexão sobre o assunto nos levou a concluir que isso deveria ser feito de forma bastante diferente da prática atualmente estabelecida. Sugerimos que os analistas calculem primeiro o que chamamos de "valor do desempenho passado", o qual está baseado apenas em registros do passado. Esse cálculo indicaria o valor da ação — em termos absolutos ou como uma percentagem do DJIA ou do índice composto da S&P — se presumirmos que seu desempenho relativo no passado continuará imutável no futuro. (Inclui-se nessa avaliação a hipótese de que sua taxa de crescimento relativa, conforme demonstrada nos últimos sete anos, também permanecerá constante nos próximos sete anos.) Esse processo poderia ser implementado de forma mecânica por meio da aplicação de uma fórmula que confere pesos individuais aos resultados de lucratividade do passado, à estabilidade e ao crescimento, assim como às condições financeiras atuais. A segunda parte da análise consideraria em que medida um valor baseado apenas no desempenho passado deveria ser modificado à luz de novas condições esperadas no futuro.

Tal procedimento dividiria o trabalho entre analistas seniores e juniores da seguinte forma: (1) o analista sênior estabeleceria a fórmula a ser aplicada a todas as companhias em geral para determinar o valor do desempenho passado; (2) os analistas juniores calculariam tais fatores para as companhias designadas, de uma forma bastante mecânica; (3) o analista sênior então determinaria em que medida o desempenho de uma companhia — em termos absolutos ou relativos — pode divergir de seu registro passado e que mudança deveria ser realizada no valor para refletir tais mudanças previstas. O ideal seria se o relatório do analista sênior mostrasse tanto a estimativa original quanto a modificada e também as razões da mudança.

Vale a pena realizar um trabalho desse tipo? Nossa resposta é afirmativa, mas nossas razões podem parecer um tanto cínicas para o leitor. Duvidamos que as avaliações a que se chegar provar-se-ão suficientemente confiáveis no caso de uma companhia industrial típica, grande ou pequena. Ilustraremos as dificuldades desse trabalho em nossa discussão sobre a Aluminum Company of America (Alcoa) no próximo capítulo. Não obstante, ele deveria ser feito para tais ações ordinárias. Por quê? Primeiro, muitos analistas de títulos precisam fazer avaliações atuais ou projetadas como parte de seu trabalho rotineiro. O método que propomos seria melhor do que os atualmente usados. Segundo, porque o trabalho de avaliação deveria fornecer uma experiência útil e facilitar a percepção dos analistas que utilizam o método. Terceiro, porque trabalhos desse tipo poderiam produzir um corpo valioso de experiências registradas — como ocorre há muito tempo com a medicina —, que poderia levar a melhores procedimentos e a um conhecimento útil de suas possibilidades e limitações. As ações das concessionárias de serviços públicos podem acabar se tornando uma área importante na qual essa abordagem mostrará um valor pragmático real. Com o passar do tempo, o analista inteligente se restringirá aos grupos para os quais o futuro parece razoavelmente previsível,[10] ou onde a margem de segurança do valor do desempenho passado relativo ao preço atual é tão grande que ele poderá correr riscos com relação às variações futuras, conforme faz ao selecionar títulos seniores altamente seguros.

Nos capítulos seguintes, forneceremos exemplos concretos da aplicação de técnicas analíticas. Porém, eles serão apenas ilustrações. Se o leitor considerar interessante o assunto, deve pesquisá-lo de forma sistemática e profunda antes de considerar-se qualificado para fazer, por conta própria, uma avaliação final sobre a compra e a venda de títulos.

---

10 Esses ramos industriais, idealmente, não seriam excessivamente dependentes de fatores imprevisíveis, como taxas de juros flutuantes ou o rumo futuro dos preços de matérias-primas, como petróleo ou metais. Algumas possibilidades podem ser encontradas em setores como os de jogos de azar, cosméticos, bebidas alcoólicas, clínicas de saúde ou gestão de resíduos.

COMENTÁRIOS AO CAPÍTULO 11

"Por favor, poderia me dizer qual o caminho para eu sair daqui?"
"Depende muito de para onde você quer ir", disse o Gato.
Lewis Carroll, *Alice no País das Maravilhas*

COMO ATRIBUIR UM PREÇO AO FUTURO

Que fatores determinam quanto você deveria estar disposto a pagar por uma ação? O que faz uma companhia valer 10 vezes os lucros e outra valer vinte? Como você pode estar razoavelmente seguro de não estar pagando alto demais por um futuro aparentemente róseo que acaba sendo um pesadelo tenebroso?

Graham pensa que cinco elementos são decisivos.[1] Ele os resume como:

- as "perspectivas gerais de longo prazo" da companhia;
- a qualidade da sua administração;
- sua força financeira e estrutura de capital;
- seu histórico de dividendos;
- sua taxa de dividendos atual.

Olhemos esses fatores à luz do mercado atual.

Perspectivas de longo prazo. Hoje em dia, o investidor inteligente deveria começar por baixar os relatórios anuais referentes, pelo menos, aos últimos cinco anos (Formulário 10-K) do site da companhia ou do banco de dados EDGAR em www.sec.gov.[2] Depois, esquadrinhar os relatórios financeiros, reunindo dados para ajudá-lo a responder a duas questões importantes. O que

---

1 Já que poucos investidores individuais atualmente compram — ou deveriam comprar — títulos individuais, limitaremos essa discussão à análise das ações. Para obter mais informações sobre os títulos, ver comentários ao capítulo 4.

2 Você deveria obter, pelo menos, os relatórios trimestrais de um ano (no Formulário 10-Q). Por definição, presumimos que você seja um investidor "empreendedor" disposto a dedicar um esforço considerável à sua carteira. Se os passos nesse capítulo soam trabalhosos demais para você, então seu temperamento não é talhado para escolher as próprias ações. Você não poderá obter com confiança os resultados que imagina a menos que envide o tipo de esforço que descrevemos.

faz essa companhia crescer? De onde vêm ou virão seus lucros? Entre os problemas a serem vigiados estão:

- A companhia é uma "compradora serial". Uma média de mais de duas ou três aquisições por ano é um sinal de problemas potenciais. Afinal, se a própria companhia prefere comprar ações de outros negócios em vez de investir no seu próprio, você não deveria aproveitar essa dica e procurar em outro lugar também? Verifique o histórico da companhia como compradora. Cuidado com companhias bulímicas, as quais engolem grandes aquisições para acabar vomitando-as. Lucent, Mattel, Quaker Oats e Tyco International são algumas das companhias que tiveram que vomitar aquisições com prejuízos nauseantes. Outras firmas têm o hábito de assumir baixas contábeis ou encargos que evidenciam o pagamento de um preço excessivo por aquisições no passado. Esse é um mau presságio para as compras futuras.[3]
- A companhia é viciada em DdT, incorrendo em dívidas ou vendendo ações para levantar bateladas de Dinheiro de Terceiros. Essas infusões gordas de DdT são rotuladas de "dinheiro de atividades de financiamento" na declaração de fluxos de caixa do balanço anual. Elas podem fazer uma companhia doente parecer em crescimento, mesmo se seus negócios subjacentes não estiverem gerando dinheiro suficiente, como mostraram a Global Crossing e a WorldCom há pouco tempo.[4]
- A companhia depende de um único cliente (ou de poucos) para obter a maior parte de suas receitas. Em outubro de 1999, o fabricante de fibras ópticas Sycamore Networks, Inc. vendeu ações ao público pela primeira vez. O prospecto da empresa revelava que um cliente, a Williams Communications, era responsável por 100% dos US$11 milhões de receita total da Sycamore. Os negociantes alegremente avaliaram as ações da

---

3 Em geral, você pode encontrar detalhes sobre aquisições na seção "Discussão e Análise da Administração" do Formulário 10-K; compare-as com as notas de rodapé dos balanços financeiros. Para obter mais informações sobre "compradoras seriais", ver comentários ao capítulo 12.

4 Para determinar se uma companhia é viciada em Dinheiro de Terceiros, leia a "Declaração de Fluxo de Caixa" nas declarações financeiras. Essa página divide o fluxo de caixa da companhia em "atividades operacionais", "atividades de investimento" e "atividades de financiamento". Se o fluxo de caixa das atividades operacionais for consistentemente negativo enquanto o dinheiro das atividades financeiras é consistentemente positivo, a companhia tem por hábito querer mais dinheiro em caixa do que seus próprios negócios conseguem gerar, e você não deve se juntar aos "facilitadores" desse abuso habitual. Para obter mais informações sobre a Global Crossing, ver comentários ao capítulo 12. Para obter mais informações sobre a WorldCom, ver boxe em comentários ao capítulo 6.

Sycamore em US$15 bilhões. Infelizmente, a Williams pediu falência dois anos mais tarde. Embora a Sycamore tivesse atraído outros clientes, suas ações caíram 97% entre 2000 e 2002.

Ao estudar as fontes de crescimento e lucros, preste atenção aos pontos positivos, assim como aos negativos. Os bons sinais incluem os seguintes fatos:

- A companhia possui um "grande muro" ou vantagem competitiva. Como os castelos, algumas companhias podem ser facilmente invadidas por concorrentes saqueadores, enquanto outras são quase inexpugnáveis. Alguns pontos fortes podem aumentar o muro da companhia: uma *identidade forte* (pense na Harley Davidson, cujos compradores tatuam a logomarca da companhia nos próprios corpos); um *monopólio* ou quase-monopólio de um mercado; *economias de escala* ou a capacidade de ofertar grandes quantidades de bens e serviços baratos (considere a Gillette, a qual produz bilhões de lâminas de barbear); um *ativo intangível* singular (pense na Coca-Cola, cuja fórmula secreta do xarope saboroso não tem valor físico real, mas tem um valor incomensurável na manutenção da fidelidade dos consumidores); ou uma *resistência à substituição* (a maioria dos negócios não possui alternativa à eletricidade, portanto as companhias geradoras de energia elétrica dificilmente serão suplantadas no futuro próximo).[5]
- A companhia é um maratonista, não um velocista. Ao examinar os balanços retroativamente, você pode verificar se as receitas e os lucros líquidos cresceram de forma consistente e constante nos últimos dez anos. Um artigo recentemente publicado no *Financial Analysts Journal* [Boletim de Analistas Financeiros] confirma o que outros estudos (e as experiências tristes de muitos investidores) mostraram: as companhias de crescimento mais rápido tendem a se superaquecer e se extinguir.[6] Se os lucros estiverem crescendo a uma taxa de longo prazo de 10% antes dos impostos (ou 6% a 7% pós-tributação), isso pode ser sustentável. Porém, as metas de

---

5 Para obter mais informações sobre "fossos", leia o clássico *Competitive Strategy* [Estratégia competitiva], escrito pelo professor da Harvard Business School Michael E. Porter (Free Press, New York, 1998).

6 Ver Cyrus A. Ramezani, Luc Soenen e Alan Jung, "Growth, Corporate Profitability, and Value Creation" [Crescimento, lucratividade empresarial e criação de valor], *Financial Analysts Journal*, novembro-dezembro, 2002, p. 56-57; também disponível em http://cyrus.cob.calpoly.edu/.

crescimento de 15% que muitas companhias estabelecem para si mesmas são ilusórias. E até mesmo uma taxa mais alta, ou um impulso repentino de crescimento por um ou dois anos, quase certamente desaparecerá, de forma semelhante ao maratonista inexperiente que tenta correr a corrida inteira como se ela fosse uma prova de cem metros rasos.

- A companhia *semeia e colhe.* Não obstante a qualidade de seus produtos ou a força de suas marcas, uma companhia deve gastar algum dinheiro no desenvolvimento de novos negócios. Embora os gastos com pesquisa e desenvolvimento não sejam uma fonte de crescimento hoje, eles podem ser assim no futuro, sobretudo se a firma tiver um histórico comprovado de rejuvenescimento de seus negócios por meio de novos equipamentos e ideias. O orçamento médio para pesquisa e desenvolvimento varia entre setores e companhias. Em 2002, a Procter & Gamble gastou aproximadamente 4% de seu faturamento líquido em pesquisa e desenvolvimento, enquanto a 3M gastou 6,5% e a Johnson & Johnson, 10,9%. A longo prazo, uma companhia que não gasta nada em pesquisa e desenvolvimento está, no mínimo, tão vulnerável quanto uma que gasta demais.

A qualidade e a conduta da administração. Os executivos da companhia deveriam dizer o que farão e depois fazer o que disseram. Leia os relatórios anuais do passado para ver as previsões feitas pelos administradores e se eles as cumpriram ou não. Os administradores deveriam admitir francamente seus fracassos e assumir a responsabilidade por eles, em vez de acusar bodes expiatórios, como "a economia", "as incertezas" ou "a demanda fraca". Verifique se o tom e a substância da carta do presidente se mantêm constantes ou oscilam de acordo com as últimas modas de Wall Street. (Preste atenção especial aos anos de *boom,* como 1999: os executivos de uma companhia de cimento ou de roupas íntimas de repente declararam que possuíam "a última novidade em *software* transformativo"?)

Essas questões podem também ajudá-lo a determinar se as pessoas que administram a companhia atuarão visando aos interesses dos *proprietários* da companhia:

- Eles estão pensando em seu próprio bem-estar?

  Uma firma que remunera seu principal executivo com o montante de US$100 milhões em um ano precisa ter uma boa razão para tal. (Talvez ele tenha descoberto e patenteado a Fonte da Eterna Juventude? Ou encontrado o eldorado e o comprado por US$1 o hectare? Ou encontrado vida em outro planeta e negociado um contrato obrigando os alienígenas a comprarem tudo que precisam de uma única companhia na Terra?) Caso contrário, esse tipo de pagamento obeso e obsceno sugere que a firma é dirigida pelos administradores *para* os administradores.

Se a companhia tem um preço diferente para (ou "reemite" ou "troca") suas opções sobre ações para os "de dentro", fique longe dela. Nesse troca-troca, a companhia cancela opções sobre ações existentes (e, em geral, sem qualquer valor) para empregados e executivos, e depois as substitui por opções novas com preços vantajosos. Se não é permitido que seu valor em algum momento chegue a zero, embora o lucro potencial seja sempre infinito, como podem as opções encorajar uma boa gestão dos ativos da companhia? Qualquer companhia estabelecida que muda os preços de suas opções, conforme fazem dezenas de firmas de alta tecnologia, deveria se envergonhar disso. Qualquer investidor que compre ações em tal companhia é um cordeirinho suplicando para ser tosado.

Ao procurar no relatório anual por notas de rodapé obrigatórias sobre as opções de ações, você pode ver como é grande a "sombra" das opções. A AOL Time Warner, por exemplo, informou no início de seu relatório anual que tinha 4,5 bilhões de ações ordinárias colocadas no mercado em 31 de dezembro de 2002, mas uma nota de rodapé nas profundezas do relatório revelava que a companhia havia emitido opções sobre 657 milhões de ações adicionais. Portanto, os lucros futuros da AOL terão de ser divididos entre um número de ações 15% maior. Você deve levar em conta o fluxo potencial de novas ações resultantes das opções sobre ações sempre que estimar o valor futuro de uma companhia.[7]

O "Formulário 4", disponível no banco de dados EDGAR em www.sec.gov, mostra se os executivos graduados e os diretores de uma firma têm comprado ou vendido ações. Pode haver razões legítimas para que um empregado venda — diversificação, aquisição de um imóvel maior, divórcio —, mas vendas grandes e repetidas constituem um sinal de alerta.

---

7 Jason Zweig é um empregado da AOL Time Warner e possui opções na companhia. Para obter mais informações sobre como funcionam as opções sobre ações, ver comentários ao capítulo 19, p. 550-551.

Um administrador não pode legitimamente ser seu sócio se ele constantemente vende enquanto você compra.

- Eles são administradores ou promotores?

Os executivos deveriam passar a maior parte de seu tempo gerenciando a companhia a portas fechadas e não promovendo-a junto ao público investidor. Com muita frequência, os presidentes reclamam que suas ações são subvalorizadas independentemente de quanto tenham subido, esquecendo que Graham insistiu em que os administradores deveriam tentar evitar que o preço da ação caísse ou subisse demais.[8] Entretanto, grande parte dos diretores-financeiros importantes oferece "orientação sobre lucros" ou palpites sobre os lucros trimestrais da companhia. Algumas firmas se promovem em excesso, emitindo comunicados à imprensa que constantemente alardeiam "oportunidades" temporárias, triviais ou hipotéticas.

Um punhado de companhias, incluindo a Coca-Cola, a Gillette e a USA Interactive, começou "simplesmente a dizer não" ao pensamento de curto prazo de Wall Street. Essas poucas empresas corajosas estão fornecendo mais detalhes sobre seus orçamentos atuais e os planos de longo prazo e se recusam a especular sobre o que os próximos noventa dias podem trazer. (Para obter um modelo de como uma companhia pode se comunicar com seus acionistas, de forma serena e equilibrada, visite o banco de dados EDGAR em www.sec.gov e veja os relatórios 8-K elaborados pela Expeditors International of Washington, o qual periodicamente disponibiliza, em forma de perguntas e respostas, seus ricos diálogos com os acionistas.)

Finalmente, pergunte se as práticas contábeis da companhia são projetadas para tornar seus resultados financeiros transparentes ou opacos. Se encargos "não recorrentes" aparecem recorrentemente, itens "extraordinários" surgem com tanta frequência que parecem ordinários, siglas como Ebitda assumem prioridade sobre a receita líquida ou lucros "*pro forma*" são usados para disfarçar prejuízos, você pode estar lidando com uma firma que ainda não aprendeu a colocar os interesses de longo prazo de seus acionistas em primeiro lugar.[9]

---

8 Ver nota 19 em comentários ao capítulo 19, p. 552.

9 Para obter mais informações sobre essas questões, ver comentários ao capítulo 12 e o excelente ensaio de Joseph Fuller e Michael C. Jensen, "Just Say No To Wall Street" [Simplesmente diga não a Wall Street], em http://papers.ssrn.com.

Força financeira e estrutura de capital. A definição mais básica possível de um bom negócio é essa: ele gera mais dinheiro do que consome. Administradores bons encontram maneiras de usar esse dinheiro de modo produtivo. No longo prazo, é quase certo que as companhias enquadradas nessa definição crescerão em valor, independentemente da evolução do mercado de ações.

Comece por ler a declaração de fluxo de caixa no relatório anual da companhia. Veja se o dinheiro derivado das operações cresceu de forma estável ao longo dos últimos dez anos. Depois disso, você pode seguir adiante. Warren Buffett popularizou o conceito de *lucros do proprietário* ou faturamento líquido mais amortização e depreciação e menos despesas de capital normais. Conforme diz o administrador de carteira Christopher Davis, da Davis Selected Advisors, "se você possuísse 100% dessa companhia, quanto dinheiro você teria no bolso no final do ano?" Na medida em que são feitos ajustes para itens contábeis, como amortização e depreciação, que não afetam o saldo de caixa da companhia, os lucros do proprietário podem ser uma medida melhor do que o faturamento líquido divulgado. Para refinar ainda mais a definição dos lucros do proprietário, você deve também subtrair do faturamento líquido divulgado:

- qualquer custo relacionado à concessão de opções sobre ações, as quais desviam lucros dos acionistas atuais para os bolsos de novos proprietários que são funcionários da companhia;
- quaisquer encargos "incomuns", "não recorrentes" ou "extraordinários"; e
- qualquer "receita" do fundo de pensão da companhia.

Se os lucros do proprietário por ação cresceram a uma média estável de, pelo menos, 6% ou 7% nos últimos dez anos, a companhia é uma geradora de dinheiro estável e suas perspectivas de crescimento são boas.

Em seguida, examine a estrutura de capital da companhia. Procure os balanços para ver o grau de endividamento (incluindo as ações preferenciais) da companhia; em geral, a dívida de longo prazo deveria ser inferior a 50% do capital social total. Nas notas de rodapé das declarações financeiras, determine se a dívida de longo prazo tem uma taxa fixa (com pagamentos de juros constantes) ou variável (com pagamentos que oscilam, os quais podem se tornar onerosos se as taxas de juros subirem).

Leia o relatório anual e procure o item ou declaração que mostra a "razão entre lucros e encargos fixos". Este item do relatório anual de 2002 da Amazon.com mostra que os lucros dessa companhia deixaram de cobrir o custo dos juros em US$145 milhões. No futuro, a Amazon terá que lucrar muito mais com suas operações ou encontrar uma forma de pegar dinheiro emprestado a taxas mais baixas. Caso contrário, a companhia poderá terminar como propriedade não de seus acionistas, mas dos donos de seus títulos, os quais têm o direito de reivindicar os ativos da Amazon se não tiverem outra forma de receber os pagamentos de juros que lhes são devidos. (Para ser justo, a razão lucros sobre encargos fixos da Amazon foi bem mais saudável em 2002 do que em anos anteriores, quando os lucros foram US$1,1 bilhão menores do que a cobertura do pagamento de dívidas.)

Algumas breves palavras sobre os dividendos e a política acionária (para obter mais informações, ver capítulo 19):

- O ônus da prova recai sobre a companhia para mostrar que você ficará em uma situação melhor se ela não pagar dividendos. Se a firma tiver superado a concorrência, de forma consistente, em mercados bons e ruins, os administradores estão evidentemente usando o dinheiro de forma ótima. Se, no entanto, o negócio está caminhando aos tropeços ou as ações estão se comportando pior que as de seus rivais, então os administradores e diretores estão utilizando mal o dinheiro ao se recusarem a pagar dividendos.
- As companhias que repetidamente desdobram suas ações e alardeiam esses desdobramentos em estridentes comunicados à imprensa tratam seus investidores como tolos. Conforme Yogi Berra — que justificou o pedido para fatiar sua pizza em quatro pedaços: "Acho que não aguento comer oito" —, os acionistas que adoram os desdobramentos de ações estão enganados. Duas ações de uma companhia a US$50 não valem mais a pena serem compradas do que uma ação a US$100. Os administradores que usam os desdobramentos para promoverem suas ações estão ajudando e incentivando os piores instintos do público investidor, e o investidor inteligente pensará duas vezes antes de colocar qualquer dinheiro nas mãos de tais manipuladores condescendentes.[10]
- As companhias deveriam recomprar suas ações quando elas estivessem baratas, não quando estivessem em níveis recorde. Infelizmente, tem se tornado uma prática comum as companhias recomprarem suas ações *quando elas estão sobrevalorizadas*. Não existe desperdício mais cínico do

---

10 Os desdobramentos de ações serão discutidos mais adiante em comentários ao capítulo 13.

dinheiro de uma companhia, já que a intenção verdadeira por trás dessa manobra é permitir que os executivos mais graduados ganhem rios de dinheiro ao vender suas opções sobre ações em nome do "aumento do valor para os acionistas".

Na verdade, um volume substancial de indícios anedóticos sugere que os administradores que discursam sobre como "aumentar o valor para os acionistas" raramente o fazem. Ao investir, assim como na vida corriqueira, a vitória final em geral é de quem faz e não de quem fala.

CAPÍTULO 12
CONSIDERAÇÕES SOBRE OS LUCROS POR AÇÃO

Este capítulo começará dando dois conselhos ao investidor que têm implicações inerentemente contraditórias. O primeiro é: não leve a sério os lucros de um único ano. O segundo é: caso queira analisar os lucros de curto prazo, fique alerta para as armadilhas existentes na divulgação dos lucros por ação. Se nosso primeiro conselho for seguido à risca, o segundo não será necessário. Porém, é esperar demais que a maioria dos acionistas possa vincular todas suas decisões no campo das ações ordinárias ao histórico e às perspectivas de longo prazo. Os resultados trimestrais e sobretudo os anuais são objeto de grande atenção nos círculos financeiros, e essa ênfase não pode deixar de ter seu impacto no pensamento do investidor. Ele também pode precisar de alguma instrução nesse campo onde abundam as possibilidades de enganos.

Enquanto este capítulo estava sendo escrito, o balanço da Aluminum Company of America (Alcoa) referente a 1970 era publicado no *Wall Street Journal*. Os primeiros números apresentados foram

	1970	1969
Lucro por ação[a]	US$5,20	US$5,58

O pequeno [a] no início é explicado na nota de rodapé como referência ao "lucro primário" antes de encargos especiais. Há muito mais material na nota de rodapé; na verdade, ela ocupa duas vezes o espaço ocupado pelos números básicos em si.

Para o trimestre encerrado em dezembro isoladamente, os "lucros por ação" são informados como sendo de US$1,58 em 1970, em comparação com US$1,56 em 1969.

O investidor ou especulador interessado nas ações da Alcoa, ao ler aquelas informações, poderia dizer para si mesmo: "Nada mau. Sei que 1970 foi um ano de recessão para o alumínio. Porém, o quarto trimestre mostra um ganho maior que o de 1969, com lucros equivalentes a US$6,32 ao ano. Deixe-me ver. A ação está sendo negociada a 62. Ora, isso é menos que dez vezes os lucros. Isso faz com que ela pareça bastante barata, comparada com 16 vezes para a International Nickel etc. etc."

No entanto, se nosso amigo investidor-especulador tivesse se dado ao trabalho de ler a nota de rodapé toda, ele teria descoberto que, em vez de um dado para os lucros por ação referente ao ano de 1970, na verdade existiam *quatro*, a saber:

	1970	1969
Lucro primário	US$5,20	US$5,58
Lucro líquido (após encargos especiais)	4,32	5,58
Plenamente diluído, antes de encargos especiais	5,01	5,35
Plenamente diluído, após encargos especiais	4,19	5,35

Com referência ao quarto trimestre, somente dois números são apresentados:

Lucro primário	US$1,58	US$1,56
Lucro líquido (após encargos especiais)	0,70	1,56

O que significam todos esses lucros adicionais? Quais são os lucros verdadeiros para o ano e para o trimestre de dezembro? Se o último lucro fosse considerado de 70 centavos, ou seja, o lucro líquido após encargos especiais, a taxa anual seria de US$2,80 em vez de US$6,32, e o preço de 62 equivaleria a "22 vezes os lucros", em vez das dez vezes com que começamos.

Parte da questão acerca dos "lucros verdadeiros" da Alcoa pode ser respondida muito facilmente. A redução de US$5,20 para US$5,01, a fim de compensar os efeitos de "diluição", é claramente justificada. A Alcoa tem uma série de obrigações conversíveis em ações ordinárias; para calcular o "poder de lucro" das ordinárias, com base nos resultados de 1970, deve ser presumido que o privilégio da conversão será exercido caso seja rentável para os proprietários das obrigações fazê-lo. No caso da Alcoa, a quantidade envolvida é relativamente pequena e quase não mereceria comentário detalhado. No entanto, em outros casos, o cálculo do impacto dos direitos de conversão — e a existência de bônus de subscrição de ações — pode reduzir os lucros aparentes pela metade, ou até mais. Apresentaremos a seguir exemplos de um fator de diluição realmente significativo (p. 411). (Os serviços financeiros nem sempre são consistentes no que se refere ao cálculo do fator de diluição em seus relatórios e análises.)[1]

Deixe-nos voltar à questão dos "encargos especiais". O número US$18.800.000 ou 88 centavos por ação, deduzido no quarto trimestre, é importante. Será que ele deve ser totalmente ignorado, ou plenamente reconhecido como uma redução dos lucros ou parcialmente reconhecido e parcialmente ignorado? O investidor atento deve também questionar sobre a razão do surgimento de uma virtual epidemia de tais baixas contábeis especiais após 1970, mas não em anos anteriores? Será que mãos italianas[2] habilidosas mexeram na contabilidade, porém, claro, sempre dentro dos limites permitidos? Ao olharmos de perto, podemos descobrir que tais prejuízos, descontados antes de efetivamente ocorrerem, podem desaparecer como num passe de mágica, sem qualquer efeito negativo sobre os "lucros primários", tanto do passado quanto do futuro. Em alguns casos extremos, eles podem ser usados para fazer com que certos lucros subsequentes pareçam quase duas vezes maiores do que na realidade são, por meio do tratamento mais ou menos mirabolante dos créditos fiscais envolvidos.

Ao lidar com os encargos especiais da Alcoa, a primeira coisa a ser elucidada é como eles surgiram. As notas de rodapé são suficientemente claras. As deduções vieram de quatro fontes, ou seja:

---

1 "Diluição" é uma das muitas palavras que descrevem as ações na linguagem da dinâmica dos fluidos. Uma ação com alto volume de negociação é denominada "líquida". Quando uma companhia se torna pública por meio de um IPO, ela "flutua" seu capital. No passado, uma companhia que diluía drasticamente suas ações (com quantidades grandes de dívidas conversíveis ou ofertas múltiplas de ações ordinárias) era considerada como "aguando" as ações. Acredita-se que esse termo surgiu com o lendário manipulador do mercado Daniel Drew (1797-1879), que começou sua carreira como comerciante de gado. Ele trazia sua boiada para o sul rumo a Manhattan, forçando os animais a comer sal ao longo do caminho. Quando eles chegavam ao Harlem River, bebiam grandes quantidades de água para aplacar a sede. Drew então os levava ao mercado, aonde chegavam mais pesados em função da água que haviam bebido. Isso lhe permitia obter um preço mais alto, pois o gado em pé é vendido com base no peso. Mais tarde, Drew aguou as ações da Erie Railroad ao fazer grandes lançamentos de novas ações sem qualquer aviso.

2 Graham está se referindo ao trabalho artesanal dos imigrantes italianos esculpidores de pedras, que ornamentaram as fachadas dos edifícios em toda Nova York no início da década de 1900, as quais, de outra forma, seriam austeras. Os contadores, da mesma forma, podem transformar fatos financeiros simples em padrões intrincados e até mesmo incompreensíveis.

1. Estimativa, elaborada pela administração da companhia, dos custos previstos de fechamento da divisão de produtos manufaturados.
2. Idem para o fechamento das fábricas da Alcoa Castings Co.
3. Idem para os prejuízos com a desativação gradual da Alcoa Credit Co.
4. E, ainda, custos estimados de US$5,3 milhões associados à conclusão de um contrato para um "muro de contenção".

Todos esses itens se relacionam com custos e prejuízos futuros. É fácil dizer que eles não são parte dos "resultados operacionais regulares" de 1970, mas se é assim, a que lugar pertencem? São tão "extraordinários e não recorrentes" que não pertencem a lugar algum? Um empreendimento de grande porte, tal como a Alcoa, com um faturamento anual de US$1,5 bilhão, deve ter muitos departamentos, divisões, afiliadas e afins. Não seria normal, em vez de extraordinário, que um ou mais provasse ser pouco lucrativo e exigisse fechamento? Da mesma forma com relação a itens tais como um contrato para a construção de um muro. E se cada vez que uma companhia registrasse um prejuízo em qualquer parte de seus negócios, ela tivesse a brilhante ideia de considerar a baixa contábil como um "item especial" e, portanto, de divulgar seus "lucros primários" por ação de modo a incluir apenas os contratos e as operações rentáveis? Essa estratégia se assemelha ao relógio de sol do rei Eduardo VII, que marcava apenas as "horas ensolaradas".[3]

O leitor deveria notar dois aspectos engenhosos no procedimento da Alcoa em discussão. O primeiro é que ao *antecipar perdas futuras,* a companhia foge da necessidade de alocar a um ano identificável os prejuízos em si. Eles não pertencem a 1970, porque não ocorreram efetivamente naquele ano, e não serão *mostrados* no ano em que realmente ocorrerem, porque

---

3 Provavelmente, o rei tirou sua inspiração do famoso ensaio escrito por William Hazlitt, o qual contemplou um relógio de sol perto de Veneza que tinha gravadas as palavras *Horas non numero nisi serenas* ou "conto apenas as horas que são serenas". As companhias que cronicamente excluem as más notícias de seus resultados financeiros sob o pretexto de que eventos negativos são "extraordinários" ou "não recorrentes" estão copiando Hazlitt, que incitou seus leitores a "não prestarem atenção ao tempo exceto por seus benefícios, a olharem apenas para os sorrisos e ignorarem as carrancas do destino, a compor nossas vidas com momentos brilhantes e gentis, buscando o lado ensolarado das coisas e deixando o resto deslizar de nossa imaginação, desprezado ou esquecido!" (William Hazlitt, "On a Sun-Dial" [Sobre um relógio de sol], ca. 1827). Infelizmente, os investidores precisam sempre contar ambas as horas, tanto as ensoladas quanto as escuras.

já foram lançados antecipadamente. Trata-se de um trabalho criativo, mas não seria um tanto enganador?

A nota de rodapé da Alcoa nada diz sobre as reduções de impostos futuros derivadas desses prejuízos. (A maior parte das outras afirmações desse tipo afirma especificamente que foi dada baixa apenas no "efeito pós-tributação".) Se os números da Alcoa representam prejuízos futuros antes do crédito fiscal relacionado, então não somente os lucros futuros estarão livres do peso desses encargos (à medida que forem realmente incorridos), mas serão *aumentados* pelo crédito fiscal em aproximadamente 50%. É difícil acreditar que as contas serão tratadas dessa forma. Porém, é fato que certas companhias que registraram grandes prejuízos no passado foram capazes de divulgar lucros futuros sem lançar os impostos normais que incidiriam sobre eles — aparentando dessa forma uma lucratividade muito boa — com base, paradoxalmente, nas desgraças do passado. (Os créditos fiscais resultantes dos prejuízos em *anos anteriores* estão agora sendo mostrados em separado como "itens especiais", mas entrarão nas estatísticas futuras como parte dos números finais de "lucro líquido". No entanto, uma reserva estabelecida agora para prejuízos *futuros*, caso *líquida* do crédito fiscal previsto, não deveria criar um acréscimo desse tipo ao lucro líquido em anos posteriores.)

Outra característica engenhosa é o uso, pela Alcoa e por muitas outras companhias, precisamente do final do ano de 1970 para fazer tais baixas especiais. O mercado acionista passou pelo que pareceu ser um banho de sangue na primeira metade de 1970. Todos esperavam resultados anuais relativamente fracos para a maioria das companhias. Wall Street previa resultados melhores em 1971, 1972 etc. Que arranjo simpático seria então fazer o maior volume de baixas possível em um ano ruim, o qual já havia sido mentalmente descartado e virtualmente esquecido, deixando o caminho aberto para números agradavelmente engordados em anos seguintes! Talvez isso seja bom em termos de contabilidade, políticas de negócios e relacionamentos entre acionistas e administradores. Mas nós temos reservas.

A combinação de operações amplamente (ou deveria ser desordenadamente?) diversificadas com o impulso de fazer uma faxina no final de 1970 produziu algumas notas de rodapé estranhas nos relatórios anuais. O leitor pode se divertir com as explicações a seguir, as quais foram fornecidas por uma companhia listada na Bolsa de Valores de Nova York (que permanecerá anônima), a respeito de "itens especiais" que somavam US$2.357.000 ou aproximadamente um terço do lucro antes das baixas contábeis: "Consistem em provisionamentos relativos ao fechamento das operações da Spalding United Kingdom; provisionamento relativo às despesas de reorganização de uma divisão; custos de venda de uma pequena companhia de roupas e artigos para bebê; venda de uma participação parcial em uma companhia de aluguel de carros espanhola; e liquidação de um fabricante de botas de esqui."[4]

Anos atrás, as companhias fortes costumavam estabelecer "reservas de contingência" utilizando os lucros dos *anos bons* para absorver alguns dos efeitos negativos dos anos de depressão posteriores. A ideia subjacente era mais ou menos equalizar os lucros divulgados e melhorar o fator de estabilidade no histórico da companhia. Um motivo aparentemente nobre; porém, os contadores muito corretamente foram contrários à prática por apresentar os lucros verdadeiros de maneira enganosa. Eles insistiram que os resultados de cada ano fossem apresentados do jeito que eram, bons ou ruins, e que os acionistas e analistas fizessem tal nivelamento por si mesmos. Parece que agora testemunhamos o fenômeno oposto, com todo mundo dando baixa, na medida do possível, no já esquecido ano de 1970, para começar 1971 com uma ficha não apenas limpa, mas cuidadosamente preparada para mostrar lucros por ação aprazíveis em anos vindouros.

É hora de voltarmos à nossa primeira questão. Quais foram então os lucros verdadeiros da Alcoa em 1970? A resposta correta seria: US$5,01 por ação após "diluição" *menos* a parcela dos 82 centavos de "encargos especiais" que poderia, de forma apropriada, ser atribuída a ocorrências em 1970. Porém, não sabemos qual o tamanho dessa parcela e, *portanto, não podemos afirmar de forma correta quais foram os lucros verdadeiros para o ano.* Os administradores e os auditores deveriam ter nos apresentado sua melhor avaliação desse ponto, porém eles não o fizeram. Ademais, os administradores e os auditores deveriam ter previsto a dedução do saldo desses encargos dos *lucros ordinários* durante um número apropriado de anos futuros, digamos, não superior a cinco. É evidente que eles também não

---

4 A companhia à qual Graham se refere de forma tão melindrosa parece ser a American Machine & Foundry (ou AMF Corp.), um dos conglomerados mais confusos do final dos anos 1960. Era um antecessor da AMF Bowling Worldwide de hoje, a qual opera pistas de boliche e fabrica equipamentos para esse esporte.

farão isso, uma vez que já deram baixa, convenientemente, no montante inteiro como um encargo especial em 1970.

Quanto mais os investidores levam a sério os dados de lucro por ação publicados, mais necessário se torna ficarem alerta com relação aos fatores contábeis de um tipo ou de outro, os quais possam atrapalhar a possibilidade de fazer uma comparação verdadeira entre números. Já mencionamos três tipos desses fatores: o uso de *encargos especiais*, os quais jamais podem ser refletidos nos lucros por ação; a redução na dedução normal do *imposto de renda* em função de prejuízos passados; e o fator de *diluição* implícito na existência de quantidades substanciais de títulos e certificados conversíveis.[1] Um quarto item que teve um efeito significativo, no passado, sobre os lucros divulgados é o método de tratamento da depreciação, sobretudo entre os cronogramas "lineares" e os "acelerados". Abstemo--nos de fornecer detalhes aqui. Porém, como exemplo atual, mencionaremos o balanço da Trane Co. relativo a 1970. Essa firma apresentou um aumento de quase 20% nos lucros por ação em relação a 1969 — US$3,29 *versus* US$2,76 —, mas metade disso é derivada do retorno ao método de depreciação linear anteriormente utilizado, que pesa menos sobre os lucros do que o método acelerado usado no ano anterior. (A companhia continuará a usar a taxa acelerada em sua declaração de imposto de renda, postergando assim os pagamentos de imposto de renda sobre a diferença.) Um outro fator, importante às vezes, é a escolha entre alocar os custos de pesquisa e desenvolvimento ao ano em que aconteceram ou amortizá-los ao longo de um período de vários anos. Finalmente, mencionaremos a escolha entre os métodos de avaliação de inventários PEPS (primeiro a entrar e primeiro a sair) e UEPS (último a entrar e primeiro a sair).[5]

---

5 Hoje em dia, os investidores precisam estar atentos a diversos outros "fatores contábeis" que podem distorcer os lucros divulgados. Um deles consiste das declarações financeiras "*pro forma*" ou "como se", as quais apresentam os lucros de uma companhia como se os Princípios de Contabilidade Geralmente Aceitos (GAAP, na sigla em inglês) não se aplicassem. Um outro fator consiste no efeito ilusório da emissão de milhões de opções sobre ações para remuneração executiva e, em seguida, a recompra de milhões de ações para evitar que tais opções reduzam o valor das ações ordinárias. Um terceiro fator abrange as premissas irrealistas de retorno dos fundos de pensão da companhia, os quais podem inflacionar artificialmente os lucros em bons anos e deprimi-los em anos ruins. Um outro fator ainda trata de "Entidades com Propósitos Especiais" ou firmas afiliadas ou parcerias que compram ativos arriscados ou passivos de companhias e depois "removem" tais riscos financeiros dos balanços da companhia. Mais um elemento de distorção é o tratamento do marketing ou de outros itens intangíveis como ativos da

Uma observação óbvia nessa altura é a de que os investidores não deveriam prestar qualquer atenção a essas variáveis contábeis se as quantias envolvidas forem relativamente pequenas. No entanto, sendo Wall Street do jeito que é, até mesmo itens em si pequenos podem merecer serem levados a sério. Dois dias antes do aparecimento do relatório da Alcoa no *Wall Street Journal*, o jornal publicou uma discussão acirrada sobre o balanço correspondente da Dow Chemical. Ele fechou com a observação de que "muitos analistas" estavam preocupados com o fato de que a Dow havia incluído um item de 21 centavos como sendo lucro normal de 1969, em vez de tratá-lo como um item de "lucro extraordinário". Por que tanto estardalhaço? Porque, evidentemente, avaliações da Dow Chemical que envolviam vários milhões de dólares ao todo pareciam depender exatamente de qual havia sido o aumento percentual em 1969 em comparação com 1968, sendo, nesse caso, 9% ou 4%. Isso nos parece um tanto absurdo; é muito improvável que pequenas diferenças envolvidas nos resultados de um ano poderiam ter qualquer efeito nos lucros ou crescimento médios no futuro e em uma avaliação realista e conservadora do negócio.

Para efeitos de comparação, considere outro relatório que também apareceu em janeiro de 1971. Ele dizia respeito ao balanço da Northwest Industries Inc. referente a 1970.[6] A companhia estava planejando dar baixa, como um encargo especial, em nada menos que US$264 milhões de uma só tacada. Desses, US$200 milhões representavam o prejuízo a ser assumido na venda proposta de sua subsidiária ferroviária aos próprios empregados e o restante da baixa contábil gradual de uma compra de ações recente. Essas somas representariam um prejuízo de aproximadamente US$35 por ação ordinária antes da compensação pela diluição ou duas vezes o preço de mercado atual. Aqui, temos algo realmente significativo. Se a transação for concretizada e se a legislação tributária não for alterada, esse prejuízo lançado em 1970 permitirá que a Northwest Industries realize aproximadamente US$400 milhões de lucros futuros

---

companhia, em vez de despesas comerciais normais. Examinaremos sucintamente tais práticas nos comentários que acompanham este capítulo.

6 A Northwest Industries foi a companhia controladora da Chicago and Northwestern Railway Co. e da Union Underwear (o produtor das marcas de roupa íntima BVD e Fruit of the Loom), entre outras companhias. Em 1985, ela foi comprada pelo financista superendividado William Farley, que depenou a companhia. A Fruit of the Loom foi comprada em um processo de falência pela Berkshire Hathaway Inc., controlada por Warren Buffett, no início de 2002.

(nos próximos cinco anos) derivados de suas outras participações diversificadas sem pagar imposto de renda em cima desse montante.[7] Quais seriam então os lucros reais daquela empresa? Eles deveriam ser calculados com ou sem provisão para os quase 50% de imposto de renda que não serão necessários pagar? Em nossa opinião, o modo apropriado de cálculo seria primeiro considerar o poder de lucro indicado com base no pagamento integral do imposto de renda e derivar alguma ideia aproximada do valor da ação com base em tal estimativa. A isso deve ser acrescentado algum montante adicional, representando o valor por ação da isenção de impostos importante, mas temporária, que a companhia gozará. (Também deve ser levada em conta uma possível diluição em grande escala nesse caso. Na verdade, os títulos de dívidas e bônus de subscrição conversíveis superariam em mais de duas vezes as ações ordinárias emitidas se os privilégios forem exercidos.)

Tudo isso pode parecer confuso e fatigante para nossos leitores, mas faz parte de nossa história. A contabilidade empresarial é muitas vezes enganosa; a análise de títulos pode ser complicada; as avaliações dos preços das ações são realmente confiáveis apenas em casos excepcionais.[8] Para a maioria dos investidores, seria provavelmente melhor se certificarem em obter um bom valor pelo preço pago e ficarem nisso.

Uso de lucros médios

---

7 Graham se refere aos dispositivos da legislação tributária federal que permitem que as corporações "tragam para a frente" seus prejuízos operacionais líquidos. De acordo com o código tributário atual, esses prejuízos podem ser trazidos para a frente por até vinte anos, reduzindo o passivo tributário da companhia durante o período como um todo (e, portanto, aumentando seus lucros após a tributação). Logo, os investidores precisam avaliar se os prejuízos severos no passado recente poderiam, na verdade, *melhorar* os lucros líquidos da companhia no futuro.

8 Os investidores deveriam decorar essas palavras e lembrar-se delas com frequência: "As avaliações dos preços das ações são realmente confiáveis apenas em casos excepcionais." Embora os preços da maioria das ações estejam razoavelmente corretos na maior parte do tempo, o preço de uma ação e o valor de seus negócios quase nunca coincidem. A avaliação do mercado sobre o preço é, na maioria das vezes, pouco confiável. Infelizmente, a margem dos erros de avaliação de preços pelo mercado não é, muitas vezes, suficientemente grande para compensar os custos de negociação. O investidor inteligente deve avaliar com cuidado os custos de transação e os impostos antes de tentar tirar vantagem de qualquer discrepância de preço, e nunca deveria contar com o fato de ser capaz de vender ao preço exato atualmente cotado no mercado.

No passado, analistas e investidores dedicaram atenção considerável aos lucros médios relativos a um período razoavelmente longo, em geral de sete a dez anos. Esse "número médio"[9] foi útil para eliminar os frequentes altos e baixos do ciclo econômico e era visto como capaz de oferecer uma ideia mais precisa do potencial de lucratividade da companhia do que os resultados isolados do último ano. Uma vantagem importante de tal processo de cálculo é que ele resolve o problema do que fazer com relação a quase todos os encargos e créditos especiais. Eles precisam ser *incluídos* no lucro médio, pois, seguramente, a maioria dessas perdas e desses ganhos representa uma parte da história das operações da companhia. Se aplicássemos esse procedimento à Alcoa, os lucros médios para 1961-1970 (dez anos) seriam de US$3,62 e para os sete anos entre 1964-1970 seriam de US$4,62 por ação. Se tais números forem usados em conjunto com as avaliações do crescimento e da estabilidade dos lucros durante o mesmo período, eles poderão oferecer um quadro efetivamente informativo do desempenho da companhia no passado.

Cálculo da taxa de crescimento passado

É de suma importância que o fator crescimento histórico de uma companhia seja considerado de forma adequada. Nos casos em que o crescimento tenha sido grande, os lucros recentes serão substancialmente superiores à média de sete ou dez anos e os analistas podem considerar esses números de longo prazo irrelevantes. Isso não é necessário. Os lucros podem ser apresentados *tanto* em termos da média *quanto* do dado mais recente. Sugerimos que a própria taxa de crescimento seja calculada pela comparação da *média* dos últimos três anos com dados correspondentes dos dez anos anteriores. (Onde houver um problema de "encargos ou créditos especiais", ele deve ser tratado em bases conciliatórias.) Observe os cálculos a seguir para o crescimento da Alcoa em comparação com a Sears Roebuck e com o índice DJIA como um todo.

TABELA 12-1

9 "Número médio" se refere à média simples, ou aritmética, que Graham descreve no trecho anterior.

	Alcoa	*Sears Roebuck*	*DJIA*
Lucros médios 1968-1970	US$4,95[a]	US$2,87	US$55,40
Lucros médios 1958-1960	2,08	1,23	31,49
Crescimento	141,0%	134,0%	75,0%
Taxa anual (composta)	9,0%	8,7%	5,7%

[a] Três quintos dos encargos especiais de 82 centavos em 1970 foram deduzidos aqui.

Comentário: Esse pequeno conjunto de dados poderia se tornar o cerne de uma longa discussão. Eles provavelmente mostram, tanto quanto quaisquer outros números derivados de um tratamento matemático sofisticado, o crescimento efetivo dos lucros para o longo período entre 1958-70. Porém, qual a relevância desse resultado, em geral considerado de suma importância na avaliação das ações ordinárias, no caso da Alcoa? Sua taxa de crescimento no passado foi excelente, efetivamente um pouco melhor do que aquela da aclamada Sears Roebuck e bem superior à do índice composto DJIA. No entanto, o preço de mercado no início de 1971 parecia não prestar qualquer atenção a esse desempenho positivo. A Alcoa era negociada a apenas 11,5 vezes a média dos três anos mais recentes, enquanto a Sears era negociada a 27 vezes e o próprio DJIA a 15 ou mais vezes. Como isso aconteceu? É evidente que Wall Street tem pontos de vista bastante pessimistas a respeito dos lucros futuros da Alcoa em comparação com seu histórico. Surpreendentemente, o preço máximo da Alcoa foi registrado em 1959. Naquele ano, ela foi negociada a 116, ou 45 vezes os lucros. (Isso se compara com um preço máximo ajustado em 1959 de 25,5 para a Sears Roebuck ou vinte vezes os lucros na época.) Muito embora os lucros da Alcoa mostrassem excelente crescimento em anos posteriores, é evidente que nesse caso as possibilidades futuras foram muito superestimadas pelo preço do mercado. Ela fechou 1970 a exatamente metade do preço máximo de 1959, ao mesmo tempo em que a Sears triplicava de preço e o DJIA subia quase 30%.

Cabe ressaltar que o lucro da Alcoa sobre seu capital[10] tem sido, na melhor das hipóteses, apenas medíocre, e isso pode ser um fator decisivo nes-

10 Graham parece estar usando "lucros sobre o capital" no sentido tradicional de retorno sobre o valor contábil; em resumo, o lucro líquido dividido pelos patrimônios líquidos tangíveis da companhia.

se caso. Os múltiplos altos são *mantidos* no mercado acionário apenas se a companhia mantiver uma lucratividade acima da média.

A essa altura, aplicaremos à Alcoa a sugestão que fizemos no capítulo anterior de um "processo de avaliação em duas partes".[11] Tal abordagem poderia resultar em um "valor de desempenho passado" para a Alcoa de 10% do DJIA, ou US$84 por ação com base no preço de fechamento de 840 do DJIA em 1970. Nessas bases, as ações pareceriam muito atraentes ao seu preço de 57,25.

Em que medida o analista experiente deveria aplicar um desconto ao "valor de desempenho passado" que compensasse a evolução adversa prevista no futuro? Francamente, não fazemos a menor ideia. Suponhamos que ele estivesse certo em acreditar que os lucros de 1971 seriam tão baixos quanto US$2,50 por ação, uma queda grande com relação ao número de 1970 se comparada com uma subida esperada do DJIA. Muito provavelmente, o mercado acionário consideraria esse desempenho fraco, mas isso seria suficiente para que a outrora poderosa Aluminum Company of America como um negócio relativamente *não rentável*, merecedora de uma valoração inferior aos ativos tangíveis por trás das ações?[12] (Em 1971, o preço caiu de um pico de 70 em maio para um mínimo de 36 em dezembro, comparado com um valor contábil de 55.)

A Alcoa é certamente uma gigantesca empresa industrial, mas acreditamos que sua história de preço/lucro é mais incomum, até mesmo contraditória, do que a da maioria das outras empresas de grande porte. No entanto, esse exemplo dá razão, em certa medida, às dúvidas que expressamos no último capítulo quanto à confiabilidade dos procedimentos de avaliação quando aplicados a companhias industriais em geral.

---

11 Ver p. 334-336.

12 A história recente e uma montanha de pesquisas financeiras mostraram que o mercado é muito duro com as companhias de crescimento rápido que repentinamente divulgam uma queda nos lucros. As companhias com crescimento mais moderado e estável, como foi a Alcoa nos dias de Graham ou são a Anheuser-Busch e a Colgate-Palmolive em nossa época, tendem a sofrer declínios um tanto mais brandos quando divulgam lucros decepcionantes. Grandes expectativas levam a grandes decepções se não forem atendidas; um fracasso em atender a expectativas moderadas leva a uma reação bem mais branda. Portanto, um dos maiores riscos de possuir *growth stocks* não é que seu crescimento cessará, mas simplesmente que ele diminuirá. E, no longo prazo, isso não é simplesmente um risco, mas quase uma certeza.

COMENTÁRIOS AO CAPÍTULO 12

Você pode ser roubado mais facilmente por uma pessoa que usa uma caneta do que por uma que porta uma arma.

Bo Diddley

O JOGO DOS NÚMEROS

Até mesmo Graham teria ficado surpreso com a capacidade das companhias e de seus contadores para flexibilizarem os limites da probidade nos últimos anos. Fortemente compensados por opções sobre ações, executivos graduados perceberam que poderiam se tornar fabulosamente ricos simplesmente aumentando os lucros de suas companhias por alguns anos seguidos.[1] Centenas de companhias violaram o espírito, se não a letra, dos princípios contábeis, transformando seus relatórios financeiros em balela, enfeitando resultados feios com artimanhas cosméticas, disfarçando despesas ou produzindo lucros do nada. Vejamos algumas dessas práticas condenáveis.

COMO SE!

Talvez o truque de mágica contábil mais popular tenha sido a moda passageira dos lucros "*pro forma*". Há um provérbio em Wall Street que diz que toda má ideia começa com uma boa ideia, e a apresentação dos lucros *pro forma* não foi diferente. A ideia original era apresentar um quadro mais verdadeiro do crescimento dos lucros no longo prazo ao fazer ajustes para compensar desvios da tendência de curto prazo ou eventos supostamente "não recorrentes". Um comunicado à imprensa *pro forma* poderia, por exemplo, mostrar o que uma companhia teria lucrado no último ano se outra firma que ela acabara de adquirir tivesse sido parte da família durante 12 meses inteiros.

---

1 Para saber mais a respeito de como as opções sobre ações podem enriquecer os gestores de corporações, mas não necessariamente os acionistas externos, ver comentários ao capítulo 19.

No entanto, à medida que a esfuziante década de 1990 avançava, as companhias simplesmente não conseguiam se contentar com isso. Observe esses exemplos de conversa fiada *pro forma*:

- Para o trimestre encerrado em 30 de setembro de 1999, a InfoSpace, Inc. apresentou lucros *pro forma* como se não tivesse pagado US$159,9 milhões em dividendos de ações preferenciais.
- Para o trimestre encerrado em 31 de outubro de 2001, a BEA Systems, Inc. apresentou seus lucros *pro forma* como se não tivesse pagado US$193 milhões em impostos sobre a folha de pagamento relativos a opções sobre ações exercidas por seus empregados.
- Para o trimestre encerrado em 31 de março de 2001, a JDS Uniphase Corp. apresentou seus lucros *pro forma* como se não tivesse pagado US$4 milhões em impostos sobre a folha de pagamento, não tivesse perdido US$7 milhões investindo em ações de péssima qualidade e não tivesse incorrido em gastos de *US$2,5 bilhões* relativos a fusões e bens intangíveis.

Em resumo, os lucros *pro forma* deixam as companhias mostrar como poderiam ter se saído bem se não tivessem se saído tão mal.[2] Como um investidor inteligente, a única coisa que você deveria fazer com os lucros *pro forma* é ignorá-los.

FAMINTO POR RECONHECIMENTO

Em 2000, a Qwest Communication International Inc., um gigante do setor de telecomunicações, parecia forte. Suas ações caíram menos de 5% enquanto o mercado acionário perdia mais de 9% naquele ano.

No entanto, os relatórios financeiros da Qwest continham uma revelação pequena e estranha. No final de 1999, a Qwest decidiu reconhecer as receitas oriundas de seus catálogos telefônicos assim que fossem publicados, muito embora qualquer um que tenha colocado um anúncio nas Páginas Amarelas

2 Todos os exemplos anteriores foram tirados diretamente de comunicados à imprensa divulgados pelas próprias companhias. Para ler uma sátira brilhante sobre como seria a vida cotidiana se todos tivessem que justificar seus comportamentos da mesma forma que as companhias ajustam os lucros divulgados, ver "My Pro Forma Life" [Minha vida *pro forma*], por Rob Walker, em http://slate.msn.com/?id=2063953. ("... um almoço recente pós-malhação em que consumi uma picanha de meio quilo na Smith & Wollensky e três doses de *bourbon* é tratado aqui como uma despesa não recorrente. Nunca mais farei isso!")

soubesse que muitas companhias pagam tais anúncios em suaves prestações mensais. Abracadabra! Aquela "mudança de princípio contábil" aparentemente inócua levantou o lucro líquido de 1999 em US$240 milhões após a dedução dos impostos, um quinto de todo o lucro da Qwest naquele ano.

Como um pequeno pedaço de gelo que encabeça um *iceberg* submerso, o reconhecimento agressivo de receita é muitas vezes um sinal de perigos de grande escala, e assim foi no caso da Qwest. No início de 2003, após rever seus balanços anteriores, a companhia anunciou que havia reconhecido, de forma prematura, lucros sobre vendas de equipamentos; tratado de forma imprópria os custos de serviços fornecidos por terceiros; inapropriadamente registrado custos como se fossem ativos de capital em vez de despesas; e, de maneira injustificável, considerado trocas de ativos como se fossem vendas diretas. Ao todo, o faturamento da Qwest em 2000 e 2001 havia sido superestimado em US$2,2 bilhões, incluindo US$80 milhões relativos à "mudança de princípio contábil" anterior, a qual foi então revertida.[3]

OFENSAS CAPITAIS

No final da década de 1990, a Global Crossing Ltd. tinha ambições ilimitadas. A companhia sediada nas Bermudas estava construindo o que foi denominada "a primeira rede integrada global de fibra óptica", com mais de 160 mil quilômetros de cabos, em grande parte instalados no fundo dos oceanos. Após cabear o mundo, a Global Crossing venderia a outras companhias de comu-

---

3 Em 2002, a Qwest foi uma das 330 companhias negociadas publicamente a retificarem balanços passados, um recorde de acordo com a Huron Consulting Group. Todas as informações sobre a Qwest foram obtidas de seus registros financeiros na U.S. Securities and Exchange Commission (relatório anual, Formulário 8K e Formulário 10-K) encontrados no banco de dados EDGAR em www.sec.gov. Nenhuma avaliação retroativa foi exigida para detectar a "mudança de princípio contábil", a qual foi totalmente revelada pela Qwest naquela época. Qual foi o desempenho das ações da Qwest durante esse período? No final do ano de 2000, cada ação era cotada a US$41, um valor de mercado total de US$67,9 bilhões. No início de 2003, a Qwest era negociada em torno de US$4, perfazendo um valor para toda a companhia inferior a US$7 bilhões, uma perda de 90%. A queda no preço da ação não é o único custo associado aos lucros fraudulentos; um estudo recente descobriu que uma amostra de 27 firmas acusadas de fraude contábil pela SEC havia efetuado pagamentos excessivos de US$320 milhões referentes ao imposto de renda federal. Embora grande parte desse dinheiro seja reembolsada mais tarde pela Receita Federal, a maioria dos acionistas provavelmente não estará presente para se beneficiar de tais reembolsos. (Ver Merle Erickson, Michelle Hanlon e Edward Maydew, "How Much Will Firms Pay for Earnings that Do Not Exist? [Quanto as firmas pagarão por lucros inexistentes?] em http://papers.ssrn.com.)

nicações o direito de transportar seu tráfego em suas redes de cabos. Apenas em 1998, a Global Crossing gastou mais de US$600 milhões para construir a rede óptica. Naquele ano, quase um terço do orçamento de construção foi lançado contra as receitas como uma despesa chamada "custo de capacidade vendida". Se não fosse por aquela despesa de US$178 milhões, a Global Crossing — que divulgou um prejuízo líquido de US$96 milhões — poderia ter divulgado um lucro líquido de aproximadamente US$82 milhões.

No ano seguinte, diz uma nota de rodapé inócua no relatório anual de 1999, a Global Crossing "tinha iniciado a contabilidade por contrato de serviço". A companhia não mais lançaria a maior parte dos custos de construção como despesas contra as receitas imediatas recebidas da capacidade de venda de sua rede. Em vez disso, uma parcela significativa daqueles custos de construção agora seria tratada não como uma despesa operacional, mas como uma despesa de capital, aumentando assim os ativos totais da companhia em vez de diminuir sua receita líquida.[4]

Pronto! Com um toque da vara de condão, o valor "das propriedades e dos equipamentos" da Global Crossing subiu US$575 milhões, enquanto seus custos de venda aumentaram meros US$350 milhões, muito embora a companhia estivesse gastando dinheiro como um marinheiro bêbado.

Os gastos de capital são uma ferramenta essencial para que os administradores façam um bom negócio crescer mais e melhor. No entanto, regras contábeis maleáveis permitem aos administradores inflar os lucros divulgados ao transformar despesas operacionais normais em ativos de capital. Como mostra o caso da Global Crossing, o investidor inteligente deveria se certificar de entender o que uma companhia capitaliza e por que o faz.

---

4 A Global Crossing tratou anteriormente muitos de seus custos de construção como despesas a serem lançadas contra a receita gerada pela venda ou aluguel dos direitos de uso da rede. Os clientes em geral pagavam por seus direitos adiantado, embora alguns pudessem pagar em prestações ao longo de períodos de até quatro anos. No entanto, a Global Crossing não lançou a maior parte das receitas antecipadamente, em vez disso, diferiu-as ao longo da vida útil do contrato de aluguel. Agora, no entanto, em função da vida útil estimada das redes de até 25 anos, a Global Crossing começou a tratá-las como ativos de capital depreciáveis de vida longa. Embora esse tratamento seja compatível com os Princípios de Contabilidade Geralmente Aceitos, não fica claro por que a Global Crossing não o usou antes de 1º de outubro de 1999 ou o que exatamente motivou a mudança. Em março de 2001, o valor total das ações da Global Crossing era de US$12,6 bilhões; a companhia entrou em falência em 28 de janeiro de 2002, tornando suas ações ordinárias essencialmente sem valor.

UMA HISTÓRIA DE ESTOQUES

Assim como muitos fabricantes de *chips* semicondutores, a Micron Technology, Inc. sofreu uma queda nas vendas após 2000. Na verdade, a Micron foi tão fortemente afetada pela demanda que teve que começar a dar baixa no valor de seus estoques, uma vez que os clientes claramente não os desejavam aos preços que a Micron vinha cobrando. No trimestre encerrado em maio de 2001, a Micron cortou o valor contábil de seus estoques em US$261 milhões. A maioria dos investidores não interpretou a baixa como um custo normal ou recorrente das operações, mas como um evento incomum.

Porém, veja o que aconteceu depois disso:

FIGURA 12-1

A queda dos *chips*

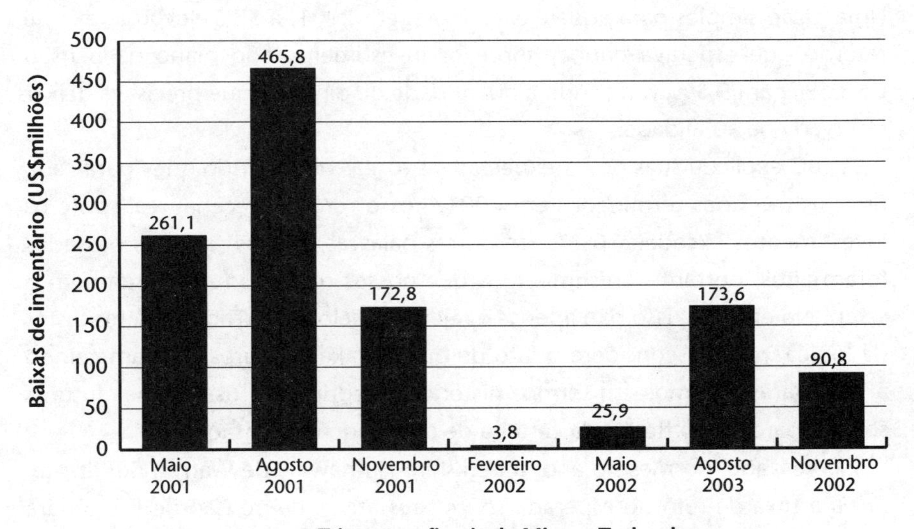

Fonte: Relatórios financeiros da Micron Technology

A Micron registrou baixas de inventário adicionais em todos os trimestres fiscais posteriores. A desvalorização de inventários da Micron foi um evento não recorrente ou tinha se tornado uma condição crônica? Pessoas sensatas podem discordar a respeito desse caso específico, mas uma coisa é certa: o investidor inteligente deve sempre estar alerta para custos "não recorrentes", que, como o coelho da pilha Duracell, simplesmente não param.[5]

A DIMENSÃO DA PENSÃO

Em 2001, a SBC Communications, Inc., a qual possui participações na Cingular Wireless, na PacTel e na Southern New England Telephone, teve um lucro líquido de US$7,2 bilhões, um desempenho estelar em um ano ruim para o setor de telecomunicações superdimensionado. No entanto, esse lucro não resultou apenas dos negócios da SBC. O montante expressivo de US$1,4 bilhão — 13% do lucro líquido da companhia — veio do plano de pensão da SBC.

Em função do fato de que a SBC tinha mais dinheiro no plano de pensão do que estimava ser necessário para pagar os benefícios futuros de seus empregados, a companhia pôde tratar a diferença como uma receita corrente. Uma razão simples para aquele excedente: em 2001, a SBC elevou a taxa de retorno que esperava ganhar sobre os investimentos do plano da pensão de 8,5% para 9,5%, reduzindo a quantidade de dinheiro que precisava deixar reservada na atualidade.

A SBC explicou suas novas expectativas róseas observando que "para cada um dos três anos terminados em 2001, nosso retorno decenal real sobre os investimentos excedeu 10%". Em outras palavras, nossos retornos passados foram altos, portanto presumiremos que nossos retornos futuros também o serão. No entanto, isso não apenas é rejeitado pelos mais rudimentares testes da lógica, mas desconsidera o fato de que as taxas de juros estavam caindo a patamares mínimos em termos históricos, deprimindo os retornos futuros sobre a parcela em títulos da carteira de um fundo de pensão.

Na verdade, no mesmo ano, a Berkshire Hathaway, de Warren Buffett, *reduziu* a taxa de retorno esperada sobre seus ativos de pensão de 8,3% para 6,5%. A SBC estava sendo realista ao presumir que os gestores de seu fundo de pensão poderiam superar, de forma significativa, o maior investidor do mundo? Provavelmente, não: em 2001, o fundo de pensão da Berkshire Hathaway subiu 9,8%, mas o fundo de pensão da SBC caiu 6,9%.[6]

---

5 Agradeço a Howard Schilit e a Mark Hamel, do Center for Financial Research and Analysis [Centro para Pesquisa e Análise Financeira], por me fornecerem esse exemplo.

6 Os retornos são calculados de forma aproximada pela divisão do valor líquido total dos ativos do plano no início do ano pelo "retorno efetivo sobre os ativos do plano".

Aqui estão algumas considerações rápidas para o investidor inteligente: o "benefício de pensão líquido" é superior a 5% da receita líquida da companhia? (*Caso positivo, você ainda se sentiria à vontade com os outros lucros da companhia se aqueles ganhos derivados do fundo de pensão desaparecessem em anos futuros?*) A taxa de retorno presumida de longo prazo sobre os ativos do plano é razoável? (*Em 2003, qualquer coisa acima de 6,5% é implausível, enquanto que uma taxa crescente é inequivocamente uma loucura.*)

INVESTIDOR, TENHA CUIDADO

Alguns pontos o ajudarão a evitar compras de ações que acabem virando bombas-relógio contábeis:

Leia de trás para a frente. Ao pesquisar os relatórios financeiros da companhia, inicie a leitura pela última página e lentamente se dirija ao começo. Qualquer coisa que a companhia não deseja que você encontre está enterrada na parte de trás, e essa é precisamente a razão pela qual você deve olhar lá primeiro.

Leia as notas. *Nunca* compre uma ação sem ler as notas de rodapé dos balanços financeiros no relatório anual. Em geral intitulada "resumo das políticas contábeis significativas", uma nota importante descreve como a companhia reconhece as receitas, avalia os inventários, trata as prestações ou as vendas por contrato, aloca os custos com publicidade e dá conta de outros aspectos importantes de seus negócios.[7] Em outras notas de rodapé, procu-

---

7 Não se intimide com a verborragia estupidamente enfadonha das notas de rodapé contábeis. Elas são expressamente elaboradas para evitar que pessoas normais realmente as leiam, e essa é a razão pela qual você deve perseverar. Um nota de rodapé do relatório anual de 1996 da Informix Corp., por exemplo, revelou que "a companhia geralmente reconhece a receita de licenciamento das vendas de licenças de *softwares* quando da entrega do programa ao cliente. No entanto, para alguns fabricantes de *hardware* para computadores e usuários finais licenciados com quantidades pagáveis dentro de 12 meses, a companhia reconhecerá a receita no momento em que o cliente assinar um contrato por uma taxa mínima de licenciamento não reembolsável, se tais fabricantes de *hardware* para computadores e usuários finais licenciados atenderem a certos critérios estabelecidos pela companhia". Em linguagem clara, a Informix estava dizendo que consideraria como créditos as receitas sobre produtos mesmo se eles não tivessem ainda sido revendidos aos "usuários finais" (os clientes reais dos *softwares* da Informix). Em meio a alegações da U.S. Securities and Exchange Commission de que a Informix havia cometido fraude contábil, a companhia posteriormente retificou suas receitas, anulando US$244 milhões em tais "vendas". Esse caso é um lembrete especialmente contundente da importância de ler as letrinhas com olhos céticos. Agradeço a Martin Fridson por ter sugerido esse exemplo.

re por revelações sobre dívidas, opções sobre ações, empréstimos a clientes, reservas contra prejuízos e outros "fatores de risco" que podem abocanhar uma porção grande dos lucros. Entre outras coisas que deveriam fazer você ficar atento estão os termos técnicos, tais como "capitalizado", "diferido" e "reestruturação", além de palavras em linguagem clara, as quais sinalizam que a companhia alterou suas práticas contábeis, como "começou", "mudança" e "no entanto". Nenhuma dessas palavras significa que você não deva comprar a ação, mas todas significam que você precisa investigar mais. Não deixe de comparar as notas de rodapé com as das declarações financeiras de, pelo menos, uma firma que seja um concorrente próximo para verificar o grau de agressividade dos contadores de sua companhia.

Leia mais. Se você é um investidor empreendedor disposto a dedicar bastante tempo e energia à sua carteira, então deveria, para seu próprio bem, aprender mais sobre relatórios financeiros. Essa é única forma de minimizar suas chances de ser enganado por balanços evasivos. Três livros sólidos e cheios de exemplos atuais e específicos são o *Financial Statement Analysis* [Análise de balanços financeiros], de Martin Fridson e Fernando Alvarez, *The Financial Numbers Game* [O jogo de números das finanças], de Charles Mulford e Eugene Comiskey, e *Financial Shenanigans* [Malandragens financeiras], de Howard Schilit.[8]

---

8 Martin Fridson e Fernando Alvarez, *Financial Statement Analysis: A Practitioner's Guide* (John Wiley & Sons, New York, 2002); Charles W. Mulford e Eugene E. Comiskey, *The Financial Numbers Game: Detecting Creative Accounting Practices* (John Wiley & Sons, New York, 2002); Howard Schilit, *Financial Shenanigans* (McGraw-Hill, New York, 2002). O próprio livro de Benjamin Graham, *The Interpretation of Financial Statements* (HarperBusiness, New York, 1998, reimprimiu a edição de 1937), permanece sendo uma excelente introdução breve aos princípios básicos de lucros e despesas, ativos e passivos.

CAPÍTULO 13

UMA COMPARAÇÃO ENTRE QUATRO COMPANHIAS LISTADAS EM BOLSA

Neste capítulo, gostaríamos de apresentar uma amostra da análise de títulos em funcionamento. Selecionamos, mais ou menos aleatoriamente, quatro companhias que aparecem uma após a outra, em ordem alfabética, na lista da Bolsa de Valores de Nova York. São elas: a Eltra Corp. (uma fusão da Electric Autolite e da Mergenthaler Linotype), a Emerson Electric Co. (um fabricante de produtos elétricos e eletrônicos), a Emery Air Freight (um serviço de frete aéreo americano) e a Emhart Corp. (originalmente um fabricante de maquinaria para engarrafamento apenas, mas agora também de equipamento de construção).[1] Existem algumas semelhanças significativas entre as três firmas industriais, mas as diferenças parecerão mais significantes. Deve haver uma diversidade suficiente nos dados financeiros e operacionais para tornar interessante a análise.

Na Tabela 13-1, apresentamos um resumo de como estavam sendo negociadas as quatro companhias no mercado no final de 1970 e alguns dados de suas operações nesse ano. Em seguida, detalhamos certos índices-chave, os quais se referem, por um lado, ao *desempenho* da empresa e, por outro, ao *preço* da ação. É necessário um comentário sobre como os vários aspectos do padrão de desempenho se alinham com o padrão de preços correspondente. Finalmente, vamos rever quatro companhias, sugerindo algumas comparações e relações e avaliando cada uma em termos das exigências de um investidor conservador em ações ordinárias.

---

1 Dos quatro exemplos de Graham, apenas a Emerson Electric ainda existe na mesma forma. A Eltra Corp. não é mais uma companhia independente; ela se fundiu com a Bunker Ramo Corp. na década de 1970, entrando no ramo de fornecimento de cotações de ações para corretoras através de uma rede pioneira de computadores. O que permanece das operações da Eltra é agora parte da Honeywell Corp. A firma formalmente conhecida como Emery Air Freight é agora uma divisão da CNF Inc. A Emhart Corp. foi adquirida pela Black & Decker Corp. em 1989.

TABELA 13-1 Uma comparação entre quatro companhias listadas em bolsa

	Eltra	*Emerson Electric*	*Emery Air Freight*	*Emhart Corp.*
A. Capitalização				
Preço das ordinárias, 31 dez/ 1970	27	66	57¾	32¾
Número de ações ordinárias	7.714.000	24.884.000[a]	3.807.000	4.932.000
Valor de mercado das ordinárias	US$208.300.000	US$1.640.000.000	US$220.000.000	US$160.000.000
Títulos e ações preferenciais	8.000.000	42.000.000		9.200.000
Capitalização total	216.300.000	1.682.000.000	220.000.000	169.200.000
B. Itens de receita				
Faturamento, 1970	US$454.000.000	US$657.000.000	US$108.000.000	US$227.000.000
Lucro líquido, 1970	20.773.000	54.600.000	5.679.000	13.551.000
Lucro por ação, 1970	US$2,70	US$2,30	US$1,49	US$2,75[b]
Lucro por ação, média, 1968-70	2,78	2,10	1,28	2,81
Lucro por ação, média, 1963-65	1,54	1,06	,54	2,46
Lucro por ação, média, 1958-1960	,54	,57	,17	1,21
Dividendo atual	1,20	1,16	1,00	1,20
C. Itens do balanço, 1970				
Ativos circulantes	US$205.000.000	US$307.000.000	US$20.400.000	US$121.000.000
Passivos circulantes	71.000.000	72.000.000	11.800.000	34.800.000
Patrimônios líquidos para ações ordinárias	207.000.000	257.000.000	15.200.000	133.000.000
Valor contábil por ação	US$27,05	US$10,34	US$3,96	US$27,02

[a] Presume a conversão de ações preferenciais.

[b] Após encargo especial de 13 centavos por ação.

[c] Ano encerrado em setembro de 1970.

TABELA 13-2 Uma comparação entre quatro companhias listadas em bolsa (cont.)

	Eltra	*Emerson Electric*	*Emery Air Freight*	*Emhart Corp.*
B. Razões				
Preço/lucro, 1970	10,0 x	30,0 x	38,5 x	11,9 x
Preço/lucro, 1969-70	9,7 x	33,0 x	45,0 x	11,7 x
Preço/valor contábil	1,00 x	6,37 x	14,3 x	1,22 x
Lucro líquido/vendas, 1970	4,6%	8,5%	5,4%	5,7%
Lucro líquido por ação/valor contábil	10,0%	22,2%	34,5%	10,2%
Taxa de dividendos	4,45%	1,78%	1,76%	3,65%
Ativo circulante sobre passivo circulante	2,9 x	4,3 x	1,7 x	3,4 x
Capital de giro/dívida	Muito grande	5,6 x	Nenhuma dívida	3,4 x
Crescimento dos lucros por ação:				
1968-70 *vs.* 1963-65	+ 81%	+ 87%	+135%	+14%
1968-70 *vs.* 1958-70	+ 400%	+ 250%	Muito grande	+132%
C. Histórico de preços				
1936-68 Mínimo	¾	1	⅛	3⅝
Máximo	50¾	61½	66	58¼
1970 Mínimo	18⅝	42⅛	41	23½
1971 Máximo	29⅞	78¾	72	44⅞

O fato mais surpreendente sobre as quatro companhias é que as razões preço/lucro atuais variam muito mais amplamente do que o desempenho operacional ou a condição financeira. Duas empresas — Eltra e Emhart — foram modestamente avaliadas a apenas 9,7 vezes e 12 vezes os lucros médios para 1968-1970 se comparado com um número correspondente de 15,5 vezes no caso do DJIA. As outras duas — Emerson e Emery — mostraram múltiplos muito maiores de 33 e 45 vezes tais lucros. Deve haver uma explicação para uma diferença dessa magnitude. Essa explicação pode ser encontrada no crescimento maior dos lucros das companhias favorecidas em anos recentes, sobretudo pelo serviço de frete (muito embora os dados de crescimento das duas outras firmas não fossem insatisfatórios).

Para realizarmos uma análise mais abrangente, revisemos sucintamente os principais elementos de desempenho conforme aparecem em nossos dados.

1. *Lucratividade.* (*a*) Todas as companhias apresentam lucros satisfatórios com relação ao valor contábil, mas os dados da Emerson e da Emery são muito mais elevados do que os das outras duas. Uma taxa alta de retorno sobre o capital investido muitas vezes acompanha uma alta taxa de crescimento anual dos lucros por ação.[2] Todas as companhias, exceto a Emery, apresentaram lucros melhores com relação ao valor contábil em 1969 do que em 1961; mas os números da Emery foram excepcionalmente altos em ambos os anos. (*b*) Para as companhias industriais, os dados de lucros por dólar de faturamento são usualmente uma indicação de força ou fraqueza comparativa. Usamos aqui a "razão lucro operacional com relação às vendas", conforme apresentado no *Relatório de Ações Listadas* da Standard & Poor's. Aqui novamente os resultados são satisfatórios para as quatro companhias, com um desempenho bastante notável da Emerson. As mudanças entre 1961 e 1969 variam consideravelmente entre as companhias.
2. *Estabilidade.* Isso é medido pela redução máxima nos lucros por ação em qualquer um dos dez anos passados contra a média dos três anos anteriores. A ausência de quedas significa 100% de estabilidade, o que foi registrado pelas duas companhias mais populares. Entretanto, as quedas da Eltra e da Emhart foram bastante moderadas no "ano fraco" de 1970, tendo essas companhias alcançado apenas 8% cada, de acordo com nossas medidas, em comparação com os 7% do DJIA.
3. *Crescimento.* As duas companhias com múltiplos baixos apresentam taxas de crescimento muito satisfatórias; em ambos os casos elas se saíram melhor do que o índice Dow Jones. Os números da Eltra são muito expressivos quando comparados com sua baixa razão preço/lucro. O crescimento é, claro, mais expressivo para a dupla com múltiplos altos.
4. *Posição financeira.* As três companhias industriais estão em condições financeiras saudáveis, tendo uma posição melhor do que o índice-padrão de US$2 em ativos circulantes para cada US$1 de passivos circulantes. A Emery Air Freight tem um índice inferior; mas ela se enquadra em uma categoria diferente e com um histórico bom não

---

2 Essa medida é representada pela linha "líquido por ação/valor contábil" na Tabela 13-2, a qual mede a receita líquida das companhias como uma percentagem de seu valor contábil tangível.

teria nenhum problema para conseguir dinheiro se fosse necessário. Todas as companhias têm um endividamento de longo prazo relativamente baixo. Uma observação sobre "diluição": a Emerson Electric havia emitido ações preferenciais conversíveis de baixo dividendo com um valor de mercado de US$163 milhões no final de 1970. Em nossa análise, levamos em conta o fator de diluição da forma usual ao tratar as preferenciais como se fossem convertidas em ordinárias. Esse ajuste reduziu os lucros recentes em aproximadamente 10 centavos por ação, ou cerca de 4%.

5. *Dividendos*. O que realmente conta é um histórico de continuidade ininterrupta. O melhor registro aqui é o da Emhart, a qual não suspende um pagamento desde 1902. O histórico da Eltra é muito bom, o da Emerson é bastante satisfatório e a Emery Freight é nova. As variações na percentagem de pagamento não parecem muito significativas. O *dividend yield** é duas vezes mais alto na "dupla barata" do que na "dupla cara", correspondendo às razões preço/lucro.
6. *Histórico de preço*. O leitor deve estar impressionado pelo aumento percentual observado no preço de todas essas quatro ações, conforme medido desde os pontos mínimos aos máximos durante os últimos 34 anos. (Em todos os casos, o preço mínimo foi ajustado para desdobramentos de ações subsequentes.) Observe que para o DJIA a diferença do mínimo ao máximo foi da ordem de 11 para 1; para nossas companhias, a diferença variou de "apenas" 17 para 1, no caso da Emhart, para não menos de 528 para 1, no caso da Emery Air Freight.[3] Esses aumentos de preço grandes são característicos das ações ordinárias mais antigas e indicam as grandes oportunidades de lucros que existiram nos mercados acionários do passado. (No entanto, podem também indicar os declínios excessivos nos mercados de baixa anteriores a 1950, quando foram registrados os preços mínimos.) Tanto a Eltra quanto a Emhart registraram quedas de preços superiores a 50% na retração de 1969-70. A Emerson e a Emery tiveram declínios sérios, mas menos

---

3 Em cada caso, Graham se refere à Seção C da Tabela 13-2 e divide o preço máximo durante o período 1936-68 pelo mínimo. Por exemplo, o preço máximo da Emery de 66 dividido por seu preço mínimo de 1/8 é igual a 528 ou uma relação de 528 para 1 entre o máximo e o mínimo.

* ***Dividend yield*** – Relação entre dividendos pagos e preço da ação. (N.E.)

preocupantes; a primeira se recuperou até chegar a um novo máximo antes do fim de 1970, a última no início de 1971.

Observações gerais sobre as quatro companhias

A Emerson Electric tem um valor de mercado global enorme, superando em muito o das três outras companhias somadas.[4] É um de nossos "gigantes intangíveis" a serem comentados mais tarde. Um analista financeiro abençoado (ou prejudicado) por possuir uma boa memória poderia fazer uma analogia entre a Emerson Electric e a Zenith Radio, o que não seria animador. A Zenith teve um histórico de crescimento brilhante durante muitos anos; ela também era negociada no mercado por US$1,7 bilhão (em 1966), mas seu lucro caiu de US$43 milhões em 1968 para apenas metade disso em 1970, e na queda vertiginosa naquele ano seu preço caiu para 22,5 contra o pico anterior de 89. As cotações altas implicam riscos altos.

A Emery Air Freight deve ser a mais promissora das quatro companhias em termos de crescimento futuro para justificar, mesmo em parte, a razão preço/lucro de quase quarenta vezes seu mais alto lucro divulgado. O crescimento passado, claro, foi muito impressionante. Porém, esses números podem não ser tão significativos no futuro se considerarmos que eles começaram bastante pequenos, ou seja, com apenas US$570.000 de lucro líquido em 1958. Com frequência, é muito mais difícil continuar a crescer a taxas altas após o faturamento e os lucros já terem alcançado totais elevados. O aspecto mais surpreendente da história da Emery é que seus lucros e sua cotação de mercado continuaram a crescer a taxas similares em 1970, o pior ano da indústria americana de transporte aéreo de passageiros. Esse é um resultado de fato extraordinário, mas ele levanta a questão sobre os lucros futuros poderem ou não ser vulneráveis a evoluções adversas em função do aumento da concorrência, pressão para novas disposições entre as empresas de logística e as transportadoras aéreas etc. Um estudo elaborado é necessário antes de podermos chegar a um julgamento balizado a respeito desses pontos, mas o investidor conservador não pode deixá-los de fora de sua avaliação geral.

---

4 No final de 1970, o US$1,6 bilhão em valor de mercado da Emerson era verdadeiramente "enorme" à luz do tamanho médio das ações naquele momento. No final de 2002, as ações ordinárias da Emerson tinham um valor de mercado total de aproximadamente US$21 bilhões.

Emhart e Eltra. A Emhart se saiu melhor nos negócios do que no mercado acionário nos últimos 14 anos. Em 1958, ela era negociada a um preço tão alto quanto 22 vezes os lucros da época, aproximadamente a mesma taxa que o DJIA. Desde então, seus lucros triplicaram se comparados a um aumento inferior a 100% do Dow, mas seu preço de fechamento em 1970 foi de apenas um terço acima do pico de 1958 *versus* 43% para o Dow. O histórico da Eltra é bastante semelhante. Parece que nenhuma dessas companhias possui *glamour* ou "poder de sedução" no mercado atual, mas em todos os levantamentos estatísticos elas aparecem surpreendentemente bem. Suas perspectivas futuras? Não temos nenhum comentário sábio a fazer a esse respeito, mas isto é o que a Standard & Poor's tinha a dizer sobre as quatro companhias em 1971:

Eltra — "Perspectivas de longo prazo: certas operações são cíclicas, mas a posição competitiva e a diversificação estabelecidas são fatores compensatórios."

Emerson Electric — "Embora cotadas adequadamente (a 71) nas condições atuais, as ações são atraentes no longo prazo... Uma política de aquisição continuada, juntamente com uma posição forte no campo industrial e um programa internacional acelerado, sugere um aumento continuado do faturamento e dos lucros."

Emery Air Freight — "As ações parecem supervalorizadas (a 57) nas perspectivas atuais, mas vale a pena mantê-las no longo prazo."

Emhart — "Embora restritos este ano pela queda nos gastos de capital na indústria de vasilhames de vidro, os lucros devem ser ajudados por um ambiente de negócios melhor em 1972. Vale a pena manter as ações (a 34)."

Conclusões: Vários analistas financeiros considerarão as ações da Emerson e da Emery mais interessantes e atraentes do que as outras duas, primeiramente talvez por causa de sua melhor "movimentação de mercado" e, em segundo lugar, por causa do crescimento dos lucros mais rápido no passado recente. Segundo nossos princípios de investimento conservadores, a primeira não é uma razão válida para seleção, é uma brincadeira para especuladores. A segunda tem validade, mas dentro de limites. Podem o crescimento passado e as possíveis boas perspectivas da Emery Air Freight justificar um preço superior a sessenta vezes seus lucros recentes?[1] Nossa resposta seria: talvez para alguém que tenha feito um estudo aprofundado das perspectivas dessa companhia e tenha chegado a conclusões excepcionalmente firmes e otimistas. No entanto, *não* para o investidor cuidadoso que deseja estar razoavelmente certo com certa antecedência para não cometer aquele erro típico de Wall Street de se entusiasmar em excesso com um bom desempenho nos lucros e no mercado acionário.[5] As mesmas afirmações cautelosas parecem se aplicar ao caso da Emerson Electric, com especial referência à avaliação atual do mercado em mais de um bilhão de dólares devido a fatores intangíveis ou ao poder de lucro. Deveríamos acrescentar que a "indústria eletrônica", outrora a menina-dos-olhos do mercado acionário, tem passado por dias horrorosos. A Emerson é uma ilustre exceção, mas precisará continuar a ser uma tal exceção por muitos anos no futuro antes de o preço de fechamento de 1970 ser plenamente justificado pelo desempenho subsequente.

Em contrapartida, tanto a Eltra a 27 quanto a Emhart a 33 têm as características de companhias com valor suficiente por trás dos preços para constituírem investimentos razoavelmente protegidos. Aqui, o investidor pode, se desejar, considerar-se basicamente o proprietário de uma participação naqueles negócios, a um custo correspondente àquele que os balanços mostram ser o dinheiro neles investido.[6] O rendimento do capital investido tem sido satisfatório há muito tempo; a estabilidade de lucros também; e, surpreendentemente, da mesma forma, a taxa de crescimento passada. As duas companhias atendem às nossas sete exigências *estatísticas* para inclusão na carteira de um investidor defensivo. Elas serão desenvolvidas no próximo capítulo, mas as resumimos a seguir:

---

5 Graham estava certo. Das "cinquenta ações mais cobiçadas" que eram mais conhecidas e altamente valorizadas em 1972, a Emery teve um dos piores desempenhos. A edição da *Forbes* de 1º de março de 1982 relatou que a Emery havia perdido 72,8% de seu valor em termos reais desde 1972. No final de 1974, de acordo com os pesquisadores de investimento da Leuthold Group em Minneapolis, a ação da Emery já havia caído 58% e sua razão preço/lucro havia caído de 64 vezes para apenas 15. O "entusiasmo em excesso" a respeito do qual Graham nos havia advertido foi logo abafado. A passagem do tempo pode compensar esse tipo de excesso? Nem sempre: Leuthold calculou que US$1.000 investidos na Emery em 1972 valeriam apenas US$839 em 1999. É provável que as pessoas que pagaram demais pelas ações de internet no final da década de 1990 não terão qualquer lucro por décadas, se é que os terão em algum momento. (Ver comentários ao capítulo 20.)

6 O ponto levantado por Graham aqui é que, com base em seus preços naquele momento, um investidor poderia comprar ações dessas duas companhias por pouco mais do que seu valor contábil, conforme mostrado na terceira linha da Seção B na Tabela 13-2.

1. Tamanho adequado.
2. Uma condição financeira suficientemente forte.
3. Dividendos ininterruptos durante, pelo menos, os últimos vinte anos.
4. Nenhum *déficit* de lucros nos últimos dez anos.
5. Crescimento decenal de, pelo menos, um terço nos lucros por ação.
6. Preço da ação de, no máximo, 1,5 vez o valor dos patrimônios líquidos.
7. Preço não superior a 15 vezes os lucros médios dos últimos três anos.

Não fazemos qualquer previsão acerca do desempenho futuro dos lucros da Eltra ou da Emhart. Na lista diversificada do investidor em ações ordinárias, há algumas que acabam por decepcionar, e esse pode ser o caso de uma ou ambas desse par. Porém, a lista diversificada em si, baseada nos princípios de seleção explicitados acima, acrescidos de qualquer outro critério sensato que o investidor pode desejar aplicar, deveria resultar em um desempenho bastante bom ao longo dos anos. Pelo menos a longa experiência nos diz isso.

Uma observação final: um analista de títulos experiente, mesmo se aceitasse nossas conclusões gerais a respeito dessas quatro companhias, teria hesitado em recomendar que um acionista da Emerson ou da Emery *trocasse* suas ações pelas da Eltra ou da Emhart no final de 1970, a menos que o acionista entendesse claramente a filosofia por trás da recomendação. Não havia razão para esperar que, em um período curto de tempo, a dupla com múltiplos baixos ultrapassaria as duas com múltiplos altos. As últimas eram bem consideradas no mercado e, portanto, tinham um grau considerável de dinamismo por trás delas, o que deve continuar por um período indefinido. A base sensata para preferir a Eltra e a Emhart à Emerson e à Emery seria a decisão deliberada do cliente de preferir investimentos do tipo valor aos do tipo *glamour*. Assim, em grande medida, a política de investimento em ações ordinárias deve depender da atitude do investidor individual. Essa abordagem é tratada com maior profundidade no próximo capítulo.

COMENTÁRIOS AO CAPÍTULO 13

Na Força Aérea, temos uma regra: verifique as seis. Um cara está voando, olhando em todas as direções e se sentindo seguro. Outro cara chega por trás dele (às "6 horas", em um relógio imaginário onde "12 horas" é diretamente em frente) e dispara. A maioria dos aviões é abatida dessa forma. Achar que está seguro é muito perigoso! Em algum lugar, há um ponto fraco que você precisa encontrar. Você deve sempre verificar as 6 horas.

General da Força Aérea Americana Donald Kutyna

E-COMÉRCIO

Como fez Graham, vamos comparar e contrastar quatro ações usando os resultados divulgados em 31 de dezembro de 1999, um período que nos capacitará a ver alguns dos extremos de cotação mais dramáticos jamais registrados no mercado acionário.

Emerson Electric Co. (símbolo: EMR), fundada em 1890, é o único membro sobrevivente do quarteto original de Graham; ela fabrica uma gama ampla de produtos, incluindo ferramentas elétricas, equipamentos de ar-condicionado e motores elétricos.

EMC Corp. (símbolo: EMC) remonta a 1979 e possibilita que as companhias automatizem a armazenagem de informações eletrônicas em redes de computadores.

Expeditors International of Washington, Inc. (símbolo: EXPD), fundada em Seattle em 1979, ajuda embarcadores a organizar e rastrear a movimentação de mercadorias no mundo inteiro.

Exodus Communications, Inc. (símbolo: EXDS) hospeda e gerencia páginas na internet para clientes corporativos, juntamente com outros serviços de internet; vendeu ações ao público pela primeira vez em março de 1998.

A Figura 13-1 apresenta o preço, o desempenho e a cotação dessas companhias no final do ano de 1999:

FIGURA 13-1 E-cotações

	Emerson Electric	EMC Corp.	Exodus Commun., Inc.	Expeditors International of Washington
Capitalização				
Preço de fechamento, 31/12/1999, US$ por ação	57,37	54,62	44,41	21,68
Retorno total, 1999 (%)	-3,1	157,1	1005,8	109,1
Cap. de mercado total, 31/12/1999, US$ milhões	24845,9	111054,3	14358,4	2218,8
Dívida total (incluindo ações preferenciais), US$ milhões	4600,1	27,1	2555,7	0
Lucros				
Faturamento total, 1999, US$ milhões	14385,8	6715,6	242,1	1444,6
Lucro líquido, 1999, US$ milhões	1313,6	1010,6	-130,3	59,2
Crescimento dos lucros, 1995 até 1999 (média anual %)	7,7	28,8	NM	19,8
Lucros por ação (LPA), 1999 (US$ completamente diluídos)	3,00	0,53	-0,38	0,55
Taxa de crescimento LPA, 1995-1999 (média anual %)	8,3	28,8	NM	25,8
Dividendo anual (US$ por ação), 1999	1,30	0	0	0,08
Balanço				
Ativo circulante, US$ milhões	5124,4	4320,4	1093,2	402,7
Passivo circulante, US$ milhões	4590,4	1397,9	150,6	253,1
Valor contábil por ação (US$31/12/1999)	14,27	2,38	0,05	2,79
Cotação				
Razão preço/lucro (x)	17,7	103,1	NM	39,4
Preço/valor contábil (x)	3,7	22,9	888,1	7,8
Lucro líquido/faturamento (% margem de lucro líquido)	9,2	17,4	NM	4,1
Lucro líquido/valor contábil (%)	21,0	22,2	NM	19,7
Capital de giro/dívida (x)	0,1	107,8	0,4	Nenhuma dívida
Cap. de mercado/faturamento (x)	1,7	16,5	59,3	1,5

Fontes: Value Line, Thomson/Baseline, Bloomberg, finance.yahoo.com, registros das companhias na SEC.

Observações: Todos os dados foram ajustados para desdobramentos de ações posteriores. Dívida, receita e lucros se referem a anos fiscais. Cap. de mercado: valor total das ações ordinárias.

NM: não significativo.

ELÉTRICA, NÃO ELETRIFICANTE

A mais cara das quatro ações de Graham, a Emerson Electric, acabou sendo a mais barata em nosso grupo atualizado. Com base nas indústrias da economia antiga, a Emerson parecia arrastar-se no final da década de 1990. (Na era da internet, quem se interessaria por aspiradores a seco para limpeza pesada?) As ações da companhia ficaram em animação suspensa. Em 1998 e 1999, as ações da Emerson registraram uma evolução inferior à do índice 500 S&P em 49,7 pontos percentuais cumulativos, um desempenho decepcionante.

Porém, essa evolução aconteceu com as ações da Emerson. E a companhia Emerson? Em 1999, a Emerson faturou US$14,4 bilhões em vendas de bens e serviços, um resultado quase US$1 bilhão superior ao do ano anterior. Sobre esse faturamento, a Emerson ganhou US$1,3 bilhão em lucro líquido, ou 6,9% a mais do que em 1998. Ao longo dos cinco anos anteriores, os lucros por ação haviam aumentado a uma taxa média substancial de 8,3%. O dividendo da Emerson havia mais do que dobrado para US$1,30 por ação; o valor contábil se elevou de US$6,69 para US$14,27 por ação. De acordo com o Value Line, durante toda a década de 1990, a margem de lucro líquido e o retorno sobre o capital da Emerson — medidas-chave de sua eficiência como negócio — haviam permanecido em patamares bastante altos, cerca de 9% e 18% respectivamente. E mais: a Emerson havia aumentado seus lucros por 42 anos seguidos e elevado seus dividendos por 43 anos a fio, uma das mais longas séries de crescimento constante no mercado americano. No final do ano, a ação da Emerson foi cotada a 17,7 vezes o lucro líquido por ação da companhia. Como suas ferramentas elétricas, a Emerson nunca foi espalhafatosa, mas era confiável e não mostrava qualquer sinal de superaquecimento.

A EMC PODERIA CRESCER RAPIDAMENTE?

A EMC Corp. teve um dos melhores desempenhos entre as ações na década de 1990, subindo — ou deveríamos dizer levitando? — mais de 81.000%. Se tivesse investido US$10.000 em ações da EMC no início de 1990, você teria terminado 1999 com pouco mais de US$8,1 milhões. As ações da EMC tiveram um retorno de 157,1% apenas em 1999, ou seja, mais do que as ações da Emerson subiram nos oito anos entre 1992 e 1999 juntos. A EMC nunca pagou um dividendo, em vez disso, reteve todos os lucros "a fim de fornecer recursos para o crescimento contínuo da companhia".[1] Ao preço em 31 de dezembro de US$54,625, as ações da EMC estavam sendo negociadas a 103 vezes os lucros que a companhia divulgaria para o ano todo, isto é, quase seis vezes o nível de cotação das ações da Emerson.

E o que dizer da EMC como negócio? O faturamento cresceu 24% em 1999, subindo para US$6,7 bilhões. Os lucros por ação saltaram para 92 centavos dos 61 centavos do ano anterior, um aumento de 51%. Ao longo dos cinco anos terminados em 1999, os lucros da EMC haviam aumentado a uma taxa anual incandescente de 28,8%. E, com todo mundo esperando que o tsunami irresistível do comércio de internet continuasse em movimento, o futuro parecia ainda mais brilhante. Durante todo o ano de 1999, o presidente da EMC previu repetidamente que o faturamento atingiria US$10 bilhões em 2001, superando os US$5,4 bilhões em 1998.[2] Isso exigiria um crescimento anual médio de 23%, uma taxa de expansão monstruosa para uma companhia daquele tamanho. Porém, os analistas de Wall Street, e a maioria dos investidores, estavam certos de que a EMC poderia conseguir isso. Afinal, ao longo dos últimos cinco anos, a EMC tinha mais do que dobrado o faturamento e mais do que triplicado o lucro líquido.

No entanto, de 1995 a 1999, de acordo com a Value Line, a margem de lucro líquido da EMC caiu de 19,0% para 17,4%, enquanto o retorno sobre o capital recuou de 26,8% para 21%. Embora ainda fosse altamente rentável, a EMC já estava em queda. Em outubro de 1999, a EMC adquiriu a Data General Corp., a qual acrescentou cerca de US$1,1 bilhão ao faturamento da EMC naquele ano. Simplesmente pela subtração do faturamento adicional proporcionado pela Data General, podemos ver que o volume dos negócios existentes da EMC cresceu de US$5,4 bilhões em 1998 para US$5,6 bilhões em 1999, um aumento de apenas 3,6%. Em outras palavras, a verdadeira taxa

---

1 Como veremos no capítulo 19, essa justificativa muitas vezes significa, na prática, "fornecer recursos para o crescimento contínuo da riqueza dos principais administradores da companhia".

2 Em entrevista na CNBC em 30 de dezembro de 1999, o apresentador Ron Insana perguntou ao presidente da EMC, Michael Ruettgers, se "2000 em diante" seriam anos tão bons quanto a década de 1990 tinha sido. "Na verdade, parece que está acelerando", gabou-se Ruettgers. Quando Insana perguntou se as ações da EMC estavam supervalorizadas, Ruettgers respondeu: "Acho que se olharmos para as oportunidades que temos à nossa frente, elas são quase ilimitadas... Portanto, embora seja difícil prever se essas coisas estão caras demais, há uma mudança tão grande acontecendo que se você puder encontrar os vencedores hoje — e eu certamente acredito que a EMC é um deles —, será bem recompensado no futuro."

de crescimento da EMC foi quase nula, mesmo em um ano em que o pavor do "*bug* do milênio" havia levado muitas companhias a gastar quantias recordes em novas tecnologias.[3]

A MUDANÇA NO DESTINO DO FRETE

Ao contrário da EMC, a Expeditors International não havia ainda aprendido a levitar. Embora as ações da firma tivessem aumentado 30% ao ano na década de 1990, grande parte daquele ganho aconteceu no final do período, quando a ação registrou um retorno estrondoso de 109,1% em 1999. No ano anterior, as ações da Expeditors subiram apenas 9,5%, ou seja, mais de 19 pontos percentuais abaixo do índice de quinhentas ações da S&P.

E o negócio? A Expeditors estava de fato crescendo de forma expedita: desde 1995, suas receitas haviam aumentado a uma taxa anual média de 19,8%, quase triplicando ao longo do período para terminar 1999 em US$1,4 bilhão. Os lucros por ação haviam crescido 25,8% ao ano, enquanto os dividendos haviam aumentado a uma taxa anual de 27%. A Expeditors não tinha dívidas de longo prazo e seu capital de giro havia quase dobrado desde 1995. De acordo com a Value Line, o valor contábil por ação da Expeditors havia aumentado 129% e o retorno sobre o capital subido em mais de um terço, isto é, para 21%.

Por qualquer critério de avaliação, a Expeditors era um negócio excelente. No entanto, a pequena companhia de logística, com base em Seattle e muitas operações na Ásia, era quase desconhecida em Wall Street. Apenas 32% de suas ações pertenciam a investidores institucionais; na verdade, a Expeditors tinha apenas 8.500 acionistas. Após dobrar em 1999, a ação estava cotada a 39 vezes o lucro líquido auferido pela Expeditors no ano. A esse nível, certamente não era nada barata, mas, mesmo assim, estava bem abaixo da cotação vertiginosa da EMC.

---

3 O "*bug* do milênio" era a crença de que milhões de computadores deixariam de funcionar um segundo após a meia-noite na manhã do dia 1º de janeiro de 2000, em função de os programadores dos anos 1960 e 1970 não terem previsto qualquer data posterior a 31 de dezembro de 1999 em seus códigos operacionais. As companhias americanas gastaram bilhões de dólares em 1999 para garantir que seus computadores estivessem protegidos contra o "*bug* do milênio". No final, a zero hora e um segundo da manhã de 1º de janeiro de 2000, tudo funcionou às mil maravilhas.

A TERRA PROMETIDA?

No final de 1999, a Exodus Communications parecia ter levado seus acionistas diretamente para a terra de leite e mel. A ação disparou 1.005,8% em 1999, o bastante para transformar um investimento de US$10.000 em 1º de janeiro em mais de US$110.000 em 31 de dezembro. Os principais analistas de ações de internet de Wall Street, incluindo o imensamente influente Henry Blodget, da Merrill Lynch, estavam prevendo que a ação subiria entre 25% e 125% no ano seguinte.

E o melhor de tudo, aos olhos dos operadores on-line que se empanturraram com os lucros da Exodus, foi o fato de que a ação havia sido desdobrada 2 por 1 por três vezes durante 1999. Em um desdobramento de ação 2 por 1, uma companhia dobra o número de suas ações e corta pela metade seus preços. Portanto, o acionista termina com o dobro do número de ações, cada uma cotada pela metade do preço anterior. O que há de mais nisso? Imagine que você me dê uma moeda de dez centavos e eu então lhe dê de volta duas de cinco centavos e pergunte: "Você não se sente mais rico agora?" Você provavelmente concluiria que ou eu sou um idiota ou o havia confundido com um. No entanto, no frenesi das ações "ponto-com" na década de 1990, os operadores on-line agiram exatamente como se duas moedas de cinco valessem mais do que uma de dez. Na verdade, apenas a notícia de que uma ação estaria sendo desdobrada 2 por 1 poderia instantaneamente fazer subir sua cotação em até 20% ou mais.

Por quê? Porque ganhar mais ações faz as pessoas se *sentirem* mais ricas. Alguém que comprou cem ações da Exodus em janeiro as viu se transformarem em duzentas quando a ação foi desdobrada em abril; em seguida aquelas duzentas se transformaram em quatrocentas em agosto; depois, as quatrocentas se transformaram em oitocentas em dezembro. Foi emocionante para essas pessoas sentirem que haviam conseguido mais setecentas ações tendo apenas cem no primeiro momento. Para elas, parecia "dinheiro achado", nunca se importaram com o fato de que o preço por ação havia sido cortado pela metade a cada desdobramento.[4] Em dezembro de 1999, um eufórico acionista da Exodus, identificado on-line como "medáumdinheiroaí", exultava com uma mensagem que dizia: "Vou manter essas ações até chegar aos oitenta anos,

---

4 Para saber mais sobre a tolice dos desdobramentos de ações, ver Jason Zweig, "Splitsville" [Desdobrando], *Money,* março de 2001, p. 55-56.

[porque] depois que elas se desdobrarem centenas de vezes ao longo dos próximos anos, estarei quase me tornando presidente da companhia."[5]

E os negócios da Exodus? Graham não teria se aproximado deles nem se estivesse vestindo roupa de proteção contra materiais radioativos. O faturamento da Exodus estava explodindo, crescendo de US$52,7 milhões em 1998 para 242,1 milhões em 1999, porém ela teve um prejuízo de US$130,3 milhões com aquele faturamento de 1999, aproximadamente o dobro das perdas no ano anterior. A Exodus tinha US$2,6 bilhões em dívidas totais e estava tão faminta por dinheiro que tomou emprestados US$971 milhões no mês de dezembro apenas. De acordo com o relatório anual da Exodus, esse novo endividamento acrescentaria mais US$50 milhões aos pagamentos de juros no ano seguinte. A companhia começou 1999 com US$156 milhões em caixa e, mesmo após levantar US$1,3 bilhão em novos financiamentos, terminou o ano com um saldo em caixa de US$1 bilhão, o que significa que seus negócios haviam devorado mais de US$400 milhões em dinheiro durante 1999. Como essa companhia poderia algum dia pagar suas dívidas?

Mas, é claro, os operadores on-line se fixaram no tamanho e na rapidez da subida da *ação*, não na saúde da *companhia*. "Essa ação", gabava-se um operador usando a alcunha de tela "Launch_Pad1999", "continuará subindo rumo ao infinito e além dele".[6]

O absurdo da previsão do Launch_Pad — o que significa "além" do infinito? — é o lembrete perfeito de um alerta clássico de Graham. "O investidor de hoje", Graham nos diz,

> *está tão preocupado em antecipar o futuro que já está pagando adiantado e generosamente por ele. Portanto, aquilo que ele projetou com tanto estudo e cuidado pode realmente acontecer e ainda assim não lhe trazer qualquer lucro. Se isso deixar de se materializar no grau esperado, ele pode na verdade se confrontar com uma grave perda temporária e talvez até mesmo permanente.*[7]

---

5 Mensagem nº 3.622, 7 de dezembro de 1999, no quadro de mensagens da Exodus Communications na página da Raging Bull na internet (http://ragingbull.lycos.com/mboard/boards.cgi?board=EXDS&read=3622).

6 Mensagem nº 3.910, 15 de dezembro de 1999, no quadro de mensagens da Exodus Communications na página da Raging Bull na internet (http://raginbull.lycos.com/mboard/boards.cgi?board=EXDS&read=3910).

7 Ver o discurso de Graham, "The New Speculation in Common Stocks" [A nova especulação em ações ordinárias], no Apêndice, p. 607.

ONDE TERMINARAM OS "E"S

Como essas quatro ações se saíram após 1999?

A Emerson Electric acabou rendendo 40,7% em 2000. Embora essas ações tenham caído em 2001 e 2002, elas, não obstante, terminaram 2002 menos de 4% abaixo do preço final de 1999.

A EMC também subiu 21,7% em 2000. No entanto, em seguida, as ações caíram 79,4% em 2001 e outros 54,3% em 2002. Isso as deixou 88% abaixo de seu nível no final do ano de 1999. E a previsão de um faturamento de US$10 bilhões em 2001? A EMC terminou aquele ano com um faturamento de apenas US$7,1 bilhões (e um prejuízo líquido de US$508 milhões).

Enquanto isso, como se o mercado de baixa nem existisse, as ações da Expeditors International subiram 22,9% em 2000, 6,5% em 2001 e outros 15,1% em 2002, terminando aquele ano aproximadamente 51% mais altas do que seu preço no final de 1999.

As ações da Exodus perderam 55% em 2000 e 99,8% em 2001. Em 26 de setembro de 2001, a Exodus solicitou a proteção dos credores. A maioria dos ativos da companhia foi comprada pela Cable & Wireless, a gigante de telecomunicações britânica. Em vez de levar seus acionistas à terra prometida, a Exodus os deixou exilados no deserto. No início de 2003, a última negociação da Exodus foi realizada a um centavo por ação.

CAPÍTULO 14
A ESCOLHA DE AÇÕES PARA O INVESTIDOR DEFENSIVO

É hora de nos voltarmos para algumas aplicações mais amplas das técnicas de análise de títulos. Como já descrevemos, em termos gerais, as políticas de investimento recomendadas para nossas duas categorias de investidores,[1] seria lógico que indicássemos agora como a análise de títulos desempenha um papel na implementação dessas políticas. O investidor defensivo que segue nossas sugestões comprará, além de uma lista diversificada de ações ordinárias importantes, apenas obrigações com grau de investimento. Ele deve se certificar de que os preços pagos na compra das ações não sejam indevidamente altos à luz dos padrões aplicáveis.

Ao estabelecer essa lista diversificada, ele pode escolher entre duas abordagens, a carteira tipo DJIA e a carteira quantitativamente testada. Na primeira, ele adquire uma amostra verdadeiramente representativa das principais ações, as quais incluirão algumas companhias de crescimento rápido escolhidas a dedo, cujas ações vendem a múltiplos especialmente altos, e também empresas menos populares e mais baratas. Isso poderia ser feito, na forma mais simples possível, pela compra de determinadas quantidades de todas as trinta ações do Índice Industrial Dow Jones (DJIA). Dez ações de cada, a um nível de 900 pontos para o índice, custaria um montante de aproximadamente US$16.000.[1] Com base no desempenho passado, o investidor poderia esperar aproximadamente os mesmos resultados futuros ao comprar cotas de vários fundos de investimento representativos.[2]

---

1 Graham descreve suas políticas de investimento recomendadas nos capítulos 4 a 7.

2 Conforme discutimos em comentários aos capítulos 5 e 9, o investidor defensivo de hoje pode atingir esse objetivo simplesmente comprando um fundo de índice de custo baixo, idealmente um que acompanhe o retorno total do mercado acionário americano.

Sua segunda abordagem consistiria em aplicar uma bateria de testes a cada compra para se certificar de obter (1) um mínimo de *qualidade* no desempenho passado e na posição financeira atual da companhia e também (2) um mínimo de *quantidade* em termos de lucros e ativos por cada dólar do preço. No encerramento do capítulo anterior, listamos sete critérios de qualidade e quantidade sugeridos para a escolha de ações ordinárias específicas. Vamos descrevê-los na ordem.

1. Tamanho adequado da empresa

Todos os nossos valores mínimos são arbitrários, sobretudo os relacionados à questão do tamanho exigido. Nosso objetivo é excluir companhias pequenas que possam estar sujeitas a adversidades acima do normal, principalmente no setor industrial. (Com frequência, existem boas oportunidades em tais empresas, mas não as consideramos apropriadas para as necessidades do investidor defensivo.) Vamos usar números redondos: não inferiores a US$100 milhões de faturamento anual no caso de uma companhia industrial, e não inferior a US$50 milhões em ativos totais, no caso de uma concessionária de serviços públicos.

2. Uma condição financeira suficientemente forte

No caso das companhias industriais, o ativo circulante deveria ser, pelo menos, o dobro do passivo circulante, um assim chamado índice de liquidez normal de dois para um. Da mesma forma, o endividamento de longo prazo não deveria exceder os patrimônios líquidos circulantes (ou "capital de giro"). No caso das concessionárias de serviços públicos a dívida não deveria exceder duas vezes o capital social (avaliado ao valor contábil).

3. Estabilidade de lucros

Algum lucro para as ações ordinárias em cada um dos dez anos passados.

4. Histórico de dividendos

Pagamentos ininterruptos durante, pelo menos, os últimos vinte anos.

5. Crescimento dos lucros

Um aumento mínimo de, pelo menos, um terço nos lucros por ação durante os últimos dez anos usando médias trienais no início e no fim.

6. *Razão preço/lucro moderada*

O preço atual não deveria ser mais do que 15 vezes os lucros médios dos últimos três anos.

7. *Razão preço/ativos moderada*

O preço atual não deveria ser mais do que 1,5 vez o último valor contábil divulgado. No entanto, um múltiplo de lucros inferior a 15 poderia justificar um múltiplo de ativos correspondentemente maior. Como uma regra de bolso, sugerimos que o *produto* do múltiplo vezes a razão preço/valor contábil não deva exceder 22,5. (Esse número corresponde a 15 vezes os rendimentos e 1,5 vez o valor contábil. O resultado admitiria uma ação negociada a apenas nove vezes os lucros e 2,5 vezes o valor do ativo etc.).

Comentários gerais: Essas exigências foram estabelecidas especialmente para as necessidades e o temperamento dos investidores defensivos. Elas eliminarão a grande maioria de ações ordinárias como candidatos para sua carteira e por duas razões opostas.

Por um lado, excluirão companhias que (1) são pequenas demais, (2) estão em condições financeiras relativamente fracas, (3) têm o estigma de um prejuízo em seus registros dos últimos dez anos e (4) não possuem um histórico longo e ininterrupto de pagamento de dividendos. Desses testes, o mais severo, segundo as condições financeiras recentes, são os que medem a força financeira. Um número considerável de empresas grandes e anteriormente fortes teve enfraquecido o índice de liquidez normal ou expandiu em excesso sua dívida, ou ambos, em tempos recentes.

Pelo outro lado, nossos dois últimos critérios excluem por razões opostas aos primeiros, ao demandar mais lucros e mais ativos por dólar de preço do que os fornecidos por ações populares. Isso não é absolutamente o ponto de vista padrão entre os analistas financeiros; na verdade, a maioria insistirá que mesmo os investidores conservadores deveriam estar preparados para pagar preços generosos por ações de companhias seletas. Expusemos anteriormente nosso ponto de vista contrário a essa ideia; ele se baseia na falta de um *fator de segurança* adequado quando uma parcela grande demais do preço depende de lucros sempre crescentes no futuro. O leitor terá que decidir essa questão importante por conta própria após pesar os argumentos dos dois lados.

Não obstante, optamos por incluir um requisito modesto de crescimento ao longo da última década. Sem isso, a companhia típica mostraria um retrocesso, pelo menos em termos de lucro por dólar de capital investido. Não há razão para o investidor defensivo incluir tais companhias — embora, caso o preço seja suficientemente baixo, elas possam ser classificadas como oportunidades de subvalorização.

O número *máximo* sugerido de 15 vezes os lucros pode muito bem resultar em uma carteira típica com um múltiplo *médio* de, digamos, 12 a 13 vezes. Observe que em fevereiro de 1972 a American Tel. & Tel. foi negociada a 11 vezes os lucros trienais (e correntes) e a Standard Oil of California a menos de 10 vezes os lucros mais recentes. Nossa recomendação básica é a de que a carteira de ações, quando adquirida, deveria ter uma razão lucro/preço geral — o inverso da razão P/L — pelo menos tão alto quanto a taxa de juros das obrigações com grau de investimento. Isso significaria uma razão P/L não superior a 13,3 comparada com o rendimento das obrigações AA de 7,5%.[3]

Aplicação de nossos critérios ao DJIA no fim de 1970

Todos os critérios sugeridos foram atendidos pelas ações do DJIA no final de 1970, mas em dois casos apenas por pouco. Apresentamos abaixo uma pesquisa com base no preço de fechamento de 1970 e os números relevantes. (Os dados básicos para cada companhia são mostrados nas Tabelas 14-1 e 14-2.)

1. O tamanho é mais do que suficiente para cada companhia.
2. A condição financeira é adequada no *agregado*, mas não para todas as companhias.[II]
3. Algum dividendo foi pago por cada companhia desde, pelo menos, 1940. Cinco dos registros de dividendos retrocedem ao último século.

---

3 No início de 2003, o rendimento das obrigações corporativas de prazo de dez anos e classificação AA girava em torno de 4,6%, sugerindo — pela fórmula de Graham — que uma carteira de ações deveria ter uma razão lucro/preço pelo menos igual. Tomando o inverso desse número (dividindo 4,6 por 100), podemos derivar uma razão P/L "máxima sugerida" de 21,7. No início desse parágrafo, Graham recomenda que a ação "média" seja cotada aproximadamente 20% abaixo da taxa "máxima". Isso sugere que — em geral — Graham consideraria potencialmente atraentes as ações negociadas a não mais que 17 vezes seus lucros médios trienais no contexto das taxas de juros e condições de mercado atuais. Em 31 de dezembro de 2002, mais de duzentas — ou mais do que 40% — das ações do índice de 500 ações da S&P tinham índices P/L com média trienal de 17,0 ou inferior. Os rendimentos atualizados das obrigações AA podem ser encontrados em www.bondtalk.com.

TABELA 14-1 Dados básicos de trinta ações do Índice Industrial Dow Jones em 30 de setembro de 1971.

		"Lucros por ação"[a]					
	Preço 30 set. 1971	30 set. 1971	Média 1968-1970	Média 1958-1960	Div. desde	Valor líquido ativos	Div. atual
Allied Chemical	32½	1,40	1,82	2,14	1887	26,02	1,20
Aluminum Co. of Am.	45½	4,25	5,18	2,08	1939	55,01	1,80
Amer. Brands	43½	4,32	3,69	2,24	1905	13,46	2,10
Amer. Can	33¼	2,68	3,76	2,42	1923	40,01	2,20
Amer. Tel. & Tel.	43	4,03	3,91	2,52	1881	45,47	2,60
Anaconda	15	2,06	3,90	2,17	1936	54,28	Nenhuma
Bethlehem Steel	25½	2,64	3,05	2,62	1939	44,62	1,20
Chrysler	28½	1,05	2,72	(0,13)	1926	42,40	0,60
DuPont	154	6,31	7,32	8,09	1904	55,22	5,00
Eastman Kodak	87	2,45	2,44	0,72	1902	13,70	1,32
General Electric	61¼	2,63	1,78	1,37	1899	14,92	1,40
General Foods	34	2,34	2,23	1,13	1922	14,13	1,40
General Motors	83	3,33	4,69	2,94	1915	33,39	3,40
Goodyear	33½	2,11	2,01	1,04	1937	18,49	0,85
Inter. Harvester	28½	1,16	2,30	1,87	1910	42,06	1,40
Inter. Nickel	31	2,27	2,10	0,94	1934	14,53	1,00
Inter. Paper	33	1,46	2,22	1,76	1946	23,68	1,50
Johns-Manville	39	2,02	2,33	1,62	1935	24,51	1,20
Owens-Illinois	52	3,89	3,69	2,24	1907	43,75	1,35
Procter & Gamble	71	2,91	2,33	1,02	1891	15,41	1,50
Sears Roebuck	68½	3,19	2,87	1,17	1935	23,97	1,55
Std. Oil of Calif.	56	5,78	5,35	3,17	1912	54,79	2,80
Std. Oil of N.J.	72	6,51	5,88	2,90	1882	48,95	3,90
Swift & Co.	42	2,56	1,66	1,33	1934	26,74	0,70
Texaco	32	3,24	2,96	1,34	1903	23,06	1,60
Union Carbide	43½	2,59	2,76	2,52	1918	29,64	2,00
United Aircraft	30½	3,13	4,35	2,79	1936	47,00	1,80
U.S. Steel	29½	3,53	3,81	4,85	1940	65,54	1,60
Westinghouse	96½	3,26	3,44	2,26	1935	33,67	1,80
Woolworth	49	2,47	2,38	1,35	1912	25,47	1,20

[a] Ajustado para dividendos de ações e desdobramentos de ações.
[b] Em geral, refere-se a períodos de 12 meses encerrados em 30 de junho de 1971.

TABELA14-2 Índices significativos das ações do DJIA em 30 de setembro de 1971.

	Preço/lucro		Rend. Atual dos dividendos	Crescimento lucros 1968-70 *vs.* 1958-60	Ativo circulante/ Passivo circulante[a]	ACL/ Dívida[b]	Preço/ Valor líq. ativos
	Set. 1971	1968-70					
Allied Chemical	18,3 x	18,0 x	3,7%	(-15,0%)	2,1 x	74%	125%
Aluminum Co. of Am.	10,7	8,8	4,0	149,0%	2,7	51	84
Amer. Brands	10,1	11,8	5,1	64,7	2,1	138	282
Amer. Can	12,4	8,9	6,6	52,5	2,1	91	83
Amer Tel. & Tel.	10,8	11,0	6,0	55,2	1,1	—[c]	94
Anaconda	5,7	3,9	—	80,0	2,9	80	28
Bethlehem Steel	12,4	8,1	4,7	16,4	1,7	68	58
Chrysler	27,0	10,5	2,1	—[d]	1,4	78	67
DuPont	24,5	21,0	3,2	(-9,0)	3,6	609	280
Eastman Kodak	35,5	35,6	1,5	238,9	2,4	1764	635
General Electric	23,4	34,4	2,3	29,9	1,3	89	410
General Foods	14,5	15,2	4,1	97,3	1,6	254	240
General Motors	24,4	17,6	4,1	59,5	1,9	1071	247
Goodyear	15,8	16,7	2,5	93,3	2,1	129	80
Inter. Harvester	24,5	12,4	4,9	23,0	2,2	191	66

Inter. Nickel	13,6	16,2	3,2	123,4	2,5	131	213
Inter. Paper	22,5	14,0	4,6	26,1	2,2	62	139
Johns-Manville	19,3	16,8	3,0	43,8	2,6	—	158
Owens-Illinois Glass	13,2	14,0	2,6	64,7	1,6	51	118
Procter & Gamble	24,2	31,6	2,1	128,4	2,4	400	460
Sears Roebuck	21,4	23,8	1,7	145,3	1,6	322	285
Std. Oil of Calif.	9,7	10,5	5,0	68,8	1,5	79	102
Std. Oil of N.J.	11,0	12,2	5,4	102,8	1,5	94	115
Swift & Co.	16,4	25,5	1,7	24,8	2,4	138	158
Texaco	9,9	10,8	5,0	120,9	1,7	128	138
Union Carbide	16,6	15,8	4,6	9,5	2,2	86	146
United Aircraft	9,7	7,0	5,9	55,9	1,5	155	65
U.S. Steel	8,3	6,7	5,4	(-21,5)	1,7	51	63
Westinghouse El.	29,5	28,0	1,9	52,2	1,8	145	2,86
Woolworth	19,7	20,5	2,4	76,3	1,8	185	1,90

[a] Números tirados dos resultados das empresas no fim do ano fiscal de 1970.
[b] Números tirados do *Moody's Industrial Manual* (1971).
[c] Balanço negativo para ACL (ACL = ativos circulantes líquidos).
[d] Prejuízo divulgado em 1958-60.

4. Os lucros agregados foram muito estáveis na última década. Nenhuma das companhias apresentou um déficit na fase de prosperidade entre 1961 e 1969, mas a Chrysler divulgou um pequeno prejuízo em 1970.
5. O crescimento total — comparando médias trienais separadas por uma década — foi de 77%, ou aproximadamente 6% ao ano. No entanto, cinco das firmas cresceram menos que um terço.
6. O índice entre o preço no final do ano relativo aos lucros médios trienais foi de 839 para US$55,5 ou 15 para 1, no teto de nossa faixa sugerida.
7. O índice entre o preço e o valor dos patrimônios líquidos foi de 562, também se enquadrando por pouco dentro de nosso limite sugerido de 1,5 a 1.

Se, no entanto, aplicássemos os mesmos sete critérios a cada companhia individual, descobriríamos que apenas cinco delas atenderiam a *todas* as nossas exigências. Elas seriam: American Can, American Tel. & Tel., Anaconda, Swift e Woolworth. Os totais para essas cinco aparecem na Tabela 14-3. Naturalmente, elas têm um desempenho estatístico muito melhor do que o DJIA como um todo, exceto na taxa de crescimento passada.[III]

Nossa aplicação de critérios específicos a esse grupo selecionado de ações industriais indica que o número que atende a cada um de nossos testes será uma percentagem relativamente pequena de *todas* as ações industriais. Arriscamos o palpite de que cerca de cem ações desse tipo poderiam ser encontradas no *Guia das Ações* da Standard & Poor's no final de 1970, apenas aproximadamente o mínimo suficiente para dar ao investidor uma gama satisfatória de escolhas pessoais.[4]

A "solução" das concessionárias de serviços públicos

Se voltarmos para o campo das ações das concessionárias de serviços públicos, encontraremos uma situação muito mais confortável e convidativa para o investidor.[5] Aqui, a grande maioria das ações parece ser apropriada, por seu

---

4 Um filtro on-line sobre ações, de fácil utilização e capaz de classificar as ações no S&P 500 pela maioria dos critérios de Graham, está disponível em www.quicken.com/investments/stocks/search/full.

5 À época em que Graham escreveu, apenas um único fundo mútuo especializado em ações de concessionárias de serviços públicos — a Franklin Utilities — estava amplamente disponí-

TABELA 14-3 Ações do DJIA que atendem a certos critérios de investimento no final de 1970.

	American Can	American Tel. & Tel.	Anaconda	Swift	Woolworth	Média, 5 companhias
Preço de 31 de dezembro de 1970	39¾	48⅞	21	30⅛	36½	
Preço/lucro, 1970	11,0 x	12,3 x	6,7 x	13,5 x	14,4 x	11,6 x
Preço/lucro, 3 anos	10,5 x	12,5 x	5,4 x	18,1 x[b]	15,1 x	12,3 x
Preço/valor contábil	99%	108%	38%	113%	148%	112%
Ativo circulante/passivo circulante	2,2 x	n.a.	2,9 x	2,3 x	1,8 x[c]	2,3 x
Patrimônio líquido circulante/dívida	110%	n.a.	120%	141%	190%	140%
Índice de estabilidade[a]	85	100	72	77	99	86
Crescimento	55%	53%	78%	25%	73%	57%

[a] Ver definição na p. 375.
[b] Em vista do bom desempenho da Swift no ano ruim de 1970, ignoraremos aqui a deficiência de 1968-70.
[c] A deficiência pequena aqui abaixo de 2 para 1 foi compensada pela margem para financiamento adicional por meio de endividamento.
n.a. = não aplicável. A dívida American Tel. & Tel. era menor que seu capital social.

histórico de desempenho e seus índices de preço, às necessidades do investidor defensivo como as concebemos. Excluímos um critério de nossos testes de ações no caso das concessionárias de serviços públicos, a saber, o índice de ativos circulantes para passivos circulantes. O fator de capital de giro toma conta de si mesmo nessa indústria como parte do financiamento contínuo de seu crescimento por meio da venda de obrigações e ações. No entanto, exigimos uma proporção adequada entre capital social e dívidas.[IV]

Na Tabela 14-4, apresentamos um resumo das 15 ações do Índice de Serviços Públicos Dow Jones. Para fins de comparação, a Tabela 14-5 oferece um quadro semelhante de uma seleção aleatória de 15 outras concessionárias tiradas da lista da Bolsa de Valores de Nova York.

No início de 1972, o investidor defensivo tinha à sua disposição uma ampla gama de ações ordinárias de concessionárias de serviços públicos, e cada uma delas atendia às nossas exigências de desempenho e preço. Essas companhias ofereciam-lhe tudo que ele tinha direito de exigir de investimentos em ações ordinárias escolhidos de forma simples. Em comparação com as principais companhias industriais, conforme representadas pelo DJIA, elas ofereceram um histórico quase tão bom em termos do crescimento passado, além de flutuações menores nos resultados anuais, ambos a um preço inferior em relação aos lucros e ativos. O retorno dos dividendos foi significativamente maior. Por serem monopólios regulados, as concessionárias apresentam seguramente mais vantagens do que desvantagens para o investidor conservador. De acordo com a lei, elas têm direito de cobrar tarifas suficientemente remunerativas para atrair o capital que precisam para sua expansão ininterrupta, e isso implica compensações adequadas para custos ascendentes. Embora o processo de regulação tenha muitas vezes sido pouco ágil, e talvez mesmo vagaroso, ele não evitou que as concessionárias registrassem um retorno sobre o capital investido justo e crescente ao longo de muitas décadas.

---

vel. Hoje, há mais de trinta. Graham não poderia ter previsto os estragos financeiros causados pelo cancelamento e pela desativação das usinas de energia nuclear; nem prever as consequências da regulação malconduzida na Califórnia. As ações das concessionárias de serviços públicos são muito mais voláteis do que eram nos dias de Graham, e a maioria dos investidores deveria possuí-las apenas através de um fundo bastante diversificado e de baixo custo, como o Fundo de Índice Dow Jones setorial de serviços públicos (símbolo: IDU) ou o SPDR Setor de Serviços Públicos Selecionados (XLU). Para obter mais informações, ver: www.ishares.com e www.spdrindex.com/spdr/. (Assegure-se de que seu corretor não cobra comissões por reinvestir os dividendos.)

TABELA 14-4 Dados sobre 15 ações do Índice de Serviços Públicos Dow Jones em 30 de setembro de 1971.

	Preço de 30 de setembro de 1971	*Lucro*[a]	*Dividendo*	*Valor contábil*	*Preço/ lucro*	*Preço/lucro contábil*	*Dividendos*	*Lucros por ação 1970 vs. 1960*
Am. Elec. Power	26	2,40	1,70	18,86	11 x	138%	6,5%	+87%
Cleveland El. Ill.	34¾	3,10	2,24	22,94	11	150	6,4	86
Columbia Gas System	33	2,95	1,76	25,58	11	129	5,3	85
Commonwealth Edison	35½	3,05	2,20	27,28	12	130	6,2	56
Consolidated Edison	24½	2,40	1,80	30,63	10	80	7,4	19
Consd. Nat. Gas	27¾	3,00	1,88	32,11	9	86	6,8	53
Detroit Edison	19¼	1,80	1,40	22,66	11	84	7,3	40
Houston Ltg. & Power	42¾	2,88	1,32	19,02	15	222	3,1	135
Niagara-Mohawk Pwr.	15½	1,45	1,10	16,46	11	93	7,2	32
Pacific Gas & Electric	29	2,65	1,64	25,45	11	114	5,6	79
Panhandle E. Pipe L.	32½	2,90	1,80	19,95	11	166	5,5	79
Peoples Gas Co.	31½	2,70	2,08	30,28	8	104	6,6	23
Philadelphia El.	20½	2,00	1,64	19,74	10	103	8,0	29
Public Svs. El. & Gas	25½	2,80	1,64	21,81	9	116	6,4	80
Sou. Calif. Edison	29¼	2,80	1,50	27,28	10	107	5,1	85
Média	28½	2,66	1,71	23,83	10,7 x	121%	6,2%	+65%

[a] Estimado para o ano de 1971.

TABELA 14-5 Dados relativos a uma segunda lista de ações de concessionárias de serviços públicos em 30 de setembro de 1971.

	Preço de 30 de setembro de 1971	*Lucro*	*Dividendo*	*Valor contábil*	*Preço/ lucro*	*Preço/lucro contábil*	*Dividendos*	*Lucros por ação 1970 vs. 1960*
Alabama Gas	15½	1,50	1,10	17,80	10 x	87%	7,1%	+34%
Allegheny Power	22½	2,15	1,32	16,88	10	134	6,0	71
Am. Tel. & Tel.	43	4,05	2,60	45,47	11	95	6,0	47
Am. Water Works	14	1,46	,60	16,80	10	84	4,3	187
Atlantic City Elec.	20½	1,85	1,36	14,81	11	138	6,6	74
Baltimore Gas & Elec.	30¼	2,85	1,82	23,03	11	132	6,0	86
Brooklyn Union Gas	23½	2,00	1,12	20,91	12	112	7,3	29
Carolina Pwr. & Lt.	22½	1,65	1,46	20,49	14	110	6,5	39
Cen. Hudson G. & E.	22¼	2,00	1,48	20,29	11	110	6,5	13
Cen. Ill. Lt.	25¼	2,50	1,56	22,16	10	114	6,5	55
Cen. Maine Pwr.	17¾	1,48	1,20	16,35	12	113	6,8	62
Cincinnati Gas and Elec.	23¼	2,20	1,56	16,13	11	145	6,7	102
Consumers Power	29½	2,80	2,00	35,59	11	90	6,8	89
Dayton Pwr. & Lt.	23	2,25	1,66	16,79	10	137	7,2	94
Delmarva Pwr. & Lt.	16½	1,55	1,12	14,04	11	117	6,7	78
Média	23½	2,15	1,50	21,00	11 x	112%	6,5%	+71%

Para o investidor defensivo, o apelo central das ações das concessionárias de serviços públicos nesse momento deveria ser sua disponibilidade a um preço moderado relativo ao valor contábil. Isso significa que ele pode ignorar as considerações do mercado acionário, caso assim deseje, e considerar-se primariamente como dono de participações em negócios bem estabelecidos e bastante lucrativos. As cotações do mercado estão sempre presentes para ele aproveitar em momentos propícios, tanto para compras em níveis baixos extraordinariamente atraentes quanto para vendas quando os preços parecerem definitivamente altos demais.

O histórico de mercado dos índices de serviços públicos — condensados na Tabela 14-6, juntamente com aqueles dos outros grupos — indica que esses investimentos proporcionaram amplas possibilidades de lucro no passado. Embora a alta não tenha sido tão grande quanto a do índice industrial, as concessionárias de serviços públicos tomadas de forma individual mostraram mais estabilidade de preços na maioria dos períodos do que o fizeram outros grupos.[6] É surpreendente observar nessa tabela que as razões preço/lucro relativas das indústrias e das concessionárias de serviços públicos trocaram de posição durante as duas últimas décadas.

TABELA 14-6 Evolução dos preços e razões preço/lucro para vários índices da Standard & Poor's, 1948-70

	Indústrias		*Ferrovias*		*Concessionárias*	
Ano	Preço[a]	Razão preço/lucro	Preço[a]	Razão preço/lucro	Preço[a]	Razão preço/lucro
1948	15,34	6,56	15,27	4,55	16,77	10,03
1953	24,84	9,56	22,60	5,42	24,03	14,00
1958	58,65	19,88	34,23	12,45	43,13	18,59
1963	79,25	18,18	40,65	12,78	66,42	20,44
1968	113,02	17,80	54,15	14,21	69,69	15,87
1970	100,00	17,84	34,40	12,83	61,75	13,16

[a] Preços ao fechamento do ano.

6 Em uma confirmação memorável do ponto de vista de Graham, o aparentemente desinteressante Índice de Concessionárias de Serviços Públicos da Standard & Poor's teve um desempenho melhor do que o prestigioso Índice Composto Nasdaq nos trinta anos terminados em 31 de dezembro de 2002.

Essas reversões farão mais sentido para o investidor ativo do que para o passivo. Porém, elas sugerem que mesmo as carteiras defensivas deveriam ser alteradas de vez em quando, sobretudo se os títulos comprados já tiverem um crescimento aparentemente excessivo e puderem ser substituídos por papéis muito mais razoavelmente cotados. Que pena! Será necessário pagar impostos sobre os ganhos de capital, os quais para o investidor típico parecem significar a mesma coisa que pagar ao diabo. Nosso velho aliado, a experiência, nos diz aqui que é melhor vender e pagar o imposto do que não vender e arrepender-se.

Investimentos em ações de empresas financeiras

Uma variedade considerável de companhias pode ser classificada sob a rubrica de "companhias financeiras". Estas incluiriam bancos, companhias seguradoras, cadernetas de poupança, companhias de crédito e pequenos empréstimos, de hipotecas e "companhias de investimento" (por exemplo, fundos mútuos).[7] É característica de todas essas empresas que elas tenham uma parcela relativamente pequena de seus ativos na forma de coisas materiais (tais como ativos fixos e estoques de mercadorias); no entanto, por outro lado, a maioria das categorias tem compromissos de curto prazo bastante superiores ao seu capital social. A questão da solidez financeira é, portanto, mais relevante aqui do que no caso do empreendimento industrial ou comercial típico. Isso, por sua vez, tem levado a várias formas de regulamentação e supervisão, com o objetivo e o resultado geral de prevenir contra práticas financeiras pouco ortodoxas.

Grosso modo, as ações das companhias financeiras têm produzido resultados de investimentos semelhantes àqueles de outros tipos de ações ordinárias. A Tabela 14-7 mostra as mudanças nos preços entre 1948 e 1970 nos seis grupos representados nos índices de preços de ações da Standard & Poor's. A média para 1941-1943 é considerada como igual a dez, ou seja, o nível base.

---

7 Hoje, a indústria de serviços financeiros é constituída de mais componentes ainda, incluindo bancos comerciais; cadernetas de poupança e financiadoras de hipotecas; firmas de crédito a consumidores, como as emissoras de cartão de crédito; gestores de dinheiro e administradoras de bens; bancos de investimento e corretoras; companhias seguradoras; e firmas envolvidas com o desenvolvimento ou a propriedade de bens imóveis, incluindo fundos de investimento imobiliário. Embora o setor seja muito mais diversificado hoje, as ressalvas de Graham sobre a saúde financeira se aplicam mais do que nunca.

TABELA 14-7 Movimentos relativos dos preços das ações de vários tipos de companhias financeiras entre 1948 e 1970

	1948	1953	1958	1963	1968	1970
Seguradoras de vida	17,1	59,5	156,6	318,1	282,2	218,0
Seguradoras de propriedades e responsabilidade	13,7	23,9	41,0	64,7	99,2	84,3
Bancos da cidade de Nova York	11,2	15,0	24,3	36,8	49,6	44,3
Bancos fora da cidade de Nova York	16,9	33,3	48,7	75,9	96,9	83,3
Companhias financeiras	15,6	27,1	55,4	64,3	92,8	78,3
Financeiras com foco em pequenas empresas	18,4	36,4	68,5	118,2	142,8	126,8
Índice composto Standard & Poor's	13,2	24,8	55,2	75,0	103,9	92,2

[a] Números de fim de ano dos índices de preço das ações da Standard & Poor's. Média de 1941-1943 = 10.

Os valores do índice no final do ano de 1970 variaram entre 44,3 para os nove bancos de Nova York e 218 para as 11 ações de seguradoras de vida. Durante os subintervalos, houve considerável variação nos respectivos movimentos de preço. Por exemplo, as ações dos bancos da cidade de Nova York se comportaram bem entre 1958 e 1968; por outro lado, o grupo das seguradoras de vida perdeu espaço espetacularmente entre 1963 e 1968. Esses movimentos inversos são encontrados em muitos, talvez na maioria, dos numerosos setores incluídos nos índices da Standard & Poor's.

Não temos comentários muito grau de investimento para oferecer a respeito dessa ampla área de investimentos a não ser aconselhar que os mesmos padrões aritméticos para preços em relação ao lucro e ao valor contábil sejam aplicados à escolha das companhias nesses grupos, conforme sugerimos para os investimentos em indústrias e concessionárias de serviços públicos.

Ações de ferrovias

A história das ferrovias é bem diferente daquela das concessionárias de serviços públicos. Os transportadores sofreram severamente com a combinação de uma concorrência acirrada com a regulação rigorosa. Seu problema com o custo da mão de obra tem sido, é claro, também difícil, mas isso não ocorre só com as ferrovias. Automóveis, ônibus e linhas aéreas conquistaram a maior parte do volume de transporte de passageiros e deixaram o resto desse serviço em uma situação altamente desvantajosa, e os caminhões tomaram uma grande parte do tráfego de frete. Mais da metade da extensão das ferrovias americanas encontrava-se em estado falimentar ou pediu proteção dos credores em diversos momentos ao longo dos últimos cinquenta anos.

No entanto, essa metade de século não foi totalmente negativa para os transportadores. Houve períodos de prosperidade para o setor, sobretudo durante os anos de guerra. Algumas linhas conseguiram manter sua lucratividade e seus dividendos, apesar das dificuldades gerais.

O índice da Standard & Poor's se multiplicou em sete vezes desde a baixa de 1942 até a alta de 1968, não muito abaixo do ganho percentual do índice de concessionárias de serviços públicos. A falência da Penn Central Transportation Co., a mais importante ferrovia americana, em 1970, chocou o mundo financeiro. Nos últimos dois anos a ação havia sido negociada a preços próximos dos mais altos de sua longa história e ela havia pagado dividendos ininterruptos por mais de 120 anos! (Na p. 464, apresentamos uma análise sucinta dessa ferrovia para ilustrar como um analista competente poderia ter detectado a crescente fraqueza da situação da companhia e emitido uma recomendação contrária à compra desses papéis.) O nível de mercado das ações da ferrovia como um todo foi seriamente afetado por esse desastre financeiro.

É, em geral, insensato fazer recomendações generalizadas a respeito de categorias inteiras de títulos e há objeções iguais com relação a condenações amplas. O histórico de preços das ações das ferrovias na Tabela 14-6 mostra que o grupo como um todo tem, com frequência, oferecido oportunidades de lucro interessantes. (Mas, em nossa opinião, as grandes subidas, em si mesmas, não se justificaram.) Confinemos nossa sugestão ao seguinte: não há razão determinante para o investidor possuir ações de ferrovias; antes de comprar qualquer uma, ele deveria se certificar de poder obter tanto valor por seu dinheiro que seria irracional procurar outra qualquer.[8]

---

8 Apenas algumas poucas ações de ferrovias grandes ainda existem, incluindo a Burlington Northern, CSX, Norfolk Southern e Union Pacific. O conselho nesta seção é, pelo menos, tão relevante para as ações das companhias aéreas hoje — com seus gigantescos prejuízos atuais

Seletividade para o investidor defensivo

Todo investidor gostaria de que sua carteira fosse melhor ou mais promissora do que a média. Portanto, o leitor se perguntará, caso consiga um consultor ou analista de títulos competente, se ele não poderia contar em receber um pacote de investimentos com qualidades realmente superiores. "Afinal", ele pode dizer, "as regras que você delineou são bastante simples e fáceis de implementar. Um analista altamente treinado deve ser capaz de usar todas as suas habilidades e técnicas para obter um desempenho superior a algo tão óbvio quanto a lista Dow Jones. Caso contrário, para que servem todos os seus cálculos, estatísticas e avaliações prepotentes"?

Suponha, como um teste prático, que tivéssemos solicitado a uma centena de analistas de títulos para escolher as cinco "melhores" ações do índice Dow Jones a serem compradas no final de 1970. Poucos teriam apresentado escolhas idênticas e muitas das listas teriam diferido completamente uma da outra.

Isso não é tão surpreendente como pode parecer à primeira vista. A razão fundamental é que o preço atual de cada ação destacada reflete muito bem os fatores de destaque em seu histórico financeiro, além da opinião geral a respeito de suas perspectivas futuras. Portanto, a visão de qualquer analista de que uma ação é uma melhor compra do que o resto delas deve derivar, em grande medida, de suas preferências e expectativas pessoais ou da ênfase dada por ele a um conjunto de fatores em vez de a outros em seu trabalho de avaliação. Se todos os analistas concordassem que uma ação específica era melhor do que todas as demais, essa ação cresceria rapidamente até chegar a um preço que anularia todas as suas vantagens anteriores.[9]

---

e meio século de resultados quase incessantemente fracos — quanto era para as ferrovias na época de Graham.

9 Graham está resumindo a "hipótese de mercados eficientes", ou HME, uma teoria acadêmica de que o preço de cada ação incorpora todas as informações publicamente disponíveis sobre a companhia. Com milhões de investidores esquadrinhando o mercado todos os dias, é improvável que erros de preço substanciais possam persistir por um longo tempo. Uma velha piada diz que dois professores de finanças andavam pela calçada quando um viu uma nota de US$20 e agachou-se para pegá-la. O outro professor agarrou seu braço e disse: "Não vale a pena. Se fosse de fato uma nota de US$20, alguém já teria pegado." Embora o mercado não seja perfeitamente eficiente, chega bem perto disso na maior parte do tempo, portanto o investidor inteligente se agachará para pegar as ações de US$20 do mercado só depois de pesquisá-las profundamente e minimizar os custos de transação e dos impostos.

Nossa afirmação de que o preço atual reflete tanto os fatos conhecidos quanto as expectativas futuras pretendeu enfatizar a base dupla das cotações do mercado. Correspondendo a esses dois tipos de elementos de valor, existem duas abordagens basicamente diferentes para a análise de títulos. É verdade que todo analista competente olha ansiosamente para o futuro em vez de ficar contemplando o passado, e tem consciência de que seu trabalho provará ser bom ou mau com base naquilo que *acontecerá* e não naquilo que *aconteceu*. Mesmo assim, o futuro em si pode ser abordado de duas maneiras diferentes, as quais podem ser chamadas de modos de *previsão* (ou projeção) e de *proteção*.[10]

Aqueles que enfatizam a previsão se esforçam para prever com bastante precisão exatamente o que a companhia realizará em anos futuros, em particular se os rendimentos mostrarão um crescimento acentuado e persistente. Essas conclusões podem se basear em um estudo muito cuidadoso de fatores, tais como a oferta e a demanda no setor — ou volume, preço e custos —, ou ainda podem ser derivadas, de uma forma um tanto ingênua, da projeção no futuro da linha de crescimento passado. Se essas autoridades estão convencidas de que as perspectivas de longo prazo são extraordinariamente favoráveis, elas quase sempre recomendarão a compra da ação sem prestar grande atenção ao nível no qual ela é negociada. Tal, por exemplo, foi a atitude geral no que concerne às ações das linhas aéreas — uma atitude que persistiu por muitos anos, apesar dos resultados muito ruins mostrados várias vezes após 1946. Na Introdução deste livro comentamos a disparidade entre os fortes movimentos de preço e o histórico de lucros relativamente decepcionantes desse setor.

Em contrapartida, aqueles que enfatizam a proteção têm sempre uma preocupação especial com o preço da ação no momento do estudo. Seu

---

10 Esse é um dos pontos centrais do livro de Graham. Todos os investidores trabalham sob uma ironia cruel: investimos *no* presente, mas investimos *para* o futuro. E, infelizmente, o futuro é quase inteiramente incerto. A inflação e as taxas de juros não são confiáveis; as recessões econômicas vão e vêm aleatoriamente; convulsões sociais, como guerras, escassez de bens primários e terrorismo chegam sem aviso; e o destino de companhias individuais e de seus setores acaba sendo, com frequência, o oposto do que a maioria dos investidores esperava. Portanto, investir com base na *projeção do futuro* é uma atitude tola; mesmo as previsões dos assim chamados especialistas são menos confiáveis do que o giro de uma moeda no cara e coroa. Para a maioria das pessoas, investir com base na *proteção* — do pagamento em excesso por uma ação e da confiança em excesso na qualidade de seu próprio julgamento — é a melhor solução. Graham expande seu conceito no capítulo 20.

esforço principal é assegurar-se de uma margem substancial acima do preço do mercado no valor presente indicado, a qual poderia absorver uma evolução desfavorável no futuro. Grosso modo, portanto, não é tão necessário para eles estarem entusiasmados com as perspectivas de longo prazo da companhia, contanto que estejam razoavelmente confiantes de que a empresa será bem-sucedida.

A primeira, ou preditiva, abordagem poderia também ser chamada de abordagem qualitativa, uma vez que ela enfatiza perspectivas, gestão e outros fatores não mensuráveis, embora altamente importantes, os quais se enquadram no conceito de qualidade. A segunda, ou protetora, abordagem pode ser chamada de abordagem quantitativa ou estatística, uma vez que enfatiza as relações mensuráveis entre o preço de venda e os lucros, ativos, dividendos etc. A propósito, o método quantitativo é, na verdade, uma extensão — para o caso das ações ordinárias — do ponto de vista do que a análise de títulos acredita ser sensato na escolha de obrigações e ações preferenciais para investir.

Em nossa atitude e trabalho profissional, sempre estivemos comprometidos com a abordagem quantitativa. Desde o início, queríamos ter certeza de obter um amplo valor por nosso dinheiro em termos concretos e demonstráveis. Não estamos dispostos a aceitar as perspectivas e promessas do futuro como compensações para a falta de um valor suficiente no presente. Isso não tem, sem dúvida, sido o ponto de vista padrão entre as "autoridades" de investimento; na verdade, a maioria provavelmente apoiaria a visão de que as perspectivas, qualidade de gestão, outros intangíveis e o "fator humano" mais do que compensam as indicações fornecidas por qualquer estudo do desempenho passado, dos balanços e todos os outros números frios.

Portanto, essa questão da escolha das melhores "ações" é, no fundo, altamente controversa. Nosso conselho ao investidor defensivo é que ele a deixe de lado. Deixe-o enfatizar a diversificação mais do que a seleção individual. Incidentalmente, a ideia universalmente aceita da diversificação é, em parte pelo menos, a negação das pretensões ambiciosas de seletividade. Se um indivíduo *pudesse* selecionar as melhores ações sem qualquer erro, ele estaria perdendo ao praticar a diversificação. No entanto, dentro dos limites das quatro regras gerais de escolha de ações ordinárias sugeridas para o investidor defensivo (nas p. 139-140), há espaço para uma liberdade bastante considerável de preferência. Na pior das hipóteses, seguir tais preferências não faria nenhum mal; além disso, pode acrescentar algo que valha a pena aos resultados. Com o impacto crescente dos desenvolvimentos tecnológicos sobre os resultados corporativos de longo prazo, o investidor não pode deixá-los fora de seus cálculos. Aqui, como em outro lugar, ele deve buscar um meio-termo entre o descaso e a ênfase exagerada.

COMENTÁRIOS AO CAPÍTULO 14

Aquele que se contenta com os rendimentos certos
dificilmente alcançará e conseguirá grandes riquezas;
e aquele que aposta tudo em aventuras muitas vezes
quebra e acaba pobre: é bom, portanto, se proteger
das aventuras com certezas que possam compensar perdas.
Sir Francis Bacon

O PONTAPÉ INICIAL

Como você abordaria o trabalho detalhista da escolha de ações? Graham sugere que o investidor defensivo, "muito simplesmente", compre cada ação do Índice Industrial Dow Jones. O investidor defensivo de hoje pode fazer muito melhor: comprar um fundo de índice do mercado de ações total que detém essencialmente todas as ações que valem a pena. Um fundo de índice de baixo custo é a melhor ferramenta jamais criada para o investimento em ações com baixa manutenção, e qualquer esforço para a melhorar implica mais trabalho (e incorre em mais riscos e custos mais altos) do que um investidor verdadeiramente defensivo pode justificar.

Não é necessário pesquisar e selecionar suas próprias ações; para a maioria das pessoas, não é sequer aconselhável. No entanto, alguns investidores defensivos gostam da diversão e do desafio intelectual de escolher ações individuais, e, se você sobreviveu a um mercado de baixa e *ainda* gosta de escolher ações, então nada que Graham ou eu possamos dizer o convencerá do contrário. Nesse caso, em vez de constituir a carteira completa com um fundo de índice de mercado de ações total, faça com que ele seja a base dela. Com essa base no lugar, você pode fazer pequenas experiências com suas próprias escolhas de ações. Mantenha 90% de seu dinheiro de ações em um fundo de índice, deixando 10% para tentar escolher ações por conta própria. Somente após a construção desse núcleo sólido é que você deveria explorar. (Para aprender por que tal diversificação ampla é tão importante, veja boxe a seguir.)

POR QUE DIVERSIFICAR?

Durante o mercado de alta da década de 1990, uma das críticas mais comuns à diversificação era que ela diminuía o potencial de retornos altos. Afinal, se você pudesse identificar a próxima Microsoft, não faria sentido colocar todos os ovos na mesma cesta?

Bem, claro. Como o humorista Will Rogers disse uma vez: "Não aposte. Pegue todas as suas economias e compre algumas boas ações e as mantenha até que subam, depois as venda. Se elas não subirem, não as compre."

No entanto, como sabia Rogers, uma previsão perfeita do futuro não é um dom disponível para a maioria dos investidores. Não importa quanto você se sinta confiante, não há maneira de descobrir se uma ação subirá até *que você a compre.* Portanto, a ação que você pensa ser a "próxima Microsoft" pode bem ao contrário se tornar a próxima MicroStrategy. (Essa ex-estrela do mercado foi de US$3.130 por ação em março de 2000 para US$15,10 no final de 2002, uma perda apocalíptica de 99,5%).[1] Manter seu dinheiro espalhado por muitas ações e setores é o único seguro confiável contra o risco de estar errado.

No entanto, a diversificação não apenas minimiza suas possibilidades de erro. Ela também maximiza suas chances de acerto. Durante longos períodos de tempo, algumas ações se tornam "superações" que sobem até 10.000% ou mais. A revista *Money* identifica as trinta ações com melhor desempenho nos últimos trinta anos encerrados em 2002 e, mesmo com a vantagem de um olhar retrospectivo perfeito, a lista é surpreendentemente imprevisível. Em vez de muitas ações de tecnologia ou de planos de saúde, ela inclui ações da Southwest Airlines, da Worthington Steel, da rede de lojas de desconto Dollar General e do produtor de rapé UST Inc.[2] Se você acha que estaria disposto a fazer uma aposta grande em qualquer dessas ações em 1972, está se enganando.

Pense nisso dessa maneira: no enorme mercado-palheiro, apenas poucas agulhas acabam por gerar ganhos verdadeiramente gigantescos. Quanto maior a proporção do palheiro que você possui, maiores as possibilidades de você terminar encontrando, pelo menos, uma dessas agulhas. Possuir o palheiro inteiro (idealmente através de um fundo de índice que acompanhe o mercado de ações americano como um todo) pode lhe garantir encontrar cada agulha e, portanto, capturar os retornos de todas as superações.

Sobretudo se você for um investidor defensivo, por que procurar as agulhas quando pode possuir todo o palheiro?

---

1 Ajustado para desdobramentos de ações. Para muitas pessoas, a MicroStrategy realmente parecia ser a próxima Microsoft no início de 2000; suas ações tinham subido 566,7% em 1999, tendo seu presidente, Michael Saylor, declarado que "nossas perspectivas hoje são melhores do que eram há 18 meses". Mais tarde, a SEC acusou a MicroStrategy de fraude contábil, e Saylor pagou uma multa de US$8,3 milhões para encerrar os processos contra a companhia.

2 Jon Birger, "The 30 Best Stocks" [As 30 melhores ações], *Money*, outono de 2002, p. 88-95.

TESTANDO, TESTANDO

Vamos atualizar, de forma sucinta, os critérios de Graham para escolha de ações.

Tamanho adequado. Hoje em dia, "para excluir companhias pequenas", a maioria dos investidores defensivos evitaria ações com um valor de mercado total inferior a US$2 bilhões. No início de 2003, isso ainda o deixaria com 437 companhias do índice de 500 ações da Standard & Poor's para escolher.

No entanto, os investidores defensivos de hoje, diferentemente daqueles dos dias de Graham, podem convenientemente possuir companhias pequenas ao comprar um fundo mútuo especializado em ações de empresas menores. Novamente, um fundo de índice, como o Vanguard Small-Cap Index, é a primeira escolha, embora fundos ativos estejam disponíveis a custos razoáveis em firmas como Ariel, T. Rowe Price e Third Avenue.

Condição financeira forte. No início de 2003, de acordo com os estrategistas de mercado Steve Galbraith e Jay Lasus, da Morgan Stanley, aproximadamente 120 companhias do índice 500 da S&P passavam no teste de Graham de um índice de liquidez de 2 por 1. Com ativos circulantes pelo menos duas vezes maiores do que os passivos circulantes, essas firmas possuíam um colchão protetor de capital de giro de tamanho razoável que, em geral, deveria protegê-las em tempos difíceis.

Wall Street sempre foi cheia de ironias ácidas, e o estouro da bolha das *growth stocks* criou uma das maiores: em 1999 e 2000, supunha-se que as ações de alta tecnologia, biotecnologia e telecomunicações forneceriam "crescimento agressivo" e, ao contrário, terminaram dando à maior parte de seus investidores um encolhimento agressivo. No entanto, no início de 2003, a roda havia feito uma volta completa e muitas dessas ações de crescimento agressivo haviam se tornado financeiramente conservadoras, carregadas com capital de giro, cheias de dinheiro em caixa e muitas vezes livres de dívidas. A Figura 14-1 fornece um exemplo:

FIGURA 14-1 Tudo que é novo é novamente velho

Companhia	Ativo circulante	Passivo Circulante	Índice de ativo circulante para passivo circulante	Dívida de longo prazo	Taxa de dívida de longo prazo sobre capital de giro
Applied Micro Circuits	1091,2	61,9	17,6	0	nenhum
Linear Technology	1736,4	148,1	11,7	0	nenhum
QLogic Corp.	713,1	69,6	10,2	0	nenhum
Analog Services	3711,1	467,3	7,9	1274,5	0,39
Qualcomm Inc.	4368,5	654,9	6,7	156,9	0,04
Maxim Integrated Products	1390,5	212,3	6,5	0	nenhum
Applied Materials	7878,7	1298,4	6,1	573,9	0,09
Tellabs Inc.	1533,6	257,3	6,0	0,5	0,0004
Scientific-Atlanta	1259,8	252,4	5,0	8,8	0,01
Altera Corp.	1176,2	240,5	4,9	0	nenhum
Xilinx Inc.	1108,8	228,1	4,9	0	nenhum
American Power Conversion	1276,3	277,4	4,6	0	nenhum
Chiron Corp.	1393,8	306,7	4,5	414,9	0,38
Biogen Inc.	1194,7	265,4	4,5	39	0,04
Novellus Systems	1633,9	381,6	4,3	0	nenhum
Amgen Inc.	6403,5	1529,2	4,2	3039,7	0,62
LSI Logic Corp.	1626,1	397,8	4,1	1287,1	1,05
Rowan Cos.	469,9	116,0	4,1	494,8	1,40
Ciomet Inc.	1000,0	248,6	4,0	0	nenhum
Siebel Systems	2588,4	646,5	4,0	315,6	0,16

Todos os números estão em milhões de dólares e foram extraídos dos últimos balanços financeiros disponíveis em 31/12/2002. O capital de giro é constituído pelos ativos circulantes menos os passivos circulantes.
As dívidas de longo prazo incluem ações preferenciais e excluem passivos fiscais diferidos.
Fontes: Morgan Stanley; Baseline; banco de dados EDGAR em www.sec.gov.

Em 1999, a maioria dessas companhias estava entre as mais quentes das queridinhas do mercado, oferecendo a promessa de um crescimento potencial alto. No início de 2003, elas ofereciam provas concretas de valor verdadeiro.

A lição a ser aprendida aqui não é que essas ações eram uma "barbada" ou que você deveria correr e comprar tudo (ou qualquer coisa) dessa tabela.[1] Em vez disso, você deveria perceber que o investidor defensivo pode sempre prosperar ao vasculhar paciente e calmamente os escombros de um mercado de baixa. O critério de Graham de força financeira ainda funciona: se você construir uma cesta diversificada de ações cujos ativos circulantes sejam, pelo menos, o dobro dos passivos circulantes e cuja dívida de longo prazo não exceda o capital de giro, você acabará com um grupo de companhias financiadas de forma conservadora e com bastante solidez. Os melhores valores hoje são muitas vezes encontrados em ações que um dia foram quentes e deixaram de ser desde então. Ao longo da história, tais ações, com frequência, têm fornecido a margem de segurança exigida pelo investidor defensivo.

Estabilidade de lucros. De acordo com a Morgan Stanley, 86% de todas as companhias do índice S&P 500 tiveram lucros positivos em cada ano de 1993 até 2002. Portanto, a insistência de Graham em "algum lucro para as ações ordinárias em cada um dos dez anos passados" permanece um teste válido e forte o suficiente para eliminar os perdedores crônicos, mas não tão restritivo a ponto de limitar suas escolhas a uma amostra irrealisticamente pequena.

Histórico de dividendos. No início de 2003, de acordo com a Standard & Poor's, 354 companhias da S&P 500 (ou 71% do total) pagaram dividendos. Nada menos que 255 companhias haviam pagado dividendos durante, pelo menos, vinte anos seguidos. E, de acordo com a S&P, 57 companhias no índice *aumentaram* seus dividendos em, pelo menos, 25 anos consecutivos. Esse fato não é garantia de que elas o farão para sempre, mas esse aumento não deixa de ser um alento.

Crescimento dos lucros. Quantas companhias do S&P 500 aumentaram seus lucros por ação em "pelo menos um terço", como exige Graham, ao longo dos dez anos encerrados em 2002? (Calcularemos a média dos lucros de cada companhia entre 1991 e 1993 e então determinaremos se os lucros médios a partir de 2002 foram pelo menos 33% mais altos.) De acordo com a Morgan Stanley, 264 companhias do S&P 500 passaram nesse teste. No entanto, parece que nesse caso Graham estabeleceu um patamar baixo demais; 33% de crescimento cumulativo ao longo de uma década equivale a um aumento anual médio inferior a 3%. O crescimento cumulativo dos lucros por ação de, pelo menos, 50% — ou um aumento anual médio de 4% — é um pouco menos conservador. Não

---

1 Quando você ler isto, muita coisa já deverá ter mudado desde o final de 2002.

FIGURA 14-2 Desempenho constante

Essas companhias pagaram dividendos mais altos a cada ano, sem exceção.

Companhia	Ramo	Dividendos pagos em ano desde...	Número de aumentos anuais de dividendos nos últimos 40 anos
3M Co	Industrial	1916	40
Abbott Laboratories	Assistência médica	1926	35
ALLTEL Corp	Serv. de telecomunicações	1961	37
Altria Group (ex-Philip Morris)	Produtos básicos de consumo	1928	36
AmSouth Bancorp	Financeiro	1943	34
Anheuser-Busch Cos	Produtos básicos de consumo	1932	39
Archer-Daniels-Midland	Produtos básicos de consumo	1927	32
Automatic Data Proc	Industrial	1974	29
Avery Dennison Corp	Industrial	1964	36
Bank of America	Financeiro	1903	36
Bard (C.R.)	Assistência médica	1960	36
Becton, Dickinson	Assistência médica	1926	38
Century Tel Inc	Serv. de telecomunicações	1974	29
Chubb Corp	Financeiro	1902	28
Clorx Co	Produtos básicos de consumo	1968	30
Coca-Cola Co	Produtos básicos de consumo	1893	40
Comerica Inc	Financeiro	1936	39
ConAgra Foods	Produtos básicos de consumo	1976	32
Consolidated Edison	Concessionária de serv. públicos	1885	31
Donnelley (R. R.) & Sons	Industrial	1911	36
Dover Corp	Industrial	1947	37
Emerson Electric	Industrial	1947	40
Family Dollar Stores	Gastos discricionários do consumidor	1976	27
First Tenn Natl	Financeiro	1895	31
Gannett Co	Gastos discricionários do consumidor	1929	35
General Electric	Industrial	1899	35
Gainger (W.W.)	Industrial	1965	33
Heinz (H. J.)	Produtos básicos de consumo	1911	38
Household Intl.	Financeiro	1926	40

Jefferson-Pilot	Financeiro	1913	36
Johnson & Johnsons	Assistência médica	1944	40
Johnson Controls	Gastos discricionários do consumidor	1887	29
KeyCorp	Financeiro	1963	36
Kimberly-Clark	Produtos básicos de consumo	1935	34
Leggett & Paltt	Gastos discricionários do consumidor	1939	33
Lilly (Eli)	Financeiro	1885	38
Lowe's Cos.	Gastos discricionários do consumidor	1961	40
May Dept Stores	Gastos discricionários do consumidor	1911	31
McDonald's Corp	Gastos discricionários do consumidor	1976	27
McGraw-Hill Cos.	Gastos discricionários do consumidor	1937	35
Merck & Co	Assistência médica	1935	38
Nucor Corp.	Materiais	1973	30
PepsiCo Inc.	Produtos básicos de consumo	1952	35
Pfizer Inc.	Assistência médica	1901	39
PPG Industries	Materiais	1899	37
Procter & Gamble	Produtos básicos de consumo	1891	40
Regions Financial	Financeiro	1968	32
Rohm & Haas	Materiais	1927	38
Sigma-Aldrich	Materiais	1970	28
Stanley Works	Gastos discricionários do consumidor	1877	37
Supervalu Inc.	Produtos básicos de consumo	1936	36
Target Corp.	Gastos discricionários do consumidor	1965	34
TECO Energy	Concessionária de serviços públicos	1900	40
U.S. Bancorp	Financeiro	1999	35
VF Corp.	Gastos discricionários do consumidor	1941	35
Wal-Mart Stores	Gastos discricionários do consumidor	1973	29
Walgreen Co.	Produtos básicos de consumo	1933	31

Fonte: Standard & Poor's Corp.
Dados de 1/12/2002.

menos que 245 companhias do índice S&P 500 atenderam a esse critério no início de 2003, deixando ao investidor defensivo uma ampla lista de escolhas. (Se você dobrar o patamar mínimo de crescimento cumulativo para 100%, ou 7% de crescimento anual médio, então 198 companhias atenderão ao critério.)

Razão P/L moderada. Graham recomenda limitar-se a ações cujo preço atual não seja maior do que 15 vezes os lucros médios ao longo dos últimos três anos. Incrivelmente, a prática preponderante em Wall Street hoje é avaliar uma ação pela divisão de seu preço atual por algo chamado "lucros do próximo ano". Isso resulta no que é algumas vezes denominado "razão P/L a prazo". Porém, não faz sentido derivar uma razão preço/lucro pela divisão do preço atual conhecido por lucros futuros desconhecidos. Ao longo do tempo, o gestor de recursos David Dreman mostrou que 59% das previsões de lucro "consensuais" erram por uma margem ampla e constrangedora, tanto subestimando quanto superestimando os lucros reais relatados em, pelo menos, 15%.[2] Investir seu dinheiro com base nessas previsões para o ano seguinte elaboradas por adivinhos míopes é tão arriscado quanto se oferecer para segurar o alvo em um torneio de arco e flecha para cegos. Em vez disso, calcule você mesmo uma razão preço/lucro usando a fórmula de Graham de preço atual dividido pelos lucros médios dos últimos três anos.[3]

No início de 2003, quantas ações no índice 500 da Standard & Poor's foram avaliadas em não mais que 15 vezes seus lucros médios de 2000 até 2002? De acordo com a Morgan Stanley, um total generoso de 185 companhias passou no teste de Graham.

Razão preço/valor contábil moderada. Graham recomenda um "índice de preço com relação aos ativos" (ou índice de preço a valor contábil) inferior a 1,5. Nos últimos anos, uma proporção crescente do valor das companhias vem derivando de ativos intangíveis, como franquias, nomes de marcas patentes e marcas registradas. Já que esses fatores (juntamente com os intangíveis das aquisições) estão excluídos da definição-padrão de valor contábil, a maioria das companhias hoje é cotada em múltiplos maiores de preço relativo ao valor contábil do que nos dias de Graham. De acordo com a Morgan Stanley, 123 das companhias do S&P 500 (ou uma em quatro) são cotadas abaixo de

---

2 David Dreman, "Bubbles and the Role of Analysts' Forecasts'" [As bolhas e o papel das previsões dos analistas], *The Journal of Psychology and Financial Markets,* v. 3, nº 1 (2002), p. 4-14.

3 Você pode calcular o índice manualmente a partir dos relatórios anuais da companhia ou obter os dados em páginas na internet como www.morningstar.com ou http://finance.yahoo.com.

1,5 vez o valor contábil. Ao todo, 273 companhias (ou 55% do índice) têm índices de preço a valor contábil inferiores a 2,5.

E a sugestão de Graham para você multiplicar a razão P/L pelo índice de preço com relação ao valor contábil e ver se o número resultante é inferior a 22,5? Com base nos dados da Morgan Stanley, pelo menos 142 ações do S&P 500 poderiam passar nesse teste no início de 2003, incluindo Dana Corp., Electronic Data Systems, Sun Microsystems e Washington Mutual. Portanto, o "multiplicador misto" de Graham ainda funciona como um filtro inicial para identificar ações razoavelmente cotadas.

DEVIDA ATENÇÃO

Independentemente de quanto defensivo você possa ser — segundo a definição de Graham de minimizar o trabalho que você tem em escolher ações —, há alguns passos que não podem ser ignorados:

Faça seu dever de casa: Através do banco de dados EDGAR em www.sec.gov, você obtém acesso imediato aos relatórios anuais e trimestrais de cada companhia, juntamente com os registros que revelam as remunerações dos gestores, suas participações no negócio, assim como potenciais conflitos de interesses. Leia pelo menos os relatórios dos últimos cinco anos.[4]

Verifique a vizinhança. Páginas da internet como http://quicktake.morningstar.com, http://finance.yahoo.com e www.quicken.com podem prontamente lhe informar qual percentagem das ações de uma companhia pertence a instituições. Qualquer coisa acima de 60% sugere que a ação é bastante conhecida e provavelmente "superpossuída". (Quando as grandes instituições vendem, todas elas tendem a agir de forma parecida, com resultados desastrosos para a ação. Imagine todas as dançarinas da Radio City Rockettes despencando da beira do palco ao mesmo tempo e você terá uma ideia.) Aquelas páginas na internet também lhe dirão quem são os maiores donos das ações. Se forem firmas gestoras de recursos que investem com um estilo semelhante ao seu, isso é um bom sinal.

---

4 Para obter mais informações sobre o que procurar, ver comentários aos capítulos 11, 12 e 19. Se não estiver disposto a fazer o esforço mínimo de ler o prospecto de lançamento e fizer comparações básicas de saúde financeira para cinco anos de relatórios anuais, então você é defensivo demais para comprar quaisquer ações individuais. Saia do negócio de escolha de ações e aplique em um fundo de índice, o lugar certo para você.

CAPÍTULO 15
A ESCOLHA DE AÇÕES PARA O INVESTIDOR EMPREENDEDOR

Nos capítulos anteriores, tratamos da escolha de ações ordinárias e apresentamos grupos grandes de papéis aceitáveis, com base nos quais o investidor defensivo pode elaborar qualquer lista que ele ou seu assessor preferir, contanto que haja uma diversificação adequada. Nossa ênfase na seleção tem sido principalmente no sentido de excluir, desaconselhando tanto a compra de qualquer ação de qualidade reconhecidamente ruim quanto as de mais alta qualidade, caso seus preços estejam tão altos que envolvam um risco especulativo considerável. Neste capítulo, dirigido ao investidor empreendedor, consideraremos as possibilidades e os meios de se fazer seleções *individuais* que possam acabar sendo mais lucrativas do que a média geral.

E quais são as chances de se fazer isso de forma bem-sucedida? Seríamos pouco francos, para usar um eufemismo, se desde o início não expressássemos certas reservas graves a esse respeito. A princípio, o argumento em favor da seleção bem-sucedida parece bastante evidente. Obter resultados médios — por exemplo, o equivalente ao desempenho do DJIA — não exige nenhum tipo de capacidade especial. Tudo que se precisa é de uma carteira idêntica ou semelhante àquelas trinta ações de destaque. Evidentemente que, pelo exercício de um grau até mesmo moderado de habilidade — derivada do estudo, da experiência e da capacidade inata —, deveria ser possível obter resultados substancialmente superiores aos do DJIA.

Há, no entanto, provas consideráveis e impressionantes de que é muito difícil de conseguir esses resultados, muito embora as credenciais dos que tentam alcançar esse objetivo sejam as melhores. Essas provas residem no histórico de numerosas companhias de investimento ou "fundos", as quais operam há muitos anos. A maioria desses fundos é grande o suficiente para contar com os serviços dos melhores analistas financeiros ou de títulos do ramo, juntamente com todos os outros elementos constituintes de um departamento de pesquisa adequado. Suas despesas operacionais, quando distribuídas por seu capital grande, ficam em média aproximadamente na metade de 1% ao ano daquele capital, ou menos. Esses custos não são desprezíveis em si mesmos, mas quando comparados ao retorno total anual de aproximadamente 15% sobre as ações ordinárias na década de 1951-60, e mesmo ao retorno de 6% em 1961-70, não chegam a pesar muito. Uma capacidade, mesmo limitada, para fazer boas escolhas poderia facilmente ter superado essa desvantagem das despesas e gerado um resultado líquido superior para os cotistas do fundo.

Em geral, porém, durante um bom tempo, os fundos compostos exclusivamente de ações ordinárias não conseguiram gerar um retorno tão bom quanto o do índice de 500 ações da Standard & Poor's ou do mercado como um todo. Essa conclusão foi sustentada por vários estudos abrangentes. Citamos o mais recente que encontramos e que cobre o período de 1960-1968.[1]

> *Com base nesses resultados, parece que as carteiras de ações, escolhidas de forma aleatória, da Bolsa de Valores de Nova York com um investimento igual em cada ação se saíram, em média, melhor ao longo do período do que os fundos mútuos na mesma classe de risco. As diferenças foram bastante substanciais para as carteiras de baixo e médio risco (3,7% e 2,5%, respectivamente ao ano), mas bastante pequenas para as carteiras de alto risco (0,2% ao ano).*[1]

Conforme destacamos no capítulo 9, esses números comparativos de forma alguma invalidam a utilidade dos fundos de investimento como uma instituição financeira. A razão para tal é que eles tornam disponível a todos os investidores a possibilidade de obterem resultados aproximada-

---

1 A pesquisa do Friend-Blume-Crockett cobriu o período entre janeiro de 1960 e junho de 1968 e comparou o desempenho de mais de cem dos maiores fundos mútuos com os retornos de carteiras construídas aleatoriamente por mais de 500 das maiores ações listadas na NYSE. Nesse estudo de Friend-Blume-Crockett, os fundos tiveram um desempenho melhor de 1965 a 1968 do que na primeira metade do período sob análise, conforme Graham descobriu em sua própria pesquisa (ver p. 186 e 261-265). Porém, essa melhoria não foi duradoura. A conclusão dos estudos — de que os fundos mútuos, em média, tiveram um desempenho inferior ao do mercado por uma margem aproximadamente igual a suas despesas operacionais e seus custos de transação — tem sido reconfirmada tantas vezes que qualquer um que duvide deles deve fundar uma filial financeira da Sociedade da Terra Plana.

mente médios com suas carteiras de ações ordinárias. Por várias razões, a maioria das pessoas que aplica seu dinheiro em ações ordinárias escolhidas por conta própria não obtém resultados comparáveis. No entanto, para o observador objetivo, a incapacidade dos fundos de superar o desempenho de um índice amplo é uma indicação de que tal façanha em vez de ser fácil é, na verdade, extremamente difícil.

Por que isso acontece? Podemos pensar em duas explicações diferentes, podendo cada uma delas ser parcialmente aplicável. A primeira é a possibilidade de que o mercado acionário na verdade reflete nos preços não apenas o desempenho atual e todos os fatos importantes ocorridos no passado das companhias, mas também qualquer expectativa que possa ser razoavelmente formada e que possa afetar seu futuro. Se assim é, os diferentes movimentos do mercado que subsequentemente acontecem — e muitas vezes eles são extremos — devem ser o resultado de novos acontecimentos e probabilidades que não poderiam ser previstos com confiança. Grosso modo, essa situação tornaria os movimentos de preços fortuitos e aleatórios. Caso isso seja verdade, o trabalho do analista de títulos — por mais inteligente e profundo que seja — deve ser pouco útil, já que, em essência, ele estaria tentando prever o imprevisível.

A própria multiplicação do número de analistas de títulos pode ter desempenhado um papel importante para explicar esse resultado. Com centenas, mesmo milhares, de especialistas estudando os fatores geradores de valor por trás de cada ação ordinária importante, seria natural esperar que seu preço atual refletisse de forma muito próxima o consenso da opinião informada a respeito de seu valor. Aqueles que a preferissem a outras ações o fariam por razões pessoais ou por um otimismo que poderia estar tão certo quanto errado.

Com muita frequência, lembramos a analogia entre o trabalho da multidão de analistas de títulos em Wall Street e o desempenho dos jogadores de *bridge* mestres em um torneio de *bridge* duplicado. Os primeiros tentam escolher as ações com "mais probabilidade de sucesso"; os últimos, obter os pontos máximos em cada mão jogada. Apenas poucos podem realizar ambos os objetivos. Na medida em que todos os jogadores de *bridge* têm um nível similar de perícia, os vencedores podem ser determinados por acasos de vários tipos, em vez de pela capacidade superior. Em Wall Street, o processo de nivelamento é auxiliado pelo coleguismo que existe na profissão, por meio do qual as ideias e descobertas são muito livremente compartilhadas em inúmeros encontros de diversos tipos. É quase como se, no torneio análogo de *bridge*, os vários especialistas estivessem olhando por cima dos ombros uns dos outros e dando palpites sobre cada carta jogada.

A segunda possibilidade é bem diferente. Talvez muitos analistas de títulos sejam prejudicados por um defeito em sua abordagem básica do problema da escolha de ações. Eles buscam os setores com as melhores perspectivas de crescimento e as companhias nesses setores que apresentem a melhor gestão, além de outras vantagens. A implicação nessa estratégia é que comprarão ações em tais setores e tais companhias a qualquer preço, por mais alto que seja, e evitarão os setores e as companhias menos promissoras, não importando quão baixo o preço de suas ações. Esse procedimento seria o único correto se tivéssemos certeza de que os lucros das companhias boas cresceriam indefinidamente no futuro e a uma taxa veloz, pois assim, em teoria, seu valor seria infinito. Ao mesmo tempo, se as companhias menos promissoras estivessem destinadas à extinção, sem nenhuma salvação, os analistas estariam certos em não as considerarem atraentes qualquer que fosse seu preço.

A verdade sobre as sociedades anônimas é muito diferente. Muito poucas companhias têm sido capazes de exibir uma taxa alta de crescimento ininterrupto por longos períodos de tempo. Um número igualmente ínfimo das maiores companhias acaba completamente extinto. Para a maioria, a história é de adversidades, de altos e baixos, de mudanças na posição relativa. Em algumas, as variações "da pobreza para a riqueza e de volta para a pobreza" têm se repetido de forma quase cíclica — a frase costumava ser dita em relação à indústria siderúrgica — enquanto, para outras, mudanças espetaculares foram identificadas como causadas pela deterioração ou pela melhoria da gestão.[2]

Como o questionamento anterior se aplica ao investidor empreendedor que gostaria de fazer seleções individuais com o objetivo de gerar resul-

---

2 Como discutimos em comentários ao capítulo 9, há várias outras razões para os fundos mútuos não terem sido capazes de superar os índices de mercado, incluindo os baixos retornos sobre os saldos em dinheiro dos fundos e os altos custos de pesquisa e negociação de ações. Da mesma forma, um fundo que mantém 120 companhias (um número típico) pode ter um desempenho inferior ao índice de 500 ações da S&P se *qualquer* das outras 380 companhias do índice acabar tendo um desempenho muito melhor. Quanto menos ações um fundo possui, mais provavelmente ele perderá "a próxima Microsoft".

tados superiores? Esse questionamento sugere, em primeiro lugar, que o investidor empreendedor está assumindo uma tarefa difícil e talvez impraticável. Os leitores deste livro, por mais inteligentes e conhecedores que sejam, dificilmente poderiam esperar fazer um trabalho melhor de seleção de carteira do que os melhores analistas do país. No entanto, se é verdade que um segmento razoavelmente grande do mercado acionário é muitas vezes discriminado ou inteiramente desprezado pelas seleções analíticas usuais, então o investidor inteligente pode ter condições para lucrar com as subvalorizações daí resultantes.

Porém, para fazer isso, ele precisa seguir métodos específicos que não são geralmente aceitos em Wall Street, uma vez que os métodos lá aceitos não parecem produzir os resultados que todos gostariam de obter. Seria bastante estranho se — com todo o capital intelectual que trabalha profissionalmente no mercado acionário — existissem abordagens que fossem sensatas e relativamente impopulares. No entanto, nossa própria carreira e reputação foram baseadas nesse fato improvável.[3]

Um resumo dos métodos da Graham-Newman

Para dar concretude à última afirmativa, vale a pena oferecer um breve relato dos tipos de operação que empreendemos durante os trinta anos de vida da Graham-Newman Corporation, entre 1926 e 1956.[4] Elas foram classificadas em nossos registros da seguinte forma:

Arbitragens: A compra de um papel e a venda simultânea de um ou mais outros papéis pelos quais o primeiro seria trocado de acordo com um plano de reorganização, fusão ou processo similar.

---

3 Nesta seção, assim como ele fez nas p. 401-402, Graham resume a Hipótese de Mercado Eficiente. A despeito dos acontecimentos recentes, o problema com o mercado acionário hoje não é que tantos analistas financeiros sejam idiotas, mas o contrário, que muitos deles sejam muito espertos. À medida que mais e mais pessoas espertas vasculham o mercado atrás de subvalorizações, o próprio ato de pesquisa torna aquelas subvalorizações mais raras — e, em um paradoxo cruel, faz parecer que os analistas não têm inteligência suficiente para justificar a pesquisa. A avaliação pelo mercado de uma dada ação é o resultado de uma vasta operação de inteligência coletiva, contínua e praticada em tempo real. Na maior parte do tempo, para a maioria das ações, essa inteligência coletiva gera uma avaliação aproximadamente correta. Apenas raramente o "Sr. Mercado" de Graham (ver capítulo 8) tira os preços do prumo.

4 Graham lançou a Graham-Newman Corp. em janeiro de 1936 e a dissolveu quando se aposentou da gestão ativa de ativos em 1956; ela foi a sucessora de uma sociedade denominada Benjamin Graham Joint Account, a qual dirigiu de janeiro de 1926 a dezembro de 1935.

Liquidações: Compra de ações que receberiam um ou mais pagamentos em dinheiro por ocasião da liquidação dos ativos da companhia.

As operações dessas duas classes foram selecionadas com base em (a) um retorno anual calculado igual ou superior a 20% e (b) nossa avaliação de que a probabilidade de um resultado positivo era, pelo menos, de 80%."relacionado" e "não relacionado".

Hedges relacionados: A compra de obrigações conversíveis ou ações preferenciais conversíveis e a venda simultânea da ação ordinária pela qual elas poderiam ser trocadas. As posições eram estabelecidas em um nível próximo à paridade, isto é, a uma perda máxima pequena se a ação sênior tivesse realmente de ser convertida e a operação concluída dessa forma. Porém, um lucro seria obtido se a ação ordinária caísse consideravelmente mais do que a ação sênior e a posição fosse desfeita no mercado.

Ações com ativos circulantes líquidos (ou "subvalorizações"): A ideia aqui era adquirir o maior número de ações possível a um custo, em cada caso, inferior ao valor contábil em termos dos ativos circulantes líquidos apenas, isto é, sem atribuir qualquer valor às instalações fabris e a outros ativos. Nossas compras foram realizadas tipicamente em um nível igual ou inferior a dois terços de tal valor líquido de ativos. Na maior parte dos anos, praticamos uma diversificação ampla nesse tipo de papel com, pelo menos, cem ações diferentes.

Deveríamos acrescentar que, de tempos em tempos, tivemos algumas aquisições de grande escala em que assumimos o controle, mas elas não são relevantes para a presente discussão.

Acompanhamos de perto os resultados mostrados por cada tipo de operação. Consequentemente, descontinuamos dois campos mais amplos, os quais não mostraram resultados gerais satisfatórios. O primeiro foi a compra de ações aparentemente atraentes — baseada em nossa análise geral —, as quais não eram negociadas a um valor inferior ao do capital de giro apenas. O segundo eram operações de *hedging* "não relacionadas", nas quais o papel comprado não poderia ser trocado pelas ações ordinárias vendidas. (Tais operações correspondem, grosso modo, àquelas recentemente realizadas pelo novo conjunto de "fundos de *hedge*" na área de companhias-investimento.[5] Em ambos os casos, um estudo dos resultados obtidos por nós ao longo de um período de dez anos ou mais nos levou a concluir que os lucros não foram suficientemente confiáveis — e as operações não eram suficientemente "à prova de dor de cabeça" — para justificar a sua continuidade.

Assim, de 1939 em diante, nossas operações foram limitadas às situações do tipo "autoliquidantes", *hedges* relacionados, subvalorizações de capital de giro e um pequeno número de operações de controle. Cada um desses tipos de operação nos trouxe resultados consistentemente satisfatórios, com a característica especial de os *hedges* relacionados renderem bons lucros em mercados de baixa, justamente quando nossas "ações subvalorizadas" não se saíam tão bem.

Hesitamos em recomendar nossa receita a um número grande de investidores inteligentes. É claro que as técnicas profissionais que seguimos não são adequadas ao investidor defensivo, o qual é um amador por definição. No que concerne ao investidor agressivo, talvez apenas uma minoria tenha o tipo de temperamento necessário para se limitar de forma tão rígida a apenas uma parte relativamente pequena do mundo dos papéis. A maioria dos praticantes com postura ativa preferiria se aventurar por caminhos mais amplos. Seus locais naturais de caça seriam o campo inteiro dos papéis financeiros que eles acreditam (a) certamente não estarem supervalorizados, conforme medido por padrões conservadores, e (b) parecerem decididamente mais atraentes — por causa de suas perspectivas ou seu desempenho passado ou ambos — do que a ação ordinária média. Em tais escolhas, os investidores deveriam aplicar vários testes de qualidade e de consistência de preço em linha com aqueles que propusemos para o investidor defensivo. Porém, eles deveriam ser menos inflexíveis e permitir que uma avaliação muito positiva em uma categoria possa compensar uma negativa em outra. Por exemplo, não deveriam descartar uma companhia que tivesse apresentado um prejuízo em um ano tal como 1970 se lucros médios elevados e outros atributos importantes fizerem a ação parecer barata. O investidor empreendedor pode restringir sua escolha aos

5 Um *hedge* "não relacionado" envolve a compra de uma ação ou título emitido por uma companhia e a venda a descoberto (ou aposta na queda) de um título emitido por uma companhia diferente. Um *hedge* "relacionado" envolve comprar e vender ações ou obrigações diferentes emitidas pela mesma companhia. O "novo conjunto" de fundos de *hedge* descritos por Graham estava amplamente disponível por volta de 1968, mas regulamentações posteriores da SEC restringiram o acesso aos fundos de *hedge* por parte do público em geral.

setores e companhias sobre as quais ele mantém uma visão otimista, mas recomendamos fortemente não pagar um preço alto por uma ação (em relação aos lucros e ativos) por causa de tal entusiasmo. Se ele seguisse nossa filosofia nesse campo, muito provavelmente seria o comprador de empreendimentos cíclicos importantes — tais como ações siderúrgicas, talvez — quando sua situação estivesse desfavorável, as perspectivas de curto prazo fossem ruins e os preços baixos refletissem plenamente o pessimismo do momento.[6]

Companhias secundárias

A próxima categoria a ser examinada, e possivelmente escolhida, seria a das companhias secundárias que mostram um bom desempenho, têm um registro passado satisfatório, mas não parecem atraentes ao público. Elas seriam negócios na linha da Eltra e da Emhart a seus preços de fechamento de 1970. (Ver capítulo 13.) Há várias formas de procurar tais companhias. Gostaríamos de tentar uma abordagem nova aqui e apresentar uma exposição razoavelmente detalhada de um exercício de escolha de ações. Nosso propósito é duplo. Muitos de nossos leitores podem encontrar um valor prático substancial no método que defendemos ou este pode sugerir métodos comparáveis para serem testados. Além disso, nossa exposição poderá ajudá-los a entender melhor o mundo real das ações ordinárias e apresentá-los a uma das mais fascinantes e valiosas publicações que existem. Trata-se do *Guia de ações* da Standard & Poor's, publicado mensalmente e disponibilizado ao público em geral mediante assinatura anual. Além disso, muitas corretoras distribuem o *Guia* a seus clientes (quando solicitado).

A maior parte do *Guia* é preenchida por aproximadamente 230 páginas de informações estatísticas condensadas sobre as ações de mais de 4.500 companhias. Esses papéis incluem todas as listadas em várias bolsas, digamos três mil, mais cerca de 1.500 papéis não listados. A maioria dos itens necessários a uma primeira e até mesmo uma segunda olhada em uma dada companhia está presente nesse compêndio. (A nosso ver, a lacuna

---

6 Em 2003, um investidor inteligente que seguisse o raciocínio de Graham estaria procurando oportunidades nos setores de tecnologia, de telecomunicações e de fornecimento de energia elétrica. A história já mostrou que os perdedores de ontem muitas vezes são os vencedores de amanhã.

mais importante se refere ao valor líquido dos ativos ou valor contábil por ação, o qual pode ser encontrado nas publicações maiores da Standard & Poor's e em outras fontes.)

O investidor que se deleita com estatísticas de empresas se deliciará com o *Guia de ações*. Ao abrir em qualquer página, ele terá diante dos olhos um panorama condensado do esplendor e do amargor do mercado acionário, com os preços máximos e mínimos desde 1936, quando disponíveis. Ele encontrará companhias que multiplicaram seus preços duas mil vezes do mínimo minúsculo ao máximo majestoso. (No caso da prestigiosa IBM, o crescimento foi de "apenas" 333 vezes naquele período.) Ele encontrará (não tão excepcionalmente) uma companhia cujas ações avançaram de 0,375 para 68 e, em seguida, retrocederam novamente para 3.[II] Na coluna que registra os dividendos, ele encontrará pagamentos que remontam a 1791, desembolsados pelo Industrial National Bank of Rhode Island (o qual recentemente achou por bem mudar sua razão social antiga).[7] Ao olhar o *Guia* do ano de 1969, o investidor lerá que a Penn Central Co. (como sucessora da Pennsylvania Railroad) pagava dividendos ininterruptamente desde 1848; mas que, desafortunadamente, estava destinada a falir poucos meses depois. Ele encontrará uma companhia sendo negociada a apenas duas vezes os últimos lucros divulgados e outra vendendo a 99 vezes tais lucros.[III] Na maioria dos casos, ele terá dificuldades em saber o ramo de negócios com base apenas na razão social da companhia; para cada U.S. Steel haverá três com nomes como ITI Corp. (artigos de padaria) ou Santa Fe Industries (principalmente a grande ferrovia). Ele pode se deleitar com uma variedade extraordinária de histórias de preços, dividendos e lucros, posições financeiras, estruturas de capitalização e tudo o mais. O conservadorismo antiquado, companhias sem características marcantes, as combinações mais peculiares de "negócio principal", todos os tipos de engenhocas e artefatos de Wall Street estão lá, esperando para serem vistos ou estudados com um objetivo sério.

Em colunas separadas, o *Guia* apresenta os rendimentos atuais de dividendos e das razões preço/lucro, com base nos resultados dos últimos 12

---

7 A companhia sucessora do Industrial National Bank of Rhode Island é a Fleet Boston Financial Corp. Uma de suas antecessoras, o Providence Bank, foi fundada em 1791.

meses, sempre que pertinente. É esse último item que nos coloca no caminho do nosso exercício de escolha de ações ordinárias.

Peneirando o *Guia de ações*

Vamos supor que buscamos uma indicação *prima facie* simples de que uma ação está barata. A primeira dica que vem à mente é um preço baixo em relação a seus lucros recentes. Façamos uma lista preliminar de ações vendidas a um múltiplo igual ou inferior a nove no final de 1970. Esse dado é convenientemente fornecido na última coluna das páginas com números pares. Para uma amostra ilustrativa, tomaremos as vinte primeiras ações de múltiplo baixo; elas começam com a sexta ação listada, a Aberdeen Mfg. Co., a qual fechou o ano a 10,25, ou nove vezes os lucros divulgados de US$1,25 por ação para os 12 meses terminados em setembro de 1970. A vigésima tal ação é a American Maize Products, a qual fechou a 9,5 e também com um multiplicador de 9.

O grupo pode parecer medíocre, com dez ações negociadas abaixo de US$10 por ação. (Esse fato não é muito importante; provavelmente — não necessariamente — sugeriria cautela, por parte do investidor defensivo, com tal lista, mas a inferência para os investidores empreendedores pode ser favorável em última análise.)[8] Antes de fazermos um exame minucioso, façamos alguns cálculos. Nossa lista representa aproximadamente uma em dez das primeiras duzentas ações analisadas. Nessa base, o *Guia* renderia, digamos, 450 ações negociadas a múltiplos inferiores a 10. Isso representaria uma quantidade convidativa de candidatos a uma futura seleção.

Apliquemos então alguns critérios adicionais à nossa lista, bastante semelhantes àqueles que sugerimos para o investidor defensivo, porém não tão severos. Sugerimos o seguinte:

---

8 Para o investidor de hoje, o corte deve mais provavelmente ser feito em US$1 por ação, sendo este o nível abaixo do qual muitas ações são "deslistadas" ou declaradas inelegíveis para negociação nas principais bolsas. Apenas monitorar os preços das ações dessas companhias pode exigir esforços consideráveis, tornando-as impraticáveis para os investidores defensivos. Os custos de transação das ações de baixo preço podem ser muito altos. Finalmente, as companhias com preços de ação muito baixos têm uma tendência aflitiva para falirem. No entanto, uma carteira diversificada de dezenas dessas companhias atribuladas ainda pode atrair alguns investidores empreendedores hoje em dia.

1. Condição financeira: (a) ativo circulante pelo menos 50% superior ao passivo circulante e (b) dívida não superior a 110% dos ativos circulantes líquidos (para companhias industriais).
2. Estabilidade de lucros: nenhum prejuízo nos últimos cinco anos cobertos pelo *Guia de ações*.
3. Histórico de dividendos: alguns dividendos atuais.
4. Crescimento de lucros: lucros do último ano superiores aos de 1966.
5. Preço: inferior a 120% dos ativos tangíveis líquidos.

Em geral, os dados de lucro no *Guia* se referem ao fechamento de 30 de setembro de 1970, portanto não incluem o que pode ter sido um trimestre ruim no final daquele ano. Porém, um investidor inteligente não pode querer tudo isso e o céu também, pelo menos no início. Observe que não estabelecemos qualquer limite inferior com relação ao tamanho da empresa. Companhias pequenas podem oferecer segurança suficiente se compradas com cuidado e como parte de um grupo.

Após a aplicação dos cinco critérios adicionais, nossa lista de vinte candidatos se reduziu a apenas cinco. Continuemos nossa pesquisa até que as primeiras 450 ações do *Guia* tenham rendido uma "carteira" pequena de 15 ações que atendem às nossas seis exigências. (Elas estão apresentadas na Tabela 15-1, juntamente com alguns dados relevantes.) O grupo, claro, é apresentado apenas para efeitos ilustrativos e não necessariamente teria sido escolhido por nosso investidor crítico.

A verdade é que o usuário de nosso método teria uma escolha muito mais ampla. Se nossa abordagem-peneira tivesse sido aplicada a todas as 4.500 companhias no *Guia de ações* e se a proporção para os primeiros 10% se mantivesse no universo como um todo, terminaríamos com aproximadamente 150 companhias atendendo aos nossos seis critérios de seleção. O investidor empreendedor seria então capaz de seguir seu raciocínio — ou suas preferências e preconceitos — ao fazer uma terceira escolha de, digamos, uma em cinco nessa lista ampla.

O material do *Guia de ações* inclui "Classificações de lucros e dividendos", os quais se baseiam na estabilidade e no crescimento desses fatores durante os últimos oito anos. (Portanto, a atratividade do *preço* não é um fator nesse caso.) Incluímos as classificações da S&P em nossa Tabela 15-1. Dez das 15 ações são classificadas B+ (= média) e uma (American Maize) recebeu a classificação "alta" (A). Se nosso investidor empreendedor desejasse acrescentar um sétimo critério mecânico à sua escolha, ao considerar apenas ações classificadas pela Standard & Poor's como de qualidade média para cima, ele ainda teria cerca de cem tais ações entre as quais escolher. Poder-se-ia dizer que um grupo de ações de qualidade, pelo menos, média, atendendo também ao critério de condição financeira, passível de ser adquirido a um múltiplo baixo dos lucros atuais e abaixo do valor dos ativos, deveria oferecer uma boa possibilidade de resultados de investimentos satisfatórios.

TABELA 15-1 Exemplo de carteira de ações industriais com múltiplos baixos

(As primeiras 15 ações no *Guia de ações* referente a 31 de dezembro de 1971 que atendem às seis exigências.)

	Preço dez. 1970	Lucro por ação últimos 12 meses	Valor contábil	Classificação S&P	Preço fev. 1972
Aberdeen Mfg.	10¼	US$1,25	US$9,33	B	13¾
Alba-Waldensian	6⅜	,68	9,06	B+	6⅜
Albert's Inc.	8½	1,00	8,48	n.c.a	14
Allied Mills	24½	2,68	24,38	B+	18¼
Am. Maize Prod.	9¼	1,03	10,68	A	16½
Am. Rubber & Plastics	13¾	1,58	15,06	B	15
Am. Smelt. & Ref.	27½	3,69	25,30	B+	23¼
Anaconda	21	4,19	54,28	B+	19
Anderson Clayton	37¾	4,52	65,74	B+	52½
Archer-Daniels-Mid.	32½	3,51	31,35	B+	32½
Bagdad Copper	22	2,69	18,54	n.c.a	32
D.H. Baldwin	28	3,21	28,60	B+	50
Big Bear Stores	18½	2,71	20,57	B+	39½
Binks Mfg.	15¼	1,83	14,41	B+	21½
Bluefield Supply	22¼	2,59	28,66	n.c.[a]	39½[b]

[a] n.c. = não classificado
[b] Ajustado para desdobramentos de ações.

Critérios simples para a escolha de ações ordinárias

Um leitor curioso pode muito bem perguntar se a escolha de uma carteira acima da média não poderia ser um processo mais simples do que o esboçado. Seria possível encontrar um critério plausível e simples capaz de obter uma vantagem boa, tal como uma razão preço/lucro baixa ou um retorno de dividendos alto ou um valor de ativos grande? Os dois métodos desse tipo que vimos dar resultados bons e bastante consistentes no longo prazo foram (a) a compra de ações com múltiplos baixos de companhias importantes (tais como as da lista do DJIA) e (b) a escolha de um grupo diversificado de ações vendidas abaixo do valor do ativo circulante líquido (ou valor do capital de giro). Já ressaltamos que o critério de múltiplo baixo para o DJIA no final de 1968 funcionou mal quando os resultados foram medidos até meados de 1971. O histórico das compras de ações ordinárias realizadas a um preço abaixo do valor do capital de giro não tem tal marca negativa contra ele; o problema nesse caso foi a diminuição de tais oportunidades durante a maior parte da década passada.

Que tais outras bases de escolha? Ao escrever este livro, fizemos uma série de "experiências", cada uma baseada em um critério simples e bastante óbvio. Os dados usados podem ser facilmente encontrados no *Guia de ações* da Standard & Poor's. Em todos os casos, presumiu-se que uma carteira de trinta ações tivesse sido adquirida aos preços de fechamento de 1968 e depois reavaliada em 30 de junho de 1971. Os critérios individuais usados foram os seguintes, conforme aplicados a escolhas de outra forma aleatórias: (1) um múltiplo baixo dos lucros recentes (não restringido às ações do DJIA); (2) uma taxa de dividendos alta; (3) um histórico de dividendos muito longo; (4) uma empresa muito grande, conforme medido pelo número de ações em circulação; (5) uma posição financeira forte; (6) um preço baixo em termos de dólares por ação; (7) um preço baixo em relação ao preço máximo anterior; e (8) uma classificação de qualidade alta por parte da Standard & Poor's.

Cabe ressaltar que o *Guia de ações* tem, pelo menos, uma coluna relativa a cada um dos critérios acima. Isso indica a crença do editor de que esses dados têm importância na análise e na escolha das ações ordinárias. (Conforme destacamos acima, gostaríamos que outro dado fosse acrescentado: o valor dos patrimônios líquidos por ação.)

O fator mais importante que emerge de nossos vários testes se relaciona com o desempenho das ações compradas de forma aleatória. Testamos esse desempenho em três carteiras de trinta ações, cada uma formada por ações encontradas na primeira linha do *Guia de ações* de 31 de dezembro de 1968 e também na edição de 31 de agosto de 1971. Entre essas duas datas o S&P composto ficou praticamente estável, tendo o DJIA perdido aproximadamente 5%. Porém, as nossas noventa ações escolhidas aleatoriamente declinaram 22% em média, sem contar as 19 ações que foram excluídas do *Guia* e provavelmente apresentaram perdas ainda maiores. Esses resultados comparativos sem dúvida refletem a tendência das ações de empresas menores e de qualidade inferior a serem relativamente supervalorizadas em mercados de alta e não apenas sofrerem declínios mais sérios do que as ações mais fortes no colapso de preços subsequente, mas também atrasarem sua recuperação completa, sendo que, em muitos casos, indefinidamente. A moral para o investidor inteligente é, logicamente, evitar as ações de qualidade secundária na construção de uma carteira, a menos — para o investidor empreendedor — que elas sejam subvalorizações comprovadas.

Outros resultados de nossos estudos sobre carteiras podem ser resumidos da seguinte forma:

Apenas três dos grupos estudados tiveram um desempenho melhor do que o índice composto da S&P (e, portanto, melhor do que o DJIA), a saber: (1) as indústrias com a classificação de qualidade mais alta (A+). Elas cresceram 9,5% no período contra uma queda de 2,4% das indústrias do S&P e 5,6% do DJIA. (No entanto, as dez ações de concessionárias de serviços públicos classificadas como A+ caíram 18% em comparação com a queda de 14% do índice de serviços públicos do S&P composto por 55 ações.) Vale mencionar que as classificações da S&P se saíram muito bem nesse teste individual. Em cada caso, uma carteira baseada em uma classificação mais alta se saiu melhor do que uma de classificação inferior. (2) As companhias com mais de 50 milhões de ações em circulação não mostraram qualquer alteração como um todo, se comparada com um declínio pequeno no caso dos índices. (3) Muito estranhamente, as ações negociadas a preços unitários altos (acima de 100) mostraram, como um todo, um ligeiro crescimento (1%).

Um de nossos vários testes tomou como base o valor contábil, um dado não informado no *Guia de ações*. Descobrimos — contrariamente à nossa filosofia de investimento — que as companhias que combinaram grande porte com um componente intangível significativo em seu preço de mercado se saíram muito bem como um todo no período de 2,5 anos. (Por "componente intangível", queremos dizer a parte do preço que excede o valor contábil.)[9] Nossa lista de "gigantes intangíveis" foi composta por trinta ações, cada uma das quais tinha um componente intangível superior a um bilhão de dólares e que representava mais da metade de seu preço de mercado. O valor total de mercado desses itens intangíveis no final de 1968 foi superior a US$120 bilhões! Apesar dessas avaliações otimistas do mercado, o grupo como um todo mostrou uma subida de preço superior a 15% por ação entre dezembro de 1968 e agosto de 1971 e conseguiu o melhor resultado entre as cerca de vinte listas analisadas.

Um fato como esse não deve ser ignorado em um estudo sobre políticas de investimento. Está claro que, no mínimo, se associa um *dinamismo* considerável a essas companhias que combinam as virtudes de tamanho grande, um excelente histórico de lucros no passado, a expectativa do público de um crescimento continuado dos lucros no futuro e uma forte movimentação de mercado ao longo de muitos anos passados. Mesmo que o preço possa parecer excessivo por nossos padrões quantitativos, é provável que o dinamismo subjacente do mercado carregue tais ações por um prazo mais ou menos indefinido. (Naturalmente, essa hipótese não se aplica a todas as ações individuais na categoria. Por exemplo, o líder incontestável dos intangíveis, a IBM, caiu de 315 para 304 no período de trinta meses.) É difícil aferir até que ponto o desempenho de mercado superior demonstrado se deve a méritos de investimento "verdadeiros", ou objetivos, e até que ponto à popularidade há muito estabelecida. Sem dúvida, ambos os fatores têm um papel importante. Obviamente, tanto o desempenho recente do mercado quanto o de longo prazo dos gigantes intangíveis os recomendaria para uma carteira diversificada de ações ordinárias. Nossa preferência, no entanto, continua a recair sobre outros tipos que mostram uma combinação de fatores de investimento favorável, incluindo valores de ativos equivalentes a, pelo menos, dois terços do preço de mercado.

---

9 Nos termos de Graham, uma grande porção intangível pode ter duas causas: uma empresa pode adquirir outras companhias por um valor substancialmente superior ao de seus ativos, ou suas próprias ações podem ser negociadas a um preço substancialmente superior ao seu valor contábil.

Os testes que usam outros critérios indicam em geral que as listas aleatórias que se baseiam em um único fator favorável tiveram um resultado melhor do que as listas aleatórias escolhidas pelo fator oposto; por exemplo, as ações de múltiplos baixos tiveram um declínio menor nesse período do que as ações de múltiplos altos, e os pagadores de dividendos de longo prazo perderam menos do que aqueles que não estavam pagando dividendos no final de 1968. Nesse sentido, os resultados apoiam nossa recomendação de que as ações selecionadas atendam a uma combinação de critérios quantitativos ou tangíveis.

Finalmente, gostaríamos de tecer comentários acerca da razão pela qual nossas listas, como um todo, tiveram um desempenho mais fraco em comparação com o histórico de preços do S&P composto. O S&P é ponderado pelo tamanho de cada empresa, enquanto que nossos testes são baseados na escolha de uma ação de cada companhia. Evidentemente, a ênfase maior dada às empresas de grande porte pelo método S&P faz uma diferença significativa nos resultados e demonstra novamente sua maior estabilidade de preço em comparação com as companhias medianas.

Ações subvalorizadas ou ações abaixo do valor do ativo circulante líquido

Nos testes discutidos anteriormente, não incluímos os resultados da compra de trinta ações a um preço inferior ao valor do ativo circulante líquido. A razão para tal foi que seria possível encontrar, no máximo, apenas um punhado de tais ações no *Guia de ações* no final de 1968. No entanto, o quadro foi alterado pela queda de 1970 e, aos preços mínimos daquele ano, um número considerável de ações ordinárias poderia ter sido comprado abaixo do valor do seu capital de giro. Sempre pareceu, e ainda parece, ridiculamente simples dizer que, se for possível adquirir um grupo diversificado de ações ordinárias a um preço inferior a apenas o ativo circulante líquido correspondente — após deduzir todas as contingências prévias e avaliar como *zero* os ativos fixos e outros —, os resultados deveriam ser muito satisfatórios. Eles assim foram, em nossa experiência, por mais de trinta anos — digamos, entre 1923 e 1957 —, excluindo uma época de reais complicações em 1930-1932.

Será que essa abordagem possui alguma relevância no início de 1971? Nossa resposta seria um "sim" com reservas. Um olhar rápido no *Guia de ações* revelaria cerca de cinquenta ações que pareceram ser negociadas a um valor igual ou abaixo do valor do ativo circulante líquido. Conforme seria de se esperar, muitas delas tiveram um desempenho ruim no ano difícil de 1970. Se eliminássemos aquelas que divulgaram prejuízos líquidos no último período de 12 meses, sobrariam ainda ações suficientes para formar uma lista diversificada.

TABELA 15-2 Ações de companhias importantes negociadas ao valor do ativo circulante líquido em 1970 ou abaixo dele

Companhia	*Preço 1970*	*Valor do ativo circ. líquido por ação*	*Valor contábil por ação*	*Lucro por ação, 1970*	*Dividendo atual*	*Preço máx. antes de 1970*
Cone Mills	13	US$18	US$39,3	US$1,51	US$1,00	41½
Jantzen Inc.	11⅛	12	16,3	1,27	,60	37
National Presto	21½	27	31,7	6,15	1,00	45
Parker Pen	9¼	9½	16,6	1,62	,60	31¼
West Point Pepperell	16¼	20½	39,4	1,82	1,50	64

Incluímos na Tabela 15-2 alguns dados sobre cinco ações que foram negociadas abaixo do valor de capital de giro[10] a seus preços *mínimos* de 1970. Eles nos dão insumos para uma reflexão sobre a natureza das flutuações de preço das ações. Como é que companhias bem estabelecidas, cujas marcas são conhecidas no país inteiro, poderiam ser cotadas a preços tão baixos, ao mesmo tempo em que outras companhias (com uma taxa de crescimento dos lucros melhor, é claro) estavam sendo negociadas por bilhões de dólares acima do valor mostrado em seus balanços? Para citar os "dias de ontem" uma vez mais, a ideia do fundo comercial (*goodwill*) como um elemento de valor intangível foi, em geral, associada ao "nome comercial".

---

10 Tecnicamente, o valor do capital de giro de uma ação é o ativo circulante por ação menos o passivo circulante por ação, dividido pelo número de ações no mercado. Aqui, no entanto, Graham quer dizer "valor de capital de giro *líquido*", ou o valor por ação do ativo circulante menos o passivo *total*.

Tais nomes, como Lady Pepperell, no ramo de lençóis, Jantzen, no de roupas de natação e Parker, em canetas, seriam considerados ativos de grande valor de fato. Porém, hoje, se o "mercado não gosta de uma companhia", não apenas nomes comerciais renomados, mas terras, maquinaria e edifícios, e o que você desejar, podem todos valer zero para ele. Pascal disse que "o coração tem razões que a própria razão desconhece".[11] Em vez de "coração", leia "Wall Street".

Surge ainda outro contraste. Quando tudo anda bem e ações novas são facilmente vendidas, os lançamentos de ações sem qualidade nenhuma começam a aparecer. Elas logo encontram compradores; após o lançamento, seus preços são muitas vezes cotados entusiasticamente em níveis tais, em relação aos ativos e lucros, que envergonhariam a IBM, a Xerox e a Polaroid. A Wall Street absorve bem essa loucura sem que haja qualquer esforço por parte de qualquer pessoa para solicitar uma parada antes do colapso inevitável dos preços. (A SEC não pode fazer muito mais do que insistir na divulgação de informações, às quais o público especulativo não presta a mínima atenção, ou anunciar investigações e diversas punições, em geral leves, após a lei ter sido claramente violada.) Quando muitos desses empreendimentos minúsculos, mas exageradamente inflados, desaparecem de vista, ou quase, tudo é considerado como "parte do jogo" do ponto de vista filosófico. Todos juram que não farão mais tais extravagâncias indesculpáveis, até a próxima vez.

Obrigado pelo sermão, diz o leitor gentil. Mas e as "ações subvalorizadas"? É possível realmente ganhar dinheiro com elas sem correr riscos sérios? Sim, de fato, *se* você puder encontrar um número suficiente delas a ponto de formar um grupo diversificado e *se* você não perder a paciência caso elas deixem de subir logo após tê-las comprado. Às vezes, a paciência necessária pode ter de ser bastante grande. Em nossa edição anterior, arriscamos um exemplo simples (p. 188), o qual era atual no momento em que escrevíamos. Foi a Burton-Dixie Corp., cujas ações eram negociadas a 20 contra o valor do ativo circulante líquido de 30 e valor contábil de cerca de 50. O lucro sobre aquela compra não teria sido imediato. Porém, em agosto de 1967 todos os acionistas receberam uma proposta de 53,75 por suas

---

11 *Le coeur a ses raisons que la raison ne connaît point.* Esse trecho poético é um dos argumentos conclusivos na discussão do grande teólogo francês sobre o que ficou conhecido como "aposta de Pascal". (Ver comentários ao capítulo 20.)

ações, aproximadamente igual ao valor contábil. Um investidor paciente, que tivesse comprado ações em março de 1964 a 20, teria tido um lucro de 165% em 3,5 anos, um retorno anual não composto de 47%. Com base em nossa experiência, a maioria das ações subvalorizadas não precisou de tanto tempo para mostrar bons lucros, mas também não mostrou um rendimento tão alto. Para examinar uma situação bastante semelhante, atual no momento em que escrevemos, veja nossa discussão sobre a National Presto Industries na p. 196.

Situações especiais ou *workouts* (recuperações)

Vamos tocar brevemente nessa área agora, uma vez que teoricamente ela é passível de inclusão no programa de operações de um investidor empreendedor. Ela foi comentada acima. Aqui, forneceremos alguns exemplos do gênero e alguns comentários adicionais sobre o que esse campo pode oferecer a um investidor atento e aberto a ideias novas.

Três dessas situações, entre outras, eram atuais em 1971 e poderiam ser resumidas da seguinte forma:

SITUAÇÃO 1. Aquisição da Kayser-Roth pela Borden. Em janeiro de 1971, a Borden Inc. anunciou um plano para adquirir o controle da Kayser-Roth ("vestuário diversificado") oferecendo 1,33 ação de suas próprias ações em troca de cada ação da Kayser-Roth. No dia seguinte, em um bom volume de transações, a Borden fechou a 26 e a Kayser-Roth a 28. Se um "operador" tivesse comprado trezentas ações da Kayser-Roth e vendido quatrocentas da Borden a esses preços e se o negócio fosse consumado mais tarde nos termos anunciados, ele teria tido um lucro de 24%, menos comissões e alguns outros itens. Pressupondo que a negociação tivesse durado seis meses, seu lucro final poderia ser aproximadamente 40% a uma taxa anualizada.

SITUAÇÃO 2. Em novembro de 1970, a National Biscuit Co. quis adquirir o controle da Aurora Plastics Co. por US$11/ação em dinheiro. A ação era negociada a aproximadamente 8,5; ela fechou o mês a 9 e continuou a ser negociada nesse nível até o fim do ano. Aqui, o lucro bruto indicado foi originalmente cerca de 25%, sujeito a riscos de não consumação e ao prazo.

SITUAÇÃO 3. A Universal-Marion Co., que havia encerrado suas operações, pediu a seus acionistas que ratificassem a dissolução da companhia. O tesoureiro indicou que a ação ordinária tinha um valor contábil de cerca de

US$28,5 por ação, uma parte substancial da qual se encontrava em forma líquida. A ação fechou 1970 a 21,5, indicando nesse caso um eventual lucro bruto superior a 30% se o valor contábil fosse realizado por ocasião da liquidação.

Se operações desse tipo, conduzidas em bases diversificadas para diluir o risco, pudessem consistentemente render lucros anuais iguais ou superiores a, digamos, 20%, elas seriam, sem dúvida, mais do que meramente compensadoras. Já que este não é um livro sobre "situações especiais", não vamos entrar em detalhes sobre o negócio, pois ele é realmente um negócio. Vamos destacar duas evoluções contraditórias ocorridas recentemente. Por um lado, o número de operações passíveis de serem escolhidas aumentou enormemente, conforme comparado com, digamos, dez anos atrás. Essa é uma consequência do que poderia ser denominada a mania de companhias para diversificar suas atividades por meio de vários tipos de aquisição etc. Em 1970, o número de "anúncios de fusão" somou mais de cinco mil, uma queda comparada com os mais de seis mil registrados em 1969. Os valores totais de dinheiro envolvidos nesses negócios somavam muitos, muitos bilhões. Talvez apenas uma pequena fração dos cinco mil anúncios apresentasse uma oportunidade bem delineada para compra de ações por um especialista em situações especiais, mas essa fração seria ainda grande o suficiente para mantê-lo ocupado estudando, separando e escolhendo.

O outro lado desse quadro é que uma proporção crescente das fusões anunciadas deixou de ser consumada. Em tais casos, claro, o lucro objetivado não é realizado e provavelmente deverá ser substituído por um prejuízo mais ou menos sério. As razões para o insucesso são numerosas, incluindo intervenções em defesa da concorrência, oposição dos acionistas, mudança nas "condições de mercado", indicações desfavoráveis reveladas por estudos posteriores, falta de acordo a respeito de detalhes, entre outros. A proeza, claro, é ter uma capacidade de avaliação própria, apoiada pela experiência, para escolher os negócios que mais provavelmente serão bem-sucedidos e também aqueles que provavelmente ocasionarão o menor prejuízo se fracassarem.[12]

---

12 Conforme discutido em comentários ao capítulo 7, a arbitragem de fusões é totalmente inapropriada para a maioria dos investidores individuais.

Comentários adicionais aos exemplos anteriores

Kayser-Roth. Os diretores dessa companhia já haviam rejeitado (em janeiro de 1971) a proposta da Borden quando este capítulo foi escrito. Se a operação tivesse sido "desfeita" imediatamente, o prejuízo total, incluindo as comissões, teria sido aproximadamente 12% do custo das ações da Kayser-Roth.

Aurora Plastics. Por causa do desempenho ruim dessa companhia em 1970, os termos da fusão foram renegociados e o preço reduzido para 10,5. As ações foram pagas no final de maio. A taxa anual de retorno realizada nesse caso foi de aproximadamente 25%.

Universal-Marion. Essa companhia prontamente efetuou uma distribuição inicial em dinheiro e ações no valor de US$7 por ação, reduzindo o investimento a aproximadamente 14,5. No entanto, o preço de mercado caiu a níveis tão baixos quanto 13 desde então, lançando dúvidas sobre o resultado final da liquidação.

Considerando que os três exemplos dados são bastante representativos das oportunidades de "recuperação ou arbitragem" como um todo em 1971, é claro que elas não são atraentes se escolhidas de forma aleatória. Esse tem sido um campo, mais do que nunca, para profissionais com experiência e capacidade de avaliação.

Há um detalhe interessante sobre nosso exemplo da Kayser-Roth. Mais tarde, em 1971, o preço caiu abaixo de 20 enquanto a Borden foi negociada a 25, equivalente a 33 para a Kayser-Roth, de acordo com os termos da oferta de troca de ações. Ao que parece, os diretores cometeram um grande erro ao recusarem aquela oportunidade ou as ações da Kayser-Roth estavam agora fortemente subvalorizadas pelo mercado. Algo a ser investigado por um analista de títulos.

COMENTÁRIOS AO CAPÍTULO 15

É fácil viver no mundo de acordo com a opinião do mundo;
é fácil, na solidão, viver de acordo com a nossa própria opinião;
mas o grande homem é aquele que, no meio da multidão,
mantém com perfeita doçura a independência da solidão.
Ralph Waldo Emerson

TREINO, TREINO E TREINO

Max Heine, fundador da Mutual Series Funds, gostava de dizer que "há muitos caminhos que levam a Jerusalém". O que esse magistral selecionador de ações queria dizer era que seu próprio método, centrado no valor, de selecionar ações não era a única maneira de se tornar um investidor bem-sucedido. Neste capítulo, examinaremos várias técnicas que alguns dos principais administradores de recursos de hoje usam para escolher ações.

Primeiro, no entanto, vale repetir que selecionar ações individuais não é necessário, nem recomendável, para a maioria dos investidores. O fato de que a maioria dos profissionais faz um trabalho de escolha de ações ruim não significa que a maioria dos amadores possa fazer melhor. Majoritariamente, as pessoas que tentam escolher ações aprendem que elas não fazem isso tão bem quanto pensavam; as mais sortudas descobrem isso cedo, enquanto as menos afortunadas levam anos para aprender. Uma percentagem pequena de investidores pode colher excelentes resultados ao selecionar ações por conta própria. Todas as outras pessoas ficariam em uma situação muito melhor se buscassem ajuda, preferencialmente através de um fundo de índice.

Graham aconselha os investidores a treinar primeiro, assim como os grandes atletas e músicos treinam e ensaiam antes de cada apresentação. Ele sugere que se gaste um ano procurando e escolhendo ações (mas *não* com dinheiro de verdade).[1] Na época de Graham, você teria treinado usando um registro de compras e vendas hipotéticas em um bloco de papel; hoje, você pode usar "rastreadores de carteiras" em páginas da internet, tais como a

---

1 Patricia Dreyfus, "Investment Analysis in Two Easy Lessons" [A análise de investimento em duas lições fáceis] (entrevista com Graham), *Money*, julho de 1976, p. 36.

www.morningstar.com, http://finance.yahoo.com, http://money.cnn.com/services/portfolio/ ou www.marketocracy.com (na última página, ignore a propaganda de "superar o mercado" de seus fundos e outros serviços).

Ao testar suas técnicas antes de implementá-las com dinheiro de verdade, você pode cometer erros sem incorrer em perdas reais, desenvolver a disciplina para evitar negociações frequentes, comparar sua abordagem com aquelas de administradores de recursos importantes e aprender o que funciona para você. O melhor de tudo é que rastrear o resultado de todas as suas escolhas de ações evitará que você esqueça de que algumas de suas apostas acabam azedando. Isso o forçará a aprender com as vitórias *e* com as derrotas. Depois de um ano, avalie seus resultados comparando-os com o que você teria alcançado se tivesse aplicado todo seu dinheiro em um fundo do índice S&P 500. Se você não gostar da experiência, ou se suas escolhas forem ruins, não terá havido qualquer prejuízo; selecionar ações individuais não é para você. Aplique em um fundo de índice e deixe de perder tempo com a escolha de ações.

Se você gostou da experiência e obteve resultados suficientemente bons, componha gradualmente uma cesta de ações, mas a limite a um máximo de 10% de sua carteira total (mantenha o restante em um fundo de índice). E lembre-se, você sempre pode parar se esse treino não mais o interessar ou se os retornos forem ruins.

OLHANDO EMBAIXO DAS PEDRAS CERTAS

Então, como fazer para procurar uma ação com um retorno potencialmente interessante? Você pode usar as páginas da internet, como http://finance.yahoo.com e www.morningstar.com, para peneirar ações com os filtros estatísticos sugeridos no capítulo 14. Ou você pode optar por uma abordagem mais paciente e artesanal. Ao contrário da maioria das pessoas, muitos dos melhores investidores profissionais acabam se interessando por uma companhia quando o preço de suas ações cai, não quando ele sobe. Christopher Browne, do Tweedy Browne Global Value Fund, William Nygren, do Oakmark Fund, Robert Rodriguez, do FPA Capital Fund, e Robert Torray, do Torray Fund, sugerem examinar a lista diária de novos preços mínimos das últimas 52 semanas no *Wall Street Journal* ou em tabela semelhante na seção "Market Week", da *Barron's*. Isso o apresentará a ações e setores que estão fora da moda ou não são

DO LPA AO ROIC*

A receita líquida, ou lucro por ação (LPA), foi distorcida recentemente por fatores como concessões de opções sobre ações e ajustes contábeis. Para ver qual o verdadeiro lucro de uma companhia sobre o capital investido em seus negócios, olhe para o ROIC, ou retorno sobre o capital investido, além do LPA. Christopher Davis, da Davis Funds, define esse termo com a seguinte fórmula:

ROIC = Lucros do Dono ÷ capital investido,

onde os Lucros do Dono são iguais a:

Lucro operacional
mais depreciação
mais amortização de intangíveis
menos imposto de renda federal (pago à alíquota média da companhia)
menos custo de opções sobre ações
menos despesas de capital com "manutenção" (ou essenciais)
menos qualquer receita gerada por taxas insustentáveis de retorno sobre fundos de pensão (em 2003, qualquer taxa acima de 6,5%)

e onde Capital Investido é igual a:

Ativo total
menos dinheiro em caixa (assim como investimentos de curto prazo e passivos circulantes sobre os quais não incidem juros)
mais ajustes contábeis passados que reduziram o capital investido.

O ROIC tem a virtude de mostrar, após todas as despesas legítimas, o que a companhia ganha com suas operações comerciais e quanto eficientemente ela usa o dinheiro dos acionistas para gerar tal retorno. Um ROIC de pelo menos 10% é atraente; mesmo 6% ou 7% podem ser tentadores se a companhia tiver boas marcas, uma gestão focada ou estiver passando por momentos difíceis.

ROIC – Retorno sobre capital investido. (N.E.)

amados e que, portanto, oferecem um potencial de retornos altos, uma vez que as percepções mudarem.

Christopher Davis, da Davis Funds, e William Miller, da Legg Mason Value Trust, gostam de ver retornos crescentes sobre o capital investido ou ROIC, uma forma de medir quanto eficientemente uma companhia gera o que Warren Buffett denominou "lucros do dono".[2] (Ver boxe na p. 438 para obter mais detalhes a esse respeito.)

Ao verificar os "comparáveis" ou os preços aos quais negócios semelhantes foram adquiridos ao longo dos anos, administradores como Nygren, da Oakmark, e O. Mason Hawkins, da Longleaf Partners, obtêm um entendimento melhor sobre o valor das partes da companhia. Para um investidor individual, o trabalho é difícil e doloroso: comece olhando as notas de rodapé sobre "Ramos de negócios" no relatório anual da companhia, o qual lista o setor industrial, as receitas e os lucros de cada subsidiária. (O item "Discussão e análise da administração" pode também ser útil.) Em seguida, pesquise um banco de dados para obter notícias sobre outras empresas do mesmo setor que foram adquiridas recentemente. Usando o banco de dados EDGAR em www.sec.gov para localizar os relatórios anuais passados, você poderá determinar a razão entre o preço de compra e os lucros dessas companhias adquiridas. Você poderá então aplicar tal razão para estimar quanto uma companhia compradora estaria disposta a pagar por uma divisão semelhante à da companhia em que você está investindo.

Ao analisar em separado cada divisão da companhia dessa forma, você conseguirá ver se elas valem mais do que o preço atual das ações. Hawkins, da Longleaf, gosta de encontrar o que ele chama de "dólares de 60 centavos", ou companhias cujas ações são negociadas a 60% ou menos do valor pelo qual ele avalia o negócio. Isso ajuda a fornecer a margem de segurança na qual Graham insiste.

QUEM É O PATRÃO?

Finalmente, a maioria dos investidores profissionais importantes deseja ver que uma companhia é dirigida por pessoas que, nas palavras de William Nygren, da Oakmark, "pensam como donos, não apenas como administradores". Dois

---

2 Ver comentários ao capítulo 11.

testes simples: os balanços financeiros da companhia são fáceis de entender ou estão repletos de pontos obscuros? Os ajustes são apenas "não recorrentes" ou "extraordinários" ou "incomuns", ou têm o hábito detestável de serem recorrentes?

Mason Hawkins, da Longleaf, procura administradores de empresas que sejam "bons parceiros", o que significa que eles comunicam honestamente os problemas, têm planos claros para alocação do fluxo de caixa atual e futuro e têm participações bastante significativas nas ações da companhia (preferencialmente através das compras em dinheiro, em vez de concessões de opções). Porém, "se os administradores falam mais sobre o preço das ações do que sobre o negócio", avisa Robert Torray, da Torray Fund, "não estamos interessados". Christopher Davis, da Davis Funds, prefere firmas que limitam as concessões de opções sobre ações a aproximadamente 3% das ações em circulação.

No Vanguard Primecap Fund, Howard Schow acompanha "o que a companhia diz em um ano e o que acontece no seguinte. Queremos ver não apenas se os administradores são honestos com os acionistas, mas também se são honestos consigo mesmos". (Se o dono da companhia insiste que tudo caminha às mil maravilhas quando o negócio está rateando, cuidado!). Hoje em dia, você pode participar das conferências telefônicas periódicas organizadas pela companhia mesmo que possua apenas um número pequeno de ações. Para descobrir a programação das ligações, ligue para o departamento de relações com investidores na matriz ou visite sua página na internet.

Robert Rodriguez, do FPA Capital Fund, lê primeiro a última página do relatório anual da companhia, onde os chefes das divisões operacionais são listados. Se houver muitas mudanças naqueles nomes no primeiro ou nos dois primeiros anos da gestão de um novo presidente, esse é provavelmente um bom sinal; ele está limpando a área. Porém, se o número de trocas continuar alto, provavelmente o processo de renovação se degenerou em tumulto.

MANTENDO OS OLHOS NA ESTRADA

Há ainda mais caminhos que levam a Jerusalém do que esses. Alguns administradores de carteira importantes, como David Dreman, da Dreman Value Management, e Martin Whitman, da Third Avenue Funds, focam em companhias que vendem a múltiplos muito baixos dos ativos, lucros ou fluxo de caixa.

Outros, como Charles Royce, do Royce Funds, e Joel Tillinghast, do Fidelity Low-Priced Stock Fund, caçam pequenas companhias subvalorizadas. E, para uma rápida espiada em como o investidor mais reverenciado de hoje, Warren Buffett, seleciona companhias, veja boxe a seguir.

O CAMINHO DE WARREN

O melhor aluno de Graham, Warren Buffett, se tornou o investidor mais bem-sucedido do mundo ao fazer uma releitura das ideias de seu mestre. Buffett e seu sócio, Charles Munger, combinaram a "margem de segurança" e o distanciamento do mercado de Graham com uma ênfase inovadora própria no crescimento futuro. Aqui está um resumo da abordagem de Buffett:

São procuradas o que ele chama de companhias "franquia" com marcas de consumidor fortes, negócios facilmente compreensíveis, saúde financeira robusta e que são quase monopolistas em seus mercados, como a H&R Block, a Gillette e a Washington Post Co. Buffett gosta de adquirir uma ação quando um escândalo, prejuízo grande ou outra notícia ruim passa sobre ela como uma nuvem de tempestade, como quando ele comprou a Coca-Cola logo após o desastroso lançamento da "New Coke" e da quebra do mercado de 1987. Ele também quer ver administradores que: estabelecem e atingem objetivos realistas; constroem seus negócios a partir de dentro, em vez de por meio de aquisições; alocam capital de forma inteligente; e não se remuneram com fortunas de centenas de milhões de dólares em opções sobre ações. Buffett insiste no crescimento constante e sustentável dos lucros para que a companhia valha mais no futuro do que vale hoje.

Em seus relatórios anuais, arquivados em www.berkshirehathaway.com, Buffett apresenta seu pensamento como um livro aberto. Provavelmente, nenhum outro investidor, Graham incluído, revelou publicamente mais sobre sua abordagem ou escreveu ensaios tão fáceis de absorver. (Um provérbio clássico de Buffett: "Quando administradores com uma reputação brilhante se envolvem em um negócio com uma reputação econômica ruim, é a reputação do negócio que permanece intacta.") Todo investidor inteligente pode — e deve — aprender a ler as palavras desse mestre.

Uma técnica que pode ser útil: veja quais importantes administradores de recursos profissionais possuem as mesmas ações que você. Se um ou dois nomes aparecem com frequência, acesse os sites daqueles fundos e baixe seus relatórios mais recentes. Ao verificar que outras ações esses investidores possuem, você pode aprender mais sobre suas qualidades comuns; ao ler os comentários dos administradores, você pode obter uma ideia sobre como melhorar seu próprio desempenho.[3]

Qualquer que seja a técnica adotada por eles ao escolherem ações, os profissionais de investimento bem-sucedidos têm duas coisas em comum: primeiro, são disciplinados e consistentes, recusando-se a mudar de abordagem mesmo se ela saiu de moda. Segundo, pensam muito sobre o que fazem e como o fazem, mas prestam muito pouca atenção ao que faz o mercado.

3 Há também muitos boletins dedicados à análise de carteiras profissionais, mas a maioria delas é um desperdício de tempo e dinheiro mesmo para o investidor mais empreendedor. Uma exceção brilhante para as pessoas que têm dinheiro para gastar é o *Outstanding Investor Digest* (www.oid.com).

CAPÍTULO 16
EMISSÕES CONVERSÍVEIS E BÔNUS DE SUBSCRIÇÃO

No passado recente, as obrigações conversíveis e ações preferenciais conquistaram uma importância muito grande no campo dos financiamentos seniores. Acompanhando essa evolução, os bônus de subscrição de opções de ações — os quais constituem direitos de longo prazo de compra de ações ordinárias a preços estipulados — se tornaram mais e mais numerosos. Mais de metade das ações preferenciais agora cotadas no *Guia de ações* da Standard & Poor's possui privilégios de conversão, assim como a maior parte das *obrigações* privadas em 1968-1970. Existem, pelo menos, sessenta séries diferentes de bônus de subscrição de opções de ações negociadas na American Stock Exchange. Em 1970, pela primeira vez em sua história, a Bolsa de Valores de Nova York listou uma emissão de bônus de subscrição de longo prazo, que conferem direitos de compra de 31.400.000 ações da American Tel. & Tel. a US$52 cada. Com a "Mother Bell" agora liderando o desfile, é certo que muitos novos fabricantes de bônus de subscrição seguirão seu exemplo. (Conforme destacaremos mais tarde, eles são uma fabricação em mais de um sentido.)[1]

Em termos gerais, as emissões conversíveis são classificadas como muito mais importantes do que os bônus de subscrição, e por essa razão serão abordadas em primeiro lugar. Há dois aspectos principais a serem considerados do ponto de vista do investidor. Primeiro, como é que eles devem ser classificados em termos de oportunidades de investimento e risco? Segundo, como sua existência afeta o valor das ações ordinárias a eles relacionadas?

As emissões conversíveis são promovidas como sendo especialmente vantajosas tanto para o investidor quanto para a companhia emissora. O

---

1 Graham detestava bônus de subscrição, conforme deixa claro nas p. 453-457.

investidor recebe a proteção adicional de uma obrigação ou ação preferencial, além de uma oportunidade para participar de qualquer aumento substancial no valor da ação ordinária. A emissora é capaz de aumentar seu capital a um custo moderado em termos da taxa de juros ou dos dividendos preferenciais, e se a prosperidade esperada se materializar, a emissora se livrará da obrigação sênior na troca pela ação ordinária. Portanto, ambos os lados do negócio terão razões para comemorar.

Obviamente, o parágrafo precedente exagera o argumento em algum ponto, pois não é possível, por meio de um mero dispositivo engenhoso, tornar um negócio muito melhor para ambos os lados. Em geral, em troca do privilégio de conversão, o investidor desiste de algo importante em termos de qualidade ou rendimento, ou ambos.[1] Da mesma forma, se a companhia obtém seu dinheiro a um custo mais baixo por causa do dispositivo de conversão, ela precisará ceder, em troca, parte do direito dos acionistas ordinários de participar em uma melhora futura. Sobre esse assunto, existem diversos argumentos complexos a favor e contra. A conclusão mais segura a ser tirada é que as emissões conversíveis são como qualquer outra *forma* de valor mobiliário, no sentido de que, em si mesma, a forma não garante a atratividade, a qual dependerá de todos os fatos que cercam a emissão individual.[2]

Sabemos, no entanto, que o grupo de emissões conversíveis lançado durante a parte derradeira de um mercado de alta está fadado a gerar resultados insatisfatórios como um todo. (Foi justamente em tais períodos de otimismo exagerado, infelizmente, que a maioria dos financiamentos conversíveis ocorreu no passado.) As consequências adversas são inevitáveis, como resultado do momento histórico, uma vez que um declínio amplo no mercado acionário invariavelmente torna a conversão um privilégio muito menos atraente, e com frequência também coloca em questão a segurança subjacente do papel em si.[3] Como uma ilustração de tal grupo,

---

2 Graham está enfatizando que, apesar da retórica promocional geralmente ouvida pelos investidores, as emissões conversíveis não oferecem automaticamente "o melhor dos dois mundos". Rendimentos mais altos e riscos mais baixos *nem sempre* andam juntos. O que Wall Street dá com uma das mãos, em geral tira com a outra. Um investimento pode oferecer o melhor de um mundo ou o pior de outro, mas o melhor de ambos raramente estará disponível em um único pacote.

3 De acordo com a Goldman Sachs e a Ibbotson Associates, de 1998 até 2002 as emissões geraram um retorno anual médio de 4,8%. Isso foi consideravelmente melhor do que a

mantivemos o exemplo, usado em nossa primeira edição, do comportamento relativo dos preços das preferenciais conversíveis e diretas (não-conversíveis) negociadas em 1946, ano de encerramento do mercado de alta anterior à subida extraordinária iniciada em 1949.

TABELA 16-1 Histórico de preço de novas emissões de ações preferenciais ofertadas em 1946

Mudança de preço desde o lançamento ao ponto mínimo antes de julho de 1947	Papéis "convencionais"	Papéis conversíveis e participantes
	(número de lançamentos)	
Nenhum declínio	7	0
Declínio 0-10%	16	2
10-20%	11	6
20-40%	3	22
40% ou mais	0	12
	37	42
Declínio médio	cerca de 9%	cerca de 30%

É difícil fazer uma apresentação semelhante para os anos de 1967-1970, porque quase não houve novas ofertas de obrigações não-conversíveis naqueles anos. Porém, é fácil demonstrar que o declínio do preço médio das ações preferenciais conversíveis entre dezembro de 1967 e dezembro de 1970 foi maior do que o das ações ordinárias como um todo (as quais perderam apenas 5%). Da mesma forma, as conversíveis parecem ter tido um desempenho pouco pior do que as ações preferenciais diretas mais antigas durante o período de dezembro de 1968 a dezembro de 1970, conforme ilustrado pela amostra de vinte ações de cada tipo na Tabela 16-2. Essas comparações indicam que, como um todo, as emissões conversíveis têm uma qualidade relativamente ruim como papéis seniores e também estão

---

perda anual de 0,6% das ações americanas, mas substancialmente pior do que o retorno das obrigações privadas de médio prazo (um ganho anual de 7,5%) e das obrigações privadas de longo prazo (um ganho anual de 8,3%). Em meados da década de 1990, de acordo com a Merrill Lynch, aproximadamente US$15 bilhões em obrigações conversíveis eram emitidos anualmente; em 1999, os lançamentos mais do que dobraram e subiram para US$39 bilhões. Em 2000, foram emitidos US$58 bilhões em conversíveis, e em 2001 apareceram outros US$105 bilhões. Conforme adverte Graham, os papéis conversíveis sempre aparecem próximo ao final de um mercado de alta, pois nessa época mesmo as companhias de qualidade ruim possuem retornos de ações altos o suficiente para tornar atraente a característica de conversão.

vinculadas a ações ordinárias, que se saem pior do que o mercado em geral, exceto durante movimentos ascendentes especulativos. Essas observações não se aplicam a todos os papéis conversíveis, é claro. Sobretudo em 1968 e 1969, um número razoável de companhias sólidas fez uso de emissões conversíveis para combater as taxas de juros excepcionalmente altas até para as obrigações com grau de investimento. Porém, vale mencionar que, em nossa amostra de vinte ações preferenciais conversíveis, apenas uma mostrou um aumento e 14 sofreram quedas sérias.[4]

TABELA 16-2 Histórico de preços de ações preferenciais, ações ordinárias e bônus de subscrição, dezembro de 1970 *versus* dezembro de 1968.

(Baseado em amostras aleatórias de vinte ações cada)

	Ações preferenciais convencionais				
	Classificadas A ou superior	Classificadas abaixo de A	Ações preferenciais conversíveis	Ações ordinárias listadas	Cauções listadas
Aumentos	2	0	1	2	1
Declínios					
0-10%	3	3	3	4	0
10-20%	14	10	2	1	0
20-40%	1	5	5	6	1
40% ou mais	0	0	9	7	18
Declínios médios	10%	17%	29%	33%	65%

(O índice composto de 500 ações ordinárias da Standard & Poor's caiu 11,3%.)

A conclusão a ser tirada desses números não é a de que os papéis conversíveis são em si mesmos menos desejáveis do que os papéis não-conversíveis ou "diretos". Tudo o mais constante, o oposto é verdadeiro. Porém,

4 Mudanças estruturais recentes no mercado de conversíveis diminuem a força de algumas dessas críticas. As ações preferenciais conversíveis, as quais constituíam metade do mercado total de conversíveis na época de Graham, hoje são responsáveis por apenas um oitavo do mercado. Os prazos de vencimento são menores, tornando as emissões conversíveis menos voláteis, e muitas agora possuem dispositivos que impedem o resgate antecipado. Mais da metade de todas as emissões conversíveis é agora grau de investimento, uma melhora significativa na qualidade de crédito desde o tempo de Graham. Com isso, em 2002, o Merrill Lynch All U.S. Convertible Index perdeu 8,6% em comparação com a perda de 22,1% do índice de 500 ações da S&P e com a queda de 31,3% no índice composto de ações Nasdaq.

vemos claramente que tudo o mais *não* está constante na prática e que a inclusão do privilégio de conversão muitas vezes — talvez quase sempre — denota a ausência de uma qualidade de investimento genuína do papel.

É verdade, claro, que uma preferencial conversível é mais segura do que uma ação ordinária da mesma companhia, pois oferece menor risco de uma eventual perda do principal. Consequentemente, aqueles que compram novas conversíveis em vez das ações ordinárias correspondentes são lógicos nesse ponto. No entanto, na maioria dos casos, ao preço vigente, a ação ordinária não teria sido uma compra inteligente para começo de conversa, e a substituição pela preferencial conversível não melhoraria o quadro suficientemente. Ademais, uma boa parte da compra de conversíveis foi feita por investidores que não tinham interesse especial ou confiança nas ações ordinárias — isto é, nunca cogitariam comprar a ação ordinária naquele momento —, mas foram tentados pelo que parecia ser uma combinação ideal de um direito prioritário com um privilégio de conversão próximo ao preço atual. Em alguns casos, essa combinação funcionou bem, mas as estatísticas parecem mostrar que é mais provável que ela seja uma furada.

Com relação à propriedade de ações conversíveis, há um problema especial que a maioria dos investidores em conversíveis deixa de perceber. Mesmo quando há lucro, ele traz consigo um dilema. Será que o proprietário deveria vender quando há uma pequena alta, esperar por um aumento bem maior? Se a opção de compra for exercida — como frequentemente ocorre quando a ação ordinária sobe consideravelmente —, ele deve então vender ou fazer a conversão e manter a ação ordinária?[5]

Falemos em termos concretos. Você compra uma obrigação de 6% a 100, conversível em ações a 25, isto é, à proporção de quarenta ações para cada obrigação de US$1.000. A ação sobe para 30, elevando o valor da obrigação para pelo menos 120, sendo, portanto, negociada a 125. Você pode vendê-la ou mantê-la. Se pretender mantê-la, na espera de um preço mais alto, você estará em uma posição parecida com a de um acionista ordinário, já

---

5 Uma obrigação é "recomprada" quando a companhia emissora a paga plenamente antes da data de vencimento acordada ou da data de vencimento final para pagamentos de juros. Para obter um resumo breve de como as obrigações conversíveis funcionam, ver nota 1 em comentários a esse capítulo (p. 459).

que, se a ação cair, sua obrigação cairá também. Uma pessoa conservadora provavelmente dirá que acima de 125 sua posição se tornaria especulativa demais e, portanto, ela venderia e obteria um lucro gratificante de 25%.

Até agora tudo bem. No entanto, analisemos um pouco mais esse assunto. Em muitos casos, o proprietário vende a 125, e a ação ordinária continua a subir, trazendo a conversível a tiracolo, o que o faz sentir aquela dor típica de quem vendeu cedo demais. Na próxima vez, ele decide segurar até chegar a 150 ou 200. O papel sobe a 140, e ele não vende. Então, o mercado cai violentamente, e sua obrigação despenca para 80. Novamente ele não fez a coisa certa.

Além da angústia envolvida quando fazemos essas adivinhações erradas — e elas parecem ser quase inevitáveis —, existe um problema aritmético real nas operações com emissões conversíveis. Pode-se supor que uma política rígida e uniforme de vender com lucro de 25% ou 30% funcione melhor quando aplicada a muitos investimentos. Esse percentual então marcaria o limite máximo dos lucros e seria realizado apenas nos papéis que se saíssem melhor. No entanto, se — como parece ser verdade — esses papéis muitas vezes não têm uma segurança subjacente adequada e tendem a ser lançados e comprados nos estágios derradeiros de um mercado de alta, então uma proporção considerável deles deixará de subir para 125, mas não deixará de despencar quando o mercado começar a descer. Portanto, as oportunidades espetaculares em títulos conversíveis acabam sendo ilusórias na prática, e a experiência geral fica marcada tanto por prejuízos substanciais — pelo menos de uma natureza temporária — quanto por ganhos de magnitude semelhante.

Em função da duração extraordinária do mercado de alta de 1950-68, os papéis conversíveis, como um todo, tiveram um bom desempenho durante 18 anos. No entanto, isso significa apenas que a grande maioria das ações ordinárias desfrutou de grandes aumentos, dos quais a maioria dos papéis conversíveis pôde compartilhar. O principal teste da solidez de um investimento em papéis conversíveis é seu desempenho em um mercado acionário descendente, e, na maioria das vezes, essa experiência tem sido decepcionante.[6]

---

6 Recentemente, as conversíveis tenderam a superar o índice de 500 ações da Standard & Poor's durante os períodos de baixa, mas se saíram pior do que as outras obrigações. Esse desempenho enfraquece, mas não derruba totalmente, a crítica de Graham.

Em nossa primeira edição (1949), apresentamos um exemplo desse problema especial do "que fazer" com uma conversível quando ela sobe. Acreditamos que ele continua a merecer inclusão aqui. Como várias de nossas referências, ele deriva de nossas próprias operações de investimento. Fomos membros de um "grupo seleto", principalmente de fundos de investimento, o qual participou de uma oferta privada de debêntures conversíveis com taxa de 4,5% da Eversharp Co. ao par, conversíveis em ações ordinárias a US$40 por ação. A ação subiu rapidamente para 65,5 e, em seguida (após um desdobramento três por dois), para o equivalente a 88. O último preço fez as debêntures conversíveis valerem nada menos que 220. Durante esse período, as duas emissões foram "recompradas" por um pequeno prêmio; portanto, foram praticamente todas convertidas em ações ordinárias, as quais foram mantidas em carteira por muitos fundos de investimento compradores originais. Em seguida, o preço começou a cair vertiginosamente e, em março de 1948, a ação foi negociada tão baixo quanto 7,375. Isso representou um valor de apenas 27 para as debêntures ou uma perda de 75% do preço original em vez de um lucro superior a 100%.

A verdadeira lição dessa história é que alguns dos compradores originais converteram suas obrigações em ações e as mantiveram durante o grande declínio. Ao fazê-lo, eles foram de encontro a um antigo ditado de Wall Street, o qual diz: "Nunca converta uma obrigação conversível." Por que esse conselho? Porque, ao fazer uma conversão, você perde sua combinação estratégica de prioridade no pagamento de juros e a oportunidade de um lucro atraente. Provavelmente você passou de investidor a especulador e, com muita frequência, em um momento pouco propício (porque a ação já teve um aumento grande). Se "nunca converta uma conversível" é uma boa regra, como é possível que administradores de fundos experientes tenham trocado suas obrigações da Eversharp por ações para perderem de forma constrangedora mais tarde? A resposta, sem dúvida, é que eles se deixaram levar pelo entusiasmo em torno das perspectivas da companhia, assim como pela "movimentação de mercado favorável" de suas ações. Wall Street possui alguns princípios prudentes; o problema é que eles são sempre esquecidos quando são mais necessários.[7] Logo, cabe

---

7 A frase poderia servir como um epitáfio para o mercado de alta da década de 1990. Entre "alguns princípios prudentes" que os investidores esqueceram estão os clichês de mercado,

aqui lembrar aquele outro ditado famoso dos velhos tempos: "Faça o que eu digo, não faça o que eu faço."

Nossa atitude geral para com as novas emissões conversíveis é, portanto, de descrença. Queremos dizer com isso, como em outras observações semelhantes, que o investidor deveria pensar mais de duas vezes antes de comprá-las. Após tal escrutínio hostil, ele pode encontrar algumas ofertas excepcionais que são boas demais para serem recusadas. A combinação ideal, claro, é uma emissão conversível com fortes garantias e intercambiável com uma ação ordinária que seja ela mesma atraente e esteja a um preço apenas ligeiramente mais alto do que o mercado atual. De vez em quando, aparece uma nova oferta que atende a essas exigências. Pela própria natureza do mercado financeiro, contudo, é mais provável que você encontre tal oportunidade em algum papel mais antigo que esteja em uma posição mais favorável do que em novos lançamentos. (Se um papel novo é realmente forte, é pouco provável que tenha privilégios de conversão interessantes.)

O equilíbrio delicado entre o que é dado e o que é mantido em uma emissão conversível-padrão é bem ilustrado pelo uso extensivo desse tipo de papel no financiamento da American Telephone & Telegraph Company. Entre 1913 e 1957, a companhia vendeu, pelo menos, nove séries diferentes de obrigações conversíveis, a maioria delas através de direitos de subscrição para os acionistas. As obrigações conversíveis ofereciam a vantagem importante para a companhia de abranger uma variedade muito maior de compradores do que teria sido possível no caso de uma oferta de ações, uma vez que as obrigações eram populares entre muitas instituições financeiras que possuíam recursos imensos, mas que não eram autorizadas a negociar ações. Em geral, o retorno de juros sobre as obrigações tem sido inferior à metade dos rendimentos de dividendos correspondentes sobre as ações — um fator que foi calculado para compensar os direitos prioritários dos detentores de obrigações. O fato de a companhia ter mantido sua taxa de dividendos em US$9 por quarenta anos (de 1919 até o desdobramento de ações em 1959) resultou na conversão posterior de quase todas as obrigações conversíveis em ações ordinárias. Logo, os compradores dessas conversíveis se saíram bem ao longo dos anos, mas não tão bem quanto se tivessem comprado ações ordinárias desde o início.

---

como "árvores não crescem até o céu" e "os touros (altistas) ganham dinheiro, os ursos (baixistas) ganham dinheiro, mas os porcos (gananciosos) são abatidos".

Esse exemplo mostra a solidez da American Telephone & Telegraph, mas não a atração intrínseca das obrigações conversíveis. Para considerá-las sólidas na prática, seria necessário termos alguns exemplos nos quais o papel conversível funcionasse bem ainda que a ação ordinária fosse uma decepção. Tais exemplos não são fáceis de encontrar.[8]

Efeito dos papéis conversíveis sobre a situação das ações ordinárias

Em um grande número de casos, as conversíveis foram emitidas por causa de fusões ou de novas aquisições. Talvez o exemplo mais marcante desse tipo de operação financeira tenha sido a emissão pela NVF Corp. de quase US$100.000.000 de obrigações conversíveis com taxa de 5% (mais bônus de subscrição) em troca da maioria das ações ordinárias da Sharon Steel Co. Esse negócio extraordinário é discutido nas p. 470-474. De maneira geral, esse tipo de transação resulta em um aumento *pro forma* nos lucros por ação ordinária divulgados; as ações sobem em resposta aos chamados lucros maiores, mas também porque a gestão deu prova de sua energia, seu empreendedorismo e sua capacidade de ganhar mais dinheiro para os acionistas.[9] No entanto, há dois fatores compensadores, um dos quais é quase totalmente e o outro é totalmente ignorado em mercados otimistas. O primeiro é a diluição efetiva dos lucros atuais e futuros das ações ordinárias que deriva aritmeticamente dos novos direitos de conversão. Essa diluição pode ser quantificada quando consideramos os lucros recentes, ou presumimos algum outro resultado, e calculamos os lucros ajustados por ação se todas as ações ou obrigações conversíveis forem realmente convertidas. Na maioria das companhias, a redução do resultado por ação não é significativa. Porém, há exceções numerosas a essa afirmação e risco de elas crescerem a uma velocidade desconfortável. Os "conglomerados" em rápida expansão têm sido os principais praticantes de artimanhas conversíveis. Na Tabela 16-3, listamos sete companhias com quantidades

---

8 A AT&T Corp. não é mais uma emissora significativa de obrigações conversíveis. Entre as maiores emissoras de conversíveis, hoje, estão a General Motors, a Merrill Lynch, a Tyco International e a Roche.

9 Para ler uma discussão mais ampla sobre os resultados financeiros "*pro forma*", ver comentários ao capítulo 12.

grandes de ações por emitir em caso de conversões ou contra bônus de subscrição.[10]

TABELA 16-3 Companhias com quantidades grandes de ações e cauções conversíveis no final de 1969 (ações em milhares)

		Ações ordinárias adicionais passíveis de emissão			
		Após conversão de			
	Ações ordinárias em circulação	Obrigações	Ações preferenciais	Cauções	Ações ordinárias adicionais total
Avco Corp.	11.470	1.750	10.436	3.085	15.271
Gulf & Western Inc.	14.964	9.671	5.632	6.951	22.260
International Tel. & Tel.	67.393	190	48.115		48.305
Ling-Temco-Vought	4.410[a]	1.180	685	7.564	9.429
National General	4.910	4.530		12.170	16.700
Northwest Industries[b]	7.433		11.467	1.513	12.980
Rapid American	3.591	426	1.503	8.000	9.929

[a] Inclui "ações especiais".
[b] No final de 1970.

Trocas recomendadas de ações ordinárias por preferenciais

Por décadas, em anos anteriores a, digamos, 1956, em uma mesma companhia, as ações ordinárias renderam mais do que as preferenciais. Esse fato foi particularmente verdade no caso das ações preferenciais com um privilégio de conversão próximo ao preço de mercado. De maneira geral, atualmente acontece o contrário. Consequentemente, há um número considerável de ações preferenciais que são claramente mais atraentes do que as ações ordinárias correspondentes. Os detentores de ações ordinárias não têm nada a perder, havendo vantagens significativas na troca de ações juniores por seniores.

10 Recentemente, as obrigações conversíveis têm sido muito emitidas por companhias nos setores financeiro, de assistência médica e de tecnologia.

EXEMPLO: Um exemplo típico foi apresentado pela Studebaker-Worthington Corp. ao fechamento de 1970. A ação ordinária era negociada a 57, enquanto a preferencial conversível de US$5 fechava a 87,5. Cada ação preferencial poderia ser trocada por 1,5 ação ordinária, que eram negociadas a 85,5. Isso indicaria uma diferença pequena em dinheiro desfavorável para o comprador da preferencial. No entanto, os dividendos sobre as ordinárias eram pagos a uma taxa anual de US$1,20 (ou US$1,80 por 1,5 ação), contra os US$5 recebidos por cada ação preferencial. Portanto, a diferença de preço inicial provavelmente seria compensada em menos de um ano, após o qual a preferencial provavelmente apresentaria um rendimento de dividendos significativamente superiores ao da ordinária por um prazo bastante longo. Contudo, mais importante, claro, seria a posição sênior que o acionista ordinário ganharia com a troca. Aos preços *mínimos* de 1968, e novamente em 1970, a preferencial foi negociada 15 pontos acima de 1,5 ação ordinária. Seu privilégio de conversão garantia que ela nunca seria vendida abaixo das ações ordinárias.[II]

Bônus de subscrição de opções de ações

Vamos falar sem rodeios desde o início. Consideramos o desenvolvimento recente dos bônus de subscrição de opções sobre ações quase uma fraude, uma ameaça presente e um desastre em potencial. Eles criaram imensos "valores" monetários do nada. Eles não têm qualquer razão para existirem, exceto na medida em que induzem especuladores e investidores ao erro. Eles deveriam ser proibidos por lei ou, pelo menos, rigorosamente limitados a uma parte pequena da capitalização total de uma companhia.[11]

Em uma analogia com a história geral e a literatura, remetemos o leitor ao trecho de *Fausto* (parte 2), no qual Goethe descreve a invenção do papel-moeda. Como um precedente preocupante na história de

---

11 As cauções eram uma técnica muito disseminada de financiamentos do setor privado no século XIX e eram bem comuns até a época de Graham. Desde então, elas diminuíram em importância e popularidade — um dos poucos desenvolvimentos recentes que dariam a Graham um prazer ilimitado. No final do ano de 2002, havia apenas sete papéis de cauções remanescentes na Bolsa de Valores de Nova York, meros vestígios fantasmagóricos de um mercado. Uma vez que as cauções não são mais comumente usadas por companhias grandes, os investidores de hoje deveriam ler o resto do capítulo de Graham apenas para saberem como funciona sua lógica.

Wall Street, podemos mencionar os bônus de subscrição da American & Foreign Power Co., as quais em 1929 tinham um valor de mercado cotado superior a um bilhão de dólares, embora aparecessem apenas em uma nota de rodapé do balanço da companhia. Em 1932, esse bilhão havia encolhido para US$8 milhões e, em 1952, os bônus de subscrição desapareceram na recapitalização da companhia, muito embora ela tivesse se mantido solvente.

Originalmente, os bônus de subscrição de opções de ações eram anexados vez por outra aos lançamentos de obrigações e, em geral, eram equivalentes a um privilégio parcial de conversão. Eles não eram importantes em valor, portanto não causavam dano. Seu uso se expandiu no final da década de 1920, juntamente com muitos outros abusos financeiros, mas tiveram pouca visibilidade por muitos anos desde então. Sua volta era inevitável e, desde 1967, eles se tornaram "instrumentos de financiamento" familiares. Na verdade, um procedimento-padrão foi desenvolvido a fim de levantar capital para novos empreendimentos imobiliários, controlados por bancos grandes, por meio da venda de unidades de um número igual de ações ordinárias e de bônus de subscrição para a compra de ações ordinárias adicionais ao mesmo preço. *Exemplo*: Em 1971, a CleveTrust Realty Investors vendeu 2.500.000 dessas combinações de ações ordinárias (ou "ações de interesse benéfico") e bônus de subscrição por US$20 a unidade.

Consideremos por um momento o que está realmente envolvido nesse arranjo financeiro. Em geral, uma ação ordinária tem prioridade na compra de ações ordinárias adicionais quando os diretores da companhia acharem desejável levantar capital dessa maneira. Esse assim chamado "direito prioritário" é um dos elementos de valor associados à posse de uma ação ordinária, juntamente com o direito de receber dividendos, participar no crescimento da companhia e votar na diretoria. Quando bônus de subscrição separados são emitidos com o direito de subscrever capital adicional, esse lançamento retira parte do valor inerente à ação ordinária e o transfere para um certificado separado. Um resultado análogo poderia ser conseguido por meio da emissão de certificados separados para o direito de receber dividendos (por um prazo limitado ou ilimitado), ou de compartilhar as receitas da venda ou liquidação da empresa, ou de votar as ações. Por que então esses bônus de subscrição são criados como parte da estrutura de capital original? Simplesmente porque as pessoas entendem pouco de assuntos financeiros. Elas não percebem que a ação ordinária vale menos com bônus de subscrição em circulação do que sem eles. Portanto, o pacote de ações e bônus de subscrição em geral obtém um preço melhor no mercado do que as ações isoladamente. Observe que, nos balanços cotidianos de uma companhia, os rendimentos por ação são (ou foram) computados sem compensar o efeito dos bônus de subscrição em circulação de forma apropriada. O resultado, é claro, exagera a verdadeira relação entre os lucros e o valor de mercado do capital social da companhia.[12]

O método mais simples, e provavelmente o melhor, de compensar a existência de bônus de subscrição é acrescentar o equivalente a seu valor de mercado ao capital das ações ordinárias, aumentando, portanto, o preço de mercado "verdadeiro" por ação. Nos casos em que grandes quantidades de bônus de subscrição foram emitidos em conexão com a venda de papéis seniores, é costume fazer a compensação supondo que a receita proveniente do pagamento pelas ações será usada para aposentar as respectivas obrigações ou ações preferenciais. Esse método não leva em conta de forma adequada o "valor de prêmio" usual de um bônus de subscrição acima do valor de exercício. Na Tabela 16-4, comparamos o efeito de dois métodos de cálculo no caso da National General Corp. com referência ao ano de 1970.

12 Hoje, o último resquício da atividade com cauções é o mercado de balcão da Nasdaq para companhias minúsculas, onde ações ordinárias são frequentemente combinadas com bônus de subscrição para formar uma "unidade" (o equivalente contemporâneo do que Graham denomina "pacote"). Se um corretor de ações alguma vez lhe quiser vender "unidades" de qualquer companhia, você pode ter 95% de certeza de que há bônus de subscrição envolvidos e, pelo menos, estar 90% certo de que o corretor é ou um ladrão ou um idiota. Firmas e corretores honestos não se aventuram nessa área.

TABELA 16-4 Cálculo do "Preço de mercado verdadeiro" e razão preço/lucro ajustado de uma ação ordinária com grande quantidade de bônus de subscrição em circulação

(Exemplo: National General Corp. em junho de 1971)

1. Cálculo de "Preço de mercado verdadeiro"

Valor de mercado de três séries de bônus de subscrição, 30 de junho de 1971	US$94.000.000
Valor de bônus de subscrição por ação ordinária	US$18,80
Preço das ações ordinárias isoladamente	24,50
Preço corrigido das ordinárias, ajustado para bônus de subscrição	43,30

2. Cálculo da razão preço/lucro para compensar a diluição dos bônus de subscrição

		Após diluição dos bônus de subscrição	
(lucros em 1970) A. Antes de itens especiais	*Antes da diluição dos bônus de subscrição*	Cálculo da companhia	Nosso cálculo
Lucro por ação	US$2,33	US$1,60	US$2,33
Preço da ordinária	24,50	24,50	43,30 (adj.)
Razão preço/lucro	10,5 x	15,3 x	18,5 x
B. Após itens especiais			
Lucro por ação	US$0,90	US$1,33	US$0,90
Preço da ordinária	24,50	24,50	43,30 (adj.)
Razão preço/lucro	27,2 x	18,4 x	48,1 x

Observe que, após os ajustes especiais, o efeito do cálculo da companhia é o aumento dos lucros por ação e a redução da razão preço/lucro. Isso é um absurdo total. De acordo com nosso método recomendado, o efeito da diluição é o aumento substancial da razão preço/lucro, como deveria ser.

Será que a companhia em si retira qualquer vantagem da criação desses bônus de subscrição, no sentido de garantir, em alguma medida, o recebimento de capital adicional quando for necessário? De forma alguma. Em geral, não há maneira de a companhia exigir que os donos de bônus de subscrição exerçam seus direitos e, portanto, forneçam capital novo para a companhia antes da data de vencimento dos bônus de subscrição. Enquanto isso, se a companhia deseja levantar recursos adicionais por meio de ações ordinárias, ela deve oferecer tais ações a seus acionistas da forma costumeira, isto é, abaixo do preço de mercado vigente. Os bônus de subscrição não oferecem ajuda em tais operações; eles meramente complicam a situação ao exigir, com frequência, uma revisão para baixo no próprio preço de subscrição. Uma vez mais, afirmamos que emissões grandes de bônus de subscrição de opções de ações não servem a propósito algum, exceto fabricar valores de mercado imaginários.

O dinheiro de papel com o qual Goethe estava familiarizado, quando escreveu *Fausto*, consistia dos notórios *assignats* franceses que haviam sido saudados como uma invenção maravilhosa e estavam destinados por fim a perder todo seu valor, como também o perderam os bônus de subscrição cotados a um bilhão de dólares da American & Foreign Power.[13] Alguns dos comentários do poeta se aplicam igualmente bem a uma invenção ou outra, tal como a seguinte (na tradução de Jenny Klabin Segall):[14]

FAUSTO:	E a fantasia, em seu voo supremo,
	Se esforça, e nunca chega àquele extremo,
MEFISTÓFELES (o inventor):	Pra quem quiser metal, tem-se um cambista,
BOBO (finalmente):	Com os papéis mágicos...

Posfácio prático

O crime do bônus de subscrição foi ele "ter nascido".[15] Tendo nascido, ele funciona como outras formas de valores mobiliários e oferece oportunidades de lucro, assim como de prejuízo. Quase todos os bônus de subscrição mais novos têm um prazo de validade limitado, geralmente entre cinco e dez anos. Os bônus de subscrição mais antigos muitas vezes eram perpétuos e provavelmente tiveram trajetórias de preço fascinantes ao longo dos anos.

---

13 Os "notórios *assignats* franceses" foram emitidos durante a Revolução de 1789. Eram originalmente dívidas do governo revolucionário, supostamente garantidas pelo valor das propriedades que os radicais haviam sequestrado da Igreja Católica e da nobreza. Porém, os revolucionários não eram bons administradores financeiros. Em 1790, a taxa de juros recebida pelos *assignats* foi reduzida; logo, eles pararam totalmente de receber juros, sendo reclassificados como papel-moeda. No entanto, o governo se recusou a resgatá-los por ouro ou prata e emitiu quantidades enormes de novos *assignats*. Foram oficialmente declarados sem valor em 1797.

14 Goethe, Johann Wolfgang von. *Fausto.* Belo Horizonte: Itatiaia, 1987, p. 250, 251 e 252.

15 Graham, um leitor entusiasmado da literatura espanhola, está parafraseando uma linha da peça *La vida es sueño* [A vida é um sonho], escrita por Pedro Calderón de la Barca (1600-1681): "O maior crime do homem foi ter nascido."

EXEMPLO: Os livros de recordes mostrarão que os bônus de subscrição da Tri-Continental Corp., que datam de 1929, foram negociados a desprezíveis 0,03125 de dólar cada um nas profundezas da Depressão. A partir desse fundo do poço, os preços subiram para magníficos 75,75 em 1969, um aumento astronômico de cerca de 242.000%. (Os bônus de subscrição eram negociados em níveis muito superiores aos das ações em si; isso é o tipo de coisa que ocorre em Wall Street por meio de desenvolvimentos técnicos, tais como os desdobramentos de ações.) Um exemplo recente são os bônus de subscrição da Ling-Temco-Vought, que subiram de 2,5 para 12,5 na primeira metade de 1971 e posteriormente caíram para 4.

Não há dúvida de que operações interessantes podem ser executadas com bônus de subscrição de tempos em tempos, mas o assunto é técnico demais para ser discutido aqui. Poderíamos dizer que os bônus de subscrição tendem a ser negociados a preços relativamente mais altos do que os componentes de mercado correspondentes relacionados ao privilégio de conversão de obrigações ou ações preferenciais. Nesse sentido, há um argumento válido a favor da venda de obrigações com bônus de subscrição anexados em vez de criar uma diluição equivalente por meio de um papel conversível. Se o total dos bônus de subscrição é relativamente pequeno, não há razão para levar o aspecto teórico tão a sério; se o total dos bônus de subscrição é grande em comparação com as ações em circulação, provavelmente a companhia tem uma capitalização sênior pesada demais. Em vez disso, ela deveria estar vendendo ações ordinárias adicionais. Portanto, o principal objetivo de nosso ataque aos bônus de subscrição como mecanismo financeiro não é condenar seu uso em conexão com lançamentos de obrigações de tamanho moderado, mas questionar a criação leviana de grandes monstruosidades de "dinheiro de papel" desse gênero.

COMENTÁRIOS AO CAPÍTULO 16

Insensato! O que semeias não recobra vida, sem antes morrer.

I Coríntios, 15,36

O ZELO DOS CONVERTIDOS

Embora as emissões conversíveis sejam chamadas de "obrigações", elas se comportam como ações, funcionam como opções e vivem na obscuridade.

Se você possui uma emissão conversível, tem também uma opção: pode manter a obrigação e continuar a ganhar juros com ela, ou pode trocá-la por uma ação ordinária da companhia emissora a uma taxa predeterminada. (Uma opção dá a seu dono o direito de comprar ou vender outro papel a um determinado preço dentro de um prazo específico.) As obrigações conversíveis pagam taxas de juros mais baixas do que a maioria das obrigações comparáveis pelo fato de poderem ser trocadas por ações. Por outro lado, se as ações da companhia tiverem fortes altas, uma obrigação passível de ser convertida em ação terá um desempenho muito melhor do que uma obrigação convencional. (Inversamente, a obrigação conversível típica — com sua taxa de juros mais baixa — se sairá pior em um mercado de obrigações em queda.)[1]

---

1 Como um exemplo breve de como as obrigações conversíveis funcionam na prática, considere as obrigações subordinadas conversíveis de 4,75% emitidas pela DoubleClick Inc. em 1999. Elas pagam US$47,50 em juros por ano, sendo cada uma conversível em 24,24 ações ordinárias da companhia, uma "taxa de conversão" de 24,24. No final de 2002, a ação da DoubleClick era cotada a US$5,66, dando a cada obrigação um valor de conversão de US$137,20 (US$5,66 x 24,24). No entanto, as obrigações eram negociadas a um preço aproximadamente seis vezes maior, a US$881,30, criando um "prêmio de conversão" ou um ágio acima do valor de conversão de 542%. Se você comprou a esse preço, seu "prazo de equilíbrio" ou "prazo de recuperação do investimento" foi muito longo. (Você pagou cerca de US$750 acima do valor de conversão da obrigação, portanto levará 16 anos de pagamentos de juros de US$47,50 para "recuperar" aquele prêmio de conversão.) Uma vez que cada obrigação da DoubleClick é conversível em pouco mais de 24 ações ordinárias, a ação terá que subir de US$5,66 para mais de US$36 para que a conversão se torne uma opção prática antes de as obrigações vencerem em 2006. Tal rentabilidade da ação não é impossível, mas beira o milagre. O rendimento monetário dessa obrigação específica parece pouco adequado dada a probabilidade baixa de conversão.

De 1957 a 2002, de acordo com a Ibbotson Associates, as obrigações conversíveis renderam uma taxa anual média de 8,3%, apenas dois pontos percentuais abaixo do rendimento das ações em geral, mas com preços mais estáveis e perdas menos profundas.[2] Mais retorno e menos risco do que as ações: não é à toa que os vendedores de Wall Street muitas vezes descrevam as emissões conversíveis como o investimento "melhor dos dois mundos". No entanto, o investidor inteligente rapidamente perceberá que as conversíveis oferecem menos retorno e mais risco do que a maioria das outras. Portanto, elas podem, pela mesma lógica e com igual justiça, ser chamadas de o investimento "pior dos dois mundos". Sua escolha vai depender de como você pretende usá-las.

Na verdade, as emissões conversíveis agem mais como ações do que como obrigações. O retorno sobre as emissões conversíveis é correlacionado em cerca de 83% com o índice de 500 ações da Standard & Poor's, mas em apenas aproximadamente 30% com o desempenho das emissões do Tesouro. Portanto, as emissões conversíveis fazem zigue quando a maioria das emissões faz zague. Para os investidores conservadores que aplicam a maioria de seus ativos, ou todos eles, em emissões, acrescentar uma cesta diversificada de conversíveis é uma forma sensata de buscar retornos semelhantes aos das ações sem precisar dar o passo assustador de investir em ações diretamente. Você pode chamar as obrigações conversíveis de "ações para medrosos".

Conforme destaca o especialista em conversíveis F. Barry Nelson, da Advent Capital Management, esse mercado de aproximadamente US$200 bilhões tem florescido desde os tempos de Graham. A maioria das conversíveis é agora de médio prazo, ou seja, entre sete e dez anos; cerca de metade são grau de investimento; e muitos papéis agora possuem alguma proteção contra a recompra antecipada. Todos esses fatores as tornam menos arriscadas do que costumavam ser.[3]

---

2 Como muitos dos históricos comumente citados em Wall Street, este é hipotético. Ele indica o retorno possível de ser obtido em um fundo de índice imaginário que englobasse todas as principais obrigações conversíveis. Isso não inclui qualquer taxa de administração ou custos de corretagem (os quais são substanciais no caso dos papéis conversíveis). No mundo real, seus retornos teriam sido inferiores em aproximadamente dois pontos percentuais.

3 No entanto, a maioria das emissões conversíveis tem uma prioridade inferior a outras dívidas de longo prazo e empréstimos bancários. Portanto, em caso de falência, os proprietários de conversíveis não possuem prioridade sobre os ativos da companhia. Embora longe de serem tão arriscadas quanto os *high yield junk bonds*, muitas obrigações conversíveis ainda são emitidas por companhias com uma classificação de crédito longe da ideal. Finalmente, uma porção

É caro negociar pequenos lotes de obrigações conversíveis, e a diversificação não é prática a menos que você tenha disponíveis bem mais de US$100.000 para investir apenas nesse setor. Felizmente, o investidor inteligente de hoje tem o recurso conveniente de comprar um fundo de obrigações conversíveis de baixo custo. A Fidelity e a Vanguard oferecem fundos mútuos com despesas anuais bem inferiores a 1%, enquanto vários fundos de capital fechado também estão disponíveis a um custo razoável (e, ocasionalmente, a descontos com relação ao valor dos patrimônios líquidos).[4]

Em Wall Street, engenhosidade e complexidade caminham de mãos dadas, e as obrigações conversíveis não são exceção. Entre as mais novas variedades, existe uma mistura de papéis com apelidos em forma de sigla, tais como LYONS, ELKS, EYES, PERCS, MIPS, CHIPS e YEELDS. Esses papéis intricados estabelecem um "piso" para suas perdas potenciais, mas também limitam seus lucros potenciais e muitas vezes compelem o investidor a fazer a conversão em ações ordinárias em uma data fixa. Da mesma forma que a maioria dos investimentos que supostamente oferece proteção contra perdas (ver boxe na p. 462), em geral esses instrumentos geram problemas maiores do que seu valor. Em vez de comprar uma dessas engenhocas complicadas, a melhor forma de se proteger dos prejuízos é diversificando, de forma inteligente, sua carteira inteira em dinheiro, obrigações e ações estrangeiras e americanas.

---

grande do mercado de emissões conversíveis é detida por fundos de *hedge* cuja negociação frenética pode aumentar a volatilidade dos preços.

4 Para obter mais detalhes, ver www.fidelity.com, www.vanguard.com e www.morningstar.com. O investidor inteligente *nunca* comprará um fundo de obrigações conversíveis com despesas operacionais superiores a 1,0% ao ano.

DESCOBRINDO AS OPÇÕES DE COMPRA COBERTAS

À medida que o mercado de baixa se alastrava em 2003, ele ressuscitava uma moda antiga: a emissão de opções de compra cobertas. (Uma pesquisa recente no Google sobre "emissão de opções de compra cobertas" encontrou mais de 2.600 referências.) O que são opções cobertas e como elas funcionam? Suponhamos que você compre cem ações da Ixnay Corp. a US$95 cada. Em seguida, você vende (ou "emite") uma opção de compra sobre suas ações. Em troca, você recebe um pagamento em dinheiro conhecido como o "prêmio da opção". (Suponhamos que seja US$10 por ação.) O comprador da opção, entretanto, tem o direito contratual de comprar suas ações da Ixnay a um preço mutuamente acordado de, digamos, US$100. Você continuará com a ação se ela ficar abaixo de US$100 e ganhará uma receita de prêmio gorda de US$1.000, a qual compensará parcialmente a queda se a ação da Ixnay despencar.

Menos risco, mais retorno. O que pode haver de errado nisso?

Bem, agora imagine que o preço da ação da Ixnay salte para US$110 da noite para o dia. Então, o comprador da opção exercerá seus direitos, surrupiando suas ações por US$100 cada. Você ainda tem os US$1.000 em receita, mas ele tem as ações da Ixnay, e quanto mais elas subirem, mais você se arrependerá.[1]

Uma vez que o ganho potencial sobre uma ação é ilimitado e nenhuma perda pode exceder a 100%, a única pessoa que você enriquecerá com essa estratégia é seu corretor. Você estabelece um piso para suas perdas, mas também ergue um teto sobre seus ganhos. Para investidores individuais, nunca vale a pena se proteger contra uma baixa se para tanto é necessário deixar de aproveitar a maior parte de uma eventual subida.

---

1 Como alternativa, você poderia recomprar a opção de compra, mas teria que absorver uma perda junto com ela, e as opções podem ter custos de corretagem maiores até do que as ações.

CAPÍTULO 17

QUATRO ESTUDOS DE CASO EXTREMAMENTE INSTRUTIVOS

A palavra "extremamente", usada no título, é um tipo de trocadilho, uma vez que esses casos representam extremos de vários tipos que ocorreram em Wall Street recentemente. Eles fornecem lições e conselhos para qualquer um que tenha uma conexão forte com o mundo das ações e obrigações, não apenas para os investidores e especuladores comuns, mas também para profissionais, analistas de títulos, administradores de fundos e *trusts*, e até mesmo para os banqueiros que emprestam dinheiro a empresas. As quatro companhias e os diferentes extremos que elas ilustram são:

*Penn Central (Railroad) Co.*Um exemplo extremo da incapacidade daqueles que tinham obrigações ou ações desse sistema sob sua supervisão de perceber os mais elementares sinais de alerta de debilidade financeira. Um preço de mercado absurdamente alto para a ação de um gigante cambaleante.

Ling-Temco-Vought Inc. Um exemplo extremo de "construção de império" rápida e insensata e de colapso posterior praticamente inevitável, mas auxiliado por uma política de empréstimos demasiadamente liberal.

NVF Corp. Um exemplo extremo de uma aquisição de empresa, na qual uma companhia pequena absorveu outra sete vezes maior, incorrendo em uma dívida enorme e empregando certos dispositivos contábeis alarmantes.

AAA Enterprises. Um exemplo extremo do financiamento público por ações de uma companhia pequena; seu valor estava baseado em pouco mais do que a palavra mágica "franquia" e era patrocinada por corretoras de valores importantes. A falência aconteceu em um intervalo de dois anos após o lançamento da ação e da duplicação do preço inicial inflacionado pelo mercado acionário imprudente.

O caso Penn Central

Esta é a maior ferrovia do país em termos de ativos e receitas brutas. Sua falência em 1970 chocou o mundo financeiro. Ela deixou de pagar a maioria de suas obrigações e corre risco de encerrar suas operações definitivamente. O preço de seus papéis caiu drasticamente, com a ação ordinária desabando de um nível máximo de 86,5, tão recentemente quanto 1968, para um mínimo de 5,5 em 1970. (Parece não haver dúvidas de que essas ações perderão seu valor por completo por conta da reorganização.)[1]

Nosso argumento básico é que a aplicação das mais simples regras de análise de títulos e dos padrões mais simples de investimento sensato teria revelado a fraqueza fundamental do sistema Penn Central bem antes de sua falência, certamente em 1968, quando as ações eram negociadas a seu recorde pós-1929 e a maioria de suas obrigações poderia ter sido trocada em igualdade de condições por obrigações de concessionárias de serviços públicos altamente seguras e que pagavam taxas de juros idênticas. Os comentários a seguir são pertinentes:

1. De acordo com o *Guia de obrigações* da S&P, as despesas com juros do sistema foram cobertas 1,91 vez em 1967 e 1,98 vez em 1968. A cobertura mínima recomendada para obrigações ferroviárias em nosso livro *Security Analysis* é cinco vezes antes do imposto de renda e 2,9 vezes após o imposto de renda às alíquotas usuais. Até onde sabemos, a validade desses padrões nunca foi questionada por qualquer autoridade do ramo dos investimentos. Com base em nossa exigência de lucros *pós-tributação*, a Penn Central ficou aquém das exigências de segurança. Porém, nossa exigência líquida é baseada em um índice bruto de *cinco* vezes, com o imposto de renda usual deduzido após o pagamento de juros das obrigações. No caso da Penn Central, ela não havia pagado *qualquer imposto* nos últimos 11 anos! Portanto, o índice bruto de cobertura de suas despesas com juros era inferior a dois, um número

1 Qual o tamanho do "choque" sofrido pelo mundo financeiro com a falência da Penn Central, declarada durante o fim de semana de 20-21 de junho de 1970? O preço pago na última transação com ações da Penn Central na sexta-feira, 19 de junho, foi de US$11,25 por ação, longe de ser um preço de liquidação. Em tempos mais recentes, ações como as da Enron e da WorldCom também foram negociadas a preços relativamente altos pouco antes da declaração de proteção contra credores.

totalmente inadequado se comparado com nossa exigência conservadora de cinco vezes.

2. O fato de a companhia não haver pagado imposto de renda durante um período tão longo deveria ter levantado dúvidas sérias sobre a *validade* dos lucros informados.
3. As obrigações do sistema Penn Central poderiam ter sido trocadas em 1968 e 1969, sem qualquer prejuízo em termos de preço ou receita, por papéis com uma segurança maior. Por exemplo, em 1969, a Pennsylvania RR de 4,5%, com vencimento em 1994 (parte da Penn Central), foi negociada em uma faixa de 61 a 74,5, enquanto a Pennsylvania Electric Co. de 4,375%, com vencimento em 1994, operava numa faixa de 66,25 a 76,25. A concessionária de serviços públicos obteve lucros equivalentes a 4,20 vezes sua conta de juros pré-tributação em 1968 contra apenas 1,98 vez do sistema Penn Central; durante 1969, o desempenho comparativo deste último se deteriorou. Uma troca desse tipo claramente se fazia necessária e teria sido uma tábua de salvação para o detentor de obrigações da Penn Central. (No final de 1970, as obrigações da ferrovia de 4,25% estavam inadimplentes e sendo negociadas a apenas 18,5, enquanto a obrigação de 4,375% da concessionária de serviços públicos fechava a 66,5.)
4. A Penn Central divulgou lucros de US$3,80 por ação em 1968; seu preço máximo de 86,5 naquele ano foi 24 vezes tais lucros. No entanto, qualquer analista que fizesse jus ao seu salário teria questionado o grau de "realidade" de lucros desse tipo divulgados sem a necessidade de pagar qualquer imposto de renda incidente.
5. Para 1966, a companhia[2] recém-fundida divulgou "lucros" de US$6,80 por ação, levando a ação ordinária ao seu pico de 86,5. Esse valor representava uma avaliação de mais de US$2 bilhões para o capital social. Quantos desses compradores sabiam naquele tempo que esses lucros tão bonitos foram calculados *antes* de um ajuste especial de US$275 milhões ou US$12 por ação, a ser contabilizado em 1971, relativo a "custos e perdas" incorridos com a fusão? Só em um reino do faz de conta como Wall Street uma companhia pode anunciar "lucros" de

2 A Penn Central foi o produto da fusão, anunciada em 1966, da Pennsylvania Railroad com a New York Central Railroad.

US$6,80 por ação em um lugar e "custos e perdas" especiais de US$12 em outro e os acionistas e especuladores pularem de alegria! [3]

6. Um analista de ferrovias teria há muito percebido que o quadro operacional da Penn Central era muito ruim em comparação com o das rodovias mais lucrativas. Por exemplo, seu índice de transporte foi de 47,5% em 1968 em comparação com os 35,2% de sua vizinha, a Norfolk & Western.[4]
7. Ao longo do caminho, houve algumas transações estranhas com resultados contábeis peculiares.[1] Os detalhes são complicados demais para serem abordados aqui.

Conclusão: Poderíamos questionar se uma gestão melhor teria salvado a Penn Central da falência. Porém, não há qualquer dúvida de que nenhuma obrigação e nenhuma ação do sistema Penn Central deveria ter permanecido após 1968, ao mais tardar, em qualquer carteira de investimentos administrada por um analista de títulos, administrador de fundos ou consultor de investimentos competente. *Moral da história*: os analistas de títulos deveriam fazer seu dever de casa antes de estudarem os movimentos do mercado acionário, olharem fixamente para bolas de cristal, fazerem cálculos matemáticos elaborados ou viajarem com todas as despesas pagas pelas companhias que analisam.[5]

Ling-Temco-Vought Inc.

Essa é uma história de expansão acelerada e dívidas aceleradas, que terminou em prejuízos terríveis e em um emaranhado de problemas financeiros.

---

3 Esse tipo de truque contábil, no qual os lucros são divulgados como se os ajustes "incomuns" ou "extraordinários" ou "não recorrentes" não importassem, antecipa o recurso aos balanços financeiros "*pro forma*", que se tornaram populares no final da década de 1990. (Ver comentários ao capítulo 12.)

4 O "índice de transporte" de uma ferrovia (agora mais comumente chamado de índice operacional) mede as despesas de gestão dos trens divididas pelas receitas totais da ferrovia. Quanto maior a taxa, menor a eficiência da ferrovia. Hoje, até mesmo uma taxa de 70% seria considerada excelente.

5 Hoje, a Penn Central é uma memória esmaecida. Em 1976, foi absorvida pela Consolidated Rail Corp. (Conrail), uma companhia *holding* financiada pelo governo federal que salvou várias ferrovias com problemas. A Conrail vendeu ações ao público em 1987 e, em 1997, foi comprada pelas CSX Corp. e Norfolk Southern Corp.

Como em geral acontece em tais casos, um "jovem gênio" ou estrela do futuro foi o principal responsável pela criação do grande império e por sua queda humilhante. No entanto, há muita culpa a ser distribuída entre outras personagens também.[6]

A ascensão e a queda da Ling-Temco-Vought podem ser contadas pela apresentação de contas de receita resumidas e dos itens de balanço referentes a cinco anos entre 1958 e 1970. Isso é feito na Tabela 17-1. A primeira coluna mostra o início modesto da companhia em 1958, quando seu faturamento era apenas US$7 milhões. A segunda mostra os números de 1960; a empresa havia crescido vinte vezes em apenas dois anos, mas ainda era comparativamente pequena. Em seguida, vieram os anos de auge de 1967 e 1968, nos quais o faturamento novamente cresceu vinte vezes, para US$2,8 bilhões, com a dívida crescendo de US$44 milhões para a cifra impressionante de US$1.653.000.000. Em 1969, vieram novas aquisições, mais um aumento imenso da dívida (para um total de US$1.865.000.000!) e o começo de problemas sérios. Um prejuízo grande, após itens extraordinários, foi divulgado para aquele ano; o preço da ação caiu do máximo de 169,5, registrado em 1967, para o mínimo de 24; o jovem gênio foi afastado da direção da companhia. Os resultados de 1970 foram ainda mais pavorosos. A empresa divulgou um prejuízo líquido final de quase US$70 milhões; a ação caiu para um mínimo de 7,125 e sua principal série de obrigações foi cotada certa vez a míseros 15 centavos de dólar. A política de expansão da companhia foi drasticamente revertida, vários de seus ativos importantes foram colocados à venda e houve certo avanço na redução de suas obrigações gigantescas.

---

6 A Ling-Temco-Vought Inc. foi fundada em 1955 por James Joseph Ling, um empreiteiro do ramo elétrico que vendeu seu primeiro US$1 milhão em ações ao público ao se tornar seu próprio banqueiro de investimento, distribuindo literatura promocional de uma cabine instalada na Feira Estadual do Texas. Seu sucesso nessa atividade o levou a adquirir dezenas de companhias diferentes, quase sempre usando ações da LTV para pagá-las. Quanto mais companhias a LTV adquiria, mais alto subiam suas ações e mais companhias ela podia comprar. Em 1969, a LTV era a 14ª maior firma na lista da *Fortune* das 500 maiores companhias americanas. Depois, conforme Graham mostra, o castelo de cartas desabou. (A LTV Corp., que agora fabricava apenas aço, terminou buscando proteção contra os credores no final de 2000.) As companhias que crescem principalmente por meio de aquisições são chamadas de "compradoras em série", e a semelhança com o termo "assassino em série" não é mera coincidência. Como demonstra o caso da LTV, as compradoras em série quase sempre deixam um rastro de morte e destruição financeira. Os investidores que tivessem entendido essa lição de Graham teriam evitado as queridinhas da década de 1990, como Conseco, Tyco e WorldCom.

TABELA 17-1 Ling-Temco-Vought Inc., 1958-1970 (em milhões de dólares, exceto lucros por ação)

A. Resultados operacionais	1958	1960	1967	1969	1970
Receita	US$6,9	US$143,0	US$1.833,0	US$3.750,0	US$374,0
Lucro líquido antes de impostos e juros	0,552	7,287	95,6	124,4	88,0
Despesas com juros	,1 (est.)	1,5 (est.)	17,7	122,6	128,3
(como múltiplo dos lucros)	(5,5x)	(4,8x)	(54x)	(1,02x)	(0,68x)
Imposto de renda	0,225	2,686	35,6	cr. 15,2	4,9
Itens especiais				*dr. 40,6*	*dr. 18,8*
Lucro líquido após itens especiais	0,227	3,051	34,0	*dr. 38,3*	*dr. 69,6*
Saldo para ações ordinárias	0,202	3,051	30,7	*dr. 40,8*	*dr. 71,3*
Lucro por ação ordinária	0,17	0,83	5,56	*def. 10,59*	*def. 17,18*
B. Posição financeira					
Ativos totais	6,4	94,5	845,0	2.944,0	2.582,0
Dívida pagável dentro de um ano	1,5	29,3	165,0	389,3	301,3
Dívida de longo prazo	,5	14,6	202,6	1.500,8	1.394,6
Capital social	2,7	28,5	245,0[a]	*def. 12,0*[b]	*def. 69,0*[b]
C. Razões					
Ativos circulantes/passivos circulantes	1,27x	1,45x	1,80x	1,52x	1,45x
Patrimônio/dívida de longo prazo	5,4x	2,0x	1,2x	0,17x	0,13x
Faixa de preços do mercado		28-20	169½-109	97¾-24⅛	29½-7⅛

[a] Conforme publicado, *cr.*: crédito; *dr.*: débito; *def.*: *prejuízo*

[b] Excluído o desconto de dívidas como um ativo e deduzidas as ações preferenciais ao valor de resgate.

Os números em nossa tabela soam tão eloquentes que poucos comentários se fazem necessários. No entanto, aqui estão alguns:

1. O período de expansão da companhia não foi ininterrupto. Em 1961, ela mostrou um prejuízo operacional pequeno, mas — adotando uma prática que se popularizou nos relatórios de 1970 — evidentemente decidiu jogar todos os ajustes e reservas possíveis naquele ano ruim.[7] Esses lançamentos contábeis somaram aproximadamente US$13 milhões, um valor superior aos lucros líquidos acumulados dos três anos anteriores. Ela estava agora pronta para mostrar "lucros recordes" em 1962 etc.
2. No final de 1966, os ativos tangíveis líquidos foram apresentados com o valor de US$7,66 por ação ordinária (ajustada para um desdobramento 3 por 2). Portanto, o preço de mercado em 1967 atingiu 22 vezes (!) o valor dos ativos divulgados naquele momento. No final de 1968, o balanço mostrou US$286 milhões disponíveis para 3.800.000 ações ordinárias e de Classe AA, ou aproximadamente US$77 por ação. No entanto, se deduzíssemos as ações preferenciais por seu valor pleno e excluíssemos os itens intangíveis e o imenso "ativo"[8] de deságio de obrigações, restariam US$13 milhões para as ações ordinárias, meros US$3 por ação. Esse capital tangível foi pulverizado pelos prejuízos dos anos seguintes.
3. Quase no fim de 1967, dois importantes bancos americanos ofereceram 600 mil ações da Ling-Temco-Vought a US$111 por ação. Elas haviam sido negociadas em níveis tão altos quanto 169,5. Em menos de três anos, o preço caiu para 7,125.[9]

---

7 A tradição sórdida de disfarçar o verdadeiro quadro de lucros da companhia ainda está presente entre nós. Juntar todos os ajustes possíveis em um ano é às vezes chamado de contabilidade "*big bath*" ou "*kitchen sink*". Esse truque contábil permite que as companhias mostrem, com facilidade, um aparente crescimento no ano seguinte, mas os investidores não deveriam considerar isso um indicativo da boa situação da empresa.

8 O "ativo de deságio de obrigações" parece significar que a LTV havia comprado algumas obrigações abaixo de seu valor de paridade e tratava aquele deságio como um ativo, como se as obrigações pudessem em algum momento ser vendidas ao par. Graham repudia esse procedimento, uma vez que raramente existe um meio de saber qual será o preço de mercado de uma obrigação em uma determinada data no futuro. Se as obrigações pudessem ser vendidas apenas a um valor *abaixo* da paridade, esse "ativo" seria na verdade um passivo.

9 Podemos apenas imaginar o que Graham teria pensado dos bancos de investimento responsáveis pelo lançamento público de ações da InfoSpace, Inc. em dezembro de 1998. A ação

4. No final de 1967, os empréstimos bancários atingiram US$161 milhões e chegaram a US$414 milhões no ano seguinte, número esse que deveria ter sido apavorante. Além disso, a dívida de longo prazo subiu para US$1.237.000.000. Em 1969, a dívida total atingiu um montante de US$1.869.000.000. Essa pode ter sido a maior dívida total de uma companhia industrial em qualquer momento da história, com a única exceção da poderosa Standard Oil de Nova Jersey.
5. Os prejuízos em 1969 e 1970 excederam em muito os lucros totais desde a formação da companhia.

Moral da história: A principal questão levantada pelo percurso da Ling-Temco-Vought é saber como os banqueiros comerciais poderiam ter sido convencidos a emprestar à companhia quantidades de dinheiro tão grandes durante seu período de expansão. Em 1966, e mesmo antes disso, a cobertura das despesas com juros da companhia não atendia aos padrões conservadores, ocorrendo o mesmo com as razões entre o ativo circulante e o passivo circulante e entre o capital social e a dívida total. No entanto, nos dois anos seguintes, os bancos emprestaram à empresa mais quase US$400 milhões para diversificação "adicional". Isso não foi um bom negócio para eles, sendo pior ainda para os acionistas da companhia. Se o caso da Ling-Temco-Vought servir para evitar que os bancos comerciais ajudem e incentivem expansões insensatas desse tipo no futuro, alguma coisa boa poderá sair daí afinal.[10]

A aquisição da Sharon Steel pela NVF (um item de colecionador)

No final de 1968, a NVF Company era uma companhia com uma dívida de longo prazo de US$4,6 milhões, capital social de US$17,4 milhões, vendas de US$31 milhões e lucro líquido de US$502.000 (antes de um crédito

---

(ajustada para desdobramentos posteriores) abriu para negociação a US$31,25, atingiu o pico de US$1.305,32 por ação em março de 2000 e terminou 2002 a nababescos US$8,45 por ação.

10 Graham teria ficado decepcionado, embora certamente não surpreso, ao ver os bancos comerciais incentivando cronicamente "expansões insensatas". A Enron e a WorldCom, dois dos maiores colapsos da história empresarial, foram ajudadas e favorecidas por bilhões de dólares em empréstimos bancários.

especial de US$374.000). Seu negócio era descrito como "fibra vulcanizada e plásticos". Seus gestores decidiram adquirir a Sharon Steel Corp., a qual tinha dívida de longo prazo de US$43 milhões, US$101 milhões de capital social, vendas de US$219 milhões e lucro líquido de US$2.929.000. A companhia que ela queria comprar era, portanto, sete vezes o tamanho da NVF. No início de 1969, ela fez uma oferta por todas as ações da Sharon. Os termos por ação eram: títulos subordinados da NVF com juros de 5% e valor nominal de US$70, com vencimento em 1994, mais bônus de subscrição para a compra de 1,5 ação da NVF a US$22 por ação da NVF. A administração da Sharon resistiu arduamente a essa tentativa de aquisição, mas em vão. A NVF adquiriu 88% das ações da Sharon de acordo com os termos da oferta, emitindo, portanto, US$102 milhões de suas obrigações de 5% e bônus de subscrição para 2.197.000 de suas ações. Tivesse a oferta sido aceita em sua totalidade, a empresa consolidada teria, no ano de 1968, dívidas de US$163 milhões, apenas US$2,2 milhões em patrimônio tangível e vendas de US$250 milhões. Teria sido difícil calcular o resultado líquido, mas a companhia subsequentemente divulgou-o como sendo uma perda líquida de cinquenta centavos por ação da NVF antes de receber um crédito extraordinário e como um lucro líquido de três centavos por ação após tal crédito.[11]

Primeiro comentário: Entre todas as aquisições efetuadas no ano de 1969, essa foi, sem dúvida, a mais extremada no que se refere às suas desproporções financeiras. A companhia compradora assumiu a responsabilidade por uma dívida nova e pesada e mudou na mesma hora seus resultados calculados referentes a 1968 de lucro para prejuízo. Um sinal dos danos causados à po-

---

11 Em junho de 1972 (logo após Graham terminar esse capítulo), um juiz federal descobriu que o presidente da NVF, Victor Posner, havia de maneira imprópria desviado ativos de pensão da Sharon Steel "para ajudar companhias afiliadas em suas aquisições de outras empresas". Em 1977, a U.S. Securities and Exchange Commission instituiu uma medida cautelar permanente contra Posner, a NVF e a Sharon Steel para evitar que violassem no futuro as leis federais contra fraudes mobiliárias. A comissão alegou que Posner e sua família haviam impropriamente obtido US$1,7 milhão em vantagens pessoais da NVF e da Sharon, superestimado os lucros brutos da Sharon em US$13,9 milhões, registrado erroneamente o inventário e "movido receitas e despesas entre um ano e outro". A Sharon Steel, a qual Graham havia avistado, com seu olho frio e cético, ficou conhecida entre os piadistas de Wall Street como "roubada acionária" [Nota da tradutora: um jogo de palavras entre "share and steal" e "Sharon Steel"]. Posner foi mais tarde uma força central na onda de aquisições alavancadas (*leveraged buyout*) e aquisições hostis que varreu os Estados Unidos na década de 1980, quando ele se tornou um grande cliente para os *junk bonds* subscritos pela Drexel Burnham Lambert.

sição financeira da companhia por essa alteração é o fato de que as novas obrigações de 5% não foram negociadas em níveis superiores a 42 centavos de dólar durante o ano de seu lançamento. Isso indicaria grandes dúvidas a respeito da segurança das obrigações e do futuro da companhia. No entanto, os gestores efetivamente se aproveitaram do preço das obrigações de forma a poupar a companhia de impostos de renda anuais no valor de aproximadamente US$1.000.000, como será mostrado mais adiante.

O relatório de 1968, publicado após a aquisição da Sharon, continha um resumo de seus resultados com base na posição de fim de ano. Ele continha dois itens decididamente incomuns:

1. Lista US$58.600.000 de "despesas de dívidas diferidas" como um ativo. Essa soma é maior do que todo o "capital social", avaliado em US$40.200.000.
2. No entanto, não estava incluído no patrimônio líquido um item de US$20.700.000 designado como "capital acima do custo de investimento na Sharon".

Segundo comentário: Se eliminássemos a despesa de dívida como um ativo, o qual ela dificilmente parece ser, e incluíssemos o outro item no capital social (lugar ao qual normalmente pertenceria), então teríamos uma avaliação mais realista do valor tangível das ações da NVF, a saber, US$2.200.000. Portanto, o primeiro efeito do negócio foi reduzir o "patrimônio real" da NVF de US$17.400.000 para US$2.200.000, ou de US$23,71 por ação para aproximadamente US$3 por ação, sobre 731.000 ações. Além disso, os acionistas da NVF haviam cedido a terceiros o direito de compra de 3,5 vezes mais ações adicionais a seis pontos abaixo do preço do mercado no fechamento de 1968. O valor de mercado inicial das cauções foi cerca de US$12 cada, ou um total de US$30 milhões para os envolvidos na proposta de aquisição. Na verdade, o valor de mercado das cauções excedia em muito o valor de mercado total das ações da NVF em circulação, outra evidência da natureza de "rabo abanando o cachorro" da transação.

Os truques contábeis

Quando passamos desse balanço *pro forma* para o relatório do ano seguinte, encontramos alguns itens de aparência estranha. Além da despesa básica com juros (pesados US$7.500.000), há uma dedução de US$1.795.000

para "amortização de despesa de dívida diferida". No entanto, esse último item é quase inteiramente compensado na próxima linha por uma outra receita altamente incomum: "amortização de patrimônio acima do custo de investimento em subsidiária: Cr. US$1.650.000". Em uma das notas de rodapé, encontramos um item que não aparece em qualquer outro balanço que conhecemos: parte do patrimônio está lá designada como "valor de mercado de cauções emitidas em conexão com aquisições etc., US$22.129.000".

O que de fato significam todos esses itens? Nenhum deles sequer é mencionado no texto descritivo do relatório de 1969. O analista de títulos treinado precisa desvendar esses mistérios por si mesmo, como se fosse um detetive. Ele descobriria que a ideia subjacente era derivar uma vantagem fiscal do preço baixo inicial das debêntures de 5%. Para os leitores que podem estar interessados nesse arranjo engenhoso, apresentamos nossa solução no Apêndice 6.

Outros itens incomuns

1. Logo após o final de 1969, a companhia recomprou nada menos que 650.000 cauções a um preço de US$9,38, cada. Esse fato foi extraordinário se considerarmos que (a) a própria NVF tinha apenas US$700.000 em caixa no final do ano e US$4.400.000 de dívida vencendo em 1970 (evidentemente, os US$6 milhões pagos pelas cauções tiveram que ser tomados emprestados); (b) ela estava recomprando esse "dinheiro de papel" em forma de cauções em um momento em que suas obrigações de 5% eram negociadas a menos de quarenta centavos de dólar, em geral um sinal de dificuldades financeiras iminentes.
2. Como uma compensação parcial, a companhia pagou US$5.100.000 de suas obrigações juntamente com 253.000 cauções em troca de uma quantidade equivalente de ações ordinárias. Isso foi possível porque, pelos caprichos do mercado de investimentos, as pessoas estavam negociando as obrigações de 5% a menos de quarenta, enquanto as ordinárias eram negociadas a um preço médio de 13,5, e não pagavam dividendos.
3. A companhia planejava vender a seus empregados não apenas ações, como também um número maior de bônus de subscrição para a compra de ações. Ambas seriam pagas da seguinte maneira: 5% à vista e o

saldo em prestações facilitadas. Esse é o único plano de compra de bônus de subscrição por empregados que conhecemos. Será que alguém inventará em breve e venderá em prestações um direito de compra sobre um direito de compra de uma ação e assim por diante?

4. No ano de 1969, a recém-controlada Sharon Steel Co. mudou o método de cálculo dos custos de seu fundo de pensão e também adotou taxas de depreciação mais baixas. Essas mudanças contábeis acrescentaram aproximadamente US$1 por ação aos lucros divulgados pela NVF antes da diluição.
5. No final de 1970, o *Guia de ações* da Standard & Poor's informou que as ações da NVF estavam sendo negociadas a uma razão preço/lucro de apenas 2, o número mais baixo de todas as 4.500 ações incluídas no guia. Conforme o ditado popular de Wall Street, isso seria "importante se fosse verdadeiro". A razão se baseava no preço de fechamento de 8,75 daquele ano, e os "lucros" computados de US$5,38 por ação nos 12 meses encerrados em setembro de 1970. (Usando esses dados, as ações eram negociadas a apenas 1,6 vez os lucros.) No entanto, esse índice não levava em conta o grande fator de diluição,[12] nem os resultados adversos efetivamente ocorridos no último trimestre de 1970. Quando os números completos do ano finalmente apareceram, eles mostraram um lucro de apenas US$2,03 por ação, antes de levar em conta a diluição, e US$1,80 após a diluição. Observe também que o valor de mercado agregado das ações e das cauções naquela data foi de aproximadamente US$14 milhões em comparação com uma dívida em obrigações de US$135 milhões, uma posição patrimonial de fato periclitante.

AAA Enterprises

História

Há aproximadamente 15 anos, um estudante universitário chamado Williams começou a vender casas móveis (que eram então denominadas

12 O "maior fator de diluição" seria acionado quando os empregados da NVF exercessem suas cauções para comprar ações ordinárias. A companhia então teria que emitir mais ações e seus lucros líquidos seriam divididos por um número bem maior de ações em circulação.

trailers).[13] Em 1965, ele abriu o capital de seu negócio. Naquele ano, vendeu US$5.800.000 de casas móveis e lucrou US$61.000 antes do imposto de renda. Em 1968, ele havia se juntado ao movimento de "franquias" e estava vendendo a outros o direito de vender casas móveis sob o nome de sua empresa. Ele também concebeu a brilhante ideia de entrar no negócio de preparar declarações de imposto de renda, usando casas móveis como escritórios. Formou uma companhia subsidiária chamada Mr. Tax of America e, claro, começou a vender franquias para outros usarem a ideia e o nome. Ele multiplicou o número de ações da empresa para 2.710.000 e estava pronto para emitir ações ao público. Williams descobriu que uma de nossas maiores corretoras de valores, juntamente com outras, estava disposta a conduzir o negócio. Em março de 1969, eles ofereceram ao público 500.000 ações da AAA Enterprises a US$13 cada ação. Dessas, 300.000 foram vendidas para a conta pessoal do sr. Williams e 200.000 para a conta da companhia, acrescentando US$2.400.000 a seus recursos. O preço da ação prontamente dobrou para 28, ou um valor contábil de US$84 milhões comparado com um valor contábil de, digamos, US$4.200.000 e lucros máximos divulgados de US$690.000. A ação era negociada, portanto, a 115 vezes seus lucros atuais (e máximos) por ação. Sem dúvida o Sr. Williams havia selecionado o nome AAA Enterprises para que a companhia fosse encontrada entre os primeiros da lista telefônica e das páginas amarelas. Um efeito colateral dessa estratégia era sua companhia aparecer como o primeiro nome no *Guia de ações* da Standard & Poor's. Da mesma forma que Abu-Ben-Adhem, esse começo gerou todo o resto.[14] Essa é uma

---

13 Jackie G. Williams fundou a AAA Enterprises em 1958. Em seu primeiro dia de negociação, a ação subiu 56% e fechou a US$20,25. Williams anunciou mais tarde que a AAA apresentaria um novo conceito de franquia a cada mês (se as pessoas entrassem em uma casa móvel para terem seus impostos de renda preparados pelo "Mr. Tax of America", imagine só o que mais eles poderiam fazer dentro de um *trailer*!). Porém, o dinheiro e o tempo da AAA acabaram antes das ideias de Williams. A história da AAA Enterprises lembra a saga de uma companhia posterior com gestão carismática e ativos escassos: o valor de mercado das ações da ZZZZ Best atingiu aproximadamente US$200 milhões no final da década de 1980, muito embora seu suposto negócio de limpeza industrial fosse pouco mais do que um telefone e um escritório alugado por um adolescente chamado Barry Minkow. A ZZZZ Best quebrou e Minkow foi preso. Enquanto você lê esta nota, outra companhia semelhante está sendo formada e uma nova geração de "investidores" será lesada. Ninguém que tivesse lido Graham, no entanto, teria sido enganado.

14 Em "Abou Ben Adhem", de autoria do poeta romântico inglês Leigh Hunt (1784-1859), um muçulmano honrado vê um anjo escrevendo em um livro dourado "os nomes daqueles que amam o Senhor". Quando o anjo diz a Abou que seu nome não está entre aqueles, Abou

razão especial para selecioná-la como um exemplo arrepiante dos novos financiamentos e das "*hot issues*" de 1969.

Comentário: Esse não foi um mau negócio para o Sr. Williams. As trezentas mil ações que ele vendeu tinham um valor contábil em dezembro de 1968 de US$180.000 e ele, portanto, recebeu vinte vezes mais ou US$3.600.000. Os subscritores e distribuidores ratearam US$500.000 entre si, antes das despesas.

1. Esse não parecia ser um negócio tão brilhante para os clientes das corretoras encarregadas da venda. Eles foram solicitados a pagar aproximadamente dez vezes o valor contábil da ação após a operação de autoalavancagem que aumentou o valor de cada ação de 59 centavos para US$1,35 usando o próprio dinheiro.[15] Antes de seu melhor ano, registrado em 1968, os lucros máximos da companhia haviam sido ridículos sete centavos por ação. Existiam planos ambiciosos para o futuro, claro, mas o público estava sendo solicitado a pagar adiantado um preço salgado pela possível realização desses planos.
2. Não obstante, o preço da ação dobrou logo após seu lançamento original, e qualquer um dos clientes de corretoras poderia ter saído com um lucro considerável. Esse fato altera a avaliação do lançamento? Ou a possibilidade de um eventual aumento exonera os distribuidores originais do papel da responsabilidade por essa oferta pública e suas consequências posteriores? Essa não é uma questão fácil de ser respondida, mas ela merece consideração cuidadosa por parte de Wall Street e das agências regulatórias do governo.[16]

---

diz: "Rogo-lhe, então, que escreva meu nome na lista dos que amam seus semelhantes." O anjo retorna na noite seguinte para mostrar a Abou o livro no qual agora o "nome de Ben Adhem encabeça todos os outros."

15 Ao comprar mais ações ordinárias pagando um ágio sobre o valor contábil, o público investidor aumentou o valor patrimonial por ação da AAA. No entanto, os investidores estavam apenas iludindo a si mesmos, uma vez que a maior parte do aumento no patrimônio dos acionistas derivou da própria vontade do público de pagar um valor inflado pelas ações.

16 A questão de Graham aqui é que os bancos de investimento não têm direito de se considerarem responsáveis pelos ganhos que uma *hot stock* pode produzir logo após sua oferta inicial ao público, a menos que também estejam dispostos a assumir a culpa pelo desempenho da ação no longo prazo. Muitos IPOs de internet subiram 1.000% ou mais em 1999 e no início de 2000; a maioria deles perdeu mais de 95% nos três anos subsequentes. Como esses ganhos iniciais obtidos por uns poucos investidores justificam a imensa destruição de riqueza sofrida pelos milhões de investidores que entraram posteriormente? Muitos IPOs foram, na verdade,

História subsequente

Com seu capital aumentado, a AAA Enterprises ingressou em dois outros negócios. Em 1969, ela abriu uma cadeia de lojas de tapetes a varejo e adquiriu uma fábrica que produzia casas móveis. Os resultados divulgados para os primeiros nove meses não foram exatamente brilhantes, mas foram um pouco melhores do que os do ano anterior, ou seja, 22 centavos por ação contra 14 centavos. O que aconteceu nos meses seguintes foi literalmente inacreditável. A companhia perdeu US$4.365.000 ou US$1,49 por ação. Isso consumiu todo seu capital antes do financiamento, mais os US$2.400.000 inteiros recebidos pela venda de ações e mais dois terços da quantia divulgada como lucro nos primeiros nove meses de 1969. Sobraram patéticos US$242.000, ou oito centavos por ação, de capital para os acionistas públicos que haviam pagado US$13 pelo novo lançamento apenas sete meses antes. Não obstante essa situação, as ações fecharam o ano de 1969 com interessados em sua compra a 8,125 ou uma "avaliação" da companhia superior a US$25 milhões.

COMENTÁRIOS ADICIONAIS:

1. É uma ilusão acreditar que a companhia havia realmente lucrado US$686.000 de janeiro a setembro de 1969 e depois perdido US$4.365.000 nos três meses seguintes. Havia algo triste, ruim e culposo no relatório de 30 de setembro.
2. O preço de fechamento do ano com interessados na compra a 8,125 foi uma demonstração da insensatez completa dos preços do mercado acionário ainda maior do que havia sido o preço de oferta original de 28. Essa cotação original, pelo menos, estava baseada no entusiasmo e na esperança, desprovida de qualquer relação com a realidade e com o bom senso, mas era, pelo menos, compreensível. A avaliação de fim de ano de US$25 milhões foi dada a uma companhia que havia perdido tudo exceto um remanescente minúsculo de seu capital, sendo iminente sua condição de insolvência completa. Logo, as palavras "entusiasmo" ou "esperança" só poderiam ser sarcasmos amargos. (É verdade que os números de fim de ano não haviam sido publicados até 31 de dezembro, mas faz parte do negócio das corretoras de Wall

---

deliberadamente cotados a um valor baixo para "fabricar" ganhos imediatos que atrairiam mais atenção para a próxima oferta.

Street associadas a uma companhia obter relatórios operacionais mensais e uma ideia bastante acurada do que está acontecendo.)

Capítulo final

A companhia divulgou um prejuízo adicional de US$1 milhão relativo ao primeiro semestre de 1970. Ela agora tinha um *deficit* de capital significativo. Só não precisou pedir falência por causa de empréstimos efetuados pelo Sr. Williams que totalizaram US$2.500.000. Aparentemente, não se divulgou qualquer outro comunicado até que, em janeiro de 1971, a AAA Enterprises finalmente pediu falência. A cotação do papel no final do mês ainda foi de interessados na compra a cinquenta centavos por ação ou US$1.500.000 por todo o capital social, o qual evidentemente só prestava para papel de parede. Fim de nossa história.

Moral da história e questões: O público especulativo é incorrigível. Em termos financeiros, não consegue contar até dez. Ele comprará qualquer coisa a qualquer preço, se parecer haver alguma "jogada" em andamento, e se deixará seduzir por qualquer companhia identificada com "franquias", computadores, eletrônica, ciência, tecnologia, ou o que seja, se ela estiver na moda. É claro que nossos leitores, todos investidores sensatos, estão acima de tais bobagens. No entanto, permanecem algumas questões, tais como: Não deveriam as corretoras responsáveis ser honestas e evitar se identificarem com tais empreendimentos, nove em dez dos quais podem estar fadados a um eventual fracasso? (Essa era realmente a situação quando o autor entrou em Wall Street, em 1914. Se fizermos uma análise comparativa, parece que os padrões éticos do mercado caíram em vez de subirem nos 57 anos seguintes, apesar de todos os controles e reformas.) Será que a SEC poderia e deveria receber poderes adicionais para proteger o público, além dos que ela já possui, os quais são limitados à exigência da publicação de todos os fatos relevantes no prospecto de oferta? Deveria ser criado algum tipo de placar para ofertas públicas de vários tipos e publicado de forma visível? Deveria todo prospecto, e talvez toda confirmação de venda oriunda de uma oferta original, possuir algum tipo de garantia formal de que o preço de oferta do papel não está substancialmente fora de linha se comparado com os preços vigentes de papéis semelhantes já estabelecidos no mercado? Enquanto escrevemos esta edição, está em curso um movimento em favor de uma reforma para combater os abusos de Wall Street. Será difícil impor mudanças que valham a pena no campo das novas ofertas, já que os abusos são, em grande medida, resultado da própria insensatez e ganância do público. No entanto, o assunto merece consideração prolongada e cuidadosa.[17]

17 As primeiras quatro frases do parágrafo de Graham poderiam ser entendidas como o epitáfio oficial da bolha da internet e das telecomunicações que arrebentou no início de 2000. Assim como a advertência do Ministério da Saúde em um maço de cigarros não impede ninguém de fumar, nenhuma reforma regulatória evitará que os investidores ingiram uma overdose de sua própria ganância. (Nem mesmo o comunismo conseguiu acabar com as bolhas de mercado; o mercado de ações chinês subiu vertiginosos 101,7% no primeiro semestre de 1999 e depois entrou em colapso.) Nem os bancos de investimento poderão eliminar inteiramente sua compulsão para vender qualquer ação a qualquer preço que o mercado aguente. O círculo pode ser rompido apenas por um investidor e um assessor financeiro de cada vez. Dominar os princípios de Graham (ver sobretudo os capítulos 1, 8 e 20) é a melhor maneira de começar.

COMENTÁRIOS AO CAPÍTULO 17

O deus da sabedoria, Odin, dirigindo-se ao rei dos trolls, *imobilizou-o com uma chave de braço e exigiu saber dele como a ordem poderia triunfar sobre o caos. "Dê-me seu olho esquerdo", disse o* troll, *"e eu lhe direi". Sem hesitar, Odin deu-lhe o olho esquerdo. "Agora me diga." E o* troll *disse: "O segredo é: 'Mantenha os dois olhos bem abertos!'"*

John Gardner

QUANTO MAIS AS COISAS MUDAM...

Graham enfatiza quatro extremos:

- um "gigante cambaleante" supervalorizado;
- um conglomerado construtor de impérios;
- uma fusão na qual uma firma minúscula adquire uma grande; e
- uma oferta pública inicial de ações por parte de uma companhia basicamente desprovida de qualquer valor.

Os últimos poucos anos trouxeram um número suficiente de novos casos extremos dos tipos relatados por Graham capazes de encher uma enciclopédia. Aqui estão alguns exemplos:

TRANSLÚCIDO, NÃO TRANSPARENTE

Em meados de 2000, a Lucent Technologies Inc. era possuída por mais investidores do que qualquer outra ação americana. Com uma capitalização de mercado de US$192,9 bilhões, era a décima segunda companhia mais valiosa da América.

Será que essa megaavaliação era justificada? Olhemos alguns pontos básicos no relatório financeiro da Lucent para o trimestre fiscal encerrado em 30 de junho de 2000.[1]

1 Esse documento, como todos os relatórios financeiros citados neste capítulo, está disponível ao público no banco de dados EDGAR em www.sec.gov.

FIGURA 17-1 Lucent Technologies Inc.

	Para o trimestre encerrado em...	
	30 de junho de 2000	30 de junho de 1999
Receita		
Faturamento	8.713	7.403
Lucro (prejuízo) de operações continuadas	(14)	622
Lucro (prejuízo) de operações descontinuadas	(287)	141
Lucro líquido	(301)	763
Ativos		
Dinheiro em caixa	710	1.495
Recebíveis	10.101	9.486
Intangíveis	8.736	3.340*
Custos de desenvolvimento de *software* capitalizados	576	412
Ativos totais	46.340	37.156

Todos os números em milhões de dólares. * Outros ativos, incluindo intangíveis.
Fonte: Relatórios financeiros trimestrais da Lucent (Formulário 10-Q).

Uma análise mais atenta do relatório da Lucent aciona um alarme tão estridente quanto uma mesa telefônica que não atende às chamadas:

- A Lucent tinha acabado de comprar um fornecedor de equipamentos ópticos, a Chromatis Networks, por US$4,8 bilhões, dos quais US$4,2 bilhões em "intangíveis" (ou custo acima do valor contábil). A Chromatis tinha 150 empregados, nenhum cliente e nenhuma receita, daí o termo intangível parecer inadequado; talvez "devaneio" fosse mais adequado. Se os produtos embrionários da Chromatis não tivessem sucesso, a Lucent teria que dar baixa no valor dos intangíveis e lançá-los contra os lucros no futuro.
- Uma nota de rodapé revela que a Lucent havia emprestado US$1,5 bilhão a compradores de seus produtos. A Lucent também era responsável por US$350 milhões em garantias de dinheiro que seus clientes haviam tomado emprestado alhures. O total desses "financiamentos de clientes" tinha dobrado em um ano, sugerindo que os compradores estavam ficando sem dinheiro para comprar os produtos da Lucent. E se eles ficassem sem dinheiro para pagar suas dívidas?
- Finalmente, a Lucent tratou o custo de desenvolvimento de *software* novo como um "ativo permanente". Em vez de um ativo, não seria isso uma despesa comercial rotineira que deveria ser deduzida dos lucros?

Conclusão: Em agosto de 2001, a Lucent fechou a divisão Chromatis após seus produtos terem atraído, de acordo com informações recebidas, apenas dois clientes.[2] No ano fiscal de 2001, a Lucent perdeu US$16,2 bilhões e no ano de 2002 perdeu outros US$11,9 bilhões. Incluídos nesses prejuízos estavam US$3,5 bilhões em "reservas para dívidas incobráveis e financiamentos de clientes", US$4,1 bilhões em "ajustes negativos relacionados a intangíveis" e US$362 milhões em ajustes "relacionados a *software* capitalizado".

As ações da Lucent, negociadas a US$51,062 em 30 de junho de 2000, terminaram 2002 a US$1,26, uma perda de quase US$190 bilhões em valor de mercado em dois anos e meio.

O MAGO DAS AQUISIÇÕES

Para descrever a Tyco International Ltd., podemos apenas parafrasear Winston Churchill e dizer que nunca tanto foi vendido por tanto para tão poucos. De 1997 a 2001, esse conglomerado com sede nas Bermudas gastou mais de US$37 bilhões, a maior parte deles em ações da própria Tyco, comprando companhias da mesma forma como Imelda Marcos comprava sapatos. Apenas no ano fiscal de 2000, de acordo com seu relatório anual, a Tyco adquiriu "aproximadamente duzentas companhias", uma média de mais de uma a cada dois dias.

O resultado? A Tyco cresceu de forma fenomenalmente rápida; em cinco anos, as receitas saltaram de US$7,6 bilhões para US$34 bilhões e o lucro operacional subiu de um prejuízo de US$476 para um ganho de US$6,2 bilhões. Não surpreende que a capitalização de mercado de suas ações chegasse a US$114 bilhões no final de 2001.

Porém, os balanços financeiros da Tyco eram, no mínimo, tão estonteantes quanto seu crescimento. Quase todo ano, eles incluíam centenas de milhões de dólares em ajustes relacionados a aquisições. Essas despesas se dividiam em três categorias:

1. baixas relativas a "fusões" ou "reestruturações" ou "outros custos não recorrentes";
2. "ajustes para a deterioração de ativos de longo prazo"; e

---

2 O fim da aquisição da Chromatis é avaliada no *The Financial Times* de 29 de agosto de 2001, p. 1 e em 1-2 de setembro de 2001, p. XXIII.

3. "baixas relativas à aquisição de pesquisa e desenvolvimento em andamento".

Para sermos breves, vamos nos referir ao primeiro tipo de ajuste como Moron, ao segundo como Chilla e ao terceiro como Woopiprad. Como eles se saíram ao longo do tempo?

FIGURA 17-2 Tyco International Ltd.

	Ano fiscal	Moron	Chilla	Woopiprad
	1997	918	148	361
	1998	0	0	0
	1999	1.183	335	0
	2000	4.175	99	0
	2001	234	120	184
Totais		2.510	702	545

Todos os números conforme originalmente divulgados, cotados em centenas de milhões de dólares.
Totais para "fusões e aquisições" não incluem negócios de operações conjuntas
Fonte: Relatórios anuais da Tyco International (Formulário 10-K).

Como pode ser visto, os encargos de Moron, os quais *supostamente são não recorrentes,* mostraram aumento em quatro dos cinco anos e totalizaram astronômicos US$2,5 bilhões. A Chilla apareceu de forma igualmente frequente e remontou a mais de US$700 milhões. A Woopiprad representou outro meio bilhão de dólares.[3]

O investidor inteligente perguntaria:

- Se a estratégia da Tyco de crescer por meio de aquisição era uma ideia tão boa, como ela pôde precisar gastar em média US$750 milhões ao ano fazendo uma faxina em si mesmo?
- Se, como parece claro, a Tyco não estava no ramo de fazer coisas, mas, em vez disso, no ramo de comprar outras companhias que fazem coisas,

3 Ao contabilizar as aquisições, o aumento do Woopiprad capacitou a Tyco a reduzir a parcela do preço de compra por ela alocada ao *goodwill*. Uma vez que a Woopiprad pode ser lançada de uma única vez, enquanto o *goodwill* (segundo as regras de contabilidade então em vigor) tinha que receber baixa ao longo de períodos plurianuais, essa manobra capacitou a Tyco a minimizar o impacto dos ajustes decorrentes da baixa de *goodwill* nos lucros futuros.

então por que seus encargos Moron eram "não recorrentes"? Eles não seriam apenas parte dos custos normais da conduta empresarial da Tyco?
- E com ajustes contábeis relativos a aquisições passadas estragando os lucros todos os anos, quem poderia dizer como seria o ano seguinte?

Na verdade, um investidor seria mesmo incapaz de dizer quais haviam sido os *lucros passados* da Tycon. Em 1999, após uma revisão contábil da Securities and Exchange Commission americana, a Tycon acrescentou retroativamente US$257 milhões em encargos Moron às suas despesas de 1998, dando a entender que aqueles custos "não recorrentes" haviam efetivamente recorrido naquele ano também. Ao mesmo tempo, a companhia modificou os ajustes originalmente divulgados em 1999: a Moron caiu para US$929 milhões, enquanto a Chilla subiu para US$507 milhões.

A Tyco estava claramente crescendo em tamanho, mas ela estava ficando mais lucrativa? Nenhum observador externo poderia afirmar isso com segurança.

CONCLUSÃO: No ano fiscal de 2002, a Tyco perdeu US$9,4 bilhões. A ação, que tinha fechado a US$58,90 no final do ano de 2001, terminou 2002 a US$17,08, uma perda de 71% em 12 meses.[4]

A SARDINHA QUE ENGOLIU UMA BALEIA

Em 10 de janeiro de 2000, a America Online, Inc. e a Time Warner Inc. anunciaram sua fusão em um negócio inicialmente avaliado em US$156 bilhões.

Em 31 de dezembro de 1999, a AOL tinha US$10,3 bilhões em ativos e suas receitas ao longo dos últimos 12 meses haviam atingido US$5,7 bilhões. A Time Warner, por outro lado, tinha US$51,2 bilhões em ativos e receitas de US$27,3 bilhões. A Time Warner era uma companhia evidentemente maior, de acordo com qualquer medida exceto uma: a cotação de suas ações. A ação da America Online era negociada a estupendos 164 vezes os lucros porque enfeitiçava os investidores simplesmente por ser uma empresa de internet. As ações da Time Warner, uma mistura de televisão a cabo, cinemas, música e revistas, eram negociadas a cinquenta vezes seus lucros.

---

4 Em 2002, o ex-presidente da Tyco, L. Dennis Kozlowski, foi autuado por autoridades das Justiças estadual e federal por fraude no imposto de renda e uso impróprio dos ativos da Tyco em seu próprio proveito, incluindo a apropriação de US$15.000 para a compra de um cesto de guarda-chuvas e US$6.000 para a compra de uma cortina de chuveiro. Kozlowski negou todas as acusações.

Ao anunciar o negócio, as duas companhias chamaram-no de uma "fusão estratégica de iguais". O presidente da Time Warner, Gerald M. Levin, declarou que "as oportunidades são ilimitadas para todos aqueles vinculados à AOL Time Warner" e, acima de tudo, ele acrescentou, "para seus acionistas".

Em êxtase com a possibilidade de que suas ações pudessem finalmente adquirir o charme de uma queridinha de internet, os acionistas da Time Warner aprovaram o negócio por esmagadora maioria. No entanto, eles não levaram em conta certas coisas:

- Essa "fusão de iguais" foi desenhada para dar aos acionistas da America Online 55% da companhia combinada, muito embora a Time Warner fosse cinco vezes maior.
- Pela segunda vez em três anos, a Securities and Exchange Commission estava investigando se a America Online havia contabilizado os custos de comercialização de forma inapropriada.
- Quase metade dos ativos totais da America Online — no valor de US$4,9 bilhões — era constituída de "papéis patrimoniais disponíveis para venda". Se os preços das ações de tecnologia caíssem, isso poderia destruir grande parte da base de ativos da companhia.

Conclusão: Em 11 de janeiro de 2001, as duas firmas finalizaram a fusão. A AOL Time Warner Inc. perdeu US$4,9 bilhões em 2001 e — no maior prejuízo jamais registrado por uma companhia — outros US$98,7 bilhões em 2002. A maioria dos prejuízos derivou da baixa de valores da America Online. No final do ano de 2002, os acionistas para os quais Levin havia previsto oportunidades "ilimitadas" nada tinham a mostrar além de uma perda de aproximadamente 80% no valor de suas ações desde que o negócio foi anunciado pela primeira vez.[5]

VOCÊ É CAPAZ DE SER REPROVADO NO CURSO DE INVESTIMENTOS MAIS ELEMENTAR?

Em 20 de maio de 1999, a eToys Inc. vendeu 80% de suas ações ao público. Quatro dos bancos de investimento mais prestigiosos de Wall Street — Goldman, Sachs & Co.; BancBoston Robertson Stephens; Donaldson, Lufkin

---

5 Informação relevante: Jason Zweig é um empregado da Time Inc., anteriormente uma divisão da Time Warner e agora uma unidade da AOL Time Warner Inc.

& Jenrette; e Merrill Lynch & Co. — subscreveram 8.320.000 ações a US$20 cada, levantando US$166,4 milhões. A ação subiu em ritmo acelerado, fechando a US$76,5625, um ganho de 282,8% em seu primeiro dia de negociação. A esse preço, a eToys (com 102 milhões de ações) tinha um valor de mercado de US$7,8 bilhões.[6]

Que tipo de negócio os compradores conseguiram por aquele preço? As vendas da eToys haviam aumentado 4.261% no ano anterior e ela tinha ganhado 75.000 novos clientes apenas no último trimestre. No entanto, em seus vinte meses de vida como empresa, a eToys tinha gerado vendas totais de US$30,6 milhões, as quais acarretaram um prejuízo líquido de US$30,8 milhões, o que significa que a eToys estava gastando US$2 para vender cada dólar em forma de brinquedos.

O prospecto do IPO também revelava que a eToys usaria parte da receita da oferta para adquirir outra operação on-line, a BabyCenter, Inc., a qual havia perdido US$4,5 milhões sobre uma base de US$4,8 milhões de vendas durante o ano anterior. (Para fisgar essa preciosidade, a eToys pagaria meros US$205 milhões.) E a eToys "reservaria" 40,6 milhões de ações ordinárias para distribuição futura entre seus gestores. Portanto, se a eToys ganhasse dinheiro algum dia, sua receita líquida teria de ser dividida não entre 102 milhões de ações, mas entre 143 milhões, diluindo quaisquer lucros futuros por ação em quase um terço.

Uma comparação da eToys com a Toys "R" Us, Inc. — seu maior concorrente — é chocante. No trimestre anterior, a Toys "R" Us registrou US$27 milhões em lucro líquido e vendeu setenta vezes mais em produtos do que a eToys no ano inteiro. No entanto, como mostra a Figura 17-3, o mercado de ações cotou a eToys a um preço aproximadamente US$2 bilhões *superior* ao da Toys "R" Us.

CONCLUSÃO: Em 7 de março de 2001, a eToys solicitou proteção contra os credores após prejuízos líquidos de mais de US$398 milhões em sua breve vida

---

6 O prospecto da eToys tinha uma capa vistosa, com um desenho original de Arthur, o tamanduá, mostrando em um estilo cômico como seria mais fácil comprar artigos para crianças na eToys do que em uma loja de brinquedos tradicional. A analista Gail Bronson, do IPO Monitor, disse à Associated Press no dia da oferta das ações da empresa, "a eToys administrou muito, muito inteligentemente o desenvolvimento da companhia no ano passado e se posicionou como o polo das crianças da internet". Acrescentou Bronson: "As chaves para um IPO bem-sucedido, sobretudo um IPO de internet, são uma boa publicidade e uma marca forte." Bronson estava certa em parte: essa é a chave para um IPO bem-sucedido para a companhia emissora e seus banqueiros. Infelizmente, para os *investidores*, a chave para um IPO bem-sucedido são os lucros, os quais a eToys não possuía.

como companhia pública. A ação, que atingiu o pico de US$86 em outubro de 1999, foi negociada pela última vez a um centavo.

FIGURA 17-3 Uma história de brincadeira

	eToys Inc. ano fiscal encerrado em 31/03/1999	Toys "R" Us, Inc. trimestre fiscal encerrado em 1º/05/1999
Faturamento líquido	30	2.166
Lucro líquido	(29)	27
Dinheiro em caixa	20	289
Ativos totais	31	8.067
Valor de mercado das ações ordinárias (20/5/1999)	7.780	5.650

Todas as quantias em milhões de dólares.
Fontes: Relatórios registrados na SEC pelas companhias

CAPÍTULO 18
UMA COMPARAÇÃO ENTRE OITO PARES DE COMPANHIAS

Neste capítulo, tentaremos uma forma diferente de apresentação. Ao selecionar oito pares de companhias que aparecem próximas umas das outras na lista da bolsa de valores, esperamos destacar de forma concreta algumas das muitas variedades de caráter, estrutura financeira, políticas, desempenho e vicissitudes das empresas, além das atitudes relativas ao investimento e à especulação encontradas na área financeira no passado recente. Em cada comparação, comentaremos apenas aqueles aspectos que tenham sentido e importância especial.

Dupla 1: Real Estate Investment Trust (lojas, escritórios, fábricas etc.) e Realty Equities Corp. of New York (investimento imobiliário; construção em geral)

Nesta primeira comparação, não adotamos a ordem alfabética usada na escolha das outras duplas. Ela tem um significado especial para nós, uma vez que a primeira companhia parece reunir tudo que tem sido razoável, estável e bom nos métodos tradicionais de lidar com o dinheiro dos outros, em contraste — caso da segunda companhia — com a expansão descuidada, as espertezas financeiras e as oscilações bruscas tão frequentemente encontradas no mundo empresarial de hoje. As duas empresas têm nomes semelhantes e por muitos anos apareceram lado a lado na lista da American Stock Exchange. Suas abreviações de mercado — REI e REC — poderiam ser confundidas com facilidade. Porém, uma delas é um pacato *trust* de Nova Inglaterra, gerenciado por três administradores, com operações que datam de aproximadamente um século e pagamentos ininterruptos de dividendos desde 1889. Durante todo esse tempo, a companhia se ateve ao mesmo tipo de investimento prudente, limitando sua expansão a uma taxa moderada e sua dívida a cifras facilmente administráveis.[1]

A outra é uma empresa típica de crescimento repentino baseada em Nova York, a qual em oito anos expandiu seus ativos de US$6,2 milhões para US$154 milhões, e suas dívidas em igual proporção. A Realty Equities extrapolou as operações imobiliárias comuns ao ingressar em uma miscelânea de atividades, incluindo dois hipódromos, 74 cinemas, três agências literárias, uma firma de relações públicas, hotéis, supermercados e a participação de 26% em uma grande firma de cosméticos (a qual faliu em 1970).[2] Essa combinação de atividades foi acompanhada por uma variedade correspondente de papéis privados, incluindo os seguintes:

1. Uma ação preferencial com direito a dividendos anuais de US$7, mas com um valor de paridade de apenas US$1 e contabilizada como passivo ao valor de US$1 por ação.
2. Um valor declarado das ações ordinárias de US$2.500.000 (US$1 por ação), mais do que compensado por uma dedução de US$5.500.000, que representa o custo de 209.000 ações recompradas.
3. Três séries de bônus de subscrição de opções sobre ações, que concedem direitos para a compra de um total de US$1.578.000 ações.
4. Pelo menos seis tipos diferentes de dívidas, na forma de hipotecas, debêntures, notas mantidas pelo público, notas pagáveis a bancos, "notas, empréstimos e contratos pagáveis" e empréstimos pagáveis à Small Business Administration, totalizando mais de US$100 milhões em março de 1969. Além disso, a companhia precisava pagar os impostos e as contas de praxe.

Apresentaremos primeiro alguns números das duas companhias conforme apareciam em 1960 (Tabela 18-1A). Aqui, encontramos as ações da Trust sendo negociadas no mercado a nove vezes o valor agregado das ações da Equities. A empresa Trust tinha uma dívida relativamente menor

---

1 Aqui Graham está descrevendo a Real Estate Investment Trust, a qual foi adquirida pela San Francisco Real Estate Investors em 1983 pelo preço de US$50 por ação. O próximo parágrafo descreve a Realty Equities Corp. of New York.

2 O ator Paul Newman foi, por um breve tempo, um grande acionista da Realty Equities Corp. of New York após ela ter comprado sua companhia produtora de cinema, a Kayos, Inc., em 1969.

e uma razão melhor entre lucro líquido e faturamento bruto, mas o preço da ordinária era maior em relação aos lucros por ação.

TABELA 18-1A. Dupla 1. Real Estate Investment Trust *versus* Realty Equities Corp. em 1960.

	Real State Investment Trust	Realty Equities Corp. of New York
Faturamento bruto	US$3.585.000	US$1.484.000
Lucro líquido	485.000	150.000
Lucro por ação	,66	,47
Dividendo por ação	nenhum	,10
Valor contábil por ação	US$20,	US$4,
Faixa de preço	20-12	5⅜-4¾
Ativos totais	US$22.700.000	US$6.200.000
Passivos totais	7.400.000	5.000.000
Valor contábil das ordinárias	15.300.000	1.200.000
Valor de mercado médio das ordinárias	12.200.000	1.360.000

Na Tabela 18-1B, apresentamos a situação oito anos mais tarde. A Trust manteve sua trajetória discreta, aumentando tanto sua receita quanto seus lucros por ação em aproximadamente três quartos.[3] Enquanto isso, a Realty Equities havia se transformado em algo monstruoso e vulnerável.

Como é que Wall Street reagiu a essas evoluções diferentes? Prestando muito pouca atenção à Trust e muita à Realty Equities. Em 1968, a segunda saltou de 10 para 37,75 e as cauções listadas de 6 para 36,5, com base em vendas conjuntas de 2.420.000 ações. Enquanto isso acontecia, as ações da Trust cresciam tranquilamente de 20 a 30,25 com um volume modesto. O balanço de março de 1969 da Equities apresentou um valor de ativos de apenas US$3,41 por ação, menos do que um décimo de seu preço máximo naquele ano. O valor contábil das ações da Trust foi de US$20,85.

3 Graham, um ávido leitor de poesia, está citando "Elegy Written in a Country Churchyard", de Thomas Gray.

TABELA 18-1B. Dupla 1

	Real State Investment Trust	*Realty Equities Corp. of New York*
Preço, 31 de dezembro de 1968	26½	32½
Número de ações ordinárias	1.423.000	2.311.000 (março de 1969)
Valor de mercado das ordinárias	US$37.800.000	US$75.000.000
Valor de mercado estimado dos bônus de subscrição	—	30.000.000[a]
Valor de mercado estimado das ordinárias e dos bônus de subscrição	—	105.000.000
Dívida	9.600.000	100.800.000
Ações preferenciais	—	2.900.000
Capitalização total	US$47.400.000	US$208.700.000
Valor de mercado por ação ordinária, ajustado para cauções	—	45 (est.)
Valor contábil por ação	US$20,85 (nov.)	US$3,41
	novembro de 1968	março de 1969
Faturamento	US$6.281.000	US$39.706.000
Líquido após juros	2.696.000	11.182.000
Despesas com juros	590.000	6.684.000
Imposto de renda	58.000[b]	2.401.000
Dividendo preferencial		174.000
Líquido para ordinárias	2.048.000	1.943.000
Itens especiais	245.000 cr.	1.896.000 dr.
Líquido final para ordinárias	2.293.000	47.000
Lucro por ação antes de itens especiais	US$1,28	US$1,00
Lucro por ação após itens especiais	1,45	,20
Dividendo das ordinárias	1,20	,30
Lucro como múltiplo das despesas com juros	4,6 x	1,8 x

[a] Existiam cauções para a compra de 1.600.000 ou mais ações a diversos preços. Uma série listada foi negociada a 30,5 por caução.

[b] Sendo um *trust* imobiliário, essa empresa não estava sujeita ao imposto de renda federal em 1968.

No ano seguinte, ficou claro que a Equities estava em dificuldades, e então seu preço caiu para 9,5. Quando o balanço de março de 1970 foi publicado, os acionistas devem ter sentido um grande choque ao lerem que a empresa havia sofrido um prejuízo líquido de US$13.200.000, ou US$5,17 por ação, quase destroçando seu já magro patrimônio. (Esse número desastroso incluía uma reserva de US$8.800.000 para perdas futuras com investimentos.) Não obstante, os diretores corajosamente (?) declararam um dividendo extra de cinco centavos imediatamente após o fechamento do ano fiscal. No entanto, mais problemas estavam por vir. Os auditores da companhia se recusaram a aprovar os balanços financeiros relativos a 1969-1970, sendo a negociação de suas ações suspensa pela American Stock Exchange. No mercado de balcão, as propostas de compra caíram para menos de US$2 por ação.[4]

As ações da Real Estate Investment Trust apresentaram oscilações de preço típicas após 1969. O mínimo em 1970 foi de 16,5, recuperando-se para 26,87 no início de 1971. Os últimos lucros divulgados foram de US$1,50 por ação, a qual estava sendo negociada a US$21,60, moderadamente acima de seu valor contábil de 1970. A ação pode ter sido um pouco supervalorizada ao preço máximo registrado em 1968, mas os acionistas tinham sido honestamente bem servidos pelos administradores. A história do Real Estate Equities é diferente e vergonhosa.

Dupla 2: Air Products and Chemicals (gases industriais e médicos etc.) e Air Reduction Co. (gases e equipamentos industriais; produtos químicos)

Mais até que nossa primeira dupla, essas duas companhias lembram uma a outra tanto no nome quanto no ramo de negócios. A comparação que elas sugerem é, portanto, do tipo convencional na análise de títulos, enquanto a maioria de nossas outras duplas é mais heteróclita por natureza.[5] A "Products" é uma companhia mais nova do que a "Reduction" e, em 1969, tinha menos de metade do volume da outra.[6] Não obstante, no

---

4 A Realty Equities foi removida da lista da American Stock Exchange em setembro de 1973. Em 1974, a Securities and Exchange Commission autuou os contadores da Realty Equities por fraude. O fundador da Realty Equities, Morris Karp, foi condenado mais tarde por estelionato. Em 1974-75, o superendividamento que Graham critica levou a uma crise financeira entre aqueles bancos grandes, incluindo o Chase Manhattan, que haviam emprestado pesadamente aos *trusts* imobiliários mais agressivos.

5 "Heteróclito" é um termo técnico derivado do grego clássico que Graham usa para conotar anormal ou incomum.

6 Por "volume", Graham se refere a vendas ou faturamento, a quantidade total em dólares dos negócios de cada companhia.

agregado, suas ações eram negociadas a um valor 25% superior ao das ações da Air Reduction. Conforme mostra a Tabela 18-2, a razão pode estar na maior lucratividade da Air Reduction e seu histórico de crescimento mais forte. Encontramos aqui as consequências típicas da demonstração de uma melhor "qualidade". A Air Products foi negociada a 16,5 vezes seus últimos lucros contra apenas 9,1 vezes no caso da Air Reduction. Da mesma forma, a Air Products era negociada bem acima do valor do ativo, enquanto a Air Reduction poderia ser comprada a apenas 75% do valor contábil.[7] A Air Reduction pagou um dividendo mais generoso, mas isso pode ser considerado um reflexo da maior atratividade da retenção dos lucros para fins de reinvestimento no negócio por parte da Air Products. A Air Reduction também tinha uma posição de capital de giro mais confortável. (Nesse ponto, podemos observar que uma companhia lucrativa pode sempre dar um jeito em sua posição atual por meio de alguma forma de financiamento permanente. No entanto, segundo nossos padrões, o endividamento em obrigações da Air Products era excessivo.)

Se um analista fosse chamado para escolher entre as duas companhias, ele não teria dificuldade em concluir que as perspectivas da Air Products pareciam mais promissoras do que as da Air Reduction. Contudo, isso tornava a Air Products mais atraente a seu preço relativo consideravelmente mais alto? Duvidamos que essa pergunta possa ser respondida de forma definitiva. Em geral, Wall Street privilegia a "qualidade" acima da "quantidade" e, provavelmente, a maioria dos analistas de títulos optaria pela "melhor", porém mais cara, Air Products, contra a "pior", porém mais barata, Air Reduction. Se essa escolha é a certa dependerá mais provavelmente do futuro imprevisível do que de qualquer princípio de investimento demonstrável. Nesse exemplo, a Air Reduction parece pertencer ao grupo de companhias importantes com múltiplos baixos. Se, conforme indicam os estudos citados anteriormente,[8] for mais provável que esse grupo *como um*

---

7 "Cobertura de ativos" e "valor contábil" são sinônimos. Na Tabela 18-2, a relação entre o preço e o valor contábil pode ser vista dividindo-se a primeira linha ("Preço, 31 de dezembro de 1969") pelo "Valor contábil por ação".

8 Graham está citando sua pesquisa sobre ações de valor, a qual ele discute no capítulo 15 (ver p. 429). Desde que Graham terminou suas pesquisas, um conjunto enorme de estudos confirmou que as ações de valor superam as *growth stocks* ao longo de períodos extensos. (Grande parte das melhores pesquisas atuais no campo das finanças simplesmente forneceu confirmação independente do que Graham já havia demonstrado há décadas.) Ver, por exem-

TABELA 18-2 Dupla 2

	Air Products & Chemicals 1969	*Air Reduction 1969*
Preço, 31 de dezembro de 1969	39½	16⅜
Número de ações ordinárias	5.832.000[a]	11.279.000
Valor de mercado das ordinárias	US$231.000.000	US$185.000.000
Dívida	113.000.000	179.000.000
Capitalização total de mercado	344.000.000	364.000.000
Valor contábil por ação	US$22,89	US$21,91
Faturamento	US$221.500.000	US$487.600.000
Lucro líquido	13.639.000	20.326.000
Lucro por ação, 1969	US$2,40	US$1,80
Lucro por ação, 1964	1,51	1,51
Lucro por ação, 1959	,52	1,95
Taxa de dividendos atual	,20	,80
Dividendos desde	1954	1917
Índices		
Preço/lucro	16,5 x	9,1 x
Preço/valor contábil	165,0%	75,0%
Rendimento dos dividendos	0,5%	4,9%
Líquido/faturamento	6,2%	4,25%
Lucro/valor contábil	11,0%	8,2%
Ativos/passivos circulantes	1,53 x	3,77 x
Capital de giro/dívida	,32 x	,85 x
Crescimento dos lucros por ação		
1969 *versus* 1964	+59%	+19%
1969 *versus* 1959	+362%	diminuição

[a] Supondo a conversão das ações preferenciais

todo tenha um desempenho melhor do que as ações com múltiplos maiores, então a Air Reduction deveria ser logicamente a preferida, mas apenas como parte de uma operação diversificada. (Ademais, um estudo profundo de cada companhia poderia levar o analista a uma conclusão oposta, mas apenas por razões além daquelas já refletidas no histórico passado.)

---

plo, James Davis, Eugene F. Fama e Kenneth R. French, "Characteristics, Covariances, and Average Returns: 1929-1997" [Características, covariâncias e retornos médios: 1929-1997], em http://papers.ssrn.com.

SEQUÊNCIA: A Air Products se saiu melhor do que a Air Reduction na quebra de 1970, com um declínio de 16% contra 24%. No entanto, a Reduction teve um repique maior no início de 1971, tendo seu preço se elevado 50% acima do fechamento de 1969 contra 30% no caso da Products. Nesse caso, a ação de múltiplo baixo saiu em vantagem, pelo menos temporariamente.[9]

Dupla 3: American Home Products Co. (drogas, cosméticos, produtos domésticos, doces) e American Hospital Supply Co. (distribuidor e produtor de artigos e equipamentos hospitalares)

Essas duas companhias tinham "bilhões de dólares de intangíveis" no final de 1969, representavam segmentos diferentes da "indústria de saúde" e eram de crescimento rápido e imensamente lucrativas. Nos referiremos a elas como Home e Hospital, respectivamente. Dados selecionados de ambas as companhias são apresentados na Tabela 18-3. Elas tinham os seguintes pontos favoráveis em comum: crescimento excelente, sem qualquer revés desde 1958 (i.e., estabilidade de lucros de 100%) e condição financeira forte. A taxa de crescimento da Hospital até o fim de 1969 foi consideravelmente superior à da Home. Por outro lado, a Home gozou de uma taxa de lucratividade substancialmente melhor, tanto com relação às vendas quanto ao capital.[10] (Na verdade, a taxa relativamente baixa dos lucros sobre o capital da Hospital em 1969 — apenas 9,7% — levanta questões intrigantes sobre a verdadeira lucratividade do negócio, o qual na verdade não seria tão lucrativo assim, apesar do excepcional crescimento das vendas e dos lucros no passado.)

Se compararmos preços, a Home oferecia uma oportunidade muito melhor em termos de lucros e dividendos atuais (ou passados). O valor contábil muito baixo da Home ilustra uma ambiguidade ou contradição básica na análise das ações ordinárias. Por um lado, isso significa que a

9 A Air Products and Chemicals, Inc. ainda existe como uma ação negociada publicamente e está presente no índice de 500 ações da Standard & Poor's. A Air Reduction Co. se tornou uma subsidiária de propriedade integral da BOC Group (então conhecida como British Oxygen) em 1978.

10 Você poderá determinar a lucratividade, conforme medida pelo retorno sobre as vendas e o capital, referindo-se à seção "Índices" na Tabela 18-3. "Líquido/faturamento" mede o retorno sobre as vendas; "Lucro/valor contábil" mede o retorno sobre o capital.

TABELA 18-3 Dupla 3

	American Home Products 1969	*American Hospital Supply 1969*
Preço, 31 de dezembro de 1969	72	45⅛
Número de ações ordinárias	52.300.000	33.600.000
Valor de mercado das ordinárias	US$3.800.000.000	US$1.516.000.000
Dívida	11.000.000	18.000.000
Capitalização total de mercado	3.811.000.000	1.534.000.000
Valor contábil por ação	US$5,73	US$7,84
Faturamento	US$1.193.000.000	US$446.000.000
Lucro líquido	123.300.000	25.000.000
Lucro por ação, 1969	US$2,32	US$,77
Lucro por ação, 1964	1,37	,31
Lucro por ação, 1959	,92	,15
Taxa de dividendos atual	1,40	,24
Dividendos desde	1919	1947
Razões		
Preço/lucro	31,0 x	58,5 x
Preço/valor contábil	1250,0%	575,0%
Rendimento dos dividendos	1,9%	0,55%
Líquido/faturamento	10,7%	5,6%
Lucro/valor contábil	41,0%	9,5%
Ativos/passivos circulantes	2,6 x	4,5 x
Crescimento dos lucros por ação		
1969 *versus* 1964	+75%	+142%
1969 *versus* 1959	+161%	+405%

companhia está obtendo um retorno alto sobre seu capital, o qual, em geral, é um sinal de força e prosperidade. Por outro lado, isso significa que o investidor, ao preço atual, estaria especialmente vulnerável a qualquer mudança adversa significativa na situação de lucros da companhia. Uma vez que a Hospital era negociada a mais de quatro vezes seu valor contábil em 1969, esse tom de cautela se aplicaria às duas companhias.

Conclusões: Nossa opinião definitiva é de que ambas as companhias estavam claramente "caras" demais aos preços atuais para serem consideradas pelo investidor que decidiu seguir nossas ideias a respeito de uma seleção conservadora. Isso não significa que as companhias não fossem promissoras. O problema era, ao contrário, que seu preço continha "promessa" demais e desempenho efetivo de menos. Para as duas empresas juntas, o preço de 1969 refletia intangíveis cotados a quase US$5 bilhões. Quantos anos de lucros excelentes no futuro seriam necessários para "realizar" o fator intangível em forma de dividendos ou ativos tangíveis?

SEQUÊNCIA DE CURTO PRAZO: No final de 1969, o mercado evidentemente tinha as perspectivas de lucros da Hospital em mais alta consideração do que as da Home, uma vez que ele negociava a primeira a quase duas vezes o múltiplo da segunda. Na sequência, a ação favorecida mostrou um *declínio* microscópico de lucros em 1970, enquanto a Home obteve um ganho respeitável de 8%. O preço de mercado da Hospital reagiu de forma significativa à decepção daquele ano. Ela foi negociada a 32 em fevereiro de 1971 — uma perda de aproximadamente 30% em comparação com seu fechamento de 1969 —, enquanto a Home foi cotada ligeiramente acima de seu nível correspondente.[11]

Dupla 4: H&R Block, Inc. (serviço de imposto de renda) e Blue Bell, Inc. (fabricante de uniformes, roupas de trabalho etc.)

Essas companhias convivem como relativas novatas na Bolsa de Valores de Nova York, onde representam duas histórias de sucesso muito diferentes. A Blue Bell penou para chegar ao topo de um setor altamente competitivo, no qual mais tarde a empresa se tornou o principal ator. Seus lucros têm oscilado em linha com as condições do setor, mas seu crescimento desde 1965 tem sido impressionante. As operações da companhia remontam a 1916, e seu histórico contínuo de dividendos a 1923. No final de 1969, o mercado acionário não mostrava qualquer entusiasmo pela ação, dando a ela uma razão preço/lucro de apenas 11, comparada com aproximadamente 17 para o índice composto S&P.

Diferentemente, a subida da H&R Block foi meteórica. Seus primeiros registros datam apenas de 1961, ano em que ela obteve um lucro de US$83.000 sobre receitas de US$610.000. No entanto, oito anos mais tarde, em nossa data de comparação, suas receitas haviam decolado para US$53,6 milhões e o lucro líquido para US$6,3 milhões. Nesse momento,

---

11 A American Home Products Co. é agora conhecida como Wyeth; a ação está incluída no índice de 500 ações da Standard & Poor's. A American Hospital Supply Co. foi adquirida pela Baxter Healthcare Corp. em 1985.

o mercado acionário parecia extasiado com essa empresa de alto desempenho. O preço de 55 ao fechamento de 1969 foi mais do que 100 vezes os lucros divulgados nos 12 meses anteriores, os quais, claro, foram os maiores da história. O valor de mercado agregado de US$300 milhões das ações era aproximadamente 30 vezes superior aos ativos tangíveis por trás delas.[12] Isso era quase inédito nos anais das cotações sérias do mercado acionário. (Naquela época, a IBM estava sendo negociada a cerca de 9 vezes e a Xerox a 11 vezes o valor contábil.)

A Tabela 18-4 apresenta, em dólares e índices, a discrepância extraordinária nas cotações comparativas da Block e da Blue Bell. É verdade que a Block apresentava duas vezes a lucratividade da Blue Bell por dólar de capital, e o crescimento percentual de seus lucros ao longo dos últimos cinco anos (partindo praticamente do zero) tinha sido muito maior. No entanto, como uma empresa cotada em bolsa, a Blue Bell estava sendo negociada a menos de um terço do valor total da Block, embora a Blue Bell faturasse quatro vezes mais, lucrasse 2,5 vezes mais por ação, tivesse 5,5 vezes mais em investimentos tangíveis e apresentasse nove vezes o rendimento de dividendos relativo ao preço.

TABELA 18-4 Dupla 4

	H&RBlock 1969	*Blue Bell 1969*
Preço, 31 de dezembro de 1969	55	49¾
Número de ações ordinárias	5.426.000	1.802.000[a]
Valor de mercado das ordinárias	US$298.000.000	US$89.500.000
Dívida	—	17.500.000
Capitalização total de mercado	298.000.000	107.000.000
Valor contábil por ação	US$1,89	US$34,54
Faturamento	US$53.600.000	US$202.700.000
Lucro líquido	6.380.000	7.920.000

TABELA 18-4 Dupla 4 (cont.)

12 "Aproximadamente 30 vezes" está refletido na cifra de 2.920% para "Preço/valor contábil" na seção Índices da Tabela 18-4. Graham teria ficado surpreso, durante o final de 1999 e início de 2000, com o fato de muitas companhias de alta tecnologia terem sido negociadas por centenas de vezes o valor de seus ativos (ver comentários a este capítulo). Isso é que é "quase inédito nos anais das cotações sérias do mercado acionário"! A H&R Block permanece sendo uma companhia de capital aberto, enquanto o capital da Blue Bell foi fechado em 1984 a US$47,50 por ação.

	H&RBlock 1969	*Blue Bell 1969*
Lucro por ação, 1969	US$,51 (outubro)	US$4,47
Lucro por ação, 1964	,07	2,64
Lucro por ação, 1959	—	1,80
Taxa de dividendos atual	,24	1,80
Dividendos desde	1962	1923
Razões		
Preço/lucro	108,0 x	11,2 x
Preço/valor contábil	2920%	142%
Rendimento dos dividendos	0,4%	3,6%
Líquido/faturamento	11,9%	3,9%
Lucro/valor contábil	27%	12,8%
Ativos/passivos circulantes	2,3 x	2,4 x
Capital de giro/dívida	(nenhuma dívida)	3,75 x
Crescimento dos lucros por ação		
1969 *versus* 1964	+630%	+68%
1969 *versus* 1959	—	+148%

[a] Supondo a conversão das ações preferenciais

Conclusões indicadas: Um analista experiente notaria o desenvolvimento acelerado da Block, a qual gerava excelentes perspectivas de crescimento no futuro. Ele talvez tivesse alguma dúvida sobre os perigos de uma concorrência acirrada no ramo dos prestadores de serviços de imposto de renda, atraída pelo alto retorno sobre o capital realizado pela Block.[1] No entanto, levando em conta o sucesso continuado de companhias destacadas, tais como a Avon Products, em áreas altamente competitivas, ele teria hesitado em prever um achatamento rápido da curva de crescimento da Block. Sua preocupação principal seria simplesmente se a cotação de US$300 milhões para a companhia já não englobava plenamente, ou até mais do que isso, tudo que se poderia razoavelmente esperar dessa excelente companhia. Em contrapartida, o analista não hesitaria em recomendar a Blue Bell como uma companhia boa, cotada de forma bastante conservadora.

Sequência até março de 1971: O quase pânico de 1970 arrasou com um quarto do preço da Blue Bell e com aproximadamente um terço do da Block. Ambas, em seguida, participaram da recuperação extraordinária do mercado geral. O preço da Block aumentou para 75 em fevereiro de 1971, mas a Blue Bell cresceu consideravelmente mais — para o equivalente a 109 (após um desdobramento três por dois). Claramente, a Blue Bell havia se mostrado uma compra melhor do que a Block, se considerarmos a situação no final de 1969. No entanto, o fato de que a Block foi capaz de crescer mais de 35% a partir daquele valor aparentemente inflado indica quanto analistas e investidores precisam ter cautela ao menosprezar companhias boas — tanto em palavras quanto em atos —, independentemente de quão elevada possa parecer sua cotação.[13]

Dupla 5: International Flavors & Fragrances (sabores etc. para outros negócios) e International Harvester Co. (fabricante de caminhões, máquinas agrícolas e de construção)

Essa comparação deveria trazer mais de uma surpresa. Todo mundo conhece a International Harvester, um dos trinta gigantes que compõem o índice industrial Dow Jones.[14] Quantos de nossos leitores já ouviram falar da International Flavors & Fragrances, vizinha de porta da Harvester na lista da Bolsa de Nova York? No entanto, *mirabile dictu*, no fim de 1969, a IFF era efetivamente negociada a um valor de mercado agregado mais alto do que a Harvester — US$747 milhões *versus* US$710 milhões. Esse fato é ainda mais surpreendente quando se percebe que a Harvester tinha 17 vezes o capital acionário da Flavors e 27 vezes suas vendas anuais. Na verdade, apenas três anos antes, os *lucros líquidos* da Harvester tinham sido maiores do que as *vendas* da Flavors em 1969! Como essas disparidades extraordinárias se desenvolveram? A resposta está em duas palavras mági-

13 Graham está alertando os leitores para uma forma da "falácia do apostador", na qual os investidores acreditam que uma ação supervalorizada vai cair simplesmente porque está supervalorizada. Assim como não é mais provável que uma moeda dê cara após ter dado coroa nove vezes seguidas, uma ação (ou o mercado acionário!) supervalorizada pode permanecer assim por um período surpreendentemente longo. Isso torna a venda a descoberto, ou uma aposta de que as ações cairão, muito arriscada para meros mortais.

14 A International Harvester foi a herdeira da McCormick Harvesting Machine Co., fabricante da ceifeira McCormick, que ajudou a transformar os estados do Meio-Oeste no "celeiro do mundo". No entanto, a International Harvester passou por dificuldades na década de 1970 e, em 1985, vendeu seu negócio de máquinas agrícolas para a Tenneco. Após mudar seu nome para Navistar, a companhia remanescente foi excluída do Dow em 1991 (embora permaneça um membro do índice S&P 500). No início de 2003, a International Flavors & Fragrances, também integrante do índice S&P 500, tinha um valor total de mercado de US$3 bilhões *versus* US$1,6 bilhão da Navistar.

TABELA 18-5 Dupla 5

	International Flavors & Fragrances 1969	*International Harvester 1969*
Preço, 31 de dezembro de 1969	65½	24¾
Número de ações ordinárias	11.400.000	27.329.000
Valor de mercado das ordinárias	US$747.000.000	US$710.000.000
Dívida	4.000.000	313.000.000
Capitalização total de mercado	751.000.000	1.023.000.000
Valor contábil por ação	US$6,29	US$41,70
Faturamento	US$94.200.000	US$2.652.000.000
Lucro líquido	13.540.000	63.800.000
Lucro por ação, 1969	US$1,19	US$2,30
Lucro por ação, 1964	,62	3,39
Lucro por ação, 1959	,28	2,83
Taxa de dividendos atual	,50	1,80
Dividendos desde	1956	1910
Razões		
Preço/lucro	55,0 x	10,7 x
Preço/valor contábil	1050,0%	59,0%
Rendimento dos dividendos	0,9%	7,3%
Líquido/faturamento	14,3%	2,6%
Lucro/valor contábil	19,7%	5,5%
Ativos/passivos circulantes	3,7 x	2,0 x
Capital de giro/dívida	grande	1,7 x
Juros recebido	—	(antes dos impostos) 3,9 x
Crescimento dos lucros por ação		
1969 *versus* 1964	+93%	+9%
1969 *versus* 1959	+326%	+39%

cas: lucratividade e crescimento. A Flavors teve um desempenho notável nas duas categorias, enquanto a Harvester deixou muito a desejar.

A história é contada na Tabela 18-5. Nela, encontramos a Flavors com um lucro sensacional de 14,3% sobre as vendas (antes do imposto de renda, o número era de 23%), comparado com meros 2,6% no caso da Harvester. Da mesma forma, a Flavors registrou um lucro de 19,7% sobre seu capital acionário, comparado com o lucro inadequado de 5,5% da Harvester. Em cinco anos, os lucros líquidos da Flavors quase dobraram, enquanto os da Harvester não mostraram qualquer evolução. Entre 1969 e 1959, a comparação mostra resultados semelhantes. Essas diferenças de desempenho produziram uma divergência típica na avaliação do mercado acionário. Em 1969, a Flavors foi negociada a 55 vezes os últimos lucros divulgados, enquanto a Harvester a apenas 10,7 vezes. Da mesma forma, a Flavors era cotada a 10,4 vezes o valor contábil, enquanto a Harvester estava sendo negociada a um *desconto* de 41% sobre o patrimônio líquido.

Comentários e conclusões: O primeiro fato a observar é que o sucesso comercial da Flavors se baseou inteiramente no desenvolvimento de seu negócio principal e não envolveu nenhuma das artimanhas, programas de aquisição, estruturas de capitalização pesadas e outras práticas familiares de Wall Street em anos recentes. A companhia se manteve fiel ao seu negócio básico extremamente lucrativo e sua história se resume a ele. O histórico da Harvester levanta questões inteiramente diferentes, mas elas também nada têm a ver com as "altas finanças". Por que tantas companhias boas se tornam relativamente pouco lucrativas mesmo durante períodos prolongados de prosperidade geral? Qual a vantagem de faturar US$2,5 bilhões se a empresa não consegue um lucro suficiente para justificar o investimento dos acionistas? Não nos cabe receitar a solução para esse problema. No entanto, insistimos que não apenas os gestores, mas também os acionistas comuns, deveriam estar conscientes de que o problema existe e requer mais inteligência e esforços para resolvê-lo.[15] Do ponto de vista da seleção das ações ordinárias, nenhuma das duas ações atenderia a nossos padrões de um investimento sólido, razoavelmente atraente e com preço moderado. A Flavors foi um exemplo típico de uma companhia com sucesso brilhante, mas generosamente avaliada; o desempenho da Harvester foi medíocre demais para torná-la realmente atraente mesmo a seu preço de desconto. (Sem dúvida existiam melhores oportunidades disponíveis entre as ações razoavelmente cotadas.)

Sequência até 1971: O preço baixo da Harvester no final de 1969 protegeu-a de um declínio ainda maior na quebra de 1970. Ela perdeu apenas mais 10%. A Flavors mostrou-se mais vulnerável e baixou para 45, uma

15 Para conhecer mais ideias de Graham sobre ativismo dos acionistas, ver comentários ao capítulo 19. Ao criticar a Harvester por sua recusa em maximizar o valor dos acionistas, Graham antecipou de forma clarividente o comportamento da futura administração da companhia. Em 2001, a maioria dos acionistas votou a favor de retirar as restrições da Navistar às tentativas de aquisição por terceiros, mas a diretoria simplesmente se recusou a realizar o desejo dos acionistas. É impressionante como uma tendência antidemocrática na cultura de algumas companhias pode durar décadas.

perda de 30%. Na recuperação subsequente ambas avançaram para níveis bem acima dos fechamentos de 1969. No entanto, a Harvester logo voltou ao nível de 25.

Dupla 6: McGraw Edison (concessionária de serviços públicos e equipamentos; artigos domésticos) e McGraw-Hill, Inc. (livros, filmes, sistemas de instrução; editoras de revistas e jornais; serviços de informação)

Este par com nomes tão semelhantes — que por vezes chamaremos de Edison e Hill — são duas empresas grandes e bem-sucedidas em campos completamente diferentes. Escolhemos 31 de dezembro de 1968 como a data de nossa comparação, desenvolvida na Tabela 18-6. As ações eram negociadas a aproximadamente o mesmo preço; contudo, em função da maior capitalização da Hill, esta era cotada cerca de duas vezes o valor total da outra. Essa diferença deveria ser um tanto surpreendente, uma vez que a Edison tinha um faturamento aproximadamente 50% maior e lucros líquidos 25% maiores. Como resultado, vemos que o índice-chave — o múltiplo dos lucros — era mais de duas vezes maior no caso da Hill do que no da Edison. Esse fenômeno parece explicável principalmente pela persistência do entusiasmo forte e da disposição exibidos pelo mercado para com as ações das editoras de livros, várias das quais foram apresentadas pela primeira vez à negociação pública no final da década de 1960.[16]

Na verdade, no final de 1968, ficou evidente que esse entusiasmo tinha sido exagerado. As ações da Hill foram negociadas a 56 em 1967, mais do que quarenta vezes os lucros recorde de 1966 que acabavam de ser divulgados. No entanto, um declínio pequeno surgiu em 1967 e outro em 1968. Portanto, o múltiplo alto atual de 35 estava sendo aplicado a uma companhia que já havia sofrido dois anos de lucros decrescentes. Não obstante, a ação ainda era cotada a mais de oito vezes o valor de seus ativos tangíveis, indicando um componente intangível de quase um bilhão de dólares! Logo, o preço parecia ilustrar — na frase famosa do dr. Johnson — "o triunfo da esperança sobre a experiência".

---

16 A McGraw-Hill permanece uma companhia de capital aberto que possui, entre outras operações, a revista *Business Week* e a Standard & Poor's Corp. A McGraw Edison é agora uma divisão da Cooper Industries.

TABELA 18-6 Dupla 6

	McGraw Edison 1968	*McGraw-Hill 1968*
Preço, 31 de dezembro de 1969	37⅝	39¾
Número de ações ordinárias	13.717.000	24.200.000[a]
Valor de mercado das ordinárias	US$527.000.000	US$962.000.000
Dívida	6.000.000	53.000.000
Capitalização total de mercado	533.000.000	1.015.000.000
Valor contábil por ação	US$20,53	US$5,00
Faturamento	US$568.600.000	US$398.300.000
Lucro líquido	33.400.000	26.200.000
Lucro por ação, 1969	US$2,44	US$1,13
Lucro por ação, 1964	1,20	,66
Lucro por ação, 1959	1,02	,46
Taxa de dividendos atual	1,40	,70
Dividendos desde	1934	1937
Razões		
Preço/lucro	15,5x	35,0x
Preço/valor contábil	183,0%	795,0%
Rendimento dos dividendos	3,7%	1,8%
Líquido/faturamento	5,8%	6,6%
Lucro/valor contábil	11,8%	22,6%
Ativos/passivos circulantes	3,95x	1,75x
Capital de giro/dívida	Grande	1,75x
Crescimento dos lucros por ação		
1969 *versus* 1964	+104%	+71%
1969 *versus* 1959	+139%	+146%

[a] Supondo a conversão das ações preferenciais

Em contrapartida, a McGraw Edison parecia estar cotada a um preço razoável com relação ao nível geral (alto) do mercado e ao desempenho global e à posição financeira da companhia.

SEQUÊNCIA ATÉ O INÍCIO DE 1971: O declínio dos lucros da McGraw-Hill continuou por todo 1969 e 1970, caindo para US$1,02 e depois para US$0,82 por ação. No revés de maio de 1970, seu preço despencou para dez, menos de um quinto da cifra de dois anos antes. Ela mostrou uma recuperação boa daí em diante, mas o pico de 24 em maio de 1971 ainda representava apenas 60% do preço de fechamento de 1968. A McGraw Edison teve um desempenho melhor, caindo para 22 em 1970 e se recuperando completamente, subindo para 41,5 em maio de 1971.[17]

A McGraw-Hill continua a ser uma companhia forte e próspera. No entanto, seu histórico de preços exemplifica — como em tantos outros casos — o perigo especulativo de tais ações criado por Wall Street através de suas ondas indisciplinadas de otimismo e pessimismo.

Dupla 7: National General Corp. (um conglomerado grande) e National Presto Industries (aparelhos elétricos diversos, munição)

Essas duas companhias se prestam à comparação principalmente por serem tão diferentes. Vamos chamá-las de "General" e "Presto". Selecionamos o fim de 1968 para nosso estudo, já que os ajustes contábeis feitos pela General em 1969 tornaram os números daquele ano ambíguos demais. A plenitude das atividades díspares da General não poderia ser avaliada no ano anterior, mas ela já era conglomerada o suficiente para o gosto de qualquer um. A descrição condensada no *Guia de ações* dizia: "cadeia de cinemas nacional, produtora de filmes e TV, caderneta de poupança, editora de livros." À qual poderíamos acrescentar, naquela data ou logo após, "seguros, banco de investimento, gravadoras, editora de música, serviços computadorizados, imóveis e 35% da Performance Systems Inc. (nome recentemente alterado da Minnie Pearl's Chicken System Inc.)". A Presto também instituiu um programa de diversificação, mas este era muito modesto em comparação com o da General. Começando como um dos principais fabricantes de panelas de pressão, ela se diversificou em vários outros utensílios domésticos e aparelhos elétricos. Em uma ampliação brusca para outro ramo de negócios, assumiu diversos contratos de fornecimento de munições, tendo como cliente o governo americano.

A Tabela 18-7 resume o desempenho das companhias no final de 1968. A estrutura de capitalização da Presto era a mais simples possível, nada além de 1.478.000 ações ordinárias, avaliadas pelo mercado em US$58

---

17 No "revés de maio de 1970", a que Graham se refere, o mercado acionário americano perdeu 5,5%. Do fim de março ao fim de junho de 1970, o índice S&P 500 perdeu 19% de seu valor, uma das piores rentabilidades trimestrais já registradas.

TABELA 18-7 Dupla 7

	National General 1968	National Presto Industries 1968
Preço, 31 de dezembro de 1969	44¼	38⅜
Número de ações ordinárias	4.330.000[a]	1.478.000
Valor de mercado das ordinárias	US$192.000.000	US$58.000.000
Valor de mercado adicional de três séries de cauções	221.000.000	—
Valor total das ordinárias e das cauções	413.000.000	—
Papéis seniores	121.000.000	—
Capitalização total de mercado	534.000.000	58.000.000
Valor de mercado das ordinárias ajustado para cauções	98	—
Valor contábil por ação	US$31,50	US$26,30
Faturamento	US$117.600.000	US$152.200.000
Lucro líquido	6.121.000	8.206.000
Lucro por ação, 1969	US$1,42 (dezembro)	US$5,61
Lucro por ação, 1964	,96 (setembro)	1,03
Lucro por ação, 1959	,48 (setembro)	,77
Taxa de dividendos atual	,20	,80
Dividendos desde	1964	1945
Razões		
Preço/lucro	69,0 x[b]	6,9 x
Preço/valor contábil	310,0%	142,0%
Rendimento dos dividendos	,5%	2,4%
Líquido/faturamento	5,5%	5,4%
Lucro/valor contábil	4,5%	21,4%
Ativos/passivos circulantes	1,63 x	3,40 x
Capital de giro/dívida	,21 x	nenhuma dívida
Crescimento dos lucros por ação		
1969 *versus* 1964	+48%	+450%
1969 *versus* 1959	+195%	+630%

[a] Supondo a conversão das ações preferenciais
[b] Ajustado para o preço de mercado das cauções

milhões. De forma contrária, a General tinha duas vezes mais ações ordinárias, além de uma série de preferenciais conversíveis, mais três séries de cauções de ações com potencial de criar uma quantidade enorme de ordinárias, mais uma enorme série de obrigações conversíveis (recém-lançada em troca das ações de uma companhia seguradora), mais um volume considerável de obrigações não-conversíveis. Tudo isso totalizava uma capitalização de mercado de US$534 milhões, desconsiderando o lançamento previsto de obrigações conversíveis, e de US$750 milhões, considerando tal lançamento. Apesar de sua capitalização bem maior, a National General efetivamente faturou bem menos, em termos brutos, do que a Presto em anos fiscais comparáveis, mostrando apenas 75% do lucro líquido da Presto.

A determinação do *valor de mercado verdadeiro* do capital das ações ordinárias da General apresenta um problema interessante para os analistas de títulos e tem implicações importantes para qualquer um que esteja interessado na ação com qualquer intenção mais séria do que uma aposta no escuro. O volume relativamente pequeno de preferenciais conversíveis de US$4,5 pode ser rapidamente incluído se presumirmos sua conversão em ordinárias, quando estas forem negociadas em um nível de mercado apropriado. Fizemos isso na Tabela 18-7. No entanto, as cauções exigem um tratamento diferente. Ao calcular a base de "diluição completa", a companhia pressupõe o exercício de todas as cauções e a aplicação da receita resultante no abatimento de dívida e o uso de qualquer saldo na compra de ações ordinárias no mercado. Essas hipóteses efetivamente não produziram quase nenhum efeito sobre os lucros por ação no ano-calendário de 1968, os quais foram divulgados como sendo de US$1,51 tanto antes como depois do ajuste para diluição. Consideramos esse tratamento ilógico e irrealista. De nosso ponto de vista, as cauções representam uma parte do "pacote de ações ordinárias", sendo seu valor de mercado parte do "valor de mercado efetivo" da parcela de ações ordinárias do capital social. (Ver nossa discussão sobre esse assunto na p. 415.) Essa técnica simples de adicionar o preço de mercado das cauções ao das ordinárias tem um efeito radical sobre o desempenho da National General no final de 1968, conforme demonstrado no cálculo da Tabela 18-7. Na verdade, o "verdadeiro preço de mercado" da ação ordinária acaba sendo mais do que duas vezes o número cotado. Portanto, o múltiplo verdadeiro dos lucros de 1968 é mais do que dobrado, atingindo o número inerentemente absurdo de 69 vezes. O valor total de mercado dos "equivalentes a ações ordinárias" torna-se então US$413 milhões, um valor três vezes superior aos ativos tangíveis que o embasam.

Esses números parecem ainda mais anormais quando comparados com os da Presto. Pode-se perguntar como poderia a Presto possivelmente ser avaliada a apenas 6,9 vezes os lucros atuais quando o múltiplo da General era aproximadamente dez vezes maior. Todos os índices da Presto são muito satisfatórios, embora, na verdade, a taxa de crescimento pareça um tanto suspeita. Com isso, queremos dizer que a companhia, sem dúvida, se beneficiava consideravelmente de suas encomendas militares e os acionistas deveriam estar preparados para alguma queda nos lucros em tempos de paz. Entretanto, em termos gerais, a Presto atendia a todos os requisitos de um investimento sensato e razoavelmente cotado, enquanto a General tinha todas as características de um "conglomerado" típico do final da década clássica de 1960, cheia de engenhocas empresariais e gestos grandiosos, mas sem mostrar valores substanciais por trás das cotações de mercado.

SEQUÊNCIA: A General continuou sua política de diversificação em 1969, com um certo aumento de sua dívida. No entanto, precisou fazer um ajuste negativo de milhões, principalmente no valor de seu investimento na Minnie Pearl Chicken. Os números finais mostraram um prejuízo de US$72 milhões antes de um crédito fiscal e de US$46,4 milhões após tal crédito fiscal. O preço das ações caiu para 16,5 em 1969 e tão baixo quanto nove em 1970 (apenas 15% do máximo de sessenta registrado em 1968). Os lucros para 1970 foram divulgados como sendo de US$2,33 por ação diluída, tendo o preço se recuperado para 28,5 em 1971. A National Presto aumentou um pouco seus lucros por ação em 1969 e 1970, perfazendo dez anos ininterruptos de crescimento de lucros. Mesmo assim, seu preço caiu para 21,5 na baixa acentuada de 1970. Esse foi um número interessante, uma vez que ele era menos do que quatro vezes os últimos lucros divulgados e menos do que o ativo circulante líquido disponível para as ações naquele momento. Mais tarde, em 1971, encontramos o preço da National Presto 60% mais alto, a 34, mas os índices continuaram a surpreender. O capital de giro ampliado ainda é aproximadamente igual ao preço atual, o qual, por sua vez, é apenas 5,5 vezes os últimos lucros divulgados. Se o investidor pudesse encontrar agora dez ações parecidas, para efeitos de diversificação, ele poderia se sentir confiante em obter resultados satisfatórios.[18]

Dupla 8: Whiting Corp. (equipamentos de manipulação de materiais) e Willcox & Gibbs (conglomerado pequeno)

Essas duas companhias estão perto uma da outra, mas não chegam a ser vizinhas na lista da American Stock Exchange. A comparação — apresentada na Tabela 18-8A — coloca em questão a racionalidade de Wall Street como instituição. A companhia com faturamento e lucro menores e metade dos ativos tangíveis disponíveis para as ações ordinárias foi negociada a aproximadamente quatro vezes o valor agregado da outra. A companhia mais bem cotada estava prestes a divulgar um grande prejuízo após ajustes especiais; ela não havia pagado um dividendo em 13 anos. A outra tinha um histórico longo de lucros satisfatórios, pagava dividendos ininterruptamente desde 1936 e apresentava atualmente uma das maiores taxas de dividendos entre todas as ações ordinárias da lista. Para evidenciar mais a disparidade no desempenho das duas companhias, acrescentamos na Tabela 18-8B os lucros e o histórico de preços para 1961-70.

---

18 A National Presto permanece sendo uma companhia negociada em bolsa. A National General foi adquirida em 1974 por outro conglomerado controverso, a American Financial Group, a qual teve, ao longo do tempo, participações em negócios como televisão a cabo, bancos, imobiliárias, fundos mútuos, seguros e bananas. A AFG também foi o derradeiro paradeiro de certos ativos da Penn Central Corp. (Ver capítulo 17.)

TABELA 18-8A Dupla 8

	Whiting 1969	*Willcox Gibbs 1969*
Preço, 31 de dezembro de 1969	17¾	15½
Número de ações ordinárias	570.000	2.381.000
Valor de mercado das ordinárias	US$10.200.000	US$36.900.000
Dívida	1.000.000	5.900.000
Ações preferenciais	—	1.800.000
Capitalização total de mercado	US$11.200.000	US$44.600.000
Valor contábil por ação	US$25,39	US$3,29
Faturamento	US$42.200.000 (outubro)	US$29.000.000 (dezembro)
Lucro líquido antes de item especial	1.091.000	347.000
Lucro líquido após item especial	1.091.000	*prej. 1.639.000*
Lucro por ação, 1969	US$1,91 (outubro)	US$,08[a]
Lucro por ação, 1964	1,90 (abril)	,13
Lucro por ação, 1959	,42 (abril)	,13
Taxa de dividendos atual	1,50	—
Dividendos desde	1954	(nenhum desde 1957)
Razões		
Preço/lucro	9,3 x	(muito grande)
Preço/valor contábil	70,0%	470,0%
Rendimento dos dividendos	8,4%	—
Líquido/faturamento	3,2%	0,1%[a]
Lucro/valor contábil	7,5%	2,4%[a]
Ativos/passivos circulantes	3,0 x	1,55 x
Capital de giro/dívida	9,0 x	3,6 x
Crescimento dos lucros por ação		
1969 *versus* 1964	empate	diminuição
1969 *versus* 1959	+354%	diminuição

[a] Antes de ajuste especial. *Prej.: prejuízo.*

TABELA 18-8B Histórico de dez anos dos preços e lucros da Whiting e da Willcox & Gibbs

	Whiting Corp.		*Willcox & Gibbs*	
Ano	Lucro por ação[a]	Faixa de preço	Lucro por ação	Faixa de preço
1970	$1,81	22½-16¼	$,34	18½-4½
1969	2,63	37-17¾	,05	20⅝-8¾
1968	3,63	43⅛-28¼	,35	20⅛-8⅓
1967	3,01	36½-25	,47	11-4¾
1966	2,49	30¼-19¼	,41	8-3¾
1965	1,90	20-18	,32	10⅜-6⅛
1964	1,53	14-8	,20	9½-4½
1963	,88	15-9	,13	14-4¾
1962	,46	10-6½	,04	19¾-8¼
1961	,42	12½-7¾	,03	19½-10½

[a] Ano encerrado em 30 de abril do ano seguinte.

A história das duas companhias lança uma luz interessante sobre o desenvolvimento das empresas de médio porte nos Estados Unidos em contraste com as companhias de porte maior que têm ocupado estas páginas. A Whiting foi incorporada em 1896 e, portanto, remonta a, pelo menos, 75 anos. Parece ter se mantido bastante fiel ao ramo de manipulação de materiais e obteve bons resultados ao longo de décadas. A Willcox & Gibbs é ainda mais antiga — data de 1866 — e há muito era conhecida em seu ramo de atividade como uma produtora renomada de máquinas de costura industrial. Durante a última década, ela adotou uma política de diversificação, a qual parecia seguir um padrão um tanto bizarro. Por um lado, ela possuía um número extraordinariamente grande de companhias subsidiárias (pelo menos 24), as quais comercializavam uma variedade surpreendente de produtos, mas, por outro lado, o conglomerado inteiro valia migalhas pelos padrões normais de Wall Street.

A evolução dos lucros da Whiting é bastante característica das empresas americanas. Os números mostram um crescimento, constante e relativamente espetacular, de 41 centavos por ação em 1960 para US$3,63 em 1968. No entanto, não havia qualquer garantia de que esse desempenho passado persistiria indefinidamente. O declínio subsequente para apenas US$1,77 nos 12 meses encerrados em janeiro de 1971 pode ter sido nada mais do que um reflexo da desaceleração geral da economia. Porém, o preço da ação reagiu de modo severo, caindo aproximadamente 60% de seu pico de 1968 (43,5) no fechamento de 1969. Nossa análise indicaria que essas ações representavam um investimento sensato e atraente entre as emissões secundárias, apropriado para o investidor empreendedor como parte de um grupo de tais aplicações.

SEQUÊNCIA: A Willcox & Gibbs apresentou um prejuízo operacional pequeno em 1970. Seu preço caiu drasticamente para um mínimo de 4,5, recuperando-se de forma típica para 9,5 em fevereiro de 1971. Seria difícil justificar esse preço com base nas estatísticas. A Whiting teve um declínio relativamente menor, ou seja, para 16,75 em 1970. (Àquele preço, ela estava sendo negociada a um valor aproximadamente igual ao ativo circulante disponível para as ações.) Seus lucros permaneceram estáveis, US$1,85 por ação, até julho de 1971. No início de 1971, o preço da ação subiu para 24,5, o qual parecia bastante razoável, mas não mais uma subvalorização, segundo nossos padrões.[19]

Observações gerais

Os papéis usados nessas comparações foram selecionados com segundas intenções, portanto não é possível afirmar que eles apresentam uma amostra aleatória da lista de ações ordinárias. Eles também são limitados a indústrias; assim, as áreas importantes de concessionárias de serviços públicos, transportadoras e empresas financeiras não aparecem. No entanto, eles variam suficientemente em tamanho, ramos de negócios e aspectos qualitativos e quantitativos para transmitir uma ideia razoável das escolhas de ações ordinárias que confrontam o investidor.

A relação entre o preço e o valor indicado também varia muito de um caso para outro. Na maior parte das vezes, as companhias com melhor histórico de crescimento e maior lucratividade foram negociadas a múltiplos maiores dos lucros atuais, o que é bastante lógico em geral. Se as diferenças específicas entre as razões preço/lucro são "justificadas" pelos fatos ou o

---

19 A Whiting Corp. virou uma subsidiária da Wheelabrator-Frye, mas foi transformada em empresa de capital fechado em 1983. A Willcox & Gibbs é hoje propriedade do grupo Rexel, um fabricante de equipamentos eletrônicos que é uma divisão do grupo francês Pinault-Printemps-Redoute. As ações da Rexel são negociadas na Bolsa de Valores de Paris.

TABELA 18-9 Algumas oscilações de preço de 16 ações ordinárias (ajustado para desdobramentos de ações até 1970)

	Faixa de preços 1936-1970	Declínio 1961 a1962	Declínio 1968-69 a 1970
Air Products & Chemicals	1⅜-49	43¼-21⅝	49-31⅜
Air Reduction	9⅜-45¾	22½-12	37-16
American Home Products	⅞-72	44¾-22	72-51⅛
American Hospital Supply	¾-47½	11⅝-5¾	47½-26¾[a]
H & R Block	¼-68½	—	68½-37⅛[a]
Blue Bell	8¾-55	25-16	44¾-26½
International Flavors & Fragrances	4¾-67½	8-4½	66⅜-44⅞
International Harvester	6¼-53	28¾-19¼	38¾-22
McGraw Edison	1¼-46¼	24⅜-14[b]	44¾-21⅝
McGraw-Hill	⅛-56½	21½-9⅛	54⅝-10¼
National General	3⅝-60½	14⅞-4¾[b]	60½-9
National Presto Industries	½-45	20⅝-8¼	45-21½
Real Estate Investment Trust	10½-30¼	25⅛-15¼	30¼-16⅜
Realty Equities of N.Y.	3¾-47¾	6⅞-4½	37¾-2
Whiting	2⅞-43⅜	12½-6½	43⅜-16¾
Willcox & Gibbs	4-20⅝	19½-8¼	20⅜-4½

[a] Máximo e mínimo, ambos em 1970

[b] 1959 a 1960.

TABELA 18-10 Oscilações grandes ano a ano da McGraw-Hill, 1958-71[a]

De	*Para*	*Subidas*	*Declínios*
1958	1959	39-72	
1959	1960	54-109¾	
1960	1961	21¾-43⅛	
1961	1962	18¼-32¼	43⅛-18¼
1963	1964	23⅜-38⅞	
1964	1965	28⅜-61	
1965	1966	37½-79½	
1966	1967	54½-112	
1967	1968		56¼-37½
1968	1969		54⅝-24
1969	1970		39½-10
1970	1971	10-24⅛	

[a] Preços não ajustados para desdobramentos de ações.

serão por desenvolvimentos futuros, não podemos responder com certeza. Por outro lado, existem vários exemplos aqui nos quais se pode fazer uma avaliação válida. Eles incluem virtualmente todos os casos em que há grande atividade de mercado em companhias cuja solidez subjacente é questionável. Tais ações não apenas eram especulativas — o que significa que elas eram inerentemente arriscadas —, mas com frequência estavam e estão obviamente supervalorizadas. Outras ações pareciam ter um valor superior ao de seus preços, sendo afetadas pelo tipo oposto de atitude de mercado — a qual poderíamos denominar "subespeculação" — ou por um pessimismo injustificado por causa de uma redução nos lucros.

Na Tabela 18-9, fornecemos alguns dados sobre as oscilações de preço das ações avaliadas neste capítulo. A maioria delas teve declínios acentuados entre 1961 e 1962, assim como de 1969 a 1970. Portanto, o investidor deve estar preparado para esse tipo de movimento adverso do mercado acionário no futuro. Na Tabela 18-10, mostramos as oscilações ano a ano das ações ordinárias da McGraw-Hill no período 1958-70. Vê-se que em cada um dos últimos 13 anos o preço aumentou ou diminuiu em uma proporção de, pelo menos, três por dois entre um ano e o seguinte. (No caso da National General, oscilações com pelo menos essa amplitude, tanto para cima como para baixo, ocorreram a cada período de dois anos.)

Ao estudar a lista de ações para escrever este capítulo, ficamos impressionados novamente com a grande diferença entre os objetivos comuns da análise de títulos e aqueles que consideramos confiáveis e compensadores. A maioria dos analistas de títulos tenta selecionar os papéis que darão a melhor rentabilidade no futuro em termos principalmente de sua movimentação de mercado, mas também considerando a evolução dos lucros. Somos francamente céticos sobre a possibilidade de se fazer esse tipo de seleção e obter resultados satisfatórios. Preferiríamos que o trabalho do analista fosse buscar casos excepcionais ou minoritários nos quais fosse possível chegar a uma conclusão razoavelmente segura de que o preço estivesse muito abaixo do valor. Ele deveria ser suficientemente capaz de fazer esse trabalho e produzir resultados médios satisfatórios ao longo do tempo.

COMENTÁRIOS AO CAPÍTULO 18

O que foi é o que será: o que acontece é o que há de acontecer. Não há nada de novo debaixo do sol. Se é encontrada alguma coisa da qual se diz: Veja: isto é novo, ela já existia nos tempos passados.

Eclesiastes, I,9-10

Vamos atualizar a análise clássica de Graham de oito pares de companhias usando a mesma técnica de comparação e contraste que ele criou em suas palestras na Columbia Business School e no New York Institute of Finance. Não se esqueça de que tais resumos descrevem essas ações apenas em momentos específicos. As ações baratas podem se tornar muito caras mais tarde; as ações caras podem ficar baratas. Em algum ponto de sua existência, quase toda ação é subvalorizada; em outros momentos, ela será cara. Embora existam companhias boas e más, não existe tal coisa como uma ação boa; há apenas preços bons, os quais surgem e desaparecem.

DUPLA 1: CISCO E SYSCO

Em 27 de março de 2000, a Cisco Systems, Inc. se tornou a empresa mais valiosa do mundo quando o valor total de suas ações atingiu US$548 bilhões. A Cisco, fabricante de equipamentos que gerenciam dados na internet, abriu seu capital ao público pela primeira vez apenas dez anos antes. Se você tivesse comprado ações da Cisco na oferta inicial e as mantido em carteira, teria obtido um ganho que parece um erro tipográfico cometido por um maluco: 103.697%, ou um retorno anual médio de 217%. Ao longo dos quatro trimestres fiscais anteriores, a Cisco havia gerado uma receita de US$14,9 bilhões e US$2,5 bilhões de lucros. A ação foi negociada a 219 vezes o lucro líquido da Cisco, uma das mais altas razões preço/lucro jamais atribuída a uma companhia de grande porte.

Enquanto isso, havia a Sysco Corp., que fornecia comida a cozinhas institucionais e era negociada em bolsa há trinta anos. Ao longo dos últimos quatro trimestres, a Sysco faturou US$17,7 bilhões, quase 20% a mais do que a Cisco, mas com "apenas" US$457 milhões de lucro líquido. Com um valor de mercado de US$11,7 bilhões, as ações da Sysco eram negociadas a 26 vezes os lucros, bastante inferior à razão preço/lucro média do mercado de 31.

Um jogo de associação de palavras realizado com um investidor típico geraria o seguinte resultado.

P: Quais são as primeiras coisas que surgem em sua mente quando digo Cisco Systems?

R: A internet... a indústria do futuro... uma grande ação... uma *hot stock**... Permita-me comprar algumas antes que subam ainda mais?

P: E quanto à Sysco Corp.?

R: Caminhões de entrega... chuchu... pratos feitos... gororobas gordurosas... merenda escolar... comida hospitalar... Não, obrigado, perdi a fome.

Está comprovado que as pessoas muitas vezes atribuem um valor mental às ações que se baseia, em grande parte, nas imagens emocionais que as companhias evocam.[1] Porém, o investidor inteligente sempre vai além. Aqui está o que um olhar cético sobre os balanços da Cisco e da Sysco teria revelado:

- Grande parte do crescimento da Cisco em faturamento e lucros veio de aquisições. Desde setembro apenas, a Cisco havia torrado US$10,2 bilhões na compra de 11 outras firmas. Como poderiam tantas companhias ser absorvidas tão rapidamente?[2] Da mesma forma, créditos fiscais referentes a opções sobre ações exercidas por executivos e empregados da Cisco equivaleram a cerca de um terço dos lucros totais da companhia ao longo dos últimos seis meses. E a Cisco havia ganhado US$5,8 bilhões com a venda de "investimentos", tendo posteriormente comprado mais

---

1 Pergunte-se quais ações subiriam mais: as de uma companhia que tivesse descoberto a cura para um câncer raro ou uma que descobrisse uma nova forma de descartar o lixo comum. A cura do câncer soa mais emocionante para a maioria dos investidores, mas uma nova forma de se livrar do lixo provavelmente daria mais dinheiro. Ver Paul Slovic, Melissa Finucane, Ellen Peters e Donald G. MacGregor, "The Affect Heuristic" [A heurística do afeto], em Thomas Gilovich, Dale Griffin e Daniel Kahneman, editores, *Heuristics and Biases: The Psychology of Intuitive Judgment* [Heurística e viés: A psicologia da avaliação intuitiva] (Cambridge University Press, New York, 2002), p. 397-420, e Donald G. MacGregor, "Imagery and Financial Judgment" [As imagens e a avaliação financeira], *The Journal of Psychology and Financial Markets,* v. 3, nº 1, 2002, p. 15-22.

2 As "compradoras em série", que crescem muito por meio da aquisição de outras companhias, quase sempre chegam a um final infeliz em Wall Street. (Ver comentários ao capítulo 17 para uma discussão mais profunda a esse respeito.)

* ***Hot stock*** - Ações com forte recomendação dos analistas. (N.E.)

US$6 bilhões. Era uma companhia de internet ou um fundo mútuo? E se esses "investimentos" parassem de subir?

- A Sysco também havia adquirido várias companhias ao longo do mesmo período, mas pago apenas cerca de 130 milhões. As opções sobre ações para os funcionários da Sysco totalizavam apenas 1,5% das ações em circulação, em comparação com 6,9% no caso da Cisco. Se os funcionários exercessem suas opções, os lucros por ação da Sysco seriam muito menos diluídos do que os da Cisco. Além disso, a Sysco havia aumentado seus dividendos trimestrais de nove centavos por ação para dez; já a Cisco não havia pagado nenhum dividendo.

Finalmente, como destaca o professor de finanças Jeremy Siegel, da Wharton School of Business, nenhuma companhia do porte da Cisco jamais foi capaz de crescer com suficiente rapidez para justificar uma razão preço/lucro acima de 60, muito menos um índice acima de 200.[3] Quando a companhia se torna um gigante, seu crescimento precisa diminuir ou ela terminará comendo o mundo inteiro. O grande satirista americano Ambrose Bierce cunhou a palavra "incompossível" para descrever duas coisas que são concebíveis isoladamente, mas não podem existir juntas. Uma companhia pode ser um gigante ou pode merecer uma razão preço/lucro estratosférica, mas os dois juntos são incompossíveis.

O trem da Cisco logo descarrilou. Primeiro, em 2001, veio um ajuste de US$1,2 bilhão para "reestruturar" algumas daquelas aquisições. Ao longo dos dois anos seguintes, apareceram US$3,1 bilhões em prejuízos oriundos de tais "investimentos". De 2000 até 2002, a ação da Cisco perdeu três quartos de seu valor. A Sysco, entretanto, continuou a mostrar lucros e sua ação subiu 56% ao longo do mesmo período (ver Figura 18-1).

---

3 Jeremy Siegel, "Big-Cap. Tech Stocks are a Sucker's Bet" [As ações de tecnologia com capitalização grande são uma aposta de otário], *Wall Street Journal*, 14 de março de 2000 (disponível em www.jeremysiegel.com).

FIGURA 18-1 Cisco *versus* Sysco

	2000	2001	2002
Cisco			
Retorno total (%)	-28,6	-52,7	-27,7
Lucro líquido (US$ milhões)	2.668	-1.014	1.893
Sysco			
Retorno total (%)	53,5	-11,7	15,5
Lucro líquido (US$ milhões)	446	597	680

Observação: Retorno total refere-se a ano-calendário; lucro líquido refere-se a ano fiscal.
Fonte: www.morningstar.com

DUPLA 2: YAHOO! E YUM!

Em 30 de novembro de 1999, as ações da Yahoo! Inc. fecharam a US$212,75, uma alta de 79,6% desde o início do ano. Em 7 de dezembro, a ação chegou a US$348, representando um ganho de 63,6% em cinco dias de negociação. A Yahoo! manteve esse ritmo frenético até o fim do ano, fechando a US$432,687 em 31 de dezembro. Em um único mês, a ação mais do que dobrou, ganhando aproximadamente US$58 bilhões até atingir um valor de mercado total de US$114 bilhões.[4]

Nos quatro trimestres anteriores, a Yahoo! tinha registrado um faturamento de US$433 milhões e lucro líquido de US$34,9 milhões. Portanto, as ações da Yahoo! estavam agora cotadas a 263 vezes o faturamento e 3.264 vezes os lucros. (Lembre-se de que uma razão preço/lucro acima de 25 levaria Graham a se contorcer!)[5]

Por que a Yahoo! subia tão velozmente? Depois que o mercado fechou em 30 de novembro, a Standard & Poor's anunciou que a Yahoo! seria incluída no índice S&P de 500 ações a partir de 7 de dezembro. Isso tornaria a Yahoo! uma aplicação compulsória para os fundos de índice e outros investidores grandes. Essa subida repentina na demanda certamente elevaria a ação mais ainda, pelo

4 As ações da Yahoo! foram desdobradas dois por um em fevereiro de 2000; os preços das ações aqui apresentados não foram ajustados para tal desdobramento para mostrar os níveis efetivos de negociação das ações. No entanto, o retorno percentual e o valor de mercado da Yahoo!, conforme citados aqui, refletem o desdobramento.

5 Incluindo o efeito de aquisições, o faturamento da Yahoo! foi de US$464 milhões. Graham critica a razão preço/lucro alta nos capítulos 7 e 11 (entre outros lugares).

menos temporariamente. Com cerca de 90% de ações da Yahoo! nas mãos de empregados, firmas de capital de risco e de um número limitado de outros donos, somente uma fração de suas ações estava disponível para negociação. Portanto, centenas de pessoas compraram a ação apenas porque sabiam que outras pessoas teriam que comprá-la e o preço não estava sendo levado em consideração.

Por outro lado, a Yum! não atraía interesse. Uma divisão outrora pertencente à PepsiCo, que administra milhares de lanchonetes Kentucky Fried Chicken, Pizza Hut e Taco Bell, a Yum! havia faturado US$8 bilhões ao longo dos quatro trimestres anteriores, sobre os quais lucrou US$633 milhões, tornando seu tamanho mais de 17 vezes superior ao da Yahoo!. No entanto, o valor de mercado das ações da Yum! no final do ano de 1999 foi de apenas US$5,9 bilhões, ou 1/19 da capitalização da Yahoo!. Àquele preço, a ação da Yum! estava sendo negociada a pouco mais de nove vezes os lucros e apenas 73% do faturamento.[6]

Como Graham gostava de dizer, no curto prazo o mercado é uma urna de votos, mas no longo prazo ele é uma balança. A Yahoo! ganhou a disputa popular no curto prazo. Porém, em última análise, o que interessa são os lucros, e a Yahoo! quase não os tinha. Quando o mercado parou de votar e começou a pesar, a balança pendeu para a Yum!. Suas ações subiram 25,4% de 2000 até 2002, enquanto a Yahoo! teve uma perda acumulada de 92,4%.

FIGURA 18-2 Yahoo! *versus* Yum!

	2000	2001	2002
Yahoo!			
Retorno total (%)	-86,1	-41,0	-7,8
Lucro líquido (US$ milhões)	71	-93	43
Yum!			
Retorno total (%)	-14,6	49,1	-1,5
Lucro líquido (US$ milhões)	413	492	583

Observações: "Retorno total" refere-se a ano-calendário; "lucro líquido" refere-se a ano fiscal. O lucro líquido da Yahoo! de 2002 inclui os efeitos de mudanças nos princípios contábeis.
Fonte: www.morningstar.com

6 A Yum! era então conhecida como Tricon Global Restaurants, Inc., embora sua abreviação no mercado fosse YUM. A companhia mudou seu nome oficialmente para Yum! Brands, Inc. em maio de 2002.

DUPLA 3: COMMERCE ONE E CAPITAL ONE

Em maio de 2000, a Commerce One, Inc., apenas vinha sendo negociada em bolsa desde julho do ano anterior. Em seu primeiro relatório anual, a companhia (a qual projeta "pregões" on-line para departamentos de compra de empresas) mostrou ativos de apenas US$385 milhões e um prejuízo líquido de US$63 milhões com base em apenas US$34 milhões de faturamento. A ação dessa companhia minúscula havia subido aproximadamente 900% desde sua oferta inicial ao público, atingindo uma capitalização de mercado total de US$15 bilhões. Ela estava muito cara? "Sim, temos uma capitalização de mercado grande", respondeu o presidente da Commerce One, Mark Hoffman, despreocupadamente. "Mas temos um mercado grande onde nos inserir. Estamos vendo uma demanda incrível... Os analistas esperam que tenhamos um faturamento de US$140 milhões este ano. E no passado superamos as expectativas."

Duas coisas se destacam na resposta de Hoffman:

- Uma vez que a Commerce One já estava perdendo US$2 por cada dólar faturado, se ela quadruplicasse seu faturamento (como "esperam os analistas"), não perderia ainda mais dinheiro?
- Como a Commerce One poderia ter superado as expectativas "no passado"? *Que* passado é esse?

Quando perguntaram a Hoffman se sua companhia algum dia seria lucrativa, ele respondeu imediatamente: "Não há dúvida de que essa companhia pode ser transformada em um negócio lucrativo. Planejamos nos tornar lucrativos no quarto trimestre de 2001, um ano em que os analistas projetam nosso faturamento em mais de US$250 milhões."

Aí vêm os tais analistas novamente! "Gosto da Commerce One nesses níveis porque ela está crescendo mais rapidamente do que a Ariba (um concorrente próximo cuja ação era também negociada a aproximadamente quatrocentas vezes o faturamento)", disse Jeanette Sing, analista do banco de investimento Wasserstein Perella. "Se essas taxas de crescimento continuarem, a Commerce One será negociada em uma faixa de sessenta a setenta vezes suas vendas de 2001." (Em outras palavras, posso identificar uma ação que está ainda mais supervalorizada do que a Commerce One, portanto a Commerce One está barata.)[7]

---

7 Ver "CEO Speaks" [A fala do presidente] e "The Bottom Line" [Resultado final], *Money*, maio de 2000, p. 42-44.

No outro extremo, estava a Capital One Financial Corp., um empresa emissora de cartões MasterCard e Visa. De julho de 1999 a maio de 2000, suas ações caíram 21,5%. No entanto, a Capital One tinha ativos totais de US$12 bilhões e lucrou US$363 milhões em 1999, um aumento de 32% em relação ao ano anterior. Com um valor de mercado de aproximadamente US$7,3 bilhões, a ação era negociada a vinte vezes o lucro líquido da Capital One. As coisas podiam não estar indo bem na Capital One — a companhia mal tinha aumentado suas reservas para empréstimos que poderiam se tornar incobráveis, muito embora as taxas de inadimplência costumem saltar em uma recessão —, mas o preço de suas ações refletia algum risco, pelo menos de problemas em potencial.

O que aconteceu depois? Em 2001, a Commerce One faturou US$409 milhões. Infelizmente, seu prejuízo líquido foi de US$2,6 bilhões — ou perda de US$10,30 por ação — sobre aquele faturamento. A Capital One, por outro lado, teve um lucro líquido de quase US$2 bilhões entre 2000 e 2002. Suas ações caíram 38% naqueles três anos — nada além do mercado acionário como um todo. A Commerce One, no entanto, perdeu 99,7% de seu valor.[8]

Em vez de escutar Hoffman e seus analistas amestrados, os operadores deveriam ter prestado atenção à advertência honesta do relatório anual da Commerce One referente a 1999: "Nunca tivemos lucro. Esperamos ter prejuízos líquidos no futuro previsível e talvez nunca sejamos lucrativos."

DUPLA 4: PALM E 3COM

Em 2 de março de 2000, a fabricante de redes de dados 3Com Corp. vendeu 5% de sua subsidiária Palm, Inc. ao público. Os restantes 95% das ações da Palm seriam distribuídos aos acionistas da 3Com durante os meses seguintes; para cada ação da 3Com possuída, os investidores receberiam 1,525 ações da Palm.

Portanto, havia duas maneiras de obter cem ações da Palm: tentando participar da abertura de capital ou comprando 66 ações da 3Com e esperando até que a companhia controladora distribuísse o resto das ações da Palm. Ao

8 No início de 2003, o diretor financeiro da Capital One renunciou após reguladores do mercado mobiliário revelarem que ele poderia ser autuado por violação das leis de uso de informação privilegiada (*insider trading*).

obter uma ação e meia da Palm por cada ação da 3Com, você terminaria com cem ações da nova companhia e ainda teria as 66 ações da 3Com.

Mas quem estava disposto a esperar alguns meses? Enquanto a 3Com se digladiava com rivais enormes, como a Cisco, a Palm era uma líder no "nicho" quente dos organizadores digitais portáteis. Logo, a ação da Palm subiu vertiginosamente de seu preço de oferta inicial de US$38 para fechar a US$95,06, um retorno de 150% no primeiro dia. Esse resultado avaliava a Palm a mais de 1.350 vezes seus lucros nos 12 meses anteriores.

Naquele mesmo dia, o preço das ações da 3Com *caiu* de US$104,13 para US$81,81. Em que patamar a 3Com deveria ter fechado naquele dia, tendo em vista o preço da Palm? A aritmética é fácil:

- cada ação da 3Com tinha o direito de receber 1,525 ação da Palm;
- cada ação da Palm fechou a US$95,06;
- 1,525 X US$95,06 = US$144,97.

Esse era o valor da ação da 3Com com base apenas em sua participação na Palm. Portanto, a US$81,81, os operadores estavam dizendo que todos os outros negócios da 3Com combinados tinham um valor negativo de US$63,16 por ação *ou um total negativo de US$22 bilhões*! Raramente, na história, alguma ação foi cotada de forma tão estúpida.[9]

No entanto, havia um senão: assim como a 3Com não valia realmente US$22 bilhões negativos, a Palm não valia realmente mais de 1.350 vezes seus lucros. No final de 2002, ambas as ações levaram uma surra na recessão da alta tecnologia, mas foram os acionistas da Palm que realmente sofreram, porque eles já haviam abandonado seu bom senso ao fazerem a compra:

---

9 Para uma visão mais profunda desse evento bizarro, ver Owen A. Lamont e Richard H. Thaler, "Can the Market Add and Subtract?" [O mercado sabe somar e subtrair?], texto para discussão do National Bureau of Economic Research nº 8.302, em www.nber.org/papers/w8302.

FIGURA 18-3
Palmadas na Palm

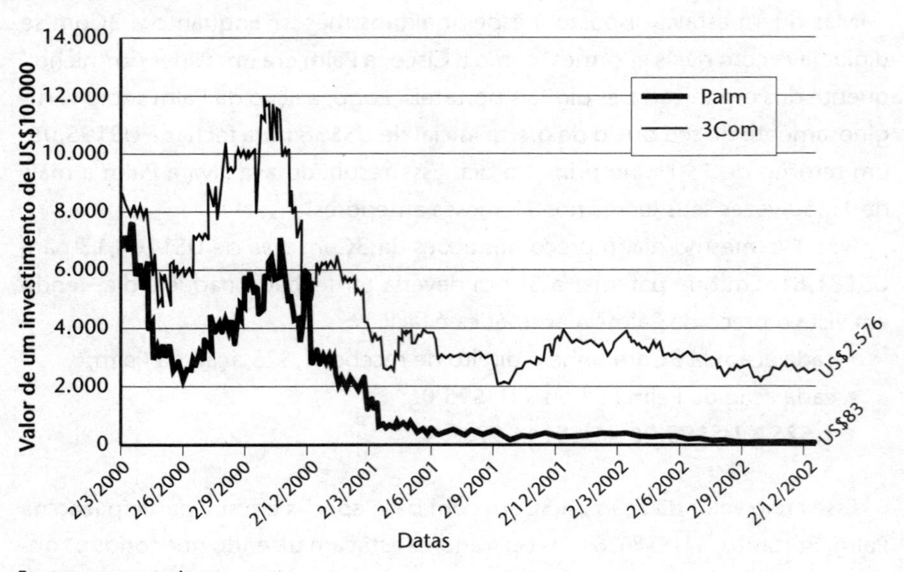

Fonte: www.morningstar.com

DUPLA 5: CMGI E CGI

O ano de 2000 começou bem para a CMGI, Inc., já que a ação atingiu US$163,22 em 3 de janeiro, um ganho de 1.126% relativo ao preço de apenas um ano antes. A companhia, uma "incubadora de internet", financiava e adquiria empresas iniciantes em uma gama de negócios on-line, entre elas destaques recentes, como a theglobe.com e a Lycos.[10]

No ano fiscal de 1998, à medida que suas ações subiram de 98 centavos para US$8,52, a CMGI gastou US$53,8 milhões na aquisição do controle, total ou parcial, de companhias de internet. No ano fiscal de 1999, à medida que suas ações iam de US$8,52 para US$46,09, a CMGI gastou US$104,7 milhões. E nos últimos cinco meses de 1999, à medida que suas ações subiam igual a um foguete para US$138,44, a CMGI gastou US$4,1 bilhões em aquisições. Quase

10 A CMGI começou sua vida empresarial como a College Marketing Group, a qual vendia informações sobre professores e cursos universitários para editoras acadêmicas, um negócio que tinha uma semelhança sutil, porém perturbadora, com a National Student Marketing, discutida por Graham na p. 235.

todo o "dinheiro" era moeda cunhada pela própria CMGI: suas ações ordinárias eram cotadas a um total superior a US$40 bilhões.

Era uma espécie de carrossel de dinheiro mágico. Quanto mais alta a própria ação da CMGI, mais ela podia comprar. Quanto mais a CMGI podia comprar, mais alto subia a ação. As ações subiam primeiro com base no rumor de que a CMGI podia comprá-las; então, após a CMGI as adquirir, sua própria ação subia porque ela as possuía. Ninguém se importava com o fato de que a CMGI havia perdido US$127 milhões em suas operações no último ano fiscal.

Em Webster, Massachusetts, cem quilômetros a sudeste da matriz da CMGI em Andover, fica a sede da Commerce Group, Inc. A CGI era tudo aquilo que a CMGI não era: oferecia seguros de automóveis, principalmente para motoristas de Massachusetts; era uma ação fria em um setor velho. Suas ações perderam 23% em 1999, embora seu lucro líquido, de US$89 milhões, tenha sido apenas 7% inferior ao nível de 1998. A CGI até pagou um dividendo superior a 4% (a CMGI não pagou nenhum). Com um valor de mercado total de US$870 milhões, a ação da CGI foi negociada a menos de dez vezes o lucro da companhia em 1999.

De repente, tudo passou a andar de marcha a ré. O carrossel de dinheiro mágico da CMGI deu uma freada brusca: os preços de suas ações ponto-com pararam de subir e logo despencaram. Não sendo mais capaz de vendê-las com lucro, a CMGI precisou assumir a perda de valor como um débito contra seus lucros. A companhia perdeu US$1,4 bilhão em 2000, US$5,5 bilhões em 2001 e aproximadamente US$500 milhões adicionais em 2002. Suas ações foram de US$163,22 no início de 2000 a 98 centavos no final do ano de 2002, uma perda de 99,4%. A velha e modorrenta CGI, no entanto, continuou a gerar lucros constantes e suas ações subiram 8,5% em 2000, 43,6% em 2001 e 2,7% em 2002, ou seja, um ganho acumulado de 60%.

DUPLA 6: BALL E STRYKER

Entre 9 e 23 de julho de 2002, as ações da Ball Corp. caíram de US$43,69 para US$33,48, uma perda de 24% que deixou as ações da companhia com um valor de mercado de US$1,9 bilhão. Ao longo das mesmas duas semanas, as ações da Stryker Corp. caíram de US$49,55 para US$45,60, uma queda de 8% que deixou a Stryker valendo um total de US$9 bilhões.

O que fez essas duas companhias desvalorizarem tanto em um espaço tão breve de tempo? A Stryker, um fabricante de implantes ortopédicos e equipamentos cirúrgicos, emitiu apenas um comunicado à imprensa durante aquelas duas semanas. Em 16 de julho, a Stryker anunciou que suas vendas haviam crescido 15%, ou seja, para US$734 milhões no segundo trimestre, enquanto os lucros haviam saltado 31%, isto é, para US$86 milhões. A ação subiu 7% no dia seguinte e depois rolou ladeira abaixo.

A Ball, fabricante original das famosas "jarras Ball" usadas para envasar frutas e verduras, agora fabricava embalagens de plástico e de metal para clientes industriais. A Ball não divulgou nenhum comunicado à imprensa durante aquelas duas semanas. Em 25 de julho, no entanto, a Ball informou que havia obtido um lucro de US$50 milhões sobre vendas de US$1 bilhão no segundo trimestre, uma alta de 61% do lucro líquido em comparação com o mesmo período um ano antes. Isso levou seus lucros nos últimos quatro trimestres para US$152 milhões, portanto a ação estava sendo negociada a apenas 12,5 vezes os lucros da Ball. E, com um valor contábil de US$1,1 bilhão, você poderia comprar a ação por 1,7 vez o valor dos ativos tangíveis da companhia. (A Ball tinha, no entanto, pouco mais de US$900 milhões de dívidas.)

A Stryker estava em uma classe diferente. Nos últimos quatro trimestres, a companhia havia gerado US$301 milhões em lucro líquido. O valor contábil da Stryker era de US$570 milhões. Portanto, as ações da companhia estavam sendo negociadas a múltiplos gordos, equivalentes a trinta vezes seus lucros ao longo dos últimos 12 meses e quase 16 vezes seu valor contábil. Por outro lado, de 1992 ao final de 2001, os lucros da Stryker haviam subido 18,6% ao ano; seus dividendos haviam crescido cerca de 21% ao ano. Em 2001, a Stryker gastou US$142 milhões em pesquisa e desenvolvimento para semear e criar as raízes do crescimento futuro.

O que, então, havia jogado essas duas ações para baixo? Entre 9 e 23 de julho de 2002, enquanto a WorldCom mergulhava na falência, o Índice Industrial Dow Jones caiu de 9.096,09 para 7.702,34 pontos, uma queda de 15,3%. As boas notícias da Ball e da Stryker se perderam entre as manchetes ruins e os mercados descendentes, os quais arrastaram essas duas ações para baixo junto com outras.

Embora a Ball terminasse a uma cotação bem mais baixa do que a Stryker, a lição aqui não é que a Ball era um ótimo negócio e a Stryker era um tiro no escuro. Ao contrário, o investidor inteligente deveria reconhecer que os pânicos do mercado podem criar preços altos para companhias boas (como a Ball) e preços bons para companhias excelentes (como a Stryker). A Ball terminou 2002 a US$51,19 a ação, uma alta de 53% em relação ao mínimo de julho; a

Stryker terminou o ano a US$67,12, um ganho de 47%. De vez em quando, as ações de valor e as de crescimento rápido entram em liquidação ao mesmo tempo. Sua escolha dependerá muito de sua personalidade, mas podem ser encontradas subvalorizações para todos os gostos.

DUPLA 7: NORTEL E NORTEK

O relatório anual de 1999 da Nortel Networks, uma companhia de equipamentos de fibra óptica, gabava-se de "um ano de ouro do ponto de vista financeiro". Em fevereiro de 2000, com um valor de mercado superior a US$150 bilhões, a ação da Nortel era negociada a 87 vezes os lucros que os analistas de Wall Street previam que seriam produzidos pela companhia em 2000.

Até que ponto essa previsão era digna de crédito? As contas a receber da Nortel — vendas a clientes que ainda não haviam sido pagas — haviam pulado para US$1 bilhão no espaço de um ano. A companhia afirmou que a subida "foi motivada por vendas crescentes no quarto trimestre de 1999". No entanto, os inventários haviam também inchado para US$1,2 bilhão, o que significava que a Nortel estava produzindo equipamentos ainda mais rapidamente do que aquelas "vendas crescentes" conseguiam descarregá-los.

Enquanto isso, os "recebíveis de longo prazo" da Nortel — contas ainda não pagas relativas a contratos plurianuais — pularam de US$519 milhões para US$1,4 bilhão. A companhia encontrava dificuldades para controlar seus custos, conforme demonstrado pelo crescimento de suas despesas de vendas, gerais e administrativas (ou fixas), de 17,6% das receitas em 1997 para 18,7% em 1999. Ao todo, a Nortel teve um prejuízo de US$351 milhões em 1999.

E também temos a Nortek, Inc., fabricante de coisas pouco glamourosas, como tapumes de vinil, campainhas de porta, ventiladores-exaustores, tampas de fogão e compactadores de lixo. Em 1999, a Nortek teve um lucro de US$49 milhões sobre US$2 bilhões de vendas líquidas, um crescimento em relação aos US$21 milhões de lucro líquido sobre US$1,1 bilhão de vendas registrado em 1997. A margem de lucro da Nortek (lucro líquido como percentagem das vendas líquidas) havia subido em quase um terço, de 1,9% para 2,5%. Além disso, a Nortek tinha cortado as despesas fixas de 19,3% do faturamento para 18,1%.

Para ser justo, grande parte da expansão da Nortek veio da compra de outras companhias, não do crescimento interno. Ademais, a Nortek tinha dívidas de US$1 bilhão, um fardo pesado para uma firma pequena. No entanto, em fevereiro de 2000, o preço das ações da Nortek — aproximadamente cinco vezes os lucros de 1999 — embutia uma dose razoável de pessimismo.

Por outro lado, o preço da Nortel — 87 vezes o palpite do que ela poderia lucrar no ano seguinte — refletia uma overdose enorme de otimismo. No final das contas, em vez de ganhar US$1,30 por ação, como os analistas haviam previsto, a Nortel perdeu US$1,17 por ação em 2000. Até o final de 2002, a Nortel havia sangrado mais de US$36 bilhões em prejuízo.

A Nortek, por outro lado, ganhou US$41,6 milhões em 2000, US$8 milhões em 2001 e US$55 milhões nos primeiros nove meses de 2002. Suas ações foram de US$28 para US$45,75 no final do ano de 2002, um ganho de 63%. Em janeiro de 2003, os gestores da Nortek fecharam o capital da companhia, comprando todas as ações dos investidores públicos a US$46 por ação. Enquanto isso, o preço da ação da Nortel afundou de US$56,81 em fevereiro de 2000 para US$1,61 no final do ano de 2002, uma perda de 97%.

DUPLA 8: RED HAT E BROWN SHOE

Em 11 de agosto de 1999, a Red Hat, Inc., uma companhia de desenvolvimento de *software* Linux, vendeu suas ações ao público pela primeira vez. A Red Hat estreou de forma espetacular; inicialmente oferecidas a US$7, as ações abriram para negociação a US$23 e fecharam a US$26,031 — um ganho de 272%.[11] Em um único dia, a ação da Red Hat subiu mais do que a da Brown Shoe nos 18 anos anteriores. Em 9 de dezembro, as ações da Red Hat atingiram US$143,13, uma alta de 1.944% em quatro meses.

Enquanto isso, a Brown Shoe tropeçava nos próprios cadarços. Fundada em 1878, a companhia vendia por atacado os sapatos Buster Brown e administrava quase 1.300 lojas de calçados nos Estados Unidos e no Canadá. A ação da Brown Shoe, cotada em US$17,50 em 11 de agosto, despencou para US$14,31 em 9 de dezembro. Ao longo do ano de 1999, as ações da Brown Shoe perderam 17,6%.[12]

---

11 Todos os preços das ações da Red Hat estão ajustados para o desdobramento dois por um de suas ações em janeiro de 2000.

12 Ironicamente, 65 anos antes, Graham tinha destacado a Brown Shoe como uma das companhias mais estáveis na Bolsa de Valores de Nova York. Ver a edição de 1934 de *Security Analysis*, p. 159.

Além de um nome bacana e uma *hot stock*, o que obtiveram os investidores da Red Hat? Ao longo dos nove meses encerrados em 30 de novembro, a companhia teve um faturamento de US$13 milhões, sobre o qual registrou um prejuízo líquido de US$9 milhões.[13] O negócio da Red Hat era pouco maior do que uma *delicatéssen* de bairro e muito menos lucrativo. No entanto, os investidores, inflamados pelas palavras *software* e internet, levaram o valor total das ações da Red Hat para US$21,3 bilhões em 9 de dezembro.

E a Brown Shoe? Ao longo dos três trimestres anteriores, a companhia realizou vendas líquidas de US$1,2 bilhão e lucrou US$32 milhões. A Brown Shoe tinha quase US$5 por ação em dinheiro e imóveis, e a garotada continuava a comprar os sapatos Buster Brown. Entretanto, naquele 9 de dezembro as ações da Brown Shoe tinham um valor total de US$261 milhões, quase 1/80 do tamanho da Red Hat, muito embora a Brown Shoe tivesse cem vezes o faturamento da Red Hat. Naquele preço, a Brown Shoe era avaliada a 7,6 vezes seu lucro anual e a menos de um quarto de suas vendas anuais. A Red Hat, por outro lado, não tinha lucro algum, embora suas ações estivessem sendo negociadas a mais de mil vezes as vendas anuais.

A companhia Red Hat continuou a jorrar tinta vermelha. E logo em seguida a ação também. No entanto, a Brown Shoe, assim como seus acionistas, caminhava em direção a maiores lucros:

FIGURA 18-4 Red Hats *versus* Brown Shoe

	2000	2001	2002
Red Hat			
Retorno total (%)	-94,1	13,6	-16,8
Lucro líquido (US$ milhões)	-43	-87	-140
Brown Shoe			
Retorno total (%)	-4,6	28,2	49,5
Lucro líquido (US$ milhões)	36	36	-4

Observação: Retorno total refere-se a ano-calendário; lucro líquido refere-se a ano fiscal.
Fonte: www.morningstar.com

13 Usamos um período de nove meses apenas porque os resultados de 12 meses da Red Hat não poderiam ser determinados a partir dos balanços financeiros sem incluir os resultados de aquisições.

O que aprendemos com isso tudo? O mercado desdenha dos princípios de Graham no curto prazo, mas eles são sempre revalidados no final. Se você compra uma ação simplesmente porque seu preço subiu — em vez de perguntar se o *valor intrínseco* da companhia está crescendo —, mais cedo ou mais tarde você se arrependerá muito. Não se trata de uma probabilidade, mas sim de uma certeza.

CAPÍTULO 19

ACIONISTAS E ADMINISTRADORES: A POLÍTICA DE DIVIDENDOS

Desde 1934, defendemos uma atitude mais inteligente e enérgica por parte dos acionistas com relação aos administradores. Solicitamos que eles tivessem uma atitude generosa para com aqueles que estavam claramente fazendo um bom trabalho. Temos solicitado também que exijam explicações claras e satisfatórias quando os resultados parecem ser piores do que deveriam ser e que apoiem movimentos para melhorar ou remover administradores improdutivos. Os acionistas têm razão ao questionarem a competência dos administradores quando os resultados (1) são insatisfatórios em si; (2) são piores do que aqueles obtidos por outras companhias em situação semelhante; e (3) têm gerado um preço de mercado insatisfatório durante um prazo prolongado.

Nos últimos 36 anos, praticamente não se obteve nada a partir da atuação inteligente da grande massa de acionistas. Um militante sensato — se é que existe algum — interpretaria isso como um sinal de que está perdendo seu tempo e de que a melhor coisa a fazer seria desistir da luta. Na verdade, nossa causa não está perdida; ela foi resgatada por uma mudança externa conhecida como aquisições ou propostas de aquisições.[1] Dissemos no capítulo 8 que administradores ruins produzem preços de mercado ruins. Os

---

1 Ironicamente, as fusões começaram a secar logo após a publicação da última edição revista de Graham, e a década de 1970 e o início da década de 1980 marcaram o fundo do poço da eficiência industrial moderna nos EUA. Os carros eram "carroças", televisões e rádios constantemente não funcionavam e os gestores de muitas companhias negociadas em bolsa ignoravam os interesses correntes de seus acionistas externos e as perspectivas futuras de seus próprios negócios. Tudo isso começou a mudar em 1984, quando o magnata do petróleo T. Boone Pickens lançou uma proposta de aquisição hostil da Gulf Oil. Logo, alimentado pelo financiamento de *junk bonds* fornecido pela Drexel Burnham Lambert, os "assaltantes de empresas" encheram de medo as companhias há muito esclerosadas, levando-as a um regime novo de eficiência. Embora muitas das companhias envolvidas nas compras e aquisições tivessem sido arrasadas, o resto do setor privado americano emergiu mais magro (o que era positivo) e mais agressivo (o que às vezes não era).

preços de mercado baixos, por sua vez, atraem a atenção de companhias interessadas em diversificar suas operações, e estas agora se tornaram uma multidão. Inúmeras aquisições desse tipo têm sido realizadas por meio de acordos com os administradores existentes ou ainda pelo acúmulo de ações no mercado e por propostas feitas contra a vontade dos controladores. O preço das propostas em geral tem sido compatível com o valor da empresa que se encontra nas mãos de uma administração razoavelmente competente. Portanto, em muitos casos, o acionista público inerte tem sido salvo pelas ações de "forasteiros", os quais, às vezes, podem ser indivíduos ou grupos empreendedores que agem por conta própria.

Pode-se afirmar como uma regra com muito poucas exceções que as administrações ruins não são mudadas pela ação dos "acionistas públicos", mas apenas pela tomada de controle por parte de um indivíduo ou grupo empresarial. Isso ocorre hoje com uma frequência suficiente para colocar os administradores, incluindo a diretoria, de uma típica companhia negociada em bolsa em alerta contra a possibilidade de se tornarem alvo de um movimento de aquisição bem-sucedido, caso os resultados de suas operações e o preço de mercado resultante sejam altamente insatisfatórios. Como consequência, as diretorias provavelmente se tornaram mais atentas para com seu dever fundamental de assegurar que a companhia tenha uma administração satisfatória. As mudanças de presidente têm sido muito mais frequentes do que antigamente.

Nem todas as companhias na categoria insatisfatória se beneficiaram de tais desenvolvimentos. Muitas vezes a mudança também ocorre após um longo período de resultados ruins sem ações corretivas e depende de um número suficiente de acionistas decepcionados venderem a preços baixos para permitir que forasteiros que agem com energia adquiram uma posição de controle do capital social. Porém, a ideia de que os acionistas públicos podem realmente ajudar a si mesmos ao apoiar movimentos para melhorar a administração e as políticas de gestão se provou quixotesca demais para merecer um espaço maior neste livro. Aqueles acionistas individuais que têm iniciativa suficiente para fazerem sua presença ser sentida nas reuniões anuais — em geral com resultados completamente inócuos — não precisarão de nossos conselhos sobre os pontos a serem abordados com os administradores. Para outros, o conselho provavelmente seria desperdiçado. Não obstante, vamos fechar esta seção com um apelo para que os acionistas considerem com mente aberta e atenção cuidadosa quaisquer procurações e outros materiais a eles enviados por colegas acionistas que desejam remediar uma gestão empresarial obviamente insatisfatória.

Acionistas e a política de dividendos

No passado, a política de dividendos foi objeto de controvérsias frequentes entre os acionistas individuais, ou minoritários, e os administradores. Em geral, esses acionistas desejavam dividendos mais generosos, enquanto os administradores preferiam manter os lucros dentro do negócio "para fortalecer a companhia". Estes últimos pediam aos acionistas que sacrificassem seus lucros atuais para o bem da empresa e para seu próprio benefício futuro no longo prazo. No entanto, nos últimos anos a atitude dos investidores para com os dividendos tem mudado de maneira gradual, porém significativa. O argumento básico agora para pagar dividendos menores em vez de mais generosos não é que a companhia "precise" de dinheiro, mas, ao contrário, que ela pode usá-lo em benefício direto e imediato dos acionistas ao reter recursos para financiar a expansão lucrativa. Anos atrás, eram as companhias fracas que eram mais ou menos forçadas a reter seus lucros, em vez de distribuir os usuais 60% a 75% em dividendos. O efeito era quase sempre negativo para o preço das ações no mercado. Hoje em dia, é muito provável que a empresa que deliberadamente mantém baixo seus pagamentos de dividendos, com a aprovação tanto de investidores quanto de especuladores, seja forte e crescente.[2]

Sempre houve um forte argumento teórico em favor do reinvestimento de lucros no negócio nos casos em que se poderia ter certeza que tal retenção produziria um aumento considerável dos lucros. Porém, havia vários contra-argumentos, tais como: os lucros "pertencem" aos acionistas e eles têm o direito de recebê-los até os limites da administração prudente; muitos dos acionistas dependem da renda dos dividendos para seu sustento; os lucros recebidos em dividendos são "dinheiro de verdade", enquanto

---

2 A ironia descrita por Graham aqui aumentou ainda mais na década de 1990, quando quase parecia que quanto mais forte fosse a companhia, menos provável seria que ela pagasse um dividendo ou que seus acionistas quisessem um. O "índice de pagamento" (ou a percentagem do lucro líquido que as companhias pagam em forma de dividendos) caiu de "60% a 75%" na época de Graham para 35% a 40% no final da década de 1990.

aqueles retidos na companhia podem ou não aparecer mais tarde como valor tangível para os acionistas. Esses contra-argumentos eram tão fortes, na verdade, que o mercado acionário mostrou um viés persistente em favor dos pagadores de dividendos generosos e em detrimento das companhias que não pagavam dividendo algum ou que pagavam um relativamente pequeno.[I]

Nos últimos vinte anos, a teoria do "reinvestimento lucrativo" tem ganhado terreno. Quanto melhor o histórico de crescimento, mais dispostos se tornaram os investidores e especuladores a aceitar uma política de pagamentos baixos. Tanto isso é verdade que, em muitos casos de ações populares de crescimento rápido, a taxa de dividendos — ou mesmo a ausência de qualquer dividendo — parece não ter quase nenhum efeito sobre o preço do mercado.[3]

Um exemplo marcante dessa evolução pode ser encontrado na história da Texas Instruments, Incorporated. O preço de suas ações ordinárias subiu de 5 em 1953 para 256 em 1960 à medida que os lucros subiram de 43 centavos para US$3,91 por ação e enquanto nenhum dividendo de qualquer tipo era pago. (Em 1962, foi iniciado o pagamento de dividendos em dinheiro, mas naquele ano os lucros haviam caído para US$2,14 e o preço havia apresentado uma queda espetacular para um mínimo de 49.)

Outra ilustração extrema é fornecida pela Superior Oil. Em 1948, a companhia divulgou lucros de US$35,26 por ação, pagou US$3 em dividendos e foi negociada a um preço tão alto quanto 235. Em 1953, o dividendo foi reduzido para US$1, mas o preço máximo foi 660. Em 1957, ela *não pagou qualquer dividendo* e foi negociada a 2.000! Essa ação incomum posteriormente caiu para 795 em 1962, quando lucrou US$49,50 e pagou US$7,50.[4]

---

3 No final da década de 1990, as companhias de tecnologia eram fortes defensoras da visão de que todos os lucros deveriam ser reinvestidos no negócio, uma vez que poderiam gerar retornos maiores do que qualquer acionista externo possivelmente conseguiria ao reinvestir o mesmo dinheiro se este fosse distribuído sob forma de dividendos. Por incrível que pareça, os investidores nunca questionaram a verdade desse princípio paternalista e condescendente, ou mesmo perceberam que o dinheiro da companhia pertence aos acionistas, não a seus administradores. Ver comentários a este capítulo.

4 O preço da ação da Superior Oil atingiu o máximo de US$2.165 por ação em 1959, quando pagou um dividendo de US$4. Por muitos anos, a Superior foi a ação mais cara da Bolsa de Valores de Nova York. A Superior, controlada pela família Keck, de Houston, foi adquirida pela Mobil Corp. em 1984.

A opinião dos investidores a respeito dessa questão da política de dividendos das companhias de crescimento rápido está longe de cristalizada. Os pontos de vista conflitantes são bem ilustrados pelos casos de duas das maiores empresas americanas — a American Telephone & Telegraph e a International Business Machines. A American Tel. & Tel. foi considerada uma ação com boas possibilidades de crescimento, conforme mostrado pelo fato de que em 1961 ela foi negociada a 25 vezes os lucros daquele ano. Não obstante, a política de dividendos em dinheiro da companhia continuava a ser uma consideração prioritária no mundo do investimento e da especulação, sua cotação respondendo ativamente até a *rumores* de um aumento iminente na taxa de dividendos. Por outro lado, parece ter sido dada comparativamente pouca atenção aos dividendos em *dinheiro* da IBM, os quais em 1960 renderam apenas 0,5% do preço máximo do ano e 1,5% ao fechamento de 1970. (No entanto, em ambos os casos, os desdobramentos de ações operaram como uma influência poderosa no mercado acionário.)

A avaliação pelo mercado da política de dividendos em dinheiro parece marchar na seguinte direção: nos casos em que não se coloca a ênfase principal no crescimento, a ação é vista como uma "ação de receita", e a taxa de dividendos retém sua importância antiga como o determinante principal do preço de mercado. No outro extremo, as ações claramente reconhecidas como pertencentes à categoria de crescimento rápido são cotadas principalmente com base na taxa de crescimento esperada, digamos, da década seguinte, sendo a taxa de dividendos em dinheiro mais ou menos desconsiderada.

Embora a afirmação anterior possa descrever as tendências atuais de forma apropriada, ela não é uma regra definitiva aplicável a todas as ações ordinárias e talvez nem mesmo à maioria delas. Em primeiro lugar, muitas companhias ocupam uma posição intermediária entre o crescimento rápido e a ausência de crescimento. É difícil avaliar a importância que deve ser atribuída ao fator de crescimento rápido em tais casos, além de que a visão do mercado de tal relevância pode mudar radicalmente de ano a ano. Em segundo lugar, parece haver algo paradoxal na exigência de que as companhias de crescimento mais lento sejam mais generosas com os dividendos em dinheiro. Pois, em geral, essas são as companhias menos prósperas, sendo que, no passado, quanto mais próspera era a companhia, maior era a expectativa de pagamentos generosos e crescentes.

Acreditamos que os acionistas devem exigir dos administradores uma distribuição normal dos lucros — cerca de, digamos, dois terços — ou demonstrem claramente que os lucros reinvestidos têm produzido um aumento satisfatório nos lucros por ação. Tal demonstração pode normalmente ser feita no caso de uma companhia de crescimento rápido reconhecida. No entanto, em muitos outros casos, um pagamento baixo é claramente a causa de um preço de mercado medíocre que esteja abaixo do valor justo, e, nesse caso, os acionistas têm todo o direito de questionar e, provavelmente, de reclamar.

Uma política sovina tem, com frequência, sido necessária no caso das companhias com uma posição financeira relativamente fraca e que precisam de todos ou da maioria de seus lucros (mais encargos de depreciação) para pagar dívidas e melhorar sua posição de capital de giro. Quando isso ocorre, não há muito a ser questionado por parte dos acionistas, exceto talvez criticar os administradores por deixar a companhia chegar a tal posição financeira insatisfatória. No entanto, os dividendos são, por vezes, mantidos em níveis baixos por companhias relativamente pouco prósperas com o propósito declarado de expandir o negócio. Acreditamos que tal política é patentemente ilógica e requer tanto uma explicação completa quanto uma defesa convincente antes de os acionistas aceitarem-na. Com base no histórico, não há razão *a priori* para acreditar que os donos se beneficiarão de movimentos de expansão, financiados com seu dinheiro, de um negócio que mostra resultados medíocres e mantém os administradores existentes.

Dividendos em ações e desdobramentos de ações

É importante que os investidores entendam a diferença essencial entre um dividendo em ações (na acepção correta do termo) e um desdobramento de ações. O último representa um reordenamento da estrutura acionária — em um caso típico — pela emissão de duas ou três ações por cada uma das antigas. As novas ações não estão relacionadas a lucros específicos reinvestidos em um período passado específico. Seu propósito é estabelecer um preço de mercado por ação mais baixo, presumivelmente porque tal patamar de preço mais baixo seria mais bem aceito por velhos e novos acionistas. Um desdobramento de ações pode ser realizado por meio do que tecnicamente poderia ser denominado um dividendo em ações, o qual envolve uma transferência de montantes de lucros excedentes para a conta de capital; ou então por uma mudança no valor de paridade, a qual não afeta a conta de lucros excedentes.[5]

O *dividendo em ações apropriado* é aquele pago aos acionistas para dar-lhes uma prova ou representação tangível de lucros *específicos* que foram reinvestidos no negócio em seu nome ao longo de algum período relativamente curto no passado recente, digamos, não mais do que os dois anos precedentes. A prática costumeira hoje é cotar tal dividendo em ações ao seu valor aproximado no momento da declaração e transferir uma quantia igual a tal valor da conta de lucros excedentes para a conta de capital. Portanto, o valor típico de um dividendo em ações é relativamente pequeno, não superando 5% na maioria dos casos. Em essência, um dividendo em ações desse tipo tem o mesmo efeito geral que o pagamento de uma quantia equivalente de dinheiro dos lucros acompanhado da venda aos acionistas de ações adicionais com um valor total igual. No entanto, um dividendo em ações direto tem uma vantagem fiscal importante em comparação com a combinação, de outra forma equivalente, de dividendos em dinheiro com direitos de subscrição de ações, a qual é uma prática quase padrão no caso das concessionárias de serviços públicos.

A Bolsa de Valores de Nova York estabeleceu o limite de 25% como uma linha divisória prática entre os desdobramentos de ações e os dividendos em ações. Os de 25% ou mais não precisam ser acompanhados pela transferência do valor de mercado dos lucros excedentes para a conta de capital, e assim por diante.[6] Algumas companhias, sobretudo os bancos, ainda seguem a prática antiga de declarar qualquer tipo de dividendo em ações que desejarem — por exemplo, um de 10% não relacionado a lucros recentes —, e esses exemplos perpetuam uma confusão indesejável no mundo financeiro.

---

5 Hoje, quase todos os desdobramentos de ações são realizados por uma mudança de valor. Em um desdobramento dois por um, uma ação se torna duas, cada uma sendo negociada por metade do preço anterior da ação original; em um desdobramento três por um, uma ação se torna três, cada uma sendo negociada a um terço do preço anterior; e assim por diante. Apenas em casos muito raros um montante é transferido "da conta de lucros excedentes para a conta de capital", como acontecia na época de Graham.

6 A regra 703 da Bolsa de Valores de Nova York rege os desdobramentos de ações e os dividendos em ações. A NYSE (na sigla em inglês) agora denomina dividendos em ações superiores a 25% e inferiores a 100% como "desdobramentos parciais de ações". Ao contrário do que ocorria na época de Graham, esses dividendos em ações podem agora suscitar a exigência contábil da NYSE de que a quantia do dividendo seja capitalizada a partir dos lucros retidos.

Há muito temos defendido uma política sistemática e claramente enunciada com relação ao pagamento de dividendos em dinheiro e em ações. Segundo tal política, os dividendos em ações devem ser pagos periodicamente para capitalizar toda ou uma parcela declarada dos lucros reinvestidos no negócio. Tal política — cobrindo 100% dos lucros reinvestidos — foi seguida pela Purex, a Government Employees Insurance e talvez algumas outras.[7]

A maioria dos acadêmicos que escrevem sobre o assunto desaprova os dividendos em ações de todos os tipos. Eles insistem que esses dividendos não passam de pedaços de papel, que não dão ao acionista nada além do que ele já tinha e envolvem despesas e complicações desnecessárias.[8] De nosso lado, consideramos esta uma visão completamente doutrinária, a qual deixa de levar em consideração as realidades práticas e psicológicas do investimento. É verdade, um dividendo em ações periódico — digamos de 5% — muda apenas a "forma" do investimento dos donos. Eles possuem 105 ações no lugar de cem, mas sem o dividendo em ações as cem ações originais teriam representado a mesma participação agora incorporada em 105 ações. Mesmo assim, a mudança de forma é efetivamente de real importância e valor para o acionista. Se ele deseja transformar em dinheiro sua parte dos lucros reinvestidos, pode fazê-lo ao vender o novo certificado enviado a ele, em vez de precisar desdobrar seu certificado original. Ele pode esperar receber a mesma taxa de dividendos em dinheiro sobre 105

---

7 Essa política, já incomum na época de Graham, é extremamente rara hoje. Em 1936 e novamente em 1950, aproximadamente metade de todas as ações da NYSE pagaram um assim chamado dividendo especial. Em 1970, no entanto, essa percentagem havia caído para menos de 10% e na década de 1990 estava bem abaixo de 5%. Ver Harry DeAngelo, Linda DeAngelo e Douglas J. Skinner, "Special Dividends and the Evolution of Dividend Signaling" [Os dividendos especiais e a evolução da sinalização por meio dos dividendos"], *Journal of Financial Economics,* v. 57, nº 3, setembro de 2000, p. 309-354. A explicação mais plausível para esse declínio é que os administradores de empresas se preocuparam com a ideia de que os acionistas poderiam interpretar os dividendos especiais como um sinal de que os lucros futuros pudessem ser baixos.

8 A crítica acadêmica aos dividendos foi elaborada por Merton Miller e Franco Modigliani, cujo artigo influente "Dividend Policy, Growth, and the Valuation of Shares" [Política de dividendos, crescimento e cotação das ações] (1961) ajudou-os a ganhar o Prêmio Nobel de Economia. Miller e Modigliani argumentam, em essência, que os dividendos são irrelevantes, uma vez que um investidor não deveria se preocupar com o fato de seu retorno vir em forma do recebimento de dividendos e de um aumento no preço da ação ou apenas do aumento no preço da ação, contanto que o retorno total seja o mesmo em ambos os casos.

ações como anteriormente por suas cem ações; uma alta de 5% na taxa de dividendos da ação não seria tão provável sem o dividendo em ações.[9]

As virtudes de uma política de distribuição periódica de dividendos em ações ficam mais evidentes quando ela é comparada com a prática usual das concessionárias de serviços públicos de pagar dividendos generosos em dinheiro e depois retomar dos acionistas uma parte considerável desse dinheiro por meio da venda de ações adicionais (através de direitos de subscrição).[10] Conforme mencionamos anteriormente, os acionistas se encontrariam exatamente na mesma posição se recebessem dividendos em ações em vez da combinação popular de dividendos em dinheiro seguidos por subscrições de ações — exceto pelo fato de que eles economizariam o imposto de renda que seria pago sobre os dividendos em dinheiro. Aqueles que precisam ou desejam maximizar a renda em dinheiro, sem ações adicionais, podem obter esse resultado por meio da venda de seus dividendos em ações, da mesma forma que vendem seus direitos de subscrição segundo a prática presente.

O valor total do imposto de renda que poderia ser economizado pela substituição da combinação atual de dividendos em ações mais direitos de subscrição pelos dividendos em ações é enorme. Insistimos que essa mudança seja feita pelas concessionárias de serviços públicos, apesar de seu efeito adverso sobre o Tesouro americano, porque estamos convencidos de que é completamente injusto impor um segundo imposto de renda (pessoal) sobre lucros que não são efetivamente recebidos pelos acionistas, uma vez que as companhias retomam esse dinheiro através das vendas de ações.[11]

---

9 O argumento de Graham não é mais válido e os investidores de hoje podem com segurança pular esse trecho. Os acionistas não precisam mais se preocupar com "ter de desdobrar" um certificado de ação, uma vez que quase todas as ações agora existem em forma eletrônica em vez de em papel. E quando Graham diz que um crescimento de 5% em um dividendo em dinheiro em cem ações é menos "provável" do que um dividendo constante em 105 ações, não fica claro sequer como ele poderia calcular tal probabilidade.

10 Os direitos de subscrição, muitas vezes conhecidos simplesmente como "direitos", são usados com menos frequência hoje do que na época de Graham. Eles conferem a um acionista existente o direito de comprar novas ações, às vezes a um desconto com relação ao preço de mercado. Um acionista que não exerce esse direito terminará possuindo proporcionalmente menos da companhia. Logo, como é o caso com tantas outras coisas que recebem o nome de "direitos", está frequentemente presente alguma coerção. Os direitos são mais comuns hoje entre os fundos de capital fechado e as seguradoras ou outras companhias *holding*.

11 O governo do presidente George W. Bush fez progresso no início de 2003 na redução do problema da dupla tributação dos dividendos privados, embora seja muito cedo para saber qual será o impacto efetivo de qualquer lei definitiva nessa área. Uma abordagem mais clara

As empresas eficientes modernizam de forma contínua suas instalações, produtos, contabilidade, programas de treinamento gerenciais e as relações trabalhistas. Já é hora de elas pensarem em modernizar suas principais práticas financeiras, entre as quais está a política de dividendos.

---

seria permitir deduzir os pagamentos de dividendos dos impostos de pessoa jurídica, mas isso não faz parte da legislação proposta.

COMENTÁRIOS AO CAPÍTULO 19

As mentiras mais perigosas são as verdades ligeiramente distorcidas.
G.C. Lichtenberg

POR QUE GRAHAM JOGOU A TOALHA?

Talvez nenhuma outra parte de *O investidor inteligente* tenha sido mais drasticamente alterada por Graham do que esta. Na primeira edição, esse capítulo fazia parte de um par que ocupava aproximadamente 34 páginas. A seção original ("O investidor como dono do negócio") abordava os direitos de voto dos acionistas, formas de avaliar a qualidade da gestão do negócio e técnicas para detectar conflitos de interesse entre os investidores internos e externos. Em sua última edição revista, no entanto, Graham havia encurtado toda a discussão para menos de oito breves páginas sobre dividendos.

Por que Graham cortou mais de três quartos de seu argumento original? Após décadas de exortação, ele evidentemente havia desistido de esperar que os investidores tivessem qualquer interesse em monitorar o comportamento dos administradores das empresas.

No entanto, a última epidemia de escândalos — alegações de comportamento impróprio por parte de administradores, contabilidade duvidosa ou falcatruas fiscais em firmas grandes, como a AOL, Enron, Global Crossing, Sprint, Tyco e WorldCom — foi um lembrete oportuno de que os avisos anteriores de Graham sobre a necessidade de vigilância eterna são mais importantes do que nunca. Vamos resgatá-los e discuti-los à luz dos eventos atuais.

TEORIA *VERSUS* PRÁTICA

Graham começou sua discussão original (1949) de "O investidor como dono do negócio" apontando que, *em teoria*, "os acionistas como classe são dominantes. Ao agir como maioria, eles podem contratar e demitir gestores e controlá-los completamente".

No entanto, *na prática*, diz Graham,

> *os acionistas são uma nulidade completa. Como classe, eles não mostram inteligência e tampouco vigilância. Eles votam como cordeirinhos a favor de qualquer recomendação dos administradores, sem se importarem se o desempenho histórico da gerência é fraco... A única forma de motivar o acionista americano médio a tomar uma decisão inteligente e de maneira independente seria explodindo fogos de artifício embaixo de sua cadeira. Não podemos deixar de apontar o fato paradoxal de que Jesus parece ter sido um homem de negócios mais prático do que são os acionistas americanos.*[1]

Graham deseja que você perceba algo básico, mas incrivelmente profundo: ao comprar uma ação, você se torna um dos donos da companhia. Seus gestores, toda a hierarquia até o presidente, trabalham para você. A diretoria reporta a você. Seu dinheiro lhe pertence. Seus negócios são sua propriedade. Se você não gosta do jeito como sua companhia está sendo administrada, tem o direito de exigir que os gestores sejam demitidos, a diretoria seja mudada ou a propriedade seja vendida. "Os acionistas", declara Graham, "precisam acordar".[2]

O PROPRIETÁRIO INTELIGENTE

Os investidores de hoje esqueceram a mensagem de Graham. Eles envidam a maior parte de seus esforços na compra de ações, um pouco na venda delas, mas nenhum na propriedade delas. "Certamente", Graham nos lembra,

---

1 Benjamin Graham, *O investidor inteligente* (Harper & Row, New York, 1949), p. 217, 219, 240. Graham explica sua referência a Jesus da seguinte forma: "Em pelo menos quatro parábolas no livro do Gênesis, há referência a um relacionamento altamente crítico entre um homem rico e aqueles que ele coloca para controlar seus bens. Mais relevantes são as palavras que 'um certo homem rico' fala para seu administrador ou gestor que é acusado de desperdiçar bens: 'Presta contas da tua administração, pois já não poderás administrar meus bens.' (Lucas, 16,2)" Entre outras parábolas, Graham parece ter em mente aquele trecho em Mateus, 25,15-28.

2 Benjamin Graham, "A questionnaire on Stockholder-Management Relationship" [Um questionário sobre a relação entre acionistas e administradores], *The Analysts Journal*, quarto trimestre, 1947, p. 62. Graham salienta que ele havia realizado uma pesquisa com quase seiscentos analistas de títulos profissionais e concluído que mais de 95% deles acreditavam que os acionistas têm o direito de solicitar uma investigação formal de gestores cuja liderança não amplia o valor da ação. Graham acrescenta secamente que "tal ação é inédita na prática". "Isso", diz ele, "destaca o fosso enorme entre o que deveria acontecer e o que acontece nas relações entre gestores e acionistas".

"existe tanta razão para ter cuidado e juízo em *ser* um acionista como em *se tornar* um acionista".[3]

Portanto, como você, sendo um investidor inteligente, deveria fazer para agir como um proprietário inteligente? Graham começa a dizer que "há apenas duas questões básicas às quais os acionistas deveriam prestar atenção:

1. A gerência é razoavelmente eficiente?
2. Os interesses dos acionistas *externos* estão sendo reconhecidos de forma apropriada?"[4]

Você deve avaliar a eficiência dos gestores por meio de uma comparação do tamanho, da rentabilidade e da competitividade da companhia com firmas semelhantes no mesmo setor. E se você concluir que os gestores deixam a desejar? Então Graham exorta:

> *Alguns dos principais acionistas deveriam se convencer de que é necessário mudar e deveriam estar dispostos a trabalhar nesse sentido. Segundo, os acionistas de pequeno porte deveriam ter uma mente suficientemente aberta para ler o* proxy statement *e pesar os argumentos de ambos os lados. Eles precisam ser, ao menos, capazes de discernir quando a companhia foi malsucedida e estarem prontos para exigir mais do que os chavões ardilosos que constituem a desculpa dos atuais gestores. Terceiro, quando os números claramente mostrassem que os resultados estão bem abaixo da média seria muito útil criar-se o hábito de chamar gestores externos para avaliar as políticas e a competência da administração.*[5]

O que é o "*proxy statement*" e por que Graham insiste que você o leia? Em um *proxy statement*, o qual é enviado a todos os acionistas, uma companhia anuncia a ordem do dia de sua reunião anual e revela detalhes sobre a remuneração e a propriedade de ações de gestores e diretores, juntamente com transações entre os agentes internos (*insiders*) e a companhia. Os acionistas são

---

3 Graham e Dodd, *Security Analysis* (1934 ed.), p. 508.

4 *O investidor inteligente*, 1949, p. 218.

5 Edição de 1949, p. 223. Graham acrescenta que um voto por procuração seria necessário para autorizar um comitê independente de acionistas externos a selecionar "a firma de engenharia" que submeteria seu relatório aos acionistas, não à diretoria. No entanto, a companhia arcaria com os custos desse projeto. Os tipos de "engenheiros de negócios" que Graham tinha em mente incluíam gestores de dinheiro, agências de classificação de risco e organizações de analistas de títulos. Hoje, os investidores poderiam escolher entre centenas de firmas de consultoria, consultores de reestruturação e membros de entidades como a Associação de Gestão de Riscos.

A ENROLAÇÃO DA ENRON

Nos idos de 1999, a Enron Corp. estava em sétimo lugar na lista da *Fortune* das 500 maiores companhias americanas. Os ativos, as receitas e os lucros da gigantesca companhia de energia estavam todos subindo vertiginosamente.

Mas e se um investidor tivesse ignorado os números chamativos e brilhantes e tivesse simplesmente colocado a ordem do dia que acompanha a convocação da assembleia dos acionistas (o *proxy statement*) de 1999 da Enron sob o microscópio do bom senso? Sob a rubrica "Certas transações", o *proxy statement* revelava que o diretor financeiro da Enron, Andrew Fastow, era o "membro gestor" de duas sociedades, a LJM1 e a LJM2, que negociavam "investimentos relacionados com energia e comunicações". E de quem a LJM1 e a LJM2 estavam comprando? Ora, que outra fonte senão da própria Enron! As notas explicativas informavam que as sociedades já haviam comprado US$170 milhões de ativos da Enron, por vezes usando dinheiro emprestado pela Enron.

O investidor inteligente teria perguntado imediatamente:

- Os diretores da Enron aprovaram esse arranjo? (Sim, disse o *proxy statement*.)
- Fastow receberia uma participação nos lucros da LJM? (Sim, disse o *proxy statement*.)
- Como diretor financeiro da Enron, Fastow era obrigado a agir exclusivamente em prol dos interesses dos acionistas da Enron? (Claro.)
- Fastow estava, portanto, estatutariamente obrigado a maximizar o preço obtido pela Enron por qualquer ativo vendido? (Claro que sim.)
- Mas se a LJM pagasse um preço alto pelos ativos da Enron, isso não reduziria os lucros potenciais da LJM e a renda pessoal de Fastow? (Evidentemente.)
- Por outro lado, se a LJM pagasse um preço baixo, isso não aumentaria os lucros de Fastow e seus sócios, mas reduziria a receita da Enron? (Evidentemente.)
- A Enron deveria emprestar algum dinheiro às sociedades de Fastow para comprarem ativos que poderiam gerar um lucro pessoal para Fastow? (O quê?!)
- Tudo isso não constituiria um conflito de interesses profundamente perturbador? (Só uma resposta é possível.)

- O que esse arranjo diz sobre o bom senso dos diretores que aprovaram isso? (Ele diz que você deveria aplicar seu dinheiro em outro lugar.)

Duas lições claras emergem desse desastre: nunca se concentre tanto nos números a ponto de deixar o bom senso de lado e sempre leia o *proxy statement* antes (e depois) de comprar uma ação.

solicitados a votar na firma de contabilidade que deveria auditar os balanços e em quem deveria fazer parte da diretoria. Se você usar o bom senso ao ler a ordem do dia, esse documento pode ser como um canário em uma mina de carvão, um sistema de aviso prévio que sinaliza quando algo está errado. (Ver boxe anterior sobre a Enron.)

Entretanto, em geral, entre um terço e metade de todos os investidores individuais nem se dá ao trabalho de votar suas procurações.[6] Será que eles ao menos as leem?

Entender e votar sua procuração é tão fundamental para ser um investidor inteligente quanto acompanhar as notícias e votar com consciência o é para o exercício da cidadania. Não importa se você possui 10% de uma companhia ou um lote pequeno de cem ações, apenas 1/10.000 de 1%. Se você nunca leu o *proxy statement* de uma ação que possui e a companhia vai mal, o único culpado é você. Se você lê um *proxy statement* e vê coisas que o perturbam, então:

- vote contra todos os diretores para mostrar sua desaprovação;
- compareça à reunião anual e reivindique seus direitos;

6 As tabulações dos resultados de votos em 2002 pela Georgeson Shareholder e pelo Serviço de Comunicação com o Investidor da ADP, duas firmas importantes que despacham solicitações de procuração para investidores, sugerem taxas de resposta que ficam em média entre 80% e 88% (incluindo as procurações enviadas por corretores em nome de seus clientes, as quais automaticamente são votadas a favor da administração, a menos que os clientes especifiquem de outra forma). Portanto, os proprietários de 12% a 20% de todas as ações não votam suas procurações. Considerando que as pessoas físicas possuem apenas 40% do valor de mercado das ações americanas e a maioria dos investidores institucionais, como fundos de pensões e companhias de seguros, são legalmente obrigados a votar nas assembleias, pode-se inferir que aproximadamente um terço de todos os investidores individuais deixa de votar.

- encontre uma sala de *chat* on-line dedicada à ação (como aquelas em http://finance.yahoo.com) e lute pela adesão de outros investidores à sua causa.

Graham tinha outra ideia que poderia beneficiar os investidores de hoje:

> *... podem-se obter vantagens com a seleção de um ou mais diretores profissionais e independentes. Eles devem ser homens com uma ampla experiência em negócios que podem lançar um olhar especializado e livre de ideias preconcebidas sobre os problemas da empresa... Eles devem submeter um relatório anual em separado, dirigido diretamente aos acionistas, que conteria opiniões sobre a maior questão que preocupa os proprietários da empresa: "O negócio está apresentando os resultados para os acionistas externos que poderiam ser esperados dele sob uma administração apropriada? Se não, por que e o que deveria ser feito a esse respeito?"*[7]

Podemos apenas imaginar a consternação que a proposta de Graham causaria entre os cupinchas e parceiros de golfe que constituem a maioria dos diretores "independentes" na atualidade. (Não chegamos a sugerir que sentirão um frio na espinha, já que a maior parte dos diretores independentes parece não ter qualquer espinha dorsal.)

DE QUEM É O DINHEIRO AFINAL?

Agora vamos examinar o segundo critério de Graham, a saber, se os administradores agem conforme os melhores interesses dos investidores externos. Os gestores sempre dizem aos acionistas que eles — os gestores — são os que melhor sabem o que fazer com o dinheiro da companhia. Graham não se deixava enganar por essa conversa fiada de administrador:

> *A administração de uma companhia pode gerir o negócio bem e, no entanto, não dar aos acionistas externos os resultados certos para eles, porque sua eficiência está confinada às operações e não se estende ao melhor uso do capital. O objetivo da operação eficiente é produzir a custo baixo e encontrar os artigos mais lucrativos para vender.* Finanças *eficientes exigem que o dinheiro dos acionistas esteja trabalhando da forma mais apropriada a seus*

7 Edição de 1949, p. 224.

interesses. Essa é uma questão na qual o administrador, como tal, tem pouco interesse. Realmente, ele quase sempre deseja o maior volume de capital possível dos proprietários para minimizar seus próprios problemas financeiros. Portanto, a administração típica operará com mais capital do que necessário se os acionistas assim permitirem, o que acontece com frequência.[8]

No final da década de 1990 e início dos anos 2000, as administrações das principais companhias de tecnologia levaram essa atitude paternalista às últimas consequências. O argumento era o seguinte: por que você deveria exigir um dividendo quando podemos investir esse dinheiro por você e transformá-lo em um preço de ação ascendente? Dê uma olhada e veja como nossa ação tem subido. Isso não prova que podemos transformar centavos em dólares melhor do que você?

Por incrível que pareça, os investidores caíram como patinhos nessa armadilha. O paternalismo se tornou um evangelho tal que, em 1999, apenas 3,7% das companhias que haviam aberto seu capital ao público naquele ano pagaram um dividendo, uma queda comparada com a média de 72,1% de todas as ofertas iniciais ao público na década de 1960.[9] Dê uma olhada na Figura 19-1 e veja como a percentagem das companhias que pagam dividendos (representada na área escura) murchou.

---

8 Edição de 1949, p. 233.

9 Eugene F. Fama e Kenneth R. French, "Disappearing Dividends: Changing Firm Characteristics or Lower Propensity to Pay?" [Dividendos em extinção: mudanças nas características das firmas ou propensão de pagamento mais baixa?], *Journal of Financial Economics*, v. 60, nº 1, abril de 2001, p. 3-43, sobretudo a Tabela 1; ver também Elroy Dimson, Paul Marsh e Mike Staunton, *Triumph of the Optimists* [O triunfo dos otimistas] (Princeton Univ. Press, Princeton, 2002), p. 158-61. Curiosamente, o valor total em dólares dos dividendos pagos pelas ações americanas subiu desde a década de 1970, mesmo descontada a inflação, porém o número de ações que paga dividendos encolheu em quase dois terços. Ver Harry DeAngelo, Linda DeAngelo e Douglas J. Skinner, "Are Dividends Disappearing? Dividend Concentration and the Consolidation of Earnings" [Os dividendos estão desaparecendo? A concentração dos dividendos e a consolidação dos lucros], disponível em http://papers.ssrn.com.

FIGURA 19-1

Quem paga dividendos?

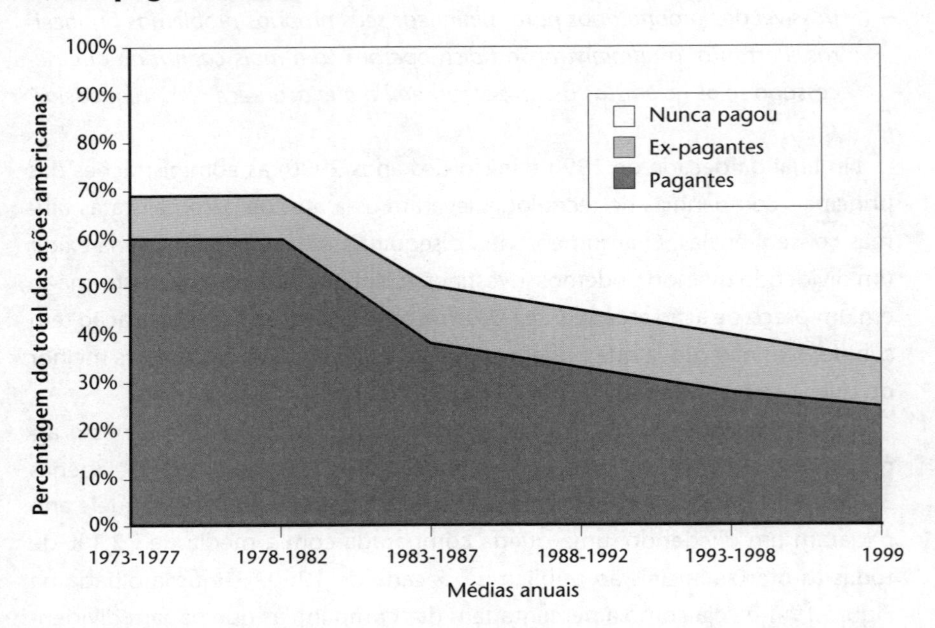

Fonte: Eugene Fama e Kenneth French, "Disappearing Dividends", Journal of Financial Economics, *abril de 2001.*

No entanto, o paternalismo não passava de um engodo. Enquanto algumas companhias usam o dinheiro bem, muitas outras se enquadram em duas outras categorias: a das que simplesmente torraram o dinheiro e a das que o acumularam mais rápido do que conseguiam gastar.

No primeiro grupo, a Priceline.com contabilizou US$67 milhões de prejuízos em 2000 após se aventurar imprudentemente em produtos hortigranjeiros e gasolina, enquanto a Amazon.com destruiu pelo menos US$233 milhões da riqueza de seus acionistas "investindo" em fracassos ponto-com, como a Webvan e a Ashford.com.[10] E os dois maiores prejuízos registrados até hoje — os US$56 bilhões da JDS Uniphase em 2001 e os US$99 bilhões da AOL

10 Talvez Benjamin Franklin, que, dizem, carregava suas moedas numa bolsa de amianto para que o dinheiro não fizesse um buraco em seu bolso, pudesse ter evitado esse problema se fosse presidente de empresa.

Time Warner em 2002 — ocorreram após as companhias terem decidido não pagar dividendos, mas se fundirem com outras firmas quando suas ações estavam obscenamente supervalorizadas.[11]

No segundo grupo, consideremos que até o final de 2001 a Oracle Corp. havia acumulado US$5 bilhões em dinheiro. A Cisco Systems tinha açambarcado pelo menos US$7,5 bilhões. A Microsoft havia entesourado uma montanha de dinheiro de US$38,2 bilhões — que subia mais de US$2 milhões *por hora*, em média.[12] Afinal, contra que adversidades Bill Gates estava se protegendo?

Portanto, os indícios anedóticos claramente mostram que muitas companhias não sabem como transformar o dinheiro excedente em uma rentabilidade adicional. O que nos dizem as estatísticas?

- Pesquisas realizadas pelos gestores de recursos Robert Arnott e Clifford Asness revelaram que quando os dividendos atuais são baixos, os lucros futuros da empresa acabam sendo baixos. Quando os dividendos atuais são altos, os lucros futuros também são. Ao longo de períodos decenais, a taxa média de crescimento dos lucros foi 3,9 pontos maior quando os dividendos eram mais altos do que quando eram mais baixos.[13]
- Os professores de contabilidade da Columbia Doron Nissim e Amir Ziv revelaram que as companhias que elevam seus dividendos não apenas

11 Um estudo feito pela *Business Week* revelou que de 1995 até 2001, 61% de mais de trezentas grandes fusões terminaram destruindo a riqueza dos acionistas da companhia compradora — uma condição conhecida como "a maldição do vencedor" ou "o remorso do comprador". Os compradores que usaram ações em vez de dinheiro para pagar a operação tiveram um desempenho pior do que as companhias concorrentes em 8%. (David Henry, "Mergers: Why Most Big Deals Don't Pay Off" [Fusões: por que a maioria das grandes operações não dá certo], *Business Week,* 14 de outubro de 2002, p. 60-70.) Um estudo acadêmico semelhante revelou que as aquisições de companhias de capital fechado e subsidiárias de companhias públicas levaram a retornos de ações positivos, mas que as aquisições de companhias públicas inteiras geraram perdas para os acionistas da companhia compradora. (Kathleen Fuller, Jeffry Netter e Mike Stegemoller, "What Do Returns to Acquiring Firms Tell Us?" [O que nos dizem os retornos das firmas compradoras?] *The Journal of Finance,* v. 57, nº 4, agosto de 2002, p. 1763-1793.)

12 Com as taxas de juros próximas aos mínimos históricos, tal montanha de dinheiro produz retornos ridículos se a deixarmos parada. Conforme Graham, "se esse dinheiro excedente permanece na companhia, o acionista externo se beneficia pouco dele" (ed. 1949, p. 232). De fato, no final de 2002, os saldos em caixa da Microsoft haviam inchado para US$43,4 bilhões — prova clara de que a companhia não conseguia encontrar um bom uso para o dinheiro que seus negócios estavam gerando. Como diria Graham, as *operações* da Microsoft eram eficientes, mas suas *finanças* não eram mais. Numa tentativa de remediar esse problema, a Microsoft declarou no início de 2003 que começaria a pagar dividendos trimestrais com regularidade.

13 Robert D. Arnott e Clifford S. Asness, "Surprise! Higher Dividends = Higher Earnings Growth" [Surpresa! Dividendos maiores = taxa de crescimento dos lucros mais alta], *Financial Analysts Journal,* janeiro/fevereiro de 2003, p. 70-87.

tiveram retornos de ações melhores, mas também que "os aumentos de dividendos estão associados a uma rentabilidade futura (mais alta) durante pelo menos quatro anos após a mudança de dividendos".[14]

Em resumo, a maioria dos gestores está errada quando afirma que pode empregar melhor seu dinheiro do que você. Pagar um dividendo não garante grandes resultados, mas de fato *melhora* o retorno da ação típica ao subtrair algum dinheiro das mãos dos gestores antes que eles possam esbanjá-lo ou guardá-lo.

VENDER NA BAIXA, COMPRAR NA ALTA

E que tal o argumento de que as companhias podem aplicar melhor o dinheiro excedente na recompra de suas próprias ações? Quando uma companhia recompra parte de suas ações, isso reduz o número de ações em circulação. Mesmo se sua receita líquida permanecer estável, os lucros por ação da companhia subirão, uma vez que os lucros totais serão distribuídos entre um número menor de ações. Isso, por sua vez, deveria levantar o preço da ação. Melhor ainda, ao contrário de um dividendo, uma recompra é isenta de impostos para os investidores que não vendem suas ações.[15] Portanto, ela aumenta o valor de sua ação sem aumentar seus impostos. E se as ações estiverem baratas, então gastar dinheiro extra para recomprá-las é um uso excelente do capital da companhia.[16]

---

14 Doron Nissim e Amir Ziv, "Dividends Changes and Future Profitability" [As mudanças nos dividendos e a lucratividade futura], *The Journal of Finance*, v. 56, nº 6, dezembro de 2001, p. 2111-2133. Até mesmo pesquisadores que discordam das conclusões de Arnott-Asness e Nissim-Ziv sobre os lucros futuros concordam que os aumentos dos dividendos levam a maiores retornos de ações no futuro; ver Shlomo Benarizi, Roni Michaely e Richard Thaler, "Do Changes in Dividends Signal the Future or the Past?" [As mudanças nos dividendos sinalizam o futuro ou o passado?], *The Journal of Finance*, v. 52, nº 3, julho de 1997, p. 1007-1034.

15 As reformas fiscais propostas pelo presidente George W. Bush no início de 2003 mudariam a tributação dos dividendos, mas o destino dessa legislação não está ainda claro no momento em que escrevemos.

16 Historicamente, as companhias adotaram uma abordagem prática para com as recompras de ações, reduzindo-as quando os preços das ações estavam altos e aumentando-as quando os preços estavam baixos. Após a quebra do mercado acionário em 19 de outubro de 1987, por exemplo, quatrocentas companhias anunciaram novas recompras ao longo dos 12 dias seguintes, enquanto apenas 107 firmas haviam anunciado programas de recompra na primeira parte do ano, quando os preços das ações estavam muito mais altos. (Ver Murali Jagannathan, Clifford P. Stephens e Michael S. Weisbach, "Financial Flexibility and the Choice Between

Tudo isso é teoricamente verdade. Infelizmente, na vida real as recompras de ações acabaram por servir a um propósito cuja única descrição possível é sinistro. Agora que a concessão de opções de ações se tornou uma parte tão grande da remuneração dos executivos, muitas companhias, sobretudo no setor de alta tecnologia, precisam emitir centenas de milhões de ações para entregar aos gestores que exercem aquelas opções sobre ações.[17] Porém, isso aumentaria o número de ações em circulação e encolheria os lucros por ação. Para compensar essa diluição, as companhias se veem forçadas a voltar e recomprar milhões de ações no mercado aberto. Em 2000, as companhias estavam gastando estonteantes 41,8% de sua receita total líquida na recompra de suas próprias ações, um aumento considerável em comparação com os 4,8% registrados em 1980.[18]

Examinemos a Oracle Corp., o gigante do setor de *software*. Entre 1º de junho de 1999 e 31 de maio de 2000, a Oracle emitiu 101 milhões de ações ordinárias para seus executivos graduados e outros 26 milhões para seus empregados a um custo de US$484 milhões. Entretanto, para evitar que o exercício de opções de ação anteriores diluísse seus lucros por ação, a Oracle gastou US$3 bilhões — *ou 52% de seu faturamento total naquele ano* — para recomprar 290,7 milhões de ações. A Oracle emitiu ações para atores internos a um preço médio de US$3,53 por ação e as recomprou a um preço médio de US$18,26.

Dividends and Stock Repurchases" [A flexibilidade financeira e a escolha entre os dividendos e as recompras de ações], *Journal of Finance Economics,* v. 57, nº 3, setembro de 2000, p. 362.)

17 As opções de ação concedidas por uma companhia a seus executivos e empregados lhes dão o direito (mas não a obrigação) de comprar ações no futuro a um preço com desconto. Essa conversão de opções em ações é chamada de "exercício" das opções. Os empregados podem então vender as ações ao preço atual de mercado e embolsar a diferença como lucro. Uma vez que centenas de milhões de opções podem ser exercidas em um dado ano, a companhia precisa aumentar o volume de ações em circulação. Logo, porém, o total da receita líquida da companhia seria distribuído entre um número muito maior de ações, reduzindo os lucros por ação. Portanto, a companhia se sente compelida a recomprar outras ações para compensar as ações emitidas aos detentores de opções. Em 1998, 63,5% dos diretores financeiros admitiram que compensar a diluição causada por opções era uma razão importante para a recompra de ações (Ver CFO Forum, "The Buyback Track" [O rastro da recompra], *Institutional Investor,* julho de 1998.)

18 Um dos principais fatores que motivaram essa mudança foi a decisão do U.S. Securities and Exchange Commission, em 1982, de afrouxar suas restrições anteriores sobre as recompras de ações. (Ver Gustavo Grullon e Roni Michaely, "Dividends, Share Repurchases, and the Substitution Hypothesis" [Dividendos, recompras de ações e a hipótese da substituição], *The Journal of Finance,* v. 57, nº 4, agosto de 2002, p. 1649-1684.)

Vender na baixa, comprar na alta: é esse o caminho para "aumentar" o valor dos acionistas?[19]

Em 2002, as ações da Oracle haviam caído a menos da metade de seu pico em 2000. Agora que suas ações estavam baratas, a Oracle correu para recomprar mais ações? Entre 1º de junho de 2001 e 31 de maio de 2002, a Oracle *reduziu* suas recompras em US$2,8 bilhões, aparentemente porque seus executivos e empregados exerceram menos opções naquele ano. Percebe-se o mesmo padrão de comprar na baixa e vender na alta em dezenas de outras companhias de tecnologia.

O que está acontecendo aqui? Dois fatores surpreendentes estão em funcionamento:

- As companhias obtêm um benefício fiscal quando os executivos e empregados exercem opções de ações (as quais o serviço de Receita Federal considera uma "despesa de remuneração" da companhia).[20] Em seus anos fiscais entre 2000 e 2002, por exemplo, a Oracle colheu US$1,69 bilhão em benefícios fiscais à medida que os atores internos exerciam suas opções. A Sprint Corp. embolsou US$678 milhões em benefícios fiscais à medida que seus executivos e empregados garantiram US$1,9 bilhão em lucros com opções em 1999 e 2000.
- Um executivo graduado pesadamente compensado com opções de ações tem um interesse não declarado em favorecer as recompras de ações em detrimento dos dividendos. Por quê? Por razões técnicas, as opções aumentam em valor à medida que as oscilações de preços de uma ação ficam mais extremas. No entanto, os dividendos diminuem a volatilidade

---

19 Em todos os seus escritos, Graham insiste que os administradores de empresas têm o dever não apenas de garantir que suas ações não fiquem subvalorizadas, mas também de assegurar que nunca fiquem supervalorizadas. Como ele afirma em *Security Analysis* (ed. 1934, p. 515), "a responsabilidade dos gestores de agir em prol do interesse de seus acionistas inclui a obrigação de evitar — na medida do possível — o estabelecimento de preços absurdamente altos ou indevidamente baixos para seus papéis". Portanto, aumentar o valor dos acionistas não significa apenas garantir que o preço da ação não caia muito, também significa garantir que o preço da ação não *suba* a níveis injustificáveis. Se ao menos os executivos das companhias de internet tivessem absorvido a sabedoria de Graham em 1999!

20 Por incrível que pareça, embora as opções sejam consideradas uma despesa de remuneração na declaração de renda da companhia, elas não são classificadas como uma despesa nos relatórios financeiros distribuídos para os acionistas. Resta apenas aos investidores torcer para que reformas contábeis mudem essa prática ridícula.

do preço de uma ação. Portanto, se os administradores aumentassem os dividendos, eles reduziriam o valor de suas próprias opções de ação.[21]

Não é à toa que os presidentes preferem recomprar ações a pagar dividendos, independentemente do grau de supervalorização das ações ou do desperdício dos recursos dos acionistas externos.

MANTENDO AS OPÇÕES ABERTAS

Finalmente, os investidores sonolentos deram a suas companhias liberdade para pagarem muito a seus executivos em formas que são simplesmente deploráveis. Em 1997, Steve Jobs, o cofundador da Apple Computer Inc., voltou à companhia como executivo-chefe "interino". Como já era rico, Jobs insistiu em ter um salário em dinheiro de US$1 ao ano. No final de 1999, em agradecimento a Jobs por seus serviços como presidente, "pelos últimos dois anos e meio sem salário", a diretoria presenteou-o com seu próprio jato Gulfstream, a um custo para a companhia de meros US$90 milhões. No mês seguinte, Jobs concordou em retirar o "interino" do nome do cargo dele, e a diretoria recompensou-o com opções sobre vinte milhões de ações. (Até então, Jobs mantinha um total de duas ações da Apple.)

O princípio por trás de tais concessões de opções é alinhar os interesses dos adminstradores com os dos investidores externos. Se você fosse um acionista externo da Apple, desejaria que seus administradores fossem remunerados apenas se a ação da Apple apresentasse uma rentabilidade superior. Nenhuma outra forma poderia ser justa para você e para os outros proprietários da companhia. No entanto, como realça John Bogle, ex-presidente dos fundos Vanguard, quase todos os gestores *vendem* as ações que recebem imediata-

---

21 Ver George W. Fenn e Nellie Liang, "Corporate Payout Policy and Managerial Stock Incentives" [A política de remuneração empresarial e os incentivos dos gestores em ações], *Journal of Financial Economics,* v. 60, nº 1, abril de 2001, p. 45-72. Os dividendos tornam as ações menos voláteis ao fornecer um fluxo de receita atual que protege os acionistas contra flutuações no valor de mercado. Vários pesquisadores descobriram que a lucratividade média das companhias com programas de recompra de ações (mas sem dividendos em dinheiro) é, pelo menos, duas vezes mais volátil que a das companhias que pagam dividendos. Os lucros mais variáveis levarão, em geral, a preços de ações mais instáveis, tornando as opções de ações dos gestores mais valiosas, ao criar mais oportunidades quando os preços das ações ficam temporariamente altos. Hoje, aproximadamente dois terços da remuneração dos executivos vêm na forma de opções e de outras recompensas não-monetárias; trinta anos atrás, pelo menos dois terços da remuneração eram em dinheiro.

mente após exercer suas opções. Como é que a atitude de se livrar de milhões de ações na busca de um lucro instantâneo poderia alinhar seus interesses com os dos acionistas leais de longo prazo da companhia?

No caso de Jobs, se a ação da Apple subir apenas 5% anualmente até o início de 2010, ele será capaz de embolsar com suas opções a quantia de US$548,3 milhões. Em outras palavras, mesmo que a ação da Apple subisse não mais do que metade do retorno médio de longo prazo do mercado acionário total, Jobs embolsaria um brinde de meio bilhão de dólares.[22] Isso alinha seus interesses com os dos acionistas da Apple ou abala a confiança dos acionistas da Apple em sua diretoria?

Ao ler os *proxy statements* com cuidado, o proprietário inteligente votará contra qualquer plano de remuneração executiva que use a concessão de opções para entregar mais de 3% das ações em circulação da companhia aos gestores. E você também deveria vetar qualquer plano que não condicione a concessão de opções a resultados superiores, digamos que eles superem a média das ações no mesmo setor durante um período de, pelo menos, cinco anos. Nenhum presidente merece enriquecer se ele tem produzido resultados fracos para você.

UM PENSAMENTO FINAL

Voltemos à sugestão de Graham de que todos os membros independentes da diretoria deveriam ter de justificar aos acionistas, por escrito, se o negócio está sendo administrado ou não de forma apropriada em benefício de seus verdadeiros donos. E se os diretores independentes também precisassem justificar as políticas da companhia com relação aos dividendos e recompras de ações? E se eles tivessem de descrever exatamente como concluíram que os gestores graduados da companhia não recebem uma remuneração excessiva? E se todo investidor se tornasse um proprietário inteligente e realmente lesse tal relatório?

---

22 *Proxy statement* da Apple Computer Inc. da assembleia anual de abril de 2001, p. 8 (disponível em www.sec.gov). A concessão de opções e a participação acionária de Jobs são ajustadas para um desdobramento de ações dois por um.

CAPÍTULO 20
A "MARGEM DE SEGURANÇA" COMO CONCEITO CENTRAL DOS INVESTIMENTOS

Na lenda antiga, os sábios resumiram a vida mortal em uma única frase: "Isso também passará."[1] Confrontados com um desafio parecido, a saber, resumir o segredo do investimento sensato em três palavras, arriscamos o lema MARGEM DE SEGURANÇA. Esse é o fio da meada que perpassa toda a discussão precedente sobre a política de investimento, muitas vezes explicitamente, mas às vezes de uma forma menos direta. Tentemos agora, brevemente, esboçar essa ideia em um argumento estruturado.

Todos os investidores experientes reconhecem que o conceito da margem de segurança é essencial para a escolha de obrigações e ações preferenciais sólidas. Por exemplo, uma ferrovia deveria ter um lucro superior a cinco vezes seus encargos fixos totais (antes do imposto de renda), ao longo de alguns anos, para que suas obrigações fossem classificadas como de baixo risco (grau de investimento). Essa capacidade *passada* de gerar lucros acima das necessidades de juros constitui a margem de segurança com a qual se conta para proteger o investidor contra prejuízos ou desconfortos, caso algum declínio *futuro* ocorra nos lucros líquidos. (A margem acima dos encargos pode ser medida de outras maneiras — por exemplo, na percentagem pela qual as receitas ou lucros podem declinar antes de desaparecer o saldo após pagamentos de juros —, mas a ideia subjacente é a mesma.)

---

1 "Diz-se que, certa vez, um monarca do Oriente ordenou a seus sábios que inventassem uma frase, para ser sempre vista e que deveria ser verdadeira e apropriada a qualquer tempo e em qualquer situação. Eles lhe apresentaram as palavras: '*E isso também passará.*' Como elas são expressivas! Que golpe no orgulho! Que consolo nas profundezas da aflição! 'E isso também passará.' E, no entanto, esperemos que não seja *muito* verdade" — Abraham Lincoln, discurso para a Sociedade de Agricultura do estado de Wisconsin, Milwaukee, 30 de setembro de 1859, em *Abraham Lincoln: Speeches and Writings, 1859-1865* [Abraham Lincoln: discursos e escritos, 1859-1865] (Library of America, 1985), v. II, p. 101.

O investidor em obrigações não espera que os lucros médios futuros sejam iguais aos do passado; se ele tivesse certeza disso, a margem exigida poderia ser menor. Tampouco ele confia muito em sua avaliação da evolução futura dos lucros. Se ele o fizesse, teria que medir sua margem em termos de uma conta de receita cuidadosamente *projetada*, em vez de enfatizar a margem histórica. Aqui, a função da margem de segurança é, em essência, tornar desnecessária uma estimativa precisa do futuro. Se a margem é grande, então basta presumir que os lucros futuros não cairão muito abaixo do resultado do passado para que o investidor se sinta suficientemente protegido contra as vicissitudes do tempo.

De forma alternativa, a margem de segurança para as obrigações pode ser calculada por meio da comparação do valor total da empresa com o montante da dívida. (Um cálculo semelhante pode ser feito para as ações preferenciais.) Se o negócio deve US$10 milhões e efetivamente vale US$30 milhões, há espaço para encolhimento de dois terços do valor — pelo menos teoricamente — antes de os proprietários de obrigações sofrerem perdas. O montante desse valor adicional, ou "colchão", acima da dívida, pode ser calculado de forma aproximada pelo uso do preço médio de mercado das ações juniores ao longo de alguns anos. Já que os preços médios de ações estão, em geral, relacionados à boa capacidade de geração de lucro, a margem de "valor do negócio" acima da dívida e a margem dos lucros sobre os encargos produzirão resultados semelhantes na maioria dos casos.

Com isso tratamos do conceito da margem de segurança conforme aplicado aos "investimentos em renda fixa". Será que esse conceito pode ser aplicado ao campo das ações ordinárias? Sim, mas com algumas modificações necessárias.

Há momentos em que uma ação ordinária pode ser considerada sólida porque goza de uma margem de segurança tão grande quanto aquela de uma obrigação boa. Isso ocorrerá, por exemplo, quando uma companhia possuir em circulação apenas ações ordinárias que, sob condições de depressão, estejam sendo negociadas por menos do que o volume de obrigações que poderiam seguramente ser emitidas com base em suas propriedades e seu poder de lucro.[2] Essa era a situação de um grande número de

---

2 "Poder de lucro" é o termo utilizado por Graham para os lucros potenciais de uma companhia ou, como ele diz, a quantidade que "se espera que uma firma lucre ano após ano se a conjuntura dos negócios prevalecente durante o período permanecer inalterada" (*Security*

companhias industriais fortemente financiadas aos baixos níveis de preço de 1932-1933. Em tais momentos, o investidor pode obter a margem de segurança associada a uma obrigação, *além de* todas as oportunidades de uma rentabilidade maior e de apreciação do principal inerentes a uma ação ordinária. (A única coisa que falta a ele é o poder legal para insistir nos pagamentos de dividendos "ou então", mas isso representa um senão pequeno em comparação com suas vantagens.) As ações ordinárias compradas em tais circunstâncias formarão uma combinação ideal, embora pouco frequente, de segurança com oportunidade de lucro. Um exemplo muito recente dessa condição é novamente a ação da National Presto Industries, que foi negociada a um valor total pela empresa de US$43 milhões em 1972. Com US$16 milhões de lucros recentes antes dos impostos, a companhia poderia facilmente manter no mercado um volume equivalente de obrigações.

No caso da ação ordinária comum comprada para investimento em condições normais, a margem de segurança reside em um poder de lucro esperado que é consideravelmente superior à taxa vigente para as obrigações. Em edições anteriores, elucidamos esse ponto com os seguintes números:

> *Imagine um caso típico em que o poder de lucro seja de 9% sobre o preço e a taxa de juros das obrigações seja de 4%; então o comprador de ações terá uma margem anual média de 5% em seu favor. Parte do excesso é pago a ele na taxa de dividendos; mesmo que estes sejam gastos por ele, ela entra no resultado total dos investimentos. O saldo não distribuído é reinvestido no negócio por sua conta. Em muitos casos, tais lucros reinvestidos deixam de ser acrescentados proporcionalmente ao poder de lucro e ao valor da sua ação. (Essa é a razão pela qual o mercado tem o hábito teimoso de avaliar os lucros desembolsados em forma de dividendos mais generosamente do que a parcela retida no negócio.)*[3] *Porém, se o quadro é visto como um todo, há uma conexão razoavelmente próxima entre o crescimento dos lucros das empresas por meio do reinvestimento dos lucros e o crescimento dos preços das ações.*

Analysis, ed. 1934, p. 354). Algumas de suas palestras tornam claro que Graham pretendia que o termo cobrisse períodos iguais ou superiores a cinco anos. Você poderá, de forma aproximada porém convincente, calcular o poder de lucro por ação de uma companhia ao tomar o inverso de seu razão preço/lucro; uma ação com uma razão preço/lucro de 11 pode ser considerada possuidora de um poder de lucro de 9% (ou 1 dividido por 11). Hoje, "poder de lucro" é com frequência denominado "rendimento dos lucros".

3 Esse problema é discutido em detalhes em comentários ao capítulo 19.

Ao longo de um período de dez anos, o típico excesso de poder de lucro das ações sobre os juros das obrigações pode somar 50% do preço pago. Esse número é suficiente para fornecer uma margem muito grande de segurança, a qual sob condições favoráveis, evitará ou minimizará um prejuízo. Se tal margem estiver presente em cada integrante de uma lista diversificada de vinte ou mais ações, a probabilidade de um resultado favorável sob "condições próximas do normal" se torna muito grande. Essa é a razão pela qual a política de investimento em ações ordinárias representativas não exige percepção e previsão agudas para funcionar com sucesso. Se as compras forem feitas no nível médio do mercado ao longo de um intervalo de anos, os preços deverão trazer com eles a garantia de uma margem adequada de segurança. O perigo para os investidores reside na concentração de suas compras nos níveis mais altos do mercado, ou em comprar ações ordinárias não representativas que embutem um risco acima da média de queda no poder de lucro.

Da maneira como vemos, o problema central do investimento em ações ordinárias nas condições de 1972 reside no fato de que "em um caso típico" o poder de lucro é agora muito inferior a 9% sobre o preço pago.[4] Suponhamos que ao se concentrar até certo ponto em ações com múltiplos baixos entre as grandes companhias, um investidor defensivo pode agora adquirir ações a 12 vezes os lucros recentes, isto é, com um retorno de lucros de 8,33% sobre o custo. Ele pode obter uma taxa de dividendos de aproximadamente 4% e ter 4,33% de seu custo reinvestido no negócio em seu nome. Nessas bases, o excesso de poder de lucro das ações acima dos juros da obrigação ainda seria pequeno demais, ao longo de um período de dez anos, para constituir uma margem de segurança adequada.

---

4 Graham resumiu elegantemente a discussão que se segue em uma palestra proferida em 1972. "A margem de segurança é a diferença entre a rentabilidade da ação ao preço que você paga por ela e a taxa de juros das obrigações, e tal margem de segurança é a diferença que absorveria evoluções insatisfatórias. Na época em que a edição de 1965 de *O investidor inteligente* foi escrita, a ação típica era negociada a 11 vezes os lucros, dando um retorno de 9%, aproximadamente, contra 4% das obrigações. Naquele caso, havia uma margem de segurança superior a 100%. Agora (em 1972), não há diferença alguma entre a taxa de lucro sobre as ações e a taxa de juros das obrigações, e digo que não existe margem de segurança... existe uma margem negativa de segurança no caso das ações..." Ver "Benjamin Graham: Thoughts on Security Analysis" ["Benjamin Graham: Reflexões sobre a análise dos papéis mobiliários"] [transcrição de palestra proferida na Escola de Administração da Universidade Estadual de Northeast Missouri em março de 1972], *Financial History*, nº 42, março de 1991, p. 9.

Por essa razão, sentimos que neste momento há riscos reais mesmo em uma lista diversificada de ações ordinárias sólidas. Os riscos podem ser plenamente compensados pela eventual lucratividade da lista; e na verdade o investidor pode não ter qualquer escolha a não ser correr riscos, pois de outra forma ele pode correr um risco ainda maior se mantiver apenas instrumentos de renda fixa pagáveis em dólares sujeitos a uma constante depreciação. Não obstante, o investidor faria bem em reconhecer, e aceitar da maneira mais filosófica possível, que a combinação antiga de *boas possibilidades de lucro com baixo risco final* não está mais disponível para ele.[5]

No entanto, o risco de pagar um preço alto demais por ações de boa qualidade — embora verdadeiro — não é o principal perigo a ser enfrentado pelo investidor típico. A experiência de muitos anos nos ensinou que as principais perdas para os investidores são oriundas da compra de papéis de *baixa qualidade* em uma conjuntura de negócios favorável. Os compradores encaram os bons lucros do momento como equivalentes a um "poder de lucro" e presumem que prosperidade seja sinônimo de segurança. É nesses anos que as obrigações e ações preferenciais de qualidade inferior conseguem ser vendidas ao público a um preço em torno da paridade, porque carregam uma rentabilidade um pouco maior ou um privilégio de conversão enganosamente atraente. É então também que as ações comuns de companhias obscuras podem ser lançadas a preços muito acima do ativo tangível, com base em dois ou três anos de crescimento excelente.

Tais papéis não oferecem uma margem adequada de segurança em qualquer sentido admissível do termo. A cobertura dos encargos de juros e dividendos preferenciais precisa ser testada ao longo de vários anos, incluindo preferivelmente um ambiente de negócios abaixo do normal, tal como ocorreu em 1970-1971. O mesmo é comumente verdade com relação aos lucros das ações ordinárias para que sejam classificados como indicadores do poder de lucro. Logo, conclui-se que a maioria dos investimentos feitos em tempos bons, adquiridos a preços igualmente bons, está destinada a sofrer quedas de preço perturbadoras quando aparecerem nuvens no horizonte, e muitas vezes antes disso. Tampouco o investidor pode confiar

5 Esse parágrafo, que Graham escreveu no início de 1972, é uma descrição clarividente e precisa das condições do mercado no início de 2003. (Para mais detalhes, ver comentários ao capítulo 3.)

em uma recuperação posterior, embora isso aconteça em alguns casos, pois ele nunca teve uma margem de segurança efetiva para ampará-lo na adversidade.

A filosofia de investimentos em *growth stocks* se alinha em parte com o princípio da margem de segurança e o nega em parte. O comprador de uma *growth stock* confia em um poder de lucro previsto que é superior à média registrada no passado. Assim, pode-se dizer que ele substitui o registro histórico pelos lucros previstos ao calcular sua margem de segurança. Na teoria de investimento, não há razão para que os lucros futuros cuidadosamente estimados sejam um guia menos confiável do que o registro histórico; na verdade, a análise de títulos cada vez mais prefere uma avaliação competentemente executada do futuro. Logo, a abordagem das *growth stocks* pode fornecer uma margem de segurança tão confiável quanto a encontrada no investimento comum, contanto que o cálculo do futuro seja feito de forma conservadora e mostre uma margem satisfatória em relação ao preço pago.

O perigo de um programa de investimento em *growth stocks* mora precisamente nesse ponto. Para tais ações preferidas, o mercado tende a estabelecer preços que não estarão protegidos de forma adequada por uma projeção *conservadora* dos lucros futuros. (É uma regra básica do investimento prudente que todas as previsões, quando diferirem do desempenho passado, tendam, pelo menos ligeiramente, a serem subestimadas.) A margem de segurança sempre depende do preço pago. Ela será grande a um preço, pequena a algum preço mais alto, inexistente a um preço ainda maior. Se, como sugerimos, o nível de mercado médio da maioria das *growth stocks* é alto demais para proporcionar uma margem de segurança adequada ao comprador, então uma técnica simples de compras diversificadas nesse campo pode não funcionar de forma satisfatória. Será necessário um grau singular de previsão e bom senso para que as seleções individuais sensatas possam superar os perigos inerentes ao nível costumeiro de mercado de tais ações como um todo.

A ideia da margem de segurança se torna muito mais evidente quando aplicada ao terreno dos papéis subvalorizados ou subvalorizações. Aqui temos, por definição, uma diferença favorável entre o preço, de um lado, e o valor indicado ou avaliado de outro. Essa diferença é a margem de segurança. Ela existe para amortecer o efeito de cálculos errôneos ou da falta de sorte. O comprador de ações subvalorizadas enfatiza a capacidade do investimento de superar acontecimentos adversos. Na maioria desses casos, ele não está muito entusiasmado com as perspectivas da companhia. A verdade é que se as perspectivas forem definitivamente ruins, o investidor preferirá evitar o papel, qualquer que seja o preço. Porém, o terreno das ações subvalorizadas lida com diversas companhias — talvez a maioria delas — para as quais o futuro não parece nem claramente favorável, tampouco claramente desfavorável. Se as ações dessas companhias forem compradas a preço de banana, mesmo uma queda moderada no poder de lucro não impedirá que o investimento mostre resultados satisfatórios. A margem de segurança terá então servido a seu verdadeiro propósito.

Teoria da diversificação

Há uma ligação lógica e íntima entre o conceito da margem de segurança e o princípio da diversificação. Um está relacionado ao outro. Mesmo com uma margem favorável ao investidor, um papel individual pode ter um desempenho ruim. Pois a margem garante apenas que ele terá uma probabilidade maior de lucro do que de perda, e não que essa perda seja impossível. No entanto, à medida que o número de tais compromissos aumenta, mais certeza se terá de que o lucro total excederá as perdas totais. Essa é a base simples do negócio de seguros.

A diversificação é um dogma estabelecido do investimento conservador. Ao aceitá-la tão universalmente, os investidores estão na verdade demonstrando sua aceitação do princípio da margem de segurança, da qual a diversificação é companheira. Esse ponto pode ser entendido de forma ilustrativa por uma referência à aritmética da roleta. Se um homem aposta US$1 em um único número, ele recebe US$35 de lucro quando ganha, mas as chances de ganhar são 1 em 37. Ele tem uma "margem de segurança negativa". A diversificação seria uma tolice nesse caso. Em quanto mais números ele apostar, menores suas chances de terminar com lucro. Se apostar regularmente US$1 em cada número (incluindo 0 e 00), ele certamente perderá US$2 em cada giro da roleta. No entanto, suponha que o vencedor recebesse US$39 de lucro em vez de US$35. Ele teria uma margem de segurança pequena, porém importante. Logo, em quanto mais números ele apostasse, maiores suas chances de ganhar. Ele teria certeza de ganhar US$2 em cada giro da roleta simplesmente ao apostar US$1 em cada um dos números. (Incidentalmente, os dois exemplos apresentados descrevem as posições respectivas do jogador e do proprietário de uma roleta com 0 e 00.)[6]

Critério de investimento *versus* especulação

Já que não existe uma definição simples e amplamente aceita de investimento, os especialistas têm o direito de defini-lo da forma que melhor lhes agradar. Muitos deles negam que haja qualquer diferença útil ou confiável entre os conceitos de investimento e de especulação. Acreditamos que esse ceticismo é desnecessário e prejudicial. Ele é problemático porque incentiva a tendência inata de muitas pessoas em favor da emoção e do risco da especulação no mercado acionário. Sugerimos que o conceito de margem de segurança pode ser bem empregado como uma linha divisória para distinguir as operações de investimento das especulativas.

Provavelmente, a maioria dos especuladores acredita que as probabilidades estão a seu favor quando arriscam, portanto podem alegar uma margem de segurança em seus procedimentos. Cada um sente que o momento é propício para a compra ou que suas capacidades são superiores à da multidão ou que seu assessor ou sistema é confiável. No entanto, tais afirmações não convencem. Elas se apoiam em conclusões subjetivas e não são sustentadas por qualquer conjunto de provas concretas ou qualquer linha de raciocínio conclusiva. Duvidamos muito que o homem que aposta dinheiro com base em sua opinião de que o mercado irá subir ou descer pode em algum momento estar, de fato, protegido por uma margem de segurança em qualquer sentido útil da expressão.

---

6 Na roleta "americana", a maioria das mesas inclui 0 e 00 juntamente com os números 1 a 36, totalizando 38 casas. O cassino oferece uma premiação máxima de 35 por 1. E se você apostar US$1 em cada número? Já que a bolinha só pode entrar em apenas uma casa, você ganharia US$35 naquela compartição, mas perderia US$1 nas outras 37 casas, uma perda líquida de US$2. Essa diferença de US$2 (ou um *spread* de 5,26% sobre sua aposta total de US$38) é a "vantagem da casa", do cassino, garantindo que, *em média*, os jogadores de roleta sempre perderão mais do que ganharão. Assim como é do interesse dos jogadores de roleta apostar tão raramente quanto possível, é do interesse do cassino manter a roleta girando. Da mesma forma, o investidor inteligente deveria buscar maximizar o número de papéis que oferecem "uma oportunidade melhor de lucro do que de perda". Para a maioria dos investidores, a diversificação é o caminho mais simples e barato de ampliar a margem de segurança.

Por outro lado, o conceito de margem de segurança do investidor — conforme desenvolvido anteriormente neste capítulo — se apoia em um raciocínio aritmético simples e definitivo a partir de dados estatísticos. Acreditamos também que ele está bem fundamentado pela experiência prática no terreno dos investimentos. Não há garantias de que essa abordagem quantitativa fundamental continuará a mostrar resultados favoráveis nas condições desconhecidas no futuro. Porém, da mesma forma, não há razão válida para pessimismo.

Logo, em resumo, afirmamos que um investimento verdadeiro implica uma margem de segurança verdadeira e uma margem de segurança verdadeira é aquela que pode ser demonstrada por números, raciocínio persuasivo e referência a experiências reais.

Extensão do conceito de investimento

Para completar nossa discussão sobre o princípio da margem de segurança, devemos agora fazer uma distinção adicional entre investimentos convencionais e não-convencionais. Os investimentos convencionais são apropriados para a carteira típica. Nessa categoria sempre se enquadraram os papéis do governo americano e as ações ordinárias de alta qualidade que pagam dividendos. Acrescentamos as obrigações estaduais e municipais para aqueles que têm meios de se beneficiar suficientemente de sua isenção de impostos. Há também as obrigações privadas com grau de investimento quando, como agora, elas podem ser compradas de modo a ter uma rentabilidade suficientemente superior à das *savings bonds* dos Estados Unidos.

Os investimentos não-convencionais são aqueles apropriados apenas para o investidor empreendedor. Eles abrangem uma vasta gama de papéis. A categoria mais ampla é a de ações ordinárias subvalorizadas de companhias de segunda linha, as quais recomendamos para compra quando podem ser adquiridas a dois terços ou menos de seu valor indicado. Além disso, com frequência há uma ampla gama de obrigações privadas e ações preferenciais de grau médio quando negociadas a preços deprimidos até o ponto de serem obteníveis também a um deságio considerável com relação a seu valor aparente. Nesses casos, o investidor médio estaria inclinado a chamar esses papéis de especulativos, porque para ele a falta de uma classificação de primeira linha é sinônimo da falta de mérito para investimento.

Nosso argumento é o de que um preço suficientemente baixo pode tornar um papel de qualidade medíocre em uma oportunidade de investimento sensata, contanto que o comprador esteja informado, seja experiente e pratique uma diversificação adequada. Isso porque se o preço estiver baixo o suficiente para criar uma margem de segurança substancial, o papel atenderá a nossos critérios para investimento. Nosso exemplo favorito é tirado do campo das obrigações do ramo imobiliário. Na década de 1920, foram vendidos bilhões de dólares desses papéis ao par e amplamente recomendados como investimentos saudáveis. Uma proporção grande tinha uma margem de valor acima da dívida suficientemente pequena para ser de fato muito especulativa por natureza. Na Depressão da década de 1930, uma quantidade enorme dessas obrigações deixou de pagar juros e seus preços desabaram, em alguns casos abaixo de dez centavos por cada dólar de valor nominal. Naquele estágio, os mesmos consultores que as haviam recomendado à paridade como investimentos seguros as rejeitavam como papéis altamente especulativos e pouco atraentes. Porém, na verdade, a depreciação de aproximadamente 90% tornou muitos desses papéis extremamente atraentes e razoavelmente seguros, pois os valores verdadeiros por trás deles eram quatro ou cinco vezes a cotação do mercado.[7]

O fato de que a compra dessas obrigações realmente redundou no que é em geral denominado um "grande lucro especulativo" não evitou que elas tivessem qualidades de investimento verdadeiras a patamares de preços baixos. O lucro "especulativo" foi a recompensa do comprador por ter feito um investimento inteligente. Elas poderiam de forma apropriada ser denominadas oportunidades de *investimentos*, uma vez que uma análise cuidadosa teria mostrado que o excesso de valor acima do preço fornecia uma margem de segurança grande. Logo, é provável que a mesma classe de "investimentos em tempos favoráveis" que afirmamos anteriormente ser uma fonte importante de prejuízos sérios para os investidores ingênuos

---

7 Graham está dizendo que não existe tal coisa como uma ação boa ou má; o que há são apenas ações baratas e ações caras. Mesmo a melhor companhia se torna uma "venda" quando o preço de suas ações está alto demais, enquanto que vale a pena comprar a pior companhia quando suas ações estão suficientemente baixas.

proporcione muitas oportunidades sólidas de lucro para o operador sofisticado capaz de comprá-las mais tarde a um preço mais à sua feição.[8]

Todo o campo das "situações especiais" se enquadraria em nossa definição de operações de investimento, porque a compra sempre se baseia em uma análise profunda que promete uma realização maior do que o preço pago. Novamente, há fatores de risco em cada caso individual, mas eles são previstos nos cálculos e absorvidos nos resultados globais de uma operação diversificada.

Para levar essa discussão a um extremo lógico, poderíamos sugerir que seria possível estabelecer uma operação de investimento defensável ao comprar os valores intangíveis representados por um grupo de "cauções de opções de ações ordinárias" negociado a preços historicamente baixos. (Esse exemplo foi concebido para chocar.)[9] Todo o valor dessas cauções se baseia na possibilidade de que as ações a elas relacionadas podem algum dia subir acima do preço da opção. No momento, elas não possuem valor de exercício. No entanto, uma vez que todos os investimentos se baseiam em expectativas razoáveis do futuro, é apropriado ver essas garantias em termos das probabilidades matemáticas de que algum mercado de alta futuro criará um aumento grande no valor indicado e em seus preços. Tal estudo possivelmente chegará à conclusão de que há muito mais a ser ganho em tal operação do que a ser perdido e que as chances de lucro são muito maiores do que as de perda. Se assim for, há uma margem de segurança presente até mesmo nessa forma de papel pouco atraente. Um investidor suficientemente empreendedor poderia então incluir uma

---

8 As mesmas pessoas que consideraram as ações de tecnologia e de telecomunicações uma "barbada" no final de 1999 e no início de 2000, quando elas estavam alucinadamente supervalorizadas, as rejeitavam como "arriscadas demais" em 2002, muito embora, nas exatas palavras de Graham sobre um período anterior, "a depreciação de aproximadamente 90% tornou muitos desses papéis extremamente atraentes e razoavelmente seguros". Da mesma forma, os analistas de Wall Street sempre tenderam a chamar uma ação de "recomendação forte de compra" quando seu preço é alto e a rotulá-la de "venda" após seu preço cair, o oposto exato do que Graham (e o bom senso) ditaria. Como faz ao longo de todo o livro, Graham está fazendo a distinção entre especulação, ou compra na esperança de que o preço de uma ação continuará a subir, e investimento, ou compra com base no valor do negócio subjacente.

9 Graham usa "caução de opção de ações ordinárias" como sinônimo de "caução", um papel emitido diretamente por uma empresa que dá ao portador um direito de compra das ações da companhia a um preço predeterminado. As cauções foram quase inteiramente superadas pelas opções sobre ações. Graham brinca que ele concebeu o exemplo para "chocar" porque, mesmo em sua época, as cauções eram consideradas uma das áreas mais pantanosas do mercado. (Ver comentários ao capítulo 16.)

operação de cauções de opções em sua miscelânea de investimentos não-convencionais.[1]

Para resumir

Investir é mais inteligente quanto mais se parece com um *negócio*. É curioso ver como muitos empresários capazes tentam operar em Wall Street com completa desconsideração por todos os princípios sensatos com base nos quais obtiveram sucesso em seus próprios empreendimentos. No entanto, cada papel privado deve ser visto, em princípio, como um interesse de proprietário ou um crédito contra uma empresa específica. Se uma pessoa decide obter lucros com a compra e venda de papéis, ela está embarcando em um empreendimento comercial próprio, o qual deve ser dirigido de acordo com princípios comerciais aceitos para ter alguma chance de sucesso.

O primeiro e mais óbvio desses princípios é "saber o que você está fazendo, conhecer seu negócio". Para o investidor, isso significa: não tente obter "lucros comerciais" com seus papéis, isto é, retornos acima da receita com juros e dividendos normais, a menos que você saiba tanto sobre os valores dos papéis quanto precisaria saber sobre o valor da mercadoria que você se propôs a fabricar ou comercializar.

Um segundo princípio comercial: "Não deixe qualquer outra pessoa dirigir seu negócio, a menos que (1) você possa supervisionar seu desempenho com a compreensão e o cuidado adequados ou (2) você tenha razões incomuns e fortes para confiar implicitamente na integridade e capacidade dela." Para o investidor, essa regra deveria determinar as condições sob as quais ele permitirá que outra pessoa decida o que fazer com seu dinheiro.

Um terceiro princípio comercial: "Não entre em uma operação — isto é, a fabricação ou comercialização de um item — a menos que um cálculo confiável mostre que ela tem uma chance razoável de render um lucro razoável. Em especial, afaste-se de aventuras nas quais você tenha pouco a ganhar e muito a perder." Para o investidor empreendedor isso significa que as operações que visam ao lucro devem estar baseadas não no otimismo, mas na aritmética. Para todo investidor, isso significa que quando ele limita seu retorno a níveis baixos — como acontecia no passado, pelo menos, com uma obrigação ou ação preferencial convencional —, ele deve exigir provas convincentes de que não está arriscando uma parte substancial de seu principal.

Uma quarta regra é mais positiva: "Confie em seu conhecimento e em sua experiência. Se você concluiu algo a partir de certos fatos e sabe que tem bom senso, aja com base nessa conclusão, muito embora outros possam hesitar ou pensar diferente." (Você não está nem certo nem errado porque a multidão discorda de você. Você está certo porque seus dados e raciocínio estão certos.) Da mesma forma, no mundo dos papéis, a coragem se torna a virtude suprema, *contanto* que exista um conhecimento adequado e um bom senso respaldado na experiência.

Felizmente para o investidor típico, não é estritamente necessário para seu sucesso que ele utilize essas qualidades na elaboração de seu programa, *contanto* que ele limite sua ambição à sua capacidade e restrinja suas atividades ao caminho seguro e estreito do investimento-padrão defensivo. Atingir resultados de investimento *satisfatórios* é mais fácil do que a maioria das pessoas pensa; atingir resultados *superiores* é mais difícil do que parece.

COMENTÁRIOS AO CAPÍTULO 20

Se deixarmos de antecipar o imprevisto ou esperar o inesperado em um universo de possibilidades infinitas, podemos ficar à mercê de alguém ou algo que não possa ser programado, categorizado ou facilmente referenciado.

Agente Fox Mulder, *Arquivo X*

EM PRIMEIRO LUGAR, NÃO PERCA

O que é risco?

Você obterá respostas diferentes dependendo de quando e para quem você pergunte. Em 1999, risco não significava perder dinheiro; significava ganhar menos dinheiro do que os outros. Muitas pessoas temiam encontrar alguém em um churrasco que estivesse enriquecendo mais rapidamente do que elas ao fazer *day trades* de ações ponto-com. Então, de repente, em 2003, o risco tinha passado a significar que o mercado acionário poderia continuar a cair até que destruísse quaisquer resquícios de riqueza que você ainda conservasse.

Embora seu significado possa parecer quase tão volúvel e mutante quanto os próprios mercados financeiros, o risco possui alguns atributos profundos e permanentes. As pessoas que fazem as maiores apostas e obtêm os maiores lucros em um mercado de alta são quase sempre as que mais se machucam no mercado de baixa que inevitavelmente ocorre em seguida. (Estar "certo" faz com que os especuladores se tornem ainda mais dispostos a correr riscos adicionais, à medida que a confiança deles se fortalece.) Se você perder muito dinheiro, então vai precisar apostar mais ainda apenas para retornar ao lugar onde estava, como o apostador nos cavalos ou nas cartas que desesperadamente dobra sua aposta após cada resultado negativo. A menos que você tenha uma sorte fenomenal, essa é uma receita para o desastre. Não surpreende que, ao ser solicitado a resumir tudo que havia aprendido em sua longa carreira sobre como ficar rico, o renomado financista J.K. Klingenstein, da Wertheim & Co., tenha respondido simplesmente: "Não tenha prejuízos."[1] A Figura 20-1 ilustra o que ele queria dizer:

---

1 Conforme recontado pelo consultor de investimentos Charles Ellis em Jason Zweig, "Wall Street's Wisest Man" [O homem mais sábio de Wall Street], *Money*, junho de 2001, p. 49-52.

FIGURA 20-1
O custo do prejuízo

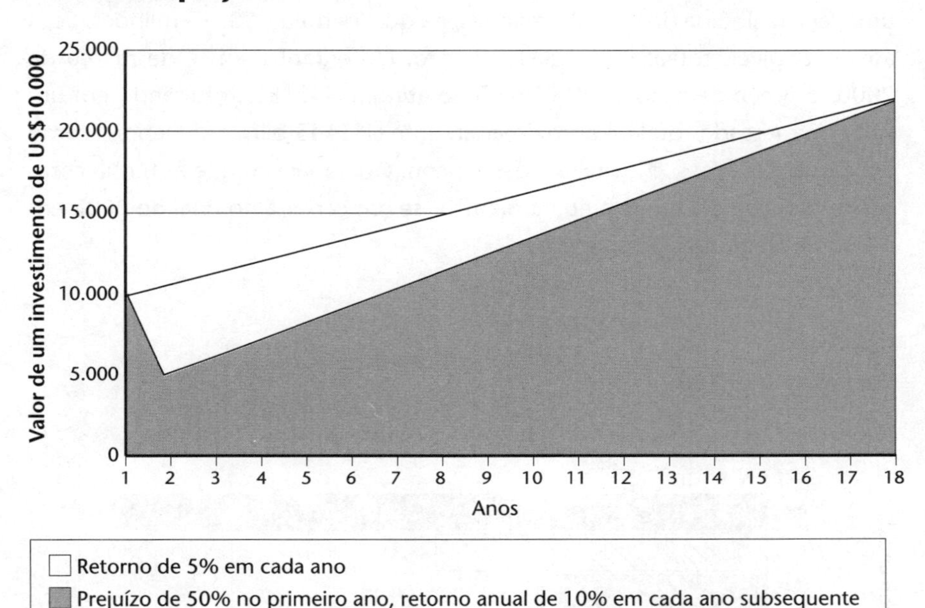

Suponhamos que você encontre uma ação que você acredita poder crescer a 10% ao ano, mesmo que o mercado cresça apenas 5% ao ano. Infelizmente, você fica tão entusiasmado que paga um preço alto demais e a ação perde 50% de seu valor no primeiro ano. Mesmo que a ação gere o dobro do retorno do mercado daí em diante, você levará mais de 16 anos *para superar o mercado, simplesmente porque pagou demais e perdeu demais no começo.*

Perder *algum* dinheiro é inerente ao investimento, e não há nada que você possa fazer para evitar isso. No entanto, para ser um investidor inteligente, você deve assumir a responsabilidade de garantir que nunca perderá *a maioria de seu dinheiro ou todo ele*. A deusa hindu da riqueza, Lakshmi, é frequentemente retratada nas pontas dos pés, pronta para fugir em um piscar de olhos. Para mantê-la simbolicamente no lugar, alguns devotos de Lakshmi atam sua estátua com tiras de tecido ou pregam seus pés no chão. Para o investidor inteligente, a "margem de segurança" de Graham desempenha a mesma função: ao se recusar a pagar demais por um investimento, você minimiza as chances de que sua riqueza alguma vez desapareça ou de repente seja destruída.

Considere o seguinte: ao longo dos quatro trimestres encerrados em dezembro de 1999, a JDS Uniphase Corp., fabricante de fibras ópticas, gerou uma receita líquida de US$673 milhões, na qual perdeu US$313 milhões. Seus ativos tangíveis totalizaram US$1,5 bilhão. No entanto, em 7 de março de 2000, o preço da ação da JDS Uniphase atingiu US$153, resultando em um valor de mercado total de aproximadamente US$143 bilhões.[2] Depois, como a maioria das ações "Nova Era", despencou. Qualquer um que as tenha comprado naquele dia e que ainda a mantivesse em carteira no final de 2002 enfrentou as seguintes perspectivas:

FIGURA 20-2
Empatar é difícil

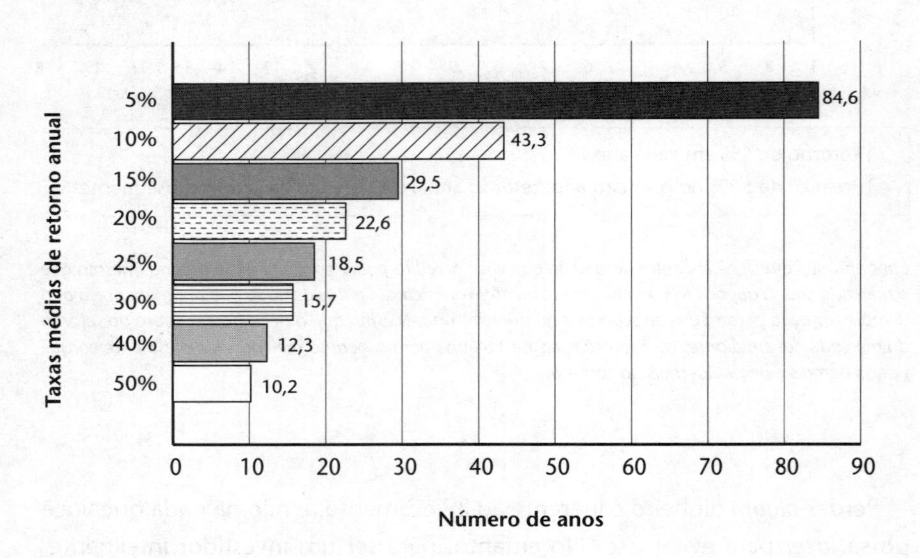

Se você tivesse comprado a JDS Uniphase a seu preço máximo de US$153,421 em 7 de março de 2000 e ainda a mantivesse em carteira no final do ano de 2002 (quando ela fechou a US$2,47), quanto tempo levaria para você retornar a seu preço de compra a diversas taxas médias de retorno anual?

---

2 O preço da ação da JDS Uniphase foi ajustado para desdobramentos posteriores.

Mesmo a uma taxa de retorno anual robusta de 10%, você levaria mais de *43 anos* para empatar nessa compra supervalorizada!

O RISCO NÃO ESTÁ EM NOSSAS AÇÕES, MAS EM NÓS MESMOS

O risco existe em outra dimensão: dentro de você. Se você superestima seu grau de conhecimento sobre um investimento ou sua capacidade para lidar com uma queda temporária de preços, não importa o que você possui ou como o mercado funciona. Em última instância, o risco financeiro reside não nos tipos de investimentos que você possui, mas no tipo de investidor que você é. Se você deseja saber o que é realmente risco, procure o espelho mais próximo. O que olha de volta para você *é o risco.*

Quando você encara a si mesmo no espelho, o que deve procurar? O psicólogo vencedor do Prêmio Nobel Daniel Kahneman, explica dois fatores que caracterizam decisões boas:

- "confiança bem calibrada" (Entendo esse investimento tão bem quanto penso entender?)
- "arrependimento corretamente antecipado" (Como reagirei se minha análise estiver errada?)

Para descobrir se sua confiança está bem calibrada, olhe-se no espelho e se pergunte: "Qual a probabilidade de minha análise estar certa?" Pense com cuidado nas seguintes perguntas:

- Quanta experiência eu tenho? Qual é o meu histórico com relação a decisões semelhantes no passado?
- Quais foram os resultados típicos das outras pessoas que tentaram a mesma operação no passado?[3]
- Se estou comprando, alguém está vendendo. Qual é a probabilidade de eu saber algo que essa outra pessoa (ou companhia) não saiba?
- Se estou vendendo, alguém está comprando. Qual é a probabilidade de eu saber algo que essa outra pessoa (ou companhia) não saiba?
- Calculei quanto esse investimento precisa subir para que eu saia empatado após os impostos e custos de corretagem?

---

3 Qualquer um que tivesse pesquisado aplicadamente a resposta para essa pergunta e honestamente aceitasse os resultados, não teria negociado *day trades* ou comprado IPOs de forma alguma.

A seguir, olhe-se no espelho para descobrir se você é o tipo de pessoa que antecipa corretamente o arrependimento. Comece perguntando: "Entendi completamente as consequências se minha análise estiver errada?" Responda a essa pergunta considerando os seguintes pontos:

- Se eu estiver certo, posso ganhar muito dinheiro. E se eu estiver errado? Com base no desempenho histórico de investimentos semelhantes, quanto poderia *perder*?
- Tenho outros investimentos que me socorrerão se essa decisão estiver errada? Já possuo ações, obrigações ou fundos com um histórico comprovado de alta quando o tipo de investimento que estou considerando estiver em queda? Será que estou colocando uma parcela grande demais do meu capital em risco com esse novo investimento?
- Quando digo a mim mesmo "você tem uma alta tolerância ao risco", como sei que isso é verdade? Alguma vez já perdi muito dinheiro em um investimento? Como me senti? Comprei mais ou saltei fora?
- Estou confiando apenas na minha força de vontade para evitar entrar em pânico na hora errada? Ou será que controlei meu comportamento antecipadamente ao diversificar, assinar um contrato de investimento e fazer custo médio em dólares?

Você deve sempre se lembrar, nas palavras do psicólogo Paul Slovic, de que "o risco é formado de doses iguais de dois ingredientes: probabilidades e consequências".[4] Antes de investir, você deve se certificar de que avaliou, de forma realista, suas probabilidades de estar certo *e* como você reagirá às consequências de estar errado.

A APOSTA DE PASCAL

O filósofo de investimentos Peter Bernstein tem uma outra forma de resumir isso. Ele recupera Blaise Pascal, o grande matemático e teólogo francês (1623-1662) que criou uma experiência mental na qual um agnóstico deve apostar se Deus existe ou não. Essa pessoa deve colocar em jogo sua conduta nesta vida mortal; a premiação da aposta é o destino de sua alma após a vida. Nessa

---

4 Paul Slovic, "Informing and Educating the Public about Risk" [Informando e educando o público sobre o risco], *Risk Analysis*, v. 6, nº 4 (1986), p. 412.

aposta, Pascal afirma: "a razão não tem como decidir" a probabilidade da existência de Deus. Ou Deus existe ou Ele não existe, e apenas a fé, não a razão, pode responder a essa pergunta. No entanto, embora as probabilidades da aposta de Pascal sejam desconhecidas, as consequências são perfeitamente claras e completamente certas. Como explica Bernstein:

> *Suponhamos que você aja como se Deus existisse e leve uma vida virtuosa e abstêmia, quando na verdade Deus não existe. Você terá deixado de desfrutar alguns prazeres da vida, mas também haverá recompensas. Agora, suponha que você aja como se Deus não existisse e leve uma vida pecaminosa, egoísta e de luxúria, quando na verdade Deus existe. Você pode ter se divertido durante o tempo relativamente breve de sua vida, mas quando o dia do julgamento chegar você estará em apuros.*[5]

Bernstein conclui: "Ao tomarmos decisões em condições de incerteza, as consequências devem dominar as probabilidades. Nunca sabemos como será o futuro." Logo, como Graham lembrou ao leitor em todos os capítulos deste livro, o investidor inteligente deve focar não apenas em fazer uma análise correta. Ele também deve se proteger contra perdas caso sua análise esteja errada, como até mesmo as melhores análises estarão, pelo menos, ocasionalmente. A probabilidade de cometer pelo menos um erro em algum momento de sua vida de investimentos é quase de 100%, e essas probabilidades estão inteiramente fora de seu controle. No entanto, você *tem* controle sobre as consequências do erro. Muitos "investidores" colocaram quase todo seu dinheiro em ações ponto-com em 1999. Uma pesquisa on-line com 1.338 americanos, realizada pela revista *Money* em 1999, revelou que quase 10% deles tinham, pelo menos, 85% de seu dinheiro em ações de internet. Ao ignorar a recomendação de Graham de estabelecer uma margem de segurança, essas pessoas escolheram o lado errado da aposta de Pascal. Certas de que conheciam as probabilidades de acerto, elas não fizeram nada para se proteger das consequências do erro.

---

5 "The Wager" [A Aposta], em Blaise Pascal, *Pensées* (Penguin Books, Londres e Nova York, 1995), p. 122-25; Peter L. Bernstein, *Against the Gods* [Contra os Deuses] (John Willey & Sons, New York, 1996), p. 68-70; Peter L. Bernstein, "Decision Theory in Lambic Pentameter" [A teoria da decisão no pentômetro lâmbico], *Economics & Portfolio Strategy,* 1° de janeiro de 2003, p. 2.

Ao simplesmente manter sua carteira permanentemente diversificada e se recusar a despejar dinheiro nas últimas e mais loucas modas do Sr. Mercado, você pode garantir que as consequências de seus erros nunca sejam catastróficas. Não importa o que o Sr. Mercado apronte, você sempre será capaz de dizer com muita confiança: "Isso também passará."

POSFÁCIO

Conhecemos bem dois sócios que passaram boa parte de suas vidas administrando seus próprios recursos e os de outros em Wall Street. A experiência dura os ensinou que era melhor privilegiar a segurança e a cautela em vez de tentar ganhar todo o dinheiro do mundo. Eles estabeleceram uma abordagem um tanto singular às operações com papéis, a qual combinava possibilidades de bons lucros com valores sólidos. Evitavam tudo que parecia supervalorizado e eram um tanto apressados em se desfazer de ações que haviam subido a níveis não mais considerados atraentes. Sua carteira estava sempre bem diversificada, com mais de uma centena de ações diferentes. Dessa forma, eles se saíram muito bem ao longo de muitos anos de altos e baixos no mercado geral; alcançaram uma rentabilidade média de 20% ao ano sobre os vários milhões de capital que haviam aceitado gerenciar, ficando seus clientes muito satisfeitos com os resultados.[1]

No ano em que apareceu a primeira edição deste livro, foi oferecida uma oportunidade ao fundo dos sócios de comprar uma participação de metade de uma empresa em ascensão. Por alguma razão, o setor não era considerado interessante por Wall Street naquele momento e o negócio havia sido rejeitado por diversas corretoras importantes. Porém, a dupla ficou impressionada com as perspectivas da companhia; o fator decisivo para eles foi que o preço era moderado em relação aos lucros atuais e ao valor dos ativos. Os sócios decidiram realizar a aquisição, que representava aproximadamente um quinto de seus recursos. Eles se identificaram intimamente com o novo negócio, o qual prosperou.[2]

---

1 Os dois sócios aos quais Graham se refere de forma tão indireta são Jerome Newman e ele próprio.

2 Graham descreve a Government Employees Insurance Co., ou Geico, na qual ele e Newman compraram uma participação de 50% em 1948, por volta da época em que ele terminava de

Na verdade, ele se saiu tão bem que o preço das ações alcançou um nível superior a duzentas vezes o preço pago pela participação de 50%. A alta superou em muito o crescimento efetivo dos lucros, sendo que quase desde o início a cotação parecia alta demais em termos dos padrões de investimento dos próprios sócios. Porém, como eles consideravam a companhia um tipo de "empresa familiar", continuaram a manter um lote substancial das ações, apesar do aumento espetacular de preço. Um número grande de participantes em seus fundos fez o mesmo e eles ficaram milionários por meio de suas participações nesta empresa e em companhias afiliadas posteriormente organizadas.[3]

De forma irônica, o lucro total acumulado resultante dessa única decisão de investimento excedeu em muito a soma de todos os outros realizados ao longo de vinte anos em operações diversas nas áreas de especialização dos sócios, envolvendo muita investigação, ponderações sem fim e inúmeras decisões individuais.

Quais as lições que podem ser extraídas dessa história e que poderiam ser aproveitadas pelo investidor inteligente? Uma, óbvia, é a de que há várias formas diferentes de ganhar e manter dinheiro em Wall Street. Outra, não tão óbvia, é a de que um golpe de sorte ou uma decisão extremamente inteligente — é possível separá-las? — pode contar mais do que uma vida de esforços "de operários". Porém, por trás da sorte ou da decisão crucial, em geral são necessários preparo e capacidade disciplinada. É preciso estar suficientemente estabelecido e ser reconhecido para que essas oportunidades batam à sua porta. Deve-se possuir os meios, a capacidade de avaliação e a coragem de se aproveitar delas.

---

escrever *O investidor inteligente*. Os US$712.500 que Graham e Newman colocaram na Geico representavam aproximadamente 25% dos ativos de seu fundo naquele momento. Graham foi membro da diretoria da Geico durante muitos anos. Por um capricho interessante do destino, o melhor aluno de Graham, Warren Buffett, fez uma aposta grande na Geico em 1976, no momento em que a grande seguradora estava à beira da falência. Acabou sendo também um dos melhores investimentos de Buffett.

3 Em função de uma tecnicalidade legal, Graham e Newman foram forçados pela Securities and Exchange Commission a transferir as ações da Geico possuídas pela Graham-Newman Corp. aos acionistas dos fundos. Um investidor que possuísse cem cotas da Graham-Newman no início de 1948 (com valor de US$11.413) e tivesse mantido em carteira as ações da Geico transferidas teria US$1,66 milhão em 1972. As "companhias afiliadas posteriormente organizadas" da Geico incluíram a Government Employees Financial Corp. e a Criterion Insurance Co.

Claro, não podemos prometer uma experiência igualmente espetacular a todos os investidores inteligentes que se mantiverem prudentes e alerta ao longo dos anos. Não encerraremos com o mote de J.J. Raskob, o qual ridicularizamos no início: "Qualquer um pode ficar rico." No entanto, existem muitas possibilidades interessantes no mundo das finanças, e o investidor empreendedor e inteligente deve ser capaz de encontrar prazer e lucro nesse grande circo. As emoções estão garantidas.

COMENTÁRIOS AO POSFÁCIO

Investir com sucesso envolve administrar o risco, e não fugir dele. À primeira vista, ao perceber que Graham colocou 25% de seus recursos em uma única ação, você deve ter pensado que ele estava fazendo uma aposta arriscada com o dinheiro de seus investidores. No entanto, quando você descobre que Graham havia determinado cuidadosamente que seria possível liquidar a Geico por, pelo menos, o preço por ela pago, fica claro que Graham estava assumindo muito pouco risco financeiro. Porém, ele precisava de enorme coragem para assumir o risco psicológico de uma aposta tão grande em uma ação tão desconhecida.[1]

As manchetes de hoje estão cheias de fatos terríveis e situações de risco não resolvidas: a morte do mercado de alta da década de 1990, o crescimento econômico vagaroso, as falcatruas empresariais, os fantasmas do terrorismo e da guerra. "Os investidores não gostam da incerteza", é o que um estrategista de mercado está entoando agora mesmo em uma TV financeira ou escrevendo no jornal de hoje. Porém, os investidores nunca gostaram das incertezas, e, no entanto, esta é a condição mais fundamental e duradoura do mundo dos investimentos. Sempre foi e sempre será. No fundo, "incerteza" e "investimento" são sinônimos. No mundo real, ninguém possui a capacidade de ver qual o melhor momento para comprar ações. Sem uma fé incondicional no futuro, ninguém jamais investiria. Para ser um investidor, você deve acreditar em um futuro melhor.

---

1 A anedota de Graham também é um lembrete poderoso para que aqueles de nós que não são tão brilhantes quanto ele pratiquem a diversificação para se protegerem contra o risco de colocar dinheiro demais em um único investimento. Quando o próprio Graham admite que a Geico foi um "golpe de sorte", isso é um sinal de que a maioria de nós não pode contar com ser capaz de encontrar uma oportunidade tão boa. Para evitar que o investimento degenere em aposta, você precisa diversificar.

Sendo o mais literato dos investidores, Graham amava a história de Ulisses, contada através da poesia de Homero, Alfred Tennyson e Dante. No final de sua vida, Graham apreciava a cena do *Inferno* de Dante, em que Ulisses descreve como inspirou sua tripulação a navegar para oeste, em direção às águas desconhecidas além das colunas de Hércules:

> *"Ó irmãos", disse eu, "que por cem mil, vencidos,*
> *perigos alcançastes o Ocidente;*
> *a esta vigília dos nossos sentidos,*
>
> *tão breve, que nos é remanescente,*
> *não queirais recusar esta experiência*
> *seguindo o sol, de um mundo vão de gente.*
> *Considerai a vossa procedência:*
> *não fostes feitos pra viver quais brutos,*
> *mas pra buscar virtude e sapiência".*
> *Meus companheiros fiz tão resolutos*
> *pra viagem, com tão curta oração,*
> *que não seriam mais dela devolutos.*
> *Voltada a popa pra manhã, já são*
> *asas os nossos remos, na ousadia*
> *do voo, apontado pra sinistra mão.*[2]

Investir também é uma aventura; o futuro financeiro é sempre um mundo desconhecido. Tendo Graham como seu guia, sua vida de investidor será uma viagem tão segura e confiante quanto aventurosa.

---

2 Dante Alighieri, *Inferno,* Canto XXVI, linhas 112-125, traduzido por Ítalo Eugenio Mauro, editora 34, 1998, p. 179.

APÊNDICES

1. Os superinvestidores de Graham-and-Doddsville

por Warren E. Buffett

NOTA DO EDITOR: *Este artigo é uma transcrição editada de uma palestra proferida na Universidade de Columbia, em 1984, em comemoração ao aniversário de cinquenta anos de* Security Analysis, *escrito por Benjamin Graham e David L. Dodd. Este volume especializado apresentou pela primeira vez as ideias que foram popularizadas mais tarde em* O Investidor Inteligente. *O ensaio de Buffett oferece um estudo fascinante de como os discípulos de Graham usaram sua abordagem de investimento em valor para alcançar um sucesso fenomenal no mercado acionário.*

Será que a abordagem à análise de investimento de Graham e Dodd que diz "procure valores com uma margem de segurança significativa relativa aos preços" está ultrapassada? Muitos dos professores que hoje escrevem livros dizem que sim. Eles argumentam que o mercado acionário é eficiente, isto é, que os preços das ações refletem tudo que é conhecido sobre as perspectivas das companhias e o estado da economia. Não existem ações subvalorizadas, afirmam esses teóricos, porque há analistas de títulos sabidos que utilizam todas as informações disponíveis para sempre garantirem preços apropriados. Os investidores que parecem superar o mercado ano após ano são apenas sortudos. "Se os preços refletem completamente as informações disponíveis, esse tipo de investimento competente é descartado", escreve um autor contemporâneo.

Bem, pode ser que sim. Porém, desejo apresentar a você um grupo de investidores que tem, ano após ano, batido o índice de 500 ações da Standard & Poor's. A hipótese de que eles fazem isso por puro acaso merece, pelo menos, ser examinada. Crucial a esse exame é o fato de que esses vencedores eram todos bem conhecidos por mim e pré-identificados como investidores superiores, tendo a identificação mais recente ocorrido há mais de 15 anos. Não fosse isso — isto é, se eu tivesse apenas pesquisado recentemente centenas de registros para selecionar alguns nomes para vocês esta manhã —, eu lhes teria aconselhado a parar a leitura aqui mesmo. Acrescentaria que todos esses registros foram verificados por auditores. Eu deveria acrescentar, ainda, que conheci muitas pessoas que investiram com esses gestores e que os cheques recebidos por elas ao longo dos anos foram compatíveis com os históricos apresentados.

Antes de começarmos esse exame, gostaria que vocês imaginassem um concurso nacional de cara ou coroa. Vamos imaginar que consigamos a participação dos 225 milhões de americanos amanhã de manhã e solicitemos que todos apostem um dólar. Todo dia, ao nascer do sol, eles jogarão uma moeda. Se adivinharem corretamente, ganharão um dólar daqueles que apostaram errado. A cada dia os perdedores serão excluídos e no dia seguinte as apostas crescerão à medida que todos os prêmios anteriores forem novamente colocados em jogo. Após dez jogadas em dez manhãs, sobrariam aproximadamente 220.000 pessoas nos Estados Unidos que haviam adivinhado corretamente dez jogadas consecutivas. Cada uma delas ganharia pouco mais de US$1.000.

Em seguida, esse grupo provavelmente começaria a ficar um pouco mascarado com esta história, pois faz parte da natureza humana. Eles poderiam tentar ser modestos, mas em coquetéis revelariam ocasionalmente a membros atraentes do sexo oposto a sua técnica e os *insights* maravilhosos que elas trazem para o terreno do cara ou coroa.

Supondo que os vencedores estão recebendo recompensas apropriadas dos perdedores, em mais dez dias teríamos 215 pessoas que adivinharam com sucesso vinte jogadas de moeda consecutivas. Com esse exercício, cada uma delas teria transformado um dólar em pouco mais de US$1 milhão. Duzentos e vinte e cinco milhões de dólares teriam sido perdidos e US$225 milhões teriam sido ganhos.

A essa altura, esse grupo realmente perderia a cabeça. Provavelmente, seus integrantes escreveriam livros sobre "Como transformei um dólar em um milhão em vinte dias trabalhando trinta segundos pela manhã". Pior ainda, eles provavelmente começariam a viajar pelo país falando em seminários sobre técnicas eficientes de jogar moedas e confrontando professores céticos com a pergunta "Se isso é impossível de ser feito, por que existem 215 de nós?".

A essa altura, algum professor de administração provavelmente seria grosseiro o suficiente para levantar a hipótese de que se 225 milhões de orangotangos tivessem realizado o mesmo exercício, os resultados seriam iguais, 215 orangotangos egocêntricos com vinte jogadas vencedoras consecutivas.

Eu afirmaria, entretanto, que *existem* algumas diferenças importantes nos exemplos que apresentarei. Em primeiro lugar, se (a) você tivesse pegado 225 milhões de orangotangos distribuídos, grosso modo, da mesma forma que a população americana; se (b) restassem 215 vencedores após vinte dias; e se (c) visse que quarenta vieram de um zoológico específico em Omaha, você teria certeza de que algo estranho estava acontecendo. Provavelmente sairia e perguntaria ao zelador do zoológico qual a alimentação dada aos animais, se eles fazem exercícios especiais, que livros eles leem e sabe-se lá mais o quê. Ou seja, se você encontrasse quaisquer concentrações de sucesso realmente extraordinárias, seria interessante identificar concentrações de características incomuns que poderiam ser fatores causais.

A investigação científica naturalmente segue tal padrão. Se você estivesse tentando analisar as possíveis causas de um tipo de câncer raro — com, digamos, 1.500 casos por ano nos Estados Unidos — e descobrisse que quatrocentos deles ocorreram em uma pequena cidade mineradora em Montana, seu interesse seria grande em investigar a água local ou a ocupação dos atingidos ou outras variáveis. Você sabe que não é por acaso que quatrocentos vieram de uma área pequena. Você não necessariamente conheceria os fatores causais, mas saberia onde procurar.

Acredito que existem várias maneiras de definir uma origem que não seja a geográfica. Além de origens geográficas, pode existir aquilo que denomino origem *intelectual*. Estou convencido de que você encontrará um número desproporcional de jogadores de moeda bem-sucedidos no mundo dos investimentos oriundos de uma pequena vila intelectual que poderia ser chamada de Graham-and-Doddsville. Uma concentração de vencedores, que não pode ser explicada simplesmente pelo acaso, mas pode ser rastreada até essa vila intelectual específica.

Poderiam existir condições que tornariam mesmo essa concentração sem importância. Talvez cem pessoas estivessem simplesmente seguindo o palpite de alguma personalidade terrivelmente persuasiva. Quando essa pessoa pedisse cara, cem seguidores automaticamente apostariam da mesma forma. Se o líder for um dos 215 restantes no fim, o fato de que cem tiveram a mesma origem intelectual nada significaria. Você simplesmente estaria identificando um caso com uma centena. Da mesma forma, suponhamos que você viva em uma sociedade fortemente patriarcal e cada família americana convenientemente consista de dez membros. Ademais, suponha que a cultura patriarcal seja tão forte que, quando os 225 milhões de pessoas jogarem no primeiro dia, cada membro de uma família se identifique com a jogada do pai. Agora, no final do período de vinte dias, você teria 215 vencedores e descobriria que vieram de apenas 21,5 famílias. Alguns tipos ingênuos poderiam dizer que isso indica um fator de hereditariedade enorme como explicação para o sucesso no cara ou coroa. Porém, claro, essa ocorrência não teria significado algum porque simplesmente significaria que não havia 215 vencedores individuais, mas sim 21,5 famílias aleatoriamente distribuídas que haviam ganhado.

Nesse grupo de investidores bem-sucedidos que desejo considerar, existe um patriarca intelectual comum, Ben Graham. Porém, as crianças que deixaram a casa desse patriarca intelectual preveem os resultados do arremesso de uma moeda de formas muito diferentes. Foram a lugares diferentes e compraram e venderam ações e companhias diferentes. No entanto, têm um desempenho conjunto que simplesmente não pode ser explicado pelo acaso. De forma alguma isso pode ser explicado pelo fato de que todos estão apostando na moeda de forma idêntica por ter um líder sinalizando as jogadas a serem feitas. O patriarca meramente estabeleceu o arcabouço intelectual para apostar no resultado das jogadas, mas cada estudante decidiu sobre sua própria maneira de aplicar a teoria.

O tema intelectual comum dos investidores de Graham-and-Doddsville é o seguinte: eles buscam discrepâncias entre o *valor* do negócio e o *preço* de pequenas partes daquele negócio no mercado. Essencialmente, eles exploram essas discrepâncias sem a preocupação dos teóricos de mercados eficientes quanto à compra das ações se realizar nas segundas ou nas terças-feiras ou em janeiro ou julho etc. Incidentalmente, quando homens de negócios compram negócios — que é justamente o que os investidores Graham & Dodd fazem por meio de ações negociáveis —, duvido que muitos estejam levando em consideração nessa decisão de compra o dia da semana ou o mês no qual a transação ocorrerá. Se não há diferença alguma quanto ao fato de todo um negócio estar sendo comprado em uma segunda ou sexta-feira, fico pasmado com o fato de os acadêmicos investirem tanto tempo e esforço para verificarem se o dia da semana faz diferença na compra de porções pequenas daqueles mesmos negócios. Nossos investidores Graham & Dodd, desnecessário dizer, não discutem o beta, o modelo de precificação do custo de capital (CAPM) ou a covariância dos retornos de certos papéis. Esses assuntos não têm qualquer interesse para eles. Na verdade, a maioria deles teria dificuldade em definir tais termos. Os investidores simplesmente focam em duas variáveis: preço e valor.

Sempre considerei extraordinário que sejam feitos tantos estudos sobre o comportamento de preço e volume, matéria da análise técnica. Você pode se imaginar comprando um negócio inteiro simplesmente porque o preço do negócio havia *subido* substancialmente na semana passada e na semana retrasada? Claro, a razão pela qual tantos estudos são feitos sobre variáveis como preço e volume é que agora, na era dos computadores, há uma quase infinidade de dados disponíveis. Não é necessariamente porque tais estudos têm qualquer utilidade; é simplesmente porque os dados estão acessíveis e os acadêmicos trabalharam arduamente para aprenderem as técnicas matemáticas necessárias para manipulá-los. Uma vez que essas capacidades tenham sido adquiridas, parece pecaminoso deixar de usá-las, mesmo que o uso não tenha utilidade alguma ou tenha uma utilidade negativa. Como diz um amigo meu, ao homem com um martelo, tudo lhe parece um prego.

Creio que o grupo que identifiquei com base em uma origem intelectual comum vale a pena ser estudado. A propósito, apesar de todos os estudos acadêmicos sobre a influência de variáveis, tais como preço, volume, sazonalidade, volume de capitalização etc., no desempenho das ações, nenhum interesse foi demonstrado no estudo dos métodos dessa concentração incomum de vencedores orientados para o valor.

Começo este estudo de resultados retornando a um grupo de quatro pessoas que trabalharam na Graham-Newman Corporation de 1954 a 1956. Havia apenas quatro — não selecionei esses nomes de milhares. Eu próprio me ofereci para ir trabalhar de graça na Graham-Newman após ter sido aluno de Graham, mas ele considerou a proposta cara. Ele levava essa coisa de valor muito a sério! Após importuná-lo muito, ele finalmente me contratou. Havia três sócios e quatro de nós em um nível de "peão". Todos quatro saíram entre 1955 e 1957, quando a firma foi dissolvida, e é possível rastrear o histórico de três deles.

O primeiro exemplo (ver Tabela 1, p. 593-594) é o de Walter Schloss. Walter nunca foi à universidade, mas estudou com Ben Graham à noite no Instituto de Finanças de Nova York. Walter deixou a Graham-Newman em 1955 e obteve o desempenho apresentado aqui ao longo de 28 anos.

Aqui está o que o autor "Adam Smith" — após eu ter-lhe contado sobre Walter — escreveu sobre ele em *Supermoney* (1972):

> *Ele não possui conexões ou acesso a informações grau de investimento. Quase ninguém em Wall Street o conhece e ele não recebe quaisquer sugestões. Ele procura números em manuais e manda buscar os relatórios anuais, e isso é tudo.*
>
> *Ao me apresentar a [Schloss], Warren tinha também, na minha opinião, descrito a si mesmo. "Ele nunca esquece que está lidando com o dinheiro de outras pessoas, e isso reforça sua aversão normal e forte à perda." Ele é totalmente íntegro e possui uma visão realista de si mesmo. Para ele, o dinheiro é real e as ações são reais, surgindo daí uma atração pelo princípio da "margem de segurança".*

Walter diversificou enormemente e hoje possui bem mais de cem ações. Ele sabe como identificar papéis negociados a um preço consideravelmente abaixo de seu valor para um proprietário privado. *E isso é tudo que faz.* Ele não se preocupa com o fato de ser janeiro, ou com o fato de ser segunda-feira, e não está nem aí se for um ano de eleições. Ele simplesmente acredita que se um negócio vale US$1 e pode ser adquirido por 40 centavos, algo bom pode acontecer ao comprador. E ele repete esse processo seguidamente. Ele possui muito mais ações do que eu e está muito menos interessado na natureza subjacente do negócio: não parece que tenho muita influência sobre Walter. Esse é um de seus pontos fortes; ninguém tem muita influência sobre ele.

O segundo caso é o de Tom Knapp, que também trabalhou na Graham-Newman comigo. Tom formou-se em química em Princeton antes da guerra; quando voltou da guerra, virou um vagabundo de praia. Um dia, ele leu que Dave Dodd iria lecionar um curso noturno sobre investimentos na Columbia. Tom fez o curso como ouvinte, mas ficou tão interessado no assunto que se inscreveu na Columbia Business School, onde cursou o programa de MBA. Ele fez o curso de Dodd novamente e também o de Ben Graham. Por acaso, 35 anos depois telefonei para Tom com o objetivo de conferir alguns dos fatos aqui descritos e o encontrei novamente na praia. A única diferença é que agora ele era o dono da praia!

Em 1968, Tom Knapp e Ed Anderson, também discípulo de Graham, em conjunto com um ou dois outros colegas com interesses semelhantes, formaram a Tweedy, Browne Partners, e seus resultados de investimento aparecem na Tabela 2. A Tweedy, Browne construiu esse histórico com uma diversificação muito ampla. Ocasionalmente, ela adquiriu o controle de negócios, mas o histórico dos investimentos passivos é igual ao registro dos investimentos em posições de controle.

A Tabela 3 descreve o terceiro membro do grupo que formou a Buffett Partnership em 1957. A melhor coisa que ele fez foi pedir demissão em 1969. Desde então, de certa forma, a Berkshire Hathaway tem sido uma continuação da parceria em alguns aspectos. Não existe qualquer índice único que possa apresentar a vocês que eu consideraria um teste justo da gestão de investimentos feita pela Berkshire. Porém, penso que, seja qual for a forma que você queira calcular, a gestão foi satisfatória.

A Tabela 4 mostra o histórico do Sequoia Fund, o qual é administrado por uma pessoa que conheci em 1951 em uma aula de Ben Graham, Bill Ruane. Após se formar na Harvard Business School, ele rumou para Wall Street. Percebeu que precisava obter uma educação em negócios de verdade e, portanto, foi fazer o curso de Ben na Columbia, onde nos encontramos no início de 1951. O desempenho de Bill de 1951 a 1970, trabalhando com valores relativamente pequenos, foi muito acima da média. Quando encerrei a Buffett Partnership, pedi a Bill que montasse um fundo para lidar com todos os nossos sócios, então ele montou o Sequoia Fund. Ele o montou em um momento terrível, logo antes de minha saída. Ele foi direto para o mercado de dois níveis, com todas as dificuldades que este representava em termos de desempenho comparativo para os investidores orientados para o valor. Tenho prazer em informar que meus sócios, de maneira surpreendente, não apenas permaneceram com ele, mas colocaram mais dinheiro, gerando o resultado feliz aqui apresentado.

Não é uma questão de avaliar o passado com base na visão retrospectiva. Bill foi a única pessoa que recomendei para meus sócios. Também disse, naquele momento, que se ele atingisse uma vantagem de quatro pontos por ano acima do Standard & Poor's, isso teria sido um desempenho sólido. Bill atingiu cifras bem superiores trabalhando com montantes progressivamente maiores de dinheiro. Isso torna as coisas muito mais difíceis. O tamanho é o freio do desempenho. Não há dúvidas sobre isso, o que não significa que não seja possível ter um desempenho acima da média quando se fica maior, mas a margem encolhe. E se você alguma vez estiver administrando dois trilhões de dólares, e isso é a avaliação do valor total dos papéis na economia americana, não pense que conseguirá um desempenho acima da média!

Eu deveria acrescentar que nos registros que examinamos até agora, em todo o período, não houve praticamente qualquer duplicação entre as carteiras. Esses são homens que selecionam papéis com base em discrepâncias entre preço e valor, mas fazem suas escolhas de formas muito diferentes. As maiores propriedades de Walter são nomes "tradicionais" como a Hudson Pulp & Paper, Jeddo Highland Coal, New York Trap Rock Company e todos aqueles outros nomes que vêm imediatamente à mente até do leitor menos assíduo das páginas de negócios. As seleções da Tweedy, Browne têm um grau de identificação ainda menor por parte dos investidores. Por outro lado, Bill trabalhou com grandes companhias. A duplicação entre essas carteiras foi muito, muito pequena. Esses históricos não refletem uma pessoa pedindo cara ou coroa e cinquenta pessoas seguindo sua orientação.

A Tabela 5 é o histórico de um amigo meu que se formou pela Harvard Law School e abriu um grande escritório de advocacia. Voltamos a nos ver em 1960 e eu lhe disse que advogar era bom como diversão, mas que ele podia fazer melhor. Ele montou uma sociedade bem oposta à de Walter. Sua carteira se concentrou em um número pequeno de papéis e, portanto, seus resultados foram muito mais voláteis, mas ele se baseou na mesma abordagem do desconto sobre o valor. Estava disposto a aceitar altas e baixas de desempenho maiores e se revelou uma pessoa com tendência à concentração, conforme os resultados mostrados. Por acaso, esse histórico se refere a Charlie Munger, meu sócio por um longo tempo na operação da Berkshire Hathaway. Quando ele dirigia sua sociedade, no entanto, a composição de sua carteira destoava quase completamente da minha e das dos outros colegas mencionados anteriormente.

A Tabela 6 é o histórico de um colega que foi companheiro de Charlie Munger — outro tipo cuja formação não era em administração de empresas — e que se formara em matemática na USC. Ele trabalhou por algum tempo como vendedor na IBM após se formar. Depois que cheguei ao Charlie, Charlie chamou seu colega. Esse é o histórico de Rick Guerin. As carteiras geridas por Rick, de 1965 a 1983, tiveram um aumento de 22.200%, comparado com o ganho composto de 316% do S&P, um resultado que, provavelmente por ele não ter se formado em uma escola de administração, ele considera estatisticamente significante.

Um aparte aqui: é extraordinário para mim que a ideia de comprar notas de um dólar por quarenta centavos arrebate uma pessoa imediatamente ou então não arrebata nunca mais. É como uma vacina. Se a ideia não pega uma pessoa imediatamente, você pode falar com ela por anos a fio e mostrar-lhe registros que não fará a menor diferença. Ela simplesmente não parece capaz de entender o conceito, por mais simples que seja. Um cara como Rick Guerin, sem qualquer educação formal em negócios, entende logo a abordagem de valor dos investimentos e a aplica cinco minutos mais tarde. Nunca vi ninguém que tenha se convertido gradualmente a essa abordagem ao longo de um período de dez anos. Não parece ser uma questão de QI ou de treinamento acadêmico. Há um reconhecimento instantâneo ou não há nada.

A Tabela 7 é o histórico do Stan Perlmeter. Stan se formou em artes liberais pela Universidade de Michigan e foi sócio da agência de publicidade Bozell & Jacobs. Acabamos trabalhando no mesmo edifício em Omaha. Em 1965, ele percebeu que eu tinha um negócio melhor do que o dele, então deixou a agência. Foram necessários apenas cinco minutos para Stan abraçar a abordagem de valor.

Perlmeter não compra aquilo que Walter Schloss compra, que por sua vez não compra aquilo que Bill Ruane compra. Esses são desempenhos alcançados *de forma independente*. Porém, cada vez que Perlmeter compra uma ação é porque está obtendo mais em troca de seu dinheiro do que está pagando. Essa é a única coisa na qual ele pensa. Ele não se preocupa com as projeções de lucros trimestrais, não se preocupa com os lucros do ano seguinte, não pensa que dia da semana é, não se importa com o que os analistas de investimento de qualquer lugar dizem, não se interessa pela evolução dos preços, volume ou qualquer coisa. Ele simplesmente pergunta: Qual o valor do negócio?

A Tabela 8 e a Tabela 9 são os históricos de dois fundos de pensão com os quais estive envolvido. Eles não foram selecionados a partir de dezenas de fundos de pensões com os quais me envolvi, mas sim os únicos que influenciei. Em ambos os casos, indiquei a eles gestores voltados para o valor. Muito, muito poucos fundos de pensão são administrados com base no valor. A Tabela 8 apresenta o fundo de pensão da Washington Post Company. Ele era gerenciado por um grande banco alguns anos atrás, e sugeri que os resultados seriam melhores se fossem selecionados gestores que tivessem uma orientação para o valor.

Como se pode ver, em geral, o fundo esteve sempre entre os de melhor desempenho após a troca de administradores que sugeri. A Post instruiu os gestores para manterem pelo menos 25% dos recursos em obrigações, o que não necessariamente teriam escolhido por si mesmos. Logo, incluí o desempenho das obrigações simplesmente para mostrar que esse grupo não possui conhecimento especializado sobre obrigações. Eles nunca afirmariam o contrário. Mesmo com o obstáculo da alocação de 25% do fundo para uma área que não era a sua, eles ficaram entre os melhores administradores de fundos. A experiência da Washington Post não cobre um período muito longo, mas representa muitas decisões de investimento feitas por três gestores que foram identificados especificamente por sua orientação para o valor.

A Tabela 9 é o histórico do fundo da FMC Corporation. Eu não administro pessoalmente um centavo dele, mas em 1974 influenciei sua decisão para que fossem selecionados gestores orientados para o valor. Antes daquela época, os gestores eram selecionados da mesma forma que fazem a maioria das companhias maiores. Eles agora são o número um na pesquisa Becker entre os fundos de pensão de porte semelhante desde essa "conversão" para a abordagem de valor. Ano passado, o fundo tinha oito gestores de investimentos com um vínculo superior a um ano. Sete deles tiveram um desempenho acumulado melhor do que o da S&P. Todos oito tiveram um desempenho melhor no ano passado do que a S&P. A diferença líquida até o presente momento, entre um desempenho mediano e o efetivo do fundo FMC é de US$243 milhões. A FMC atribui isso às orientações dadas à companhia a respeito da seleção de gestores. Aqueles gestores não são, necessariamente, os que eu escolheria por minha conta, mas eles têm em comum o fato de selecionarem papéis com base no valor.

Em resumo, esses são nove históricos de "jogadores de moedas" de Graham-and-Doddsville. Não os selecionei com base no que sei hoje, mas a partir de um universo de milhares. Não é como se eu estivesse recitando os nomes de uma porção de vencedores da loteria — pessoas que nunca vi ou ouvi falar antes de ganharem a loteria. Selecionei essas pessoas há anos por causa de seu arcabouço de tomada de decisões de investimento. Sabia o que haviam aprendido e, além disso, eu tinha algum conhecimento pessoal sobre seu caráter, inteligência e temperamento. É muito importante entender que esse grupo correu muito menos riscos do que a média; observe seu desempenho nos anos em que o mercado geral não se houve bem. Embora tenham estilos muito diferentes, esses investidores, mentalmente, sempre *compram o negócio, não compram a ação.* Alguns deles às vezes compram negócios inteiros. Com muito mais frequência, eles simplesmente compram participações pequenas em certos negócios. Suas atitudes, seja na compra de todo, seja na de uma parte ínfima de um negócio, são iguais. Alguns mantêm carteiras com dezenas de ações; outros se concentram em um punhado delas. Porém, todos exploram a diferença entre o preço de mercado de um negócio e seu valor intrínseco.

Estou convencido de que existe muita ineficiência no mercado. Esses investidores de Graham-and-Doddsville exploraram com sucesso a lacuna existente entre preço e valor. Quando o preço de uma ação pode ser influenciado por uma "manada" em Wall Street, com preços estabelecidos, na margem, pela pessoa mais emocional ou mais gananciosa ou mais deprimida, é difícil defender a posição de que o mercado sempre gera cotações racionalmente. Na verdade, com frequência, os preços de mercado são insensatos.

Gostaria de dizer algo importante sobre risco e recompensa. Às vezes, risco e recompensa são correlacionados de forma positiva. Se alguém me dissesse, "tenho aqui um revólver de seis tiros e acabo de colocar uma bala nele. Por que você não gira o tambor e aperta o gatilho apenas uma vez? Se você sobreviver, lhe dou US$1 milhão", eu não aceitaria — talvez afirmando que US$1 milhão não é suficiente. Então, ele talvez me oferecesse US$5 milhões para apertar o gatilho duas vezes — isso é que seria uma correlação positiva entre risco e recompensa!

No caso do investimento em valor é justamente o contrário. A compra de uma nota de US$1 a sessenta centavos é mais arriscada do que a compra da mesma nota por quarenta centavos, mas a expectativa de recompensa é maior no segundo caso. Quanto maior o potencial de recompensa na carteira de valor, menor o risco.

Um exemplo rápido: a Washington Post Company em 1973 estava sendo negociada pelo mercado por US$80 milhões. Naquela época, você poderia vender seus ativos para qualquer um entre dez compradores por pelo menos US$400 milhões, provavelmente muito mais. A companhia era dona do *Post* e da *Newsweek,* além de várias estações de televisão em grandes mercados. Aquelas mesmas propriedades, hoje, valem US$2 bilhões, portanto a pessoa que as tivesse comprado por US$400 milhões não estaria alucinada.

Agora, se a ação tivesse caído ainda mais, até um preço que representasse uma avaliação de US$40 milhões em vez de US$80 milhões, seu beta teria sido maior. E para as pessoas que acreditam que o beta mede risco, o preço mais barato teria feito a ação parecer mais arriscada. Isso é verdadeiramente uma situação saída das páginas de Alice no País das Maravilhas. Nunca fui capaz de entender por que é mais arriscado comprar US$400 milhões em propriedades por US$40 milhões em vez de US$80 milhões. E, na verdade, se você compra um grupo de tais papéis e conhece algo sobre a cotação dos negócios, não há essencialmente risco algum em comprar US$400 milhões por US$80 milhões, sobretudo se você o faz por meio da compra de dez pilhas de US$40 milhões por US$8 milhões cada. Já que você não tem em mãos US$400 milhões, precisa então se certificar de que está se juntando a pessoas honestas e razoavelmente competentes, mas essa não é uma tarefa difícil.

Você também precisa ter conhecimento para ser capaz de fazer uma estimativa muito aproximada do valor intrínseco dos negócios. Porém, não é necessário se preocupar com o último centavo. Isso era o que Ben Graham queria dizer com margem de segurança. Você não tenta comprar negócios que valem US$83 milhões por US$80 milhões. Você se permite uma enorme margem. Na construção de uma ponte, você insiste que ela deve aguentar uma carga de 15.000kg, mas permite que apenas caminhões de 5.000kg a atravessem. Esse mesmo princípio funciona nos investimentos.

Concluindo, os leitores com um espírito mais empresarial podem se perguntar por que escrevo este artigo. Um grande aumento nos convertidos à abordagem de valor necessariamente causaria uma diminuição nas diferenças entre preço e valor. Posso apenas dizer que o segredo já foi revelado há cinquenta anos, desde que Ben Graham e Dave Dodd escreveram *Security Analysis*. No entanto, não vi tendência de aumento no investimento em valor nos 35 anos que o pratico. Parece haver alguma característica humana perversa que gosta de dificultar as coisas. No mundo acadêmico, em última análise, houve efetivamente um retrocesso no ensino do investimento em valor ao longo dos últimos trinta anos. É provável que continue dessa forma. Navios navegarão ao redor do mundo, mas a Sociedade da Terra Plana continuará a florescer. Continuará a haver discrepâncias amplas entre o preço e o valor no mercado, e aqueles que lerem Graham & Dodd continuarão a prosperar.

A seguir, as tabelas de 1 a 9:

TABELA 1 Walter J. Schloss

Ano	Ganho Total do S&P, incluindo dividendos (%)	Lucros globais dos sócios da WJS Ltd. por ano (%)	Lucro geral da sociedade WJS por ano (%)		
1956	7,5	5,1	6,8	Rentabilidade acumulada em 28,25 anos da S&P	887,2%
1957	-10,5	-4,7	-4,7		
1958	42,1	42,1	54,6	Rentabilidade acumulada em 28,25 anos dos sócios da WJS Limited	6.678,8%
1959	12,7	17,5	23,3		
1960	-1,6	7,0	9,3	Lucros compostos de 28,25 anos da WJS Partnership	23.104,7%
1961	26,4	21,6	28,8		
1962	-10,2	8,3	11,1	Taxa anual composta de 28,25 anos da S&P	8,4%
1963	23,3	15,1	20,1		
1964	16,5	17,1	22,8	Taxa anual composta de 28,25 anos dos sócios da WJS Limited	16,1%
1965	13,1	26,8	35,7		
1966	-10,4	0,5	0,7	Taxa anual composta de 28,25 anos da WJS Partnership	21,3%
1967	26,8	25,8	34,4		
1968	10,6	26,6	35,5		
1969	-7,5	-9,0	-9,0		
1970	2,4	-8,2	-8,2		
1971	14,9	25,5	28,3		

Durante a história da sociedade, ela possuiu mais de oitocentos papéis e, na maior parte do tempo, tinha, pelo menos, cem em carteira. Os ativos atuais administrados se aproximam de US$45 milhões. A diferença entre os retornos da sociedade e os retornos dos sócios limitados é devida a alocações para o sócio principal gerir.

TABELA 1 Walter J. Schloss

Ano	Ganho Total do S&P, incluindo dividendos (%)	Lucros globais dos sócios da WJS Ltd. por ano (%)	Lucro geral da sociedade WJS por ano (%)
1972	19,8	11,6	15,5
1973	-14,8	-8,0	-8,0
1974	-26,6	-6,2	-6,2
1975	36,9	-42,7	52,2
1976	22,4	29,4	39,2
1977	-8,6	25,8	34,4
1978	7,0	36,6	48,8
1979	17,6	29,4	39,7
1980	32,1	23,3	31,1
1981	6,7	18,4	24,5
1982	20,2	24,1	32,1
1983	22,8	38,4	51,2
1984 (1º trimestre)	2,3	0,8	1,1

TABELA 2 Tweedy, Browne Inc.

Período encerrado (30 de setembro)	Dow Jones* (%)	S&P 500* (%)	TBK total (%)	TBK Limited Partners (%)
1968 (9 meses)	6,0	8,8	27,6	22,0
1969	-9,5	-6,2	12,7	10,0
1970	-2,5	-6,1	-1,3	-1,9
1971	20,7	20,4	20,9	16,1
1972	11,0	15,5	14,6	11,8
1973	2,9	1,0	8,3	7,5
1974	-31,8	-38,1	1,5	1,5
1975	36,9	37,8	28,8	22,0
1976	29,6	30,1	40,2	32,8
1977	-9,9	-4,0	23,4	18,7
1978	8,3	11,9	41,0	32,1
1979	7,9	12,7	25,5	20,5
1980	13,0	21,1	21,4	17,3
1981	-3,3	2,7	14,4	11,6
1982	12,5	10,1	10,2	8,2
1983	44,5	44,3	35,0	28,2
Retorno total				
15,75 anos	191,8%	238,5%	1.661,2%	936,4%
Taxa anual composta de 15,75 anos da Standard & Poor's				7,0%
Taxa anual composta de 15,75 anos dos sócios da TBK Limited				16,0%
Taxa anual composta de 15,75 anos da TBK como um todo				20,0%

* Inclui dividendos pagos tanto para o índice composto de 500 ações da Standard & Poor's como para o Índice Industrial Dow Jones.

TABELA 3 Buffett Partnership, Ltd.

Ano	Resultados gerais do Dow (%)	Resultados da sociedade (%)	Resultados dos sócios limitados (%)
1957	-8,4	10,4	9,3
1958	38,5	40,9	32,2
1959	20,0	25,9	20,9
1960	-6,2	22,8	18,6
1961	22,4	45,9	35,9
1962	-7,6	13,9	11,9
1963	20,6	38,7	30,5
1964	18,7	27,8	22,3
1965	14,2	47,2	36,9
1966	-15,6	20,4	16,8
1967	19,0	35,9	28,4
1968	7,7	58,8	45,6
1969	-11,6	6,8	6,6
Em uma base cumulativa ou composta, os resultados são:			
1957	-8,4	10,4	9,3
1957-58	26,9	55,6	44,5
1957-59	52,3	95,9	74,7
1957-60	42,9	140,6	107,2
1957-61	74,9	251,0	181,6
1957-62	61,6	299,8	215,1
1957-63	94,9	454,5	311,2
1957-64	131,3	608,7	402,9
1957-65	164,1	943,2	588,5
1957-66	122,9	1156,0	704,2
1957-67	165,3	1606,9	932,6
1957-68	185,7	2610,6	1403,5
1957-69	152,6	2794,9	1502,7
Taxa anual composta	7,4	29,5	23,8

TABELA 4 Sequoia Fund, Inc.

	*Variação percentual anual***	
Ano	Sequoia Fund (%)	Índice* S&P 500 (%)
1970 (a partir de 15 de julho)	12,1	20,6
1971	13,5	14,3
1972	3,7	18,9
1973	-24,0	-14,8
1974	-15,7	-26,4
1975	60,5	37,2
1976	72,3	23,6
1977	19,9	-7,4
1978	23,9	6,4
1979	12,1	18,2
1980	12,6	32,3
1981	21,5	-5,0
1982	31,2	21,4
1983	27,3	22,4
1984 (1º trimestre)	-1,6	-2,4
Período inteiro	775,3%	270,0%
Retorno anual composto	17,2%	10,0%
Mais 1% de taxa de administração	1,0%	
Retorno bruto do investimento	18,2%	10,0%

* Inclui dividendos (e distribuição de ganhos de capital no caso do Sequoia Fund) tratados como se fossem reinvestidos.

** Esses números diferem ligeiramente dos da S&P na Tabela 1 por causa de uma diferença no cálculo dos dividendos reinvestidos.

TABELA 5 Charles Munger

Ano	Mass. Invest. Trist (%)	Ações dos investidores (%)	Lehman (%)	Tri-Cont. (%)	Dow (%)	Sociedade geral (%)	Sócios limitados (%)
Resultados (1) anuais							
1962	-9,8	-13,4	-14,4	-12,2	-7,6	30,1	20,1
1963	20,0	16,5	23,8	20,3	20,6	71,7	47,8
1964	15,9	14,3	13,6	13,3	18,7	49,7	33,1
1965	10,2	9,8	19,0	10,7	14,2	8,4	6,0
1966	-7,7	-9,9	-2,6	-6,9	-15,7	12,4	8,3
1967	20,0	22,8	28,0	25,4	19,0	56,2	37,5
1968	10,3	8,1	6,7	6,8	7,7	40,4	27,0
1969	-4,8	-7,9	-1,9	0,1	-11,6	28,3	21,3
1970	0,6	-4,1	-7,2	-1,0	8,7	-0,1	-0,1
1971	9,0	16,8	26,6	22,4	9,8	25,4	20,6
1972	11,0	15,2	23,7	21,4	18,2	8,3	7,3
1973	-12,5	-17,6	-14,3	-21,3	-23,1	-31,9	-31,9
1974	-25,5	-25,6	-30,3	-27,6	-13,1	-31,5	-31,5
1975	32,9	33,3	30,8	35,4	44,4	73,2	73,2

TABELA 5 Charles Munger (cont.)

Ano	Mass. Invest. Trist (%)	Ações dos investidores (%)	Lehman (%)	Tri-Cont. (%)	Dow (%)	Sociedade geral (%)	Sócios limitados (%)
Resultados (2) compostos							
1962	-9,8	-13,4	-14,4	-12,2	-7,6	30,1	20,1
1962-3	8,2	0,9	6,0	5,6	11,5	123,4	77,5
1962-4	25,4	15,3	20,4	19,6	32,4	234,4	136,3
1962-5	38,2	26,6	43,3	32,4	51,2	262,5	150,5
1962-6	27,5	14,1	39,5	23,2	27,5	307,5	171,3
1962-7	53,0	40,1	78,5	54,5	51,8	536,5	273,0
1962-8	68,8	51,4	90,5	65,0	63,5	793,6	373,7
1962-9	60,7	39,4	86,9	65,2	44,5	1046,5	474,6
1962-70	61,7	33,7	73,4	63,5	57,1	1045,4	474,0
1962-71	76,3	56,2	119,5	100,1	72,5	1336,3	592,2
1962-72	95,7	79,9	171,5	142,9	103,9	1455,5	642,7
1962-73	71,2	48,2	132,7	91,2	77,2	959,3	405,8
1962-74	27,5	40,3	62,2	38,4	36,3	625,6	246,5
1962-75	69,4	47,0	112,2	87,4	96,8	1156,7	500,1
Taxa anual composta média	3,8	2,8	5,5	4,6	5,0	19,8	13,7

TABELA 6 Pacific Partners, Ltd.

Ano	Índice S&P 500 (%)	Resultados dos sócios limitados (%)	Resultados da sociedade geral (%)
1965	12,4	21,2	32,0
1966	-10,1	24,5	36,7
1967	23,9	120,1	180,1
1968	11,0	114,6	171,9
1969	-8,4	64,7	97,1
1970	3,9	-7,2	-7,2
1971	14,6	10,9	16,4
1972	18,9	12,8	17,1
1973	-14,8	-42,1	-42,1
1974	-26,4	-34,4	-34,4
1975	37,2	23,4	31,2
1976	23,6	127,8	127,8
1977	-7,4	20,3	27,1
1978	6,4	28,4	37,9
1979	18,2	36,1	48,2
1980	32,3	18,1	24,1
1981	-5,0	6,0	8,0
1982	21,4	24,0	32,0
1983	22,4	18,6	24,8
Ganho composto de 19 anos da Standard & Poor's			316,4%
Ganho composto de 19 anos dos sócios limitados			5.530,2%
Ganho composto de 19 anos da sociedade geral			22.200,0%
Taxa anual composta de 19 anos da Standard & Poor's			7,8%
Taxa anual composta de 19 anos dos sócios limitados			23,6%
Taxa anual composta de 19 anos da sociedade geral			32,9%

TABELA 7 Perlmeter Investments

Ano	PIL Geral (%)	Sócios limitados (%)		
1/8-31/12/65	40,6	32,5	Ganho percentual total da sociedade 1/ago/1965 até 31/out/1983	4277,2%
1966	6,4	5,1	Ganho percentual total dos sócios limitados 1/ago/1965 até 31/out/1983	2309,5%
1967	73,5	58,8	Taxa de lucro composta anual da sociedade	23,0%
1968	65,0	52,0	Taxa de lucro composta anual dos sócios limitados	19,0%
1969	-13,8	-13,8	Índice industrial Dow Jones 31/jul/1965 (aproximadamente)	882
1970	-6,0	-6,0	Índice industrial Dow Jones 31/out/1983 (aproximadamente)	1225
1971	55,7	49,3	Taxa composta de retorno aproximada do DJI incluindo dividendos	7%
1972	23,6	18,9		
1973	-28,1	-28,1		
1974	-12,0	-21,0		
1975	38,5	38,5		
1/1-31/10/76	38,2	34,5		
1/11/76-31/10/77	30,3	25,5		
1/11/77-31/10/78	31,8	26,6		
1/11/78-31/10/79	34,7	28,9		
1/11/79-31/10/80	41,8	34,7		
1/11/80-31/10/81	4,0	3,3		
1/11/81-31/10/82	29,8	25,4		
1/11/82-31/10-83	22,2	18,4		

TABELA 8 The Washington Post Company, Master Trust, 31 de dezembro de 1983

	Trimestre atual		Ano de 1983		2 últimos anos*		3 últimos anos*		5 últimos anos*	
	% ret.	Clas.	% ret.	Clas.	% ret.	Clas.	% ret.	Clas.	% ret.	Clas.
Todos os investimentos										
Gestor A	4,1	2	22,5	10	20,6	40	18,0	10	20,2	3
Gestor B	3,2	4	34,1	1	33,0	1	28,2	1	22,6	1
Gestor C	5,4	1	22,2	11	28,4	3	24,5	1	—	—
Master Trust (todos os gestores)	3,9	1	28,1	1	28,2	1	24,3	1	21,8	1
Ações ordinárias										
Gestor A	5,2	1	32,1	9	26,1	27	21,2	11	26,5	7
Gestor B	3,6	5	52,9	1	46,2	1	37,8	1	29,3	3
Gestor C	6,2	1	29,3	14	30,8	10	29,3	3	—	—
Master Trust (todos os gestores)	4,7	1	41,2	1	37,0	1	30,4	1	27,6	1
Obrigações										
Gestor A	2,7	8	17,0	1	26,6	1	19,0	1	12,2	2
Gestor B	1,6	46	7,6	48	18,3	53	12,7	84	7,4	86
Gestor C	3,2	4	10,4	9	24,0	3	18,9	1	—	—
Master Trust (todos os gestores)	2,2	11	9,7	14	21,1	14	15,2	24	9,3	30
Obrigações e equivalentes em dinheiro										
Gestor A	2,5	15	12,0	5	16,1	64	15,5	21	12,9	9
Gestor B	2,1	28	9,2	29	17,1	47	14,7	41	10,8	44
Gestor C	3,1	6	10,2	17	22,0	2	21,6	1	—	—
Master Trust (todos os gestores)	2,4	14	10,2	17	17,8	20	16,2	2	12,5	9

* Anualizado
Classificação indica o desempenho do fundo em comparação com o universo da A.C. Becker
Classificação é apresentada como um percentil: 1 = melhor desempenho, 100 = pior

TABELA 9 Fundo de Pensão da FMC Corporation, taxa de retorno anual (percentual)

Período encerrando	1 ano	2 anos	3 anos	4 anos	5 anos	6 anos	7 anos	8 anos	9 anos
FMC (Obrigações e ações combinadas)									
1983	23,0								*17,1
1982	22,8	13,6	16,0	16,6	15,5	12,3	13,9	16,3	
1981	5,4	13,0	15,3	13,8	10,5	12,6	15,4		
1980	21,0	19,7	16,8	11,7	14,0	17,3			
1979	18,4	14,7	8,7	12,3	16,5				
1978	11,2	4,2	10,4	16,1					
1977	-2,3	9,8	17,8						
1976	23,8	29,3							
1975	35,0							* 18,5 de ações apenas	
Mediana dos planos grandes da Becker									
1983	15,6								12,6
1982	21,4	11,2	13,9	13,9	12,5	9,7	10,9	12,3	
1981	1,2	10,8	11,9	10,3	7,7	8,9	10,9		
1980	20,9	NA	NA	NA	10,8	NA			
1979	13,7	NA	NA	NA	11,1				
1978	6,5	NA	NA	NA					
1977	-3,3	NA	NA						
1976	17,0	NA							
1975	24,1								

TABELA 9 Fundo de Pensão da FMC Corporation, taxa de retorno anual (percentual)

Período encerrando	1 ano	2 anos	3 anos	4 anos	5 anos	6 anos	7 anos	8 anos	9 anos
S&P 500									
1983	22,8								15,6
1982	21,5	7,3	15,1	16,0	14,0	10,2	12,0	14,9	
1981	-5,0	12,0	14,2	12,2	8,1	10,5	14,0		
1980	32,5	25,3	18,7	11,7	14,0	17,5			
1979	18,6	12,4	5,5	9,8	14,8				
1978	6,6	-0,8	6,8	13,7					
1977	7,7	6,9	16,1						
1976	23,7	30,3							
1975	37,2								

2. Regras importantes relativas à tributação da receita de investimento e das transações com papéis (em 1972)

NOTA DO EDITOR: Devido a mudanças profundas nas regras aplicáveis a tais transações, o documento a seguir é aqui apresentado apenas para fins históricos. Quando escrito pela primeira vez por Benjamin Graham em 1972, todas as informações aqui contidas eram corretas. No entanto, as mudanças desde então tornaram este documento inapropriado para as condições atuais. Em seguida ao Apêndice 2 original de Graham encontra-se uma versão dos "Elementos básicos da tributação dos investimentos", o qual atualiza o leitor com respeito às regras relevantes.

Regra 1 — Juros e dividendos

Os juros e dividendos são tributáveis como renda comum exceto no caso de (a) rendas recebidas de obrigações estaduais, municipais e semelhantes, as quais são isentas de impostos federais, mas podem estar sujeitas a impostos estaduais, (b) dividendos que representam um retorno sobre o capital, (c) certos dividendos pagos por companhias de investimentos (ver a seguir) e (d) os primeiros US$100 de dividendos ordinários pagos por empresas americanas.

Regra 2 — Ganhos e perdas de capital

Os ganhos e perdas de capital de curto prazo são combinados para atingir o ganho (ou perda) líquido de capital de curto prazo. Os ganhos e perdas de capital de longo prazo são combinados para obter o ganho (ou perda) líquido de capital de longo prazo. Se o ganho líquido de capital de curto prazo exceder a perda líquida de capital de longo prazo, 100% de tal excesso deverão ser incluídos na renda. A alíquota máxima daí em diante é de 25% até US$50.000 de tais ganhos e 35% sobre o saldo excedente.

Uma perda líquida de capital (a quantia que excede os ganhos de capital) é dedutível da renda ordinária até um teto de US$1.000 no ano atual e em cada um dos cinco anos seguintes. Alternativamente, perdas não utilizadas podem ser aplicadas a qualquer momento para compensar ganhos de capital. (O deferimento das perdas ocorridas antes de 1970 são tratados de forma mais liberal do que os de perdas posteriores.)

Nota relativa a "Companhias de Investimento Reguladas"

A maioria dos fundos de investimento ("companhias de investimento") tira vantagem de dispositivos especiais da legislação tributária, o que permite serem tributados, essencialmente, da mesma forma que uma sociedade. Logo, se eles auferem lucros de longo prazo com papéis, podem distribuir tais lucros como "dividendos de ganho de capital", os quais são tratados por seus cotistas da mesma forma que os ganhos de longo prazo. Estes estão sujeitos a uma alíquota de imposto inferior à dos dividendos ordinários. Por outro lado, tal companhia pode escolher pagar o imposto de 25% na conta de seus cotistas e depois reter o saldo dos ganhos de capital sem distribuí-lo como dividendos de ganhos de capital.

3. Elementos básicos da tributação dos investimentos (atualizado em 2003)

Juros e dividendos

Os juros e dividendos são tributados pela alíquota de imposto de renda normal, exceto no caso de (a) juros recebidos de obrigações municipais, os quais estão isentos de impostos federais, mas podem estar sujeitos a impostos estaduais, (b) dividendos que representam um retorno sobre o capital e (c) distribuições de ganhos de capital de longo prazo pagos por fundos mútuos (ver a seguir). As obrigações municipais de atividades privadas, mesmo dentro de um fundo mútuo, podem levá-lo a ter que pagar um imposto mínimo alternativo federal.

Ganhos e perdas de capital

Os ganhos e perdas de capital de curto prazo são combinados para obter o ganho (ou perda) líquido de capital de curto prazo. Os ganhos e perdas de capital de longo prazo são combinados para determinar o ganho (ou perda) de capital de longo prazo. Se o ganho de capital líquido de curto prazo exceder a perda líquida de capital de longo prazo, esse excesso é tratado como renda ordinária. Caso exista um ganho líquido de capital de longo prazo, ele é tributado pela alíquota favorável de ganhos de capital, em geral 20%, a qual cairá para 18% no caso dos investimentos comprados após 31 de dezembro de 2000 e mantidos por mais de cinco anos.

Uma perda líquida de capital é dedutível da renda normal até um máximo de US$3.000 no ano corrente. Qualquer perda de capital que exceder US$3.000 pode ser aplicada em anos fiscais posteriores para compensar ganhos de capital futuros.

Fundos mútuos

Como "companhias de investimento reguladas", quase todos os fundos mútuos se valem de dispositivos especiais da legislação fiscal que os isentam do imposto de renda de pessoas jurídicas. Após a venda de investimentos de longo prazo, os fundos mútuos podem distribuir os lucros como "dividendos de ganho de capital", os quais são tratados por seus cotistas como ganhos de longo prazo. Eles são tributados a uma alíquota inferior (geralmente 20%) à dos dividendos ordinários (até 39%). Em geral, você deve evitar fazer novos investimentos substanciais durante o quarto trimestre de cada ano, quando essas distribuições de ganho de capital são em geral realizadas; de outra forma, você incorrerá em impostos por um ganho obtido pelo fundo antes mesmo de tê-lo comprado.

4. A nova especulação em ações ordinárias[1]

O que direi agora reflete uma vivência de muitos anos em Wall Street, repleta de experiências variadas. Isso incluiu o advento recorrente de novas condições, ou uma atmosfera nova, que põe em xeque o valor da experiência em si. É verdade que um dos elementos que distinguem a economia, as finanças e a análise de títulos de outras disciplinas práticas é a incerteza quanto à validade dos fenômenos passados como um guia para o presente e para o futuro. No entanto, não temos o direito de rejeitar as lições do passado até que as tenhamos, pelo menos, estudado e entendido. Minha palestra hoje é um esforço em direção a tal entendimento em um campo limitado, especificamente, um esforço para destacar algumas relações contrastantes entre o passado e o presente em nossas atitudes fundamentais para com o investimento e a especulação em ações ordinárias.

Começarei com um resumo de minha tese. No passado, os elementos especulativos de uma ação ordinária residiam quase que exclusivamente na própria companhia; eles decorriam de incertezas, elementos oscilantes ou fraqueza pura e simples no ramo industrial ou na estrutura da companhia individual. Esses elementos de especulação ainda existem, é claro, mas pode-se dizer que foram sensivelmente reduzidos por várias mudanças de longo prazo, sobre as quais falarei mais tarde. Porém, em troca, introduziu-se um elemento de especulação novo e significativo na arena das ações ordinárias vindo de *fora* das companhias. Ele deriva da atitude e do ponto de vista do público comprador de ações e seus assessores, principalmente nós, os analistas de títulos. Essa atitude pode ser descrita na seguinte frase: ênfase prioritária nas expectativas do futuro.

Nada parecerá mais lógico e natural para essa plateia do que a ideia de que uma ação ordinária deve ser valorizada e cotada principalmente com base no desempenho futuro esperado da companhia. No entanto, esse conceito aparentemente simples traz consigo uma porção de paradoxos e ciladas. Em primeiro lugar, ele contraria boa parte das distinções mais antigas e bem estabelecidas entre o investimento e a especulação. O dicionário informa que "especular" é derivado do latim "specula", vigia. Portanto, o especulador era aquele que vigiava e enxergava a chegada de desenvolvimentos futuros antes que outras pessoas o fizessem. No entanto, hoje, se o investidor for astuto ou bem assessorado, ele também terá uma visão do futuro ou, em vez disso, ocupará o lugar de vigia, onde dividirá o espaço com o especulador.

Em segundo lugar, descobrimos que, na maioria das vezes, as companhias com as melhores características de investimento, isto é, a melhor classificação de crédito, são as que provavelmente atraem o maior interesse especulativo em suas ações ordinárias, uma vez que todo mundo pressupõe que elas são uma garantia de um futuro brilhante. Em terceiro lugar, o conceito de perspectivas futuras e, sobretudo, de crescimento contínuo no futuro, favorece a aplicação de fórmulas matemáticas complicadas para estabelecer o valor presente das ações favoritas. Porém, a combinação de fórmulas precisas com premissas altamente imprecisas pode ser usada para estabelecer ou, em vez disso, justificar praticamente qualquer valor que se deseje, por mais alto que seja, para uma ação realmente destacada. No entanto, paradoxalmente, esse mesmo fator, se examinado mais detalhadamente, deve ser considerado uma indicação de que nenhum valor ou faixa razoavelmente estreita de valores podem ser estabelecidos e mantidos por qualquer determinada companhia de crescimento rápido; portanto, às vezes, é concebível que o mercado cote o componente de crescimento rápido a um valor surpreendentemente *baixo*.

Voltando à nossa distinção entre os elementos especulativos mais antigos e mais novos em ações ordinárias, poderíamos caracterizá-los com duas palavras exóticas, porém convenientes, a saber: endógenos e exógenos. Vamos ilustrar brevemente uma ação ordinária especulativa dos velhos tempos em contraste com uma ação de investimento, com base em alguns dados relacionados à American Can e à Pennsylvania Railroad em 1911-13. (Eles apareceram em Benjamin Graham e David L. Dodd, *Security Analysis*, McGraw-Hill, 1940, p. 2-3.)

Naqueles três anos, os preços da "Pennsy" oscilaram entre 53 e 65, ou entre 12,2 e 15 vezes seus lucros médios no período. A ferrovia mostrou lucros constantes, pagava um dividendo confiável de US$3, e os investidores tinham certeza que o valor do ativo tangível era bem superior à sua paridade de US$50. Em comparação, o preço da American Can variou entre 9 e 47; seus lucros entre 7 centavos e US$8,86; a razão preço/lucro média trienal oscilou entre 1,9 vez e 10 vezes; não foi pago qualquer dividendo; e os investidores sofisticados estavam bem conscientes de que o valor de paridade de US$100 da ação ordinária nada representava além de "água", uma vez que as ações preferenciais excediam o ativo tangível para elas disponíveis. Portanto, a ação ordinária da American Can era especulativa e representativa, porque a American Can Company era então uma empresa com uma capitalização especulativa em um setor instável e incerto. Na verdade, a American Can teve um futuro de longo prazo muito mais brilhante do que a Pennsylvania Railroad; mas não apenas esse fato não era previsto pelos investidores e os especuladores na época, mas ainda que tivesse sido, ele provavelmente teria sido posto de lado pelos investidores como sendo basicamente irrelevante às políticas e aos programas de investimento nos anos 1911-1913.

A fim de expor vocês à evolução através do tempo da importância das perspectivas de longo prazo para os investimentos, eu gostaria de usar como exemplo nossa mais espetacular empresa industrial de grande porte, nada menos do que a International Business Machines, a qual, no ano passado, ingressou no grupo seleto de companhias com US$1 bilhão de vendas. Permitam-me apresentar aqui uma ou duas notas autobiográficas para injetar um pequeno toque pessoal no que, de outra forma, seria um exercício frio de estatísticas. Em 1912, eu havia deixado a faculdade por um trimestre para assumir um projeto de pesquisa para a U.S. Express Company. O objetivo era medir o efeito sobre as receitas de um novo e revolucionário sistema proposto de cálculo das tarifas de entrega rápida. Para esse fim, usamos umas máquinas chamadas Hollerith, arrendadas da então Computing-Tabulating-Recording Company. Elas eram compostas de perfuradoras de cartões, selecionadores de cartões e tabuladores; ferramentas quase desconhecidas dos empresários naquela época e cuja aplicação principal era feita pela agência federal responsável pelo censo. Entrei em Wall Street em 1914 e no ano seguinte as obrigações e ações ordinárias da C-T-R Company foram listadas na Bolsa de Valores de Nova York. Bem, eu tinha uma espécie de ligação sentimental com aquela empresa e, além disso, me considerava um especialista na tecnologia de seus produtos, sendo um dos poucos homens de finanças que os tinha visto e usado. Portanto, no início de 1916, dirigi-me ao presidente de minha firma, conhecido como Sr. A.N., e lhe falei que a ação da C-T-R estava sendo negociada por volta de 45 (para 105.000 ações); que ela havia lucrado US$6,50 em 1915; que seu valor contábil — incluindo, é verdade, alguns intangíveis não detalhados em separado — era de US$130; que ela tinha começado a pagar dividendos de US$3; e que eu estava entusiasmado com os produtos e as perspectivas da companhia. O Sr. A.N. olhou para mim com pena e disse: "Ben, não mencione o nome dessa companhia na minha frente novamente. Se eu fosse você, manteria uma grande distância dela. (Sua expressão favorita.) Suas obrigações de 6% estão sendo negociadas a oitenta e poucos e não prestam. Logo, como suas ações poderiam ser boas? Todo mundo sabe que não há nada por trás dela a não ser água." (Tradução: naquela época isso equivalia à pior das condenações. Significava que a conta de ativos do balanço era fictícia. Muitas companhias industriais — notadamente a U.S. Steel —, apesar de sua paridade de US$100, nada representavam a não ser água, escondida por trás de uma rubrica de instalações fabris inteiramente forjadas. Uma vez que elas não tinham "nada" para sustentá-las a não ser seu potencial de lucro e suas perspectivas futuras, nenhum investidor que se respeitasse pensaria nelas duas vezes.)

Voltei ao meu cubículo de estatístico, me sentindo um jovem arrasado. O Sr. A.N. não era apenas experiente e bem-sucedido, mas extremamente inteligente também. Fiquei tão impressionado com sua condenação categórica da Computing-Tabulating-Recording que nunca comprei uma ação dela em toda a minha vida, nem mesmo após seu nome ter mudado para International Business Machines, em 1926.

Agora vamos dar uma olhada na mesma companhia com seu novo nome em 1926, um ano em que o mercado acionário estava em alta. Naquele momento, ela revelou pela primeira vez o item intangível em seu balanço, com um valor considerável de US$13,6 milhões. A.N. estava certo. Praticamente todo o valor do assim chamado patrimônio por trás das ordinárias em 1915 não era nada exceto água. No entanto, desde aquele tempo, a companhia tinha apresentado um desempenho impressionante sob a direção de T.L. Watson, Sr. Seu lucro líquido havia subido de US$691.000 para US$3,7 milhões — mais de cinco vezes — um ganho percentual maior do que ela conseguiria em qualquer período subsequente de 11 anos. Ela havia construído um ativo tangível razoável para as ordinárias e as tinha desdobrado em 3,6 por um. Ela havia estabelecido uma taxa de dividendos de US$3 para a nova ação, enquanto os lucros por ação eram de US$6,39. Você esperaria que o mercado acionário de 1926 ficasse bastante entusiasmado com uma companhia com tal história de crescimento e uma posição empresarial tão forte. Vejamos. A variação de preço para aquele ano foi entre um mínimo de 31 e um máximo de 59. À média de 45, ela era negociada ao mesmo múltiplo de sete vezes os lucros e à mesma taxa de dividendos de 6,7% de 1915. A seu mínimo de 31, não estava muito acima de seu valor contábil tangível e, nesse sentido, estava cotada muito mais conservadoramente do que há 11 anos.

Esses dados ilustram, tão bem quanto quaisquer outros, a persistência da antiga abordagem ao investimento até os anos culminantes do mercado de alta da década de 1920. O que aconteceu desde então pode ser resumido usando-se intervalos decenais na história da IBM. Em 1936, o lucro líquido expandiu para duas vezes os números de 1926, e o múltiplo médio subiu de 7 para 17,5. De 1936 a 1946, o lucro subiu 2,5 vezes, mas o múltiplo médio em 1946 permanecia em 17,5. Então, o passo foi acelerado. O lucro líquido de 1956 foi quase quatro vezes superior ao de 1946, e o múltiplo médio cresceu para 32,5. Ano passado, com um aumento adicional do lucro líquido, o múltiplo subiu novamente para uma média de 42, se desconsiderarmos a participação patrimonial não consolidada em uma subsidiária estrangeira.

Quando examinamos esses preços recentes com cuidado, vemos alguns contrastes e analogias interessantes com aqueles dos quarenta anos anteriores. A outrora escandalosa água, tão comum nos balanços das companhias industriais, foi toda despejada — primeiro pelas regras de divulgação e depois por ajustes contábeis. No entanto, um tipo diferente de água foi recolocado nas cotações do mercado acionário, dessa vez pelos próprios investidores e especuladores. Quando a IBM hoje é negociada a sete vezes seu valor contábil, em vez de sete vezes os lucros, o efeito é praticamente igual ao de que ela não tivesse valor contábil algum. Ou então a pequena porção do valor contábil pode ser considerada um tipo de componente menor do preço das ações preferenciais, e o resto representa exatamente o mesmo tipo de compromisso que fazia o especulador antigo ao comprar as ações ordinárias da Woolworth ou da U.S. Steel apenas por seu poder de lucro e perspectivas futuras.

Vale mencionar de passagem que nos trinta anos em que a IBM se transformou de uma empresa com um múltiplo dos lucros de sete para uma de quarenta, muito do que denomino os aspectos especulativos endógenos de nossas companhias industriais grandes tenderam a desaparecer ou, pelo menos, a diminuir sensivelmente. Suas posições financeiras são firmes, suas estruturas de capital são conservadoras e elas são administradas de forma muito mais competente e honesta do que eram antes. Ademais, as exigências de divulgação completa removeram um dos elementos especulativos importantes do passado, aquele derivado da ignorância e do mistério.

Outra digressão pessoal aqui. Em meus primeiros anos em Wall Street, uma das ações misteriosas favoritas era a Consolidated Gas of New York, agora Consolidated Edison. Ela possuía como subsidiária a lucrativa New York Edison Company, mas divulgava apenas os dividendos recebidos daquela fonte, não seus lucros totais. Os lucros da Edison não divulgados forneciam o mistério e o "valor oculto". Para minha surpresa, descobri que esses dados ultrassecretos eram informados todo ano à Comissão de Serviços Públicos estadual. Foi apenas uma questão de consultar seus registros para poder apresentar os verdadeiros lucros da Consolidated Gas em um artigo de revista. (Por acaso, o acréscimo aos lucros não foi espetacular.) Um amigo mais velho me disse: "Ben, você pode achar que é um cara legal por fornecer aqueles dados ausentes, mas Wall Street não vai lhe agradecer por isso. A Consolidated Gas e seu mistério são mais interessantes e valiosos do que um ex-mistério. Vocês jovens querem enfiar o nariz em tudo e arruinar Wall Street."

É verdade que os três Ms que então serviam de combustível para os fogos especulativos agora simplesmente desapareceram. Eles eram Mistério, Manipulação e Margens (magras). Porém, nós, analistas de títulos, criamos abordagens à cotação que são igualmente especulativas em si mesmas para assumirem o lugar daqueles antigos fatores especulativos. Não é que agora temos nossos próprios "3Ms"— nada mais do que a Minnesota Mining and Manufacturing Company — e que essa ação ordinária ilustra perfeitamente o contraste entre a nova e a velha especulação? Considere alguns números. Quando a ação ordinária da MM&M foi negociada a 101 no ano passado, o mercado a cotava a 44 vezes os lucros de 1956, os quais acabaram não mostrando qualquer aumento em 1957. A empresa em si era cotada a US$1,7 bilhão, dos quais US$200 milhões estavam cobertos pelo patrimônio líquido, enquanto significativo US$1,5 bilhão representava a avaliação pelo mercado dos intangíveis. Não conhecemos o processo de cálculo usado para chegar a tal valoração dos intangíveis; sabemos que poucos meses depois o mercado revisou essa avaliação para baixo em cerca de US$450 milhões, ou aproximadamente 30%. Obviamente, é impossível calcular precisamente o componente intangível de uma companhia esplêndida como essa. Deriva daí, quase como uma lei da matemática, que quanto mais importante os intangíveis ou o fator de poder de lucro futuro, mais incerto se torna o valor verdadeiro da empresa e, portanto, mais inerentemente especulativa a ação ordinária.

Pode ser útil reconhecer uma mudança vital ocorrida na valoração desses fatores intangíveis, quando comparamos o passado com o momento atual. Uma geração ou mais atrás, era a regra-padrão, reconhecida tanto nos preços médios das ações quanto em avaliações formais ou legais, que os intangíveis deveriam ser avaliados em bases mais conservadoras do que os tangíveis. Poder-se-ia exigir que uma companhia industrial boa tivesse um lucro entre 6% e 8% dos ativos tangíveis, representados tipicamente por obrigações e ações preferenciais; mas seus lucros excedentes ou os ativos intangíveis que eles geram seriam avaliados em, digamos, uma base de 15%. (Você encontrará aproximadamente essas proporções na oferta inicial de ações preferenciais e ordinárias da Woolworth em 1911 e em inúmeras outras.) Porém, o que aconteceu desde a década de 1920? Essencialmente, vê-se exatamente o inverso dessas relações. Hoje, uma companhia precisa ganhar cerca de 10% sobre o patrimônio líquido para ser negociada em um mercado médio a seu valor contábil pleno. No entanto, os lucros excedentes, acima de 10% sobre o capital, são em geral avaliados de forma mais generosa ou a um múltiplo mais alto do que os lucros básicos exigidos para dar sustentação ao valor contábil no mercado. Assim, uma companhia com um lucro de 15% sobre o patrimônio líquido pode bem ser negociada a 13,5 vezes os lucros ou duas vezes seu ativo líquido. Isso significaria que os primeiros 10% de lucro sobre o capital são cotados a apenas dez vezes, mas os 5% seguintes — o que costumava ser chamado "excesso" — são efetivamente cotados a vinte vezes.

Há uma razão lógica para essa inversão no processo de valoração, a qual está relacionada com a ênfase mais recente nas expectativas de crescimento. As companhias que ganham um retorno alto sobre o capital recebem essas avaliações generosas não apenas por causa da lucratividade boa em si e pela estabilidade relativa a ela associada, mas talvez ainda mais significativamente porque os lucros altos sobre o capital em geral caminham de mãos dadas com um histórico e perspectivas de crescimento favoráveis. Portanto, o que é efetivamente pago hoje em dia no caso das companhias altamente lucrativas não representa os intangíveis no sentido antigo e restrito de um nome estabelecido e um negócio lucrativo, mas, em vez disso, expectativas superiores de lucros crescentes para o futuro.

Isso me leva a um ou dois aspectos matemáticos adicionais da nova atitude para com a avaliação das ações ordinárias, os quais mencionarei meramente em forma de breves sugestões. Se, como muitos testes mostram, o múltiplo dos lucros tende a aumentar juntamente com a lucratividade — i.e., à medida que a taxa de retorno sobre o valor contábil aumenta —, então a consequência aritmética dessa característica é que o valor tende a aumentar em proporção direta ao quadrado dos lucros, mas *inversamente* ao valor contábil. Logo, em um sentido muito real e importante, os ativos tangíveis se tornaram um peso no valor médio de mercado em vez de uma fonte de tal valor. Eis um exemplo que está longe de ser extremo. Se a companhia A lucra US$4 por ação sobre um valor contábil de US$20 e a companhia B também lucra US$4 por ação sobre um valor contábil de US$100, é quase certo que a companhia A seja negociada a um múltiplo mais alto e, portanto, a um preço mais alto do que a companhia B, digamos US$60 para as ações da companhia A e US$35 para as ações da companhia B. Portanto, não seria inexato afirmar que os US$80 por ação em ativos que a companhia B tem a mais são responsáveis por reduzir seu preço de mercado em US$25 por ação, supondo que os lucros por ação sejam iguais.

Porém, mais importante do que isso é a relação geral entre a matemática e a nova abordagem dos valores das ações. Com os três ingredientes, a saber, (a) premissas otimistas quanto à taxa de crescimento dos lucros, (b) uma projeção suficientemente extensa desse crescimento no futuro e (c) os efeitos miraculosos dos juros compostos — surpresa! — o analista de títulos está equipado com um novo tipo de pedra filosofal que pode produzir ou justificar qualquer avaliação desejada para uma "ação realmente boa". Em um artigo recente no *Analysts' Journal*, comentei a respeito da moda da matemática complexa durante os mercados de alta e citei a exposição de David Durand sobre a analogia surpreendente entre os cálculos do valor das *growth stocks* e o famoso Paradoxo de Petersburgo, o qual desafia e confunde os matemáticos há mais de dois séculos. O ponto que desejo enfatizar aqui é que existe um paradoxo especial na relação entre a matemática e as atitudes relativas ao investimento em ações ordinárias, qual seja: a matemática é comumente considerada como produtora de resultados precisos e confiáveis, mas, no mercado acionário, quanto mais elaborada e rebuscada a matemática, mais incertas e especulativas são as conclusões que tiramos dela. Em 44 anos de experiência e estudo em Wall Street nunca vi cálculos confiáveis feitos sobre o valor de ações ordinárias ou das políticas de investimento afins que tivessem ido além da aritmética simples ou da álgebra mais elementar. Sempre que se introduz o cálculo ou a álgebra complexa, você pode considerar isso um sinal de alerta de que o operador está tentando substituir a experiência pela teoria e, em geral, também dar à especulação a roupagem enganosa de investimento.

As ideias antigas sobre investimento em ações ordinárias podem parecer muito ingênuas para o analista de títulos sofisticado dos dias de hoje. A maior ênfase foi sempre sobre o que agora chamamos de aspectos defensivos da companhia ou ação, principalmente a garantia de que ela continuaria pagando dividendos estáveis em tempos difíceis. Portanto, as ferrovias fortes, as quais constituíam o investimento-padrão cinquenta anos atrás, eram encaradas de uma forma muito parecida com as ações ordinárias das concessionárias de serviços públicos em anos recentes. Se o histórico recente indicava estabilidade, então a principal exigência estava atendida; não se envidavam muitos esforços para antecipar mudanças adversas de natureza fundamental no futuro. Porém, de forma inversa, perspectivas de futuro especialmente favoráveis eram consideradas pelos investidores astutos como algo a ser procurado, mas não se deveria pagar por isso.

Em termos práticos, isso significava que o investidor não precisava pagar qualquer valor substancial pelas perspectivas superiores de longo prazo. Ele as obtinha quase sem nenhum custo adicional, como uma recompensa por sua própria inteligência e capacidade de avaliação superiores ao escolher as companhias melhores em vez das meramente boas. Isso porque as ações ordinárias com a mesma capacidade financeira, histórico de lucros e estabilidade de dividendos eram todas negociadas a taxas de dividendos aproximadamente iguais.

Esse era de fato um ponto de vista míope, mas tinha a grande vantagem de tornar o investimento em ações ordinárias no passado não apenas simples, mas também basicamente seguro e altamente lucrativo. Deixe-me voltar pela última vez a uma nota pessoal. Por volta de 1920, nossa firma distribuiu uma série de panfletos pequenos intitulados *Lições para investidores*. Claro que apenas um analista atrevido e jovem como eu teria proposto um título tão arrogante e presunçoso como esse. Porém, em um dos ensaios afirmei casualmente que "se uma ação ordinária é um bom investimento, ela é também uma boa oportunidade de especulação". Porque, raciocinei, se uma ação ordinária fosse tão segura que tivesse muito pouco risco de prejuízo, ela deveria em geral ser tão boa que teria chances excelentes de lucros futuros. Essa foi uma descoberta perfeitamente verdadeira e mesmo valiosa, mas era verdade apenas porque ninguém prestou qualquer atenção a ela. Alguns anos depois, quando o público acordou para os méritos históricos das ações ordinárias como investimento de longo prazo, elas logo deixaram de ter qualquer mérito dessa natureza, porque o entusiasmo do público criou níveis de preço que anularam suas margens de segurança implícitas e, portanto, as tornaram pouco atraentes como investimento. Então, claro, o pêndulo balançou para a outra extremidade e logo vimos uma das mais respeitadas autoridades declarar (em 1931) que nenhuma ação ordinária *jamais* poderia ser um investimento.

Quando olhamos essa longa experiência em perspectiva, descobrimos outro conjunto de paradoxos na mudança de atitude do investidor para com os ganhos de capital quando comparados com a renda. Parece um truísmo dizer que o investidor em ações ordinárias dos velhos tempos não se interessava muito pelos ganhos de capital. Ele comprava quase inteiramente por segurança e para obter renda e deixava o especulador se preocupar com a subida dos preços. Hoje, estamos propensos a dizer que quanto mais experiente e astuto for o investidor, menos atenção ele dará ao retorno dos dividendos e mais pesadamente o seu foco de interesse se concentrará no crescimento de longo prazo. No entanto, poder-se-ia argumentar, de forma perversa, que precisamente pelo investidor dos velhos tempos não se concentrar na apreciação futura do capital, ele estava quase garantindo para si mesmo que a teria, pelo menos no campo das ações industriais. De forma inversa, o investidor de hoje está tão preocupado com a antecipação do futuro que já paga adiantado e generosamente por ele. Portanto, o que este investidor projetou com tanto estudo e cuidado pode efetivamente vir a ocorrer e, mesmo assim, não lhe trazer qualquer lucro. Se o futuro deixar de se concretizar na medida esperada, ele pode na verdade se defrontar com um sério prejuízo, temporário ou talvez mesmo permanente.

Que *lições* — utilizando novamente o título pretensioso de meu panfleto de 1920 — pode o analista de 1958 aprender com essa ligação entre as atitudes passadas e as atuais? Nada muito valioso, fica-se tentado a responder. Podemos olhar com nostalgia para os bons e velhos tempos em que pagávamos apenas pelo presente e tínhamos o futuro de graça — uma combinação que chamamos de "tudo isso e o céu também". Balançando a cabeça com pesar, dizemos: "Aqueles tempos se foram para sempre." Não foram os investidores e os analistas de títulos que comeram o fruto da árvore da sabedoria das perspectivas boas e más? Ao fazer isso, eles não se expulsaram permanentemente do jardim do Éden onde as ações ordinárias promissoras a preços razoáveis poderiam ser colhidas dos galhos? Estamos para sempre fadados a correr o risco de pagar preços insensatamente altos por boas perspectivas e qualidade, ou de obter qualidade e perspectivas ruins quando pagamos o que parece ser um preço razoável?

Parece que é assim mesmo. No entanto, não podemos ter certeza nem desse dilema pessimista. Recentemente, fiz uma pequena pesquisa na história de longo prazo da General Electric, aquela empresa gigantesca, estimulado pelo gráfico impressionante de 59 anos de lucros e dividendos que apareceu em seu Relatório de 1957, recentemente publicado. Esses números não deixam de apresentar surpresas para o analista instruído. Eles demonstram que antes de 1947 o crescimento da G.E. foi bastante modesto e muito irregular. Os lucros de 1946, ajustados por ação, eram apenas 30% maiores do que em 1902 — 52 centavos *versus* 40 centavos — e em nenhum ano desse período os lucros de 1902 foram dobrados. Entretanto, a razão preço/lucro subiu de nove vezes em 1910 e 1916 para 29 vezes em 1936 e novamente em 1946. Poder-se-ia dizer, claro, que o múltiplo de 1946 pelo menos mostrava a conhecida capacidade de previsão dos investidores astutos. Nós, analistas, fomos capazes de prever naquela época o período realmente brilhante de crescimento que nos esperava na década seguinte. Pode ser que sim. Porém, alguns de vocês devem lembrar que o ano seguinte, 1947, quando foi estabelecido um novo máximo nos lucros por ação da G.E., foi marcado também por uma queda extraordinária em sua razão preço/lucro. Ao preço mínimo de 32 (antes do desdobramento 3 por 1), a G.E.

efetivamente foi negociada novamente a apenas nove vezes os lucros atuais e seu preço médio no ano foi apenas aproximadamente dez vezes os lucros. Nossa bola de cristal certamente ficou turva no espaço curto de 12 meses.

Essa reviravolta notável ocorreu há apenas 11 anos. Ela lança certas dúvidas em minha mente quanto à completa confiabilidade da crença popular que prevalece entre os analistas de que as companhias importantes e promissoras, de agora em diante, serão negociadas sempre a razões preço/lucro altas — que isso é um fato da vida fundamental para os investidores — que eles devem aceitar e apreciar. Não desejo de forma alguma ser dogmático a respeito desse ponto. Tudo que posso dizer é que essa questão não está resolvida para mim e que cada um deve buscar encontrar suas próprias respostas para ela.

No entanto, em minhas observações finais, posso dizer algo definitivo sobre a estrutura do mercado para vários tipos de ações ordinárias em termos de suas características especulativas e de investimento. Nos velhos tempos, o caráter de investimento de uma ação ordinária era mais ou menos o mesmo que o da empresa em si ou proporcional a ela, conforme muito bem medido pela sua classificação de crédito. Quanto menor era o rendimento sobre suas obrigações ou ações preferenciais, mais provável que a ação ordinária atendesse a todos os critérios para o investimento satisfatório e menor o elemento de especulação envolvido em sua compra. Essa relação entre a classificação especulativa das ações ordinárias e a classificação de investimento da companhia poderia muito bem ser expressa em termos gráficos como uma linha reta descendente da esquerda para a direita. Porém, hoje em dia, eu descreveria esse gráfico como formando um U. À esquerda, onde a companhia em si é especulativa e seu crédito é baixo, é claro que a ação ordinária será altamente especulativa, assim como sempre foi no passado. Na extrema direita, no entanto, onde a companhia tem a mais alta classificação de crédito — já que tanto o seu histórico quanto a perspectiva futura são muito impressionantes —, descobrimos que o mercado acionário tende mais ou menos a introduzir continuamente um elemento altamente especulativo nas ações ordinárias através meramente de um preço tão alto que embute um grau razoável de risco.

Neste ponto, não posso deixar de introduzir uma citação relevante e surpreendente, embora exagerada, sobre o assunto que encontrei recentemente em um dos sonetos de Shakespeare.

Pois não vi habitantes do favor
Perdendo tudo ao pagar em excesso

Voltando ao meu gráfico imaginário, seria na área central o lugar em que o elemento especulativo nas compras das ações ordinárias tenderia ao mínimo. Nessa área, poderíamos encontrar muitas companhias fortes e estabelecidas, com um histórico de crescimento passado correspondente ao da economia como um todo e com perspectivas futuras aparentemente similares. Na maioria das vezes, tais ações ordinárias poderiam ser compradas, exceto nos níveis superiores de um mercado de alta, a preços moderados em relação aos valores intrínsecos indicados. Na verdade, em função da tendência atual tanto de investidores como de especuladores de se concentrarem nas ações mais atraentes, arrisco-me a afirmar que essas ações médias tendem a ser negociadas abaixo do valor determinável por uma avaliação independente. Elas, portanto, embutem um fator de margem de segurança derivado dos mesmos preconceitos e preferências do mercado que tendem a destruir a margem de segurança nas ações mais promissoras. Ademais, nessa ampla gama de companhias, há muito espaço para uma análise profunda dos registros passados e para uma seleção cuidadosa na área de perspectivas futuras, às quais deve ser acrescentada a garantia maior de segurança conferida pela diversificação.

Quando Faetonte insistiu em dirigir a carruagem na direção do Sol, seu pai, um operador experiente, deu ao neófito um conselho, o qual ele não seguiu e sofreu consequências desastrosas. Ovídio resumiu o conselho de Apolo Febo em três palavras:

Medius tutissimus ibis
(O caminho seguro é o do meio).

Penso que esse princípio permanece válido para os investidores e seus assessores na análise de títulos.

5. Um estudo de caso: Aetna Maintenance Co.

A primeira parte dessa história é reproduzida a partir de nossa edição de 1965, onde ela aparece sob o título de "Um exemplo horrível". A segunda parte resume a metamorfose posterior da empresa.

Acreditamos que citar aqui um "exemplo horrível" em detalhes pode ter um efeito salutar sobre a atitude futura de nossos leitores para com as ofertas de novas ações ordinárias. Ele é extraído da primeira página do *Guia de ações* da Standard & Poor's e ilustra de forma extrema as fraquezas gritantes dos lançamentos de ações novas de 1960-62, a supervalorização extraordinária dada a elas no mercado e o colapso subsequente.

Em novembro de 1961, 154.000 ações ordinárias da Aetna Maintenance Co. foram vendidas ao público a US$9 e seu preço prontamente subiu para US$15. Antes da capitalização, os patrimônios líquidos por ação eram aproximadamente US$1,20, mas eles aumentaram para pouco mais de US$3 por ação por causa do dinheiro recebido pelas ações novas.

As vendas e os lucros antes da operação de capitalização eram:

Ano encerrado	*Vendas*	*Líquido por ordinária*	*Lucro por ação*
Junho 1961	US$3.615.000	US$187.000	US$0,69
(junho 1960)*	(1.527.000)	(25.000)	(0,09)
Dezembro 1959	2.215.000	48.000	0,17
Dezembro 1958	1.389.000	16.000	0,06
Dezembro 1957	1.083.000	21.000	0,07
Dezembro 1956	1.003.000	2.000	0,01

* Refere-se a seis meses.

Os números correspondentes após a capitalização foram:

Junho 1963	US$4.681.000	*US$42.000 (prej.)*	*US$0,11 (prej.)*
Junho 1962	4.234.000	149.000	0,36

Em 1962, o preço caiu para 2,67, sendo em 1964 negociado tão baixo quanto 0,875. Nenhum dividendo foi pago durante esse período.

COMENTÁRIOS: Esse era um negócio pequeno demais para a participação do público. A ação foi vendida — e comprada — com base em *um ano bom*; tendo os resultados anteriores sido irrisórios. Não havia nada na natureza desse negócio altamente competitivo que garantisse uma estabilidade futura. Ao preço máximo logo após a emissão, o público distraído estava pagando muito mais por dólar de lucros e ativos do que pela maioria das companhias grandes e fortes. Devemos admitir que esse exemplo é extremo, mas está longe de ser único; exemplos de supervalorizações menores, mas indesculpáveis, ocorrem às centenas.

Sequência 1965-70

Em 1965, entraram novos acionistas na companhia. O negócio não lucrativo de manutenção predial foi vendido e a companhia embarcou em um empreendimento totalmente diferente: a fabricação de dispositivos eletrônicos. O nome foi mudado para Haydon Switch and Instruments Co. Os efeitos sobre os lucros não foram impressionantes. Nos cinco anos entre 1965-1969, a empresa obteve lucros médios de apenas oito centavos por ação da "ação velha", com um lucro de 34 centavos no melhor ano, 1967. No entanto, no estilo mais moderno, a companhia fez um desdobramento 2 por 1 de suas ações em 1968. O preço do mercado também se moldou ao padrão de Wall Street. Ele subiu de 0,875 em 1964 para o equivalente (após o desdobramento) a 16,5 em 1968. O preço agora excedia o recorde estabelecido nos dias entusiasmados de 1961. Dessa vez a supervalorização foi muito pior do que antes. A ação era agora vendida a 52 vezes os lucros de seu único bom ano e cerca de duzentas vezes seus lucros médios. E, ainda, a companhia viria novamente a divulgar um *prejuízo* no mesmo ano em que o novo preço máximo foi alcançado. No ano seguinte, 1969, as ofertas de compra caíram para US$1.

Perguntas: Os idiotas que pagaram US$8 ou mais por essa ação em 1968 sabiam alguma coisa sobre o histórico da companhia, seus registros quinquenais de lucros, ou o valor de seu (muito pequeno) ativo? Eles tinham alguma ideia de quanto — ou mesmo de quão pouco — eles estavam obtendo em troca de seu dinheiro? Eles se importavam com isso? Será que alguém em Wall Street tem alguma responsabilidade pela recorrência periódica da especulação completamente descerebrada, amplamente difundida e inevitavelmente catastrófica nesse tipo de instrumento?

6. Contabilidade fiscal da aquisição pela NVF das ações da Sharon Steel

1. A NVF adquiriu 88% das ações da Sharon em 1969, pagando por cada uma delas US$70 em obrigações de 5% da NVF, com vencimento em 1994, e cauções para a compra de 1,5 ação da NVF a US$22 por ação. O valor inicial de mercado das obrigações parece ter sido de apenas 43% da paridade, enquanto as cauções eram cotadas a US$10 por cada ação da NVF envolvida. Isso significava que os acionistas da Sharon

receberam apenas, o equivalente a US$30 em obrigações, mais US$15 em cauções por cada ação trocada, um total de US$45 por ação. (Esse era aproximadamente o preço médio da Sharon em 1968 e também seu preço de fechamento no ano.) O valor contábil da Sharon era de US$60 por ação. A diferença entre esse valor contábil e o valor de mercado das ações da Sharon remontava a aproximadamente US$21 milhões sobre as 1.415.000 ações da Sharon que foram adquiridas.

2. O tratamento contábil foi projetado para realizar três objetivos: (a) tratar a emissão das obrigações como equivalentes à "venda" delas a 43, dando à companhia uma dedução anual dos lucros para amortização do enorme deságio das obrigações equivalente a US$54 milhões. (Na verdade, a companhia estaria cobrando de si mesma aproximadamente 15% de juros anuais sobre a "receita" de US$99 milhões obtida com o lançamento das debêntures.), (b) compensar esse encargo relativo ao deságio das obrigações com um "lucro" aproximadamente igual, consistindo de um crédito à receita equivalente a um décimo da diferença entre o preço de custo de 45 das ações da Sharon e seu valor contábil de 60. (Isso corresponderia, de forma inversa, à prática exigida de a cada ano se fazer um *lançamento contra* a receita de parte do preço pago por aquisições *acima* do valor contábil dos ativos adquiridos.) e (c) a beleza desse arranjo seria que a companhia economizaria de saída aproximadamente US$900.000 ao ano, ou US$1 por ação, no imposto de renda referente a esses dois itens, porque a amortização do deságio das obrigações podia ser deduzida da receita tributável, mas a amortização de "excesso de patrimônio sobre o custo" não precisava ser incluída na renda tributável.
3. Esse tratamento contábil se reflete tanto na demonstração de resultados quanto no balanço consolidado da NVF de 1969 e no *pro forma* de 1968. Uma vez que grande parte do custo das ações da Sharon seria tratada como tendo sido paga por cauções, era necessário mostrar o valor de mercado inicial das cauções como parte da capitalização em ações ordinárias. Logo, nesse caso, como em nenhum outro que conhecemos, foi atribuído às cauções um valor substancial no balanço da companhia, a saber, mais de US$22 milhões (mas apenas em uma nota explicativa).

7. Companhias de tecnologia como investimentos

Nos anais da Standard & Poor's em meados de 1971, eram listadas aproximadamente duzentas companhias com nomes iniciados em Compu-, Data, Electro-, Scien- e Techno-. Quase metade dessas companhias pertencia a alguma parte da indústria de computação. Todas eram negociadas em bolsa ou haviam se candidatado a vender ações ao público.

Um total de 46 delas constava do *Guia de ações* da S&P de setembro de 1971. Dessas, 26 divulgaram um *prejuízo*, apenas seis lucraram mais de US$1 por ação e apenas cinco pagavam dividendos.

No *Guia de ações* de dezembro de 1968 constavam 45 companhias com nomes tecnológicos semelhantes. Traçando a evolução dessa lista, conforme mostrado no *Guia* de setembro de 1971, encontramos os seguintes desenvolvimentos:

Total de companhias	*Preço aumentou*	*Preço diminuiu menos da metade*	*Preço diminuiu mais da metade*	*Excluídas do Guia*
45	2	8	23	12

Comentários: É quase certo que as muitas companhias de tecnologia não incluídas no *Guia* em 1968 tiveram um desempenho subsequente pior do que aquelas que foram incluídas e as 12 companhias excluídas da lista se saíram pior do que aquelas que permaneceram. Os resultados horrorosos ilustrados nessas amostras são, sem dúvida, indicadores razoáveis da qualidade e da história de preços do grupo das ações "tecnológicas" como um todo. O sucesso fenomenal da IBM e de outras poucas companhias estava fadado a produzir uma enxurrada de ofertas públicas de novas ações nessas áreas, para as quais grandes prejuízos eram quase uma certeza.

NOTAS

Introdução: o que este livro pretende realizar

I *Letter stock* é uma ação não registrada para venda na Securities and Exchange Commission (SEC) e relativa à qual o comprador fornece uma carta afirmando que a compra foi realizada com propósitos de investimento.

II Esses dados são números da Moody relativos às obrigações AAA e às ações industriais.

Capítulo 1: Investimento *versus* especulação: os resultados que o investidor inteligente pode esperar

I Benjamin Graham, David L. Dodd, Sidney Cottle e Charles Tatham, McGraw-Hill, 4ª ed., 1962. Uma cópia da edição de 1934 de *Security Analysis* foi reeditada em 1996 (McGraw-Hill).

II Citado em *Investment and Speculation* [Investimento e especulação], por Lawrence Chamberlain, publicado em 1931.

III Em um estudo feito pelo Federal Reserve Board.

IV Edição de 1965, p. 8.

V Presumimos aqui a alíquota mais alta de tributação para o investidor comum de 40% aplicáveis aos dividendos e de 20% aplicáveis aos ganhos de capital.

Capítulo 2: O investidor e a inflação

I Esse trecho foi escrito antes do “congelamento” de preços e salários estabelecido pelo presidente Nixon em agosto de 1971, seguido pelo sistema de controles “Fase 2”. Esses desenvolvimentos importantes parecem confirmar os pontos de vista expressos anteriormente.

II O retorno do índice Standard & Poor’s de 425 ações industriais era, aproximadamente, de 11,50% sobre o valor dos ativos, devido em parte à inclusão da altamente lucrativa IBM, que não é uma das trinta ações do DJIA.

III Um quadro elaborado pela companhia American Telephone & Telegraph em 1971 indica que as tarifas cobradas pelos serviços telefônicos residenciais em 1970 eram um pouco inferiores às de 1960.

IV Relatado no *Wall Street Journal,* outubro de 1970.

Capítulo 3: Um século de história do mercado acionário: o nível dos preços das ações no início de 1972

I Tanto a Standard & Poor's quanto a Dow Jones têm índices separados para as companhias concessionárias de serviços públicos e de transporte (principalmente ferrovias). Desde 1965, a Bolsa de Valores de Nova York computa um índice que representa o movimento de todas as ações ordinárias listadas naquela bolsa.

II Realizado pelo Centro de Pesquisas de Preços de Valores Mobiliários da Universidade de Chicago, com o apoio da Charles E. Merrill Foundation.

III Esse trecho foi escrito pela primeira vez no início de 1971 com o DJIA a 940 pontos. A visão contrária que reinava em Wall Street é exemplificada por um estudo detalhado que previu um valor mediano de 1.520 para o DJIA em 1975. Isso corresponderia a um valor descontado de, digamos, 1.200 em meados de 1971. Em março de 1972, o DJIA subiu novamente para 940 pontos após uma queda interveniente a 798. De novo, Graham estava certo. O "estudo detalhado" ao qual ele se refere foi otimista demais por uma década inteira: o Índice Industrial Dow Jones só viria a fechar acima de 1.520 pontos em 13 de dezembro de 1985!

Capítulo 4: A política geral de investimentos: o investidor defensivo

I Um rendimento mais alto e isento de impostos, com segurança suficiente, pode ser obtido de certas *Obrigações de Receita Industrial*, um instrumento recém-chegado entre as invenções financeiras. Elas seriam interessantes, sobretudo para o investidor empreendedor.

Capítulo 5: O investidor defensivo e as ações ordinárias

I *Practical Formulas for Successful Investing* [Fórmulas práticas para o investimento bem-sucedido], Wilfred Funk, Inc., 1953.

II Nas abordagens matemáticas atuais para as decisões de investimento, tornou-se prática-padrão definir "risco" em termos da variação do preço médio ou "volatilidade". Ver, por exemplo, *An Introduction to Risk and Return* [Uma introdução ao risco e ao retorno], por Richard A. Brealey, The M.I.T. Press, 1969. Consideramos esse uso da palavra "risco" mais danoso do que útil para as decisões de investimento seguras, porque coloca ênfase demais nas oscilações do mercado.

III Todas as trinta companhias do DJIA atendiam a esse padrão em 1971.

Capítulo 6: A política de investimentos para o investidor empreendedor: uma abordagem negativa

I Em 1970, a ferrovia de Milwaukee registrou um prejuízo grande. Ela suspendeu os pagamentos de juros sobre suas obrigações de receita e o preço de sua obrigação com taxa de juros de 5% caiu para 10.

II Por exemplo: a ação preferencial de 6% da Cities Service, que não pagava dividendos, vendeu a preços tão baixos quanto 15 em 1937 e 27 em 1943, quando os acumulados haviam atingido US$60 por ação. Em 1947, ela foi aposentada por meio de uma troca por US$196,50 de debêntures de 3% para cada ação e foi vendida a preços tão altos quanto 186.

III Um estudo estatístico complexo realizado sob a direção do National Bureau of Economic Research indica o que tem sido realmente o caso. Graham está se referindo a W. Braddock Hickman, *Corporate Bond Quality and Investor Experience* [A qualidade das obrigações corporativas e a experiência do investidor] (Princeton University Press, 1958). Mais tarde, o livro de Hickman inspirou Michael

Milken, da Drexel Burnham Lambert, a oferecer um grande volume de financiamento a altas taxas de juros para companhias com classificações de crédito ruins, ajudando a impulsionar a loucura das *leveraged buyouts* e fusões hostis do final da década de 1980.

IV Uma amostra representativa de 41 tais ações, tirada do *Stock Guide* [Guia de Ações] da Standard & Poor's, mostra que cinco perderam 90% ou mais de seus preços máximos, trinta perderam mais de metade e o grupo inteiro aproximadamente dois terços. As muitas não listadas no *Stock Guide* sem dúvida alguma sofreram uma queda geral maior.

Capítulo 7: A política de investimentos para o investidor empreendedor: o lado positivo

I Ver, por exemplo, Lucile Tomlinson, *Practical Formulas for Successful Investing* [Fórmulas práticas para ter sucesso nos investimentos]; e Sidney Cottle e W.T. Whitman, *Investment Timing: The Formula Approach* [A antecipação do mercado: a abordagem automática], ambos publicados em 1953.

II Uma companhia com um histórico comum não pode, sem confundir o termo, ser chamada de companhia em crescimento ou uma "*growth stock*" simplesmente porque seu proponente espera que ela tenha um desempenho melhor do que a média no futuro. Ela é apenas uma "companhia promissora". Graham está levantando um ponto sutil, mas importante: se a definição de uma *growth stock* é uma companhia que prosperará no futuro, então essa não é uma definição de forma alguma, mas puro desejo. É como chamar uma equipe esportiva de "campeã" antes de a temporada terminar. Esse desejo persiste ainda hoje; entre os fundos mútuos, as carteiras de "crescimento rápido" descrevem suas ações componentes como companhias com "potencial de crescimento acima da média" ou com "perspectivas favoráveis para o crescimento de rendimentos". Uma definição melhor talvez seja: companhias cujos rendimentos líquidos por ação tenham aumentado em uma média anual de, no mínimo, 15% durante, pelo menos, cinco anos seguidos. (Atender a essa definição no passado não garante que uma companhia irá atendê-la no futuro.)

III Ver Tabela 7-1.

IV Aqui estão dois bons e velhos provérbios de Wall Street que aconselham tais vendas: "Nenhuma árvore chega ao céu" e "O touro (otimista) pode ganhar dinheiro, o urso (pessimista) pode ganhar dinheiro, mas o porco (ganancioso) não ganha dinheiro nunca".

V Existem dois estudos disponíveis. O primeiro, realizado por H.G. Schneider, um de nossos estudantes, cobre os anos de 1917-50 e foi publicado em junho de 1951 no *Journal of Finance.* O segundo foi realizado pela Drexel Firestone, membro da Bolsa de Valores de Nova York, e cobre os anos de 1933-69. Os dados são apresentados aqui com a gentil permissão dos autores.

VI Ver p. 393-395, para ler três exemplos de situações especiais existentes em 1971.

Capítulo 8: O investidor e as flutuações do mercado

I Exceto, talvez, no caso de planos de custo médio em dólares, iniciados em um nível de preços razoável.

II Porém, de acordo com Robert M. Ross, especialista em teoria de Dow, os dois últimos sinais de compra, que aparecem em dezembro de 1966 e dezembro de 1970, estavam bem abaixo dos pontos de venda precedentes.

III As três melhores classificações para títulos e ações preferenciais são Aaa, Aa e A, usadas pela Moody's, e AAA, AA e A, da Standard & Poor's. Há outras, caindo até D.

IV Essa ideia já teve algumas adaptações na Europa, por exemplo, pela companhia estatal de energia elétrica italiana sobre suas "notas de empréstimos a taxas flutuantes garantidas" com vencimento em 1980. Em junho de 1971, ela anunciou em Nova York que a taxa anual de juros paga naquele papel durante os seis meses seguintes seria de 8,125%.

Um arranjo flexível desse tipo foi incorporado às debêntures de "7%-8%" do The Toronto-Dominion Bank, com vencimento em 1991, oferecidas em junho de 1971. Essas obrigações pagam 7% até julho de 1976 e 8% daquela data em diante, porém o proprietário tem a opção de receber seu principal em julho de 1976.

Capítulo 9: Como investir em fundos de investimento

I A taxa de venda é universalmente calculada como uma percentagem do preço de venda, o qual inclui a própria taxa, fazendo-a parecer menor do que se fosse aplicada ao valor líquido dos ativos. Consideramos isso uma artimanha comercial que não dignifica essa indústria respeitável.

II *The Money Managers* [Os gestores de recursos], por G.E. Kaplan e C. Welles, Random House, 1969.

III Ver definição de *letter stock* na p.625.

IV O título de um livro publicado pela primeira vez em 1852. Ele descrevia o "South Sea Bubble" [A bolha dos mares do Sul], a mania das tulipas e outras farras especulativas do passado e foi reimpresso por Bernard M. Baruch, talvez o único especulador continuamente bem-sucedido em anos recentes, em 1932. *Comentário:* Isso é o mesmo que trancar a porta depois que ela foi arrombada. O livro de Charles Mackay *Extraordinary Popular Delusions and the Madness of Crowds* [Ilusões populares extraordinárias e a loucura das multidões] (Metro Books, New York, 2002) foi publicado pela primeira vez em 1841. Embora não seja uma leitura leve e nem sempre possua uma precisão rigorosa, esse livro apresenta uma visão abrangente de como muitas pessoas, com frequência, acreditam em coisas muito tolas, como, por exemplo, que o ferro pode ser transformado em ouro, que demônios muitas vezes aparecem nas noites de sexta-feira e que é possível enriquecer rapidamente no mercado de ações. Para obter um relato mais factual, consulte o livro de Edward Chancellor *Devil Take the Hindmost* [O diabo pega o último] (Farrar, Strauss & Giroux, New York, 1999); para ler algo mais leve, tente *Markets, Mobs, and Mayhem: A Modern Look at the Madness of Crowds* [Mercados, massas e maluquices: um olhar moderno sobre a loucura das multidões] (John Wiley & Sons, New York, 2002).

Capítulo 10: O investidor e seus assessores

I Os testes são ministrados pelo Institute of Chartered Financial Analysts [Instituto de Analistas Financeiros Credenciados], o qual é um braço da Financial Analysts Federation [Federação de Analistas Financeiros]. Este último agora engloba entidades constituintes com mais de 50.000 membros.

II A Bolsa de Nova York havia imposto algumas regras drásticas de avaliação (conhecidas como "cortes de cabelo") projetadas para minimizar esse perigo, mas parece que elas não ajudaram suficientemente.

III Atualmente, novos lançamentos podem ser vendidos apenas por meio de um prospecto preparado segundo os regulamentos da agência reguladora do mercado. Esse documento deve revelar todos os fatos pertinentes sobre a emissão e o emissor e ser plenamente adequado para informar ao *investidor prudente* quanto à natureza exata do título a ele oferecido. No entanto, o próprio volume de dados exigido geralmente torna o prospecto de um tamanho proibitivo. Estima-se, em geral, que apenas uma percentagem pequena dos *indivíduos* que compram ações novas lê o prospecto com profundidade. Portanto, eles ainda estão agindo principalmente não com base em sua própria avaliação, mas naquela da corretora que lhes vendeu o título ou na de um vendedor individual ou executivo de conta.

Capítulo 11: Análise de valores mobiliários para o investidor leigo: uma abordagem geral

I Nosso livro, *Security Analysis* [Análise de títulos], escrito por Graham Benjamin, David L. Dodd, Sidney Cottle e Charles Tatham (McGraw-Hill, 4ª ed., 1962), mantém o título original escolhido em 1934, mas cobre boa parte do campo da análise financeira.

II Com Charles McGolrick, Harper & Row, 1964, reimpresso pela Harper-Business, 1998.

III Esses números são da Salomon Bros., uma grande corretora de títulos em Nova York.

IV Pelo menos, não pelo grande conjunto de analistas e investidores em títulos. Analistas excepcionais, os quais podem dizer antecipadamente quais companhias provavelmente merecerão estudo intensivo e têm instalações e capacidade para fazê-lo, podem alcançar sucesso contínuo com seu trabalho. Para obter detalhes de tal abordagem, ver Philip Fisher, *Common Stocks and Uncommon Profits* [Ações ordinárias e lucros nada ordinários], Harper & Row, 1960.

V Na p. 330, estabelecemos uma fórmula relacionando os multiplicadores à taxa de crescimento esperada.

VI Parte da agitação em torno do preço da Chrysler foi indubitavelmente inspirada por dois desdobramentos de ações, de duas por uma, que ocorreram no único ano de 1963, um fenômeno sem precedentes para uma companhia grande. No início de 1980, sob a direção de Lee Iacocca, a Chrysler surpreendeu pela terceira vez, retornando da beira da falência para se tornar uma das ações de melhor desempenho dos Estados Unidos. No entanto, identificar administradores que podem comandar grandes reviravoltas corporativas não é tão fácil quanto parece. Quando Al Dunlap assumiu a Sunbeam Corp., em 1996, após reestruturar a Scott Paper Co. (e fazer subir o preço de suas ações 225% em 18 meses), Wall Street o aclamou quase como se fosse a Ressurreição. Dunlap acabou sendo um blefe que usou contabilidade inapropriada e relatórios financeiros falsos para enganar os investidores da Sunbeam, inclusive os venerados administradores de recursos Michael Price e Michael Steinhardt, que o haviam contratado. Para ler uma análise aguçada da carreira de Dunlap, ver John A. Byrne, *Chainsaw* [Serra elétrica], (New York, 1999).

VII Observe que não sugerimos que essa fórmula fornece o "valor real" de uma *growth stock*, mas apenas que ela se aproxima dos resultados dos cálculos mais elaborados em voga.

Capítulo 12: Considerações sobre os lucros por ação

I Nosso método recomendado para lidar com a diluição das garantias será discutido mais adiante. Preferimos considerar o valor de mercado das garantias como um acréscimo ao preço de mercado atual da ação ordinária como um todo.

Capítulo 13: Uma comparação entre quatro companhias listadas em bolsa

I Em março de 1972, a Emery foi negociada a 64 vezes seus lucros de 1971!

Capítulo 14: A escolha de ações para o investidor defensivo

I Em função de inúmeros desdobramentos de ações etc., ao longo dos anos, o preço médio real da lista DJIA foi de aproximadamente US$53 por ação no início de 1972.

II Em 1960, apenas duas das 29 companhias industriais deixaram de mostrar duas vezes mais ativos circulantes do que passivos circulantes e apenas duas deixaram de ter ativos circulantes líquidos excedendo suas dívidas. Em dezembro de 1970, o número em cada categoria tinha crescido de dois para 12.

III Observe, porém, que seu desempenho conjunto, de dezembro de 1970 ao início de 1972, foi mais fraco do que o DJIA. Isso demonstra mais uma vez que nenhum sistema ou fórmula garantirá resultados de mercado superiores. Nossas exigências "garantem" apenas que o comprador da carteira esteja fazendo um bom uso de seu dinheiro.

IV Como consequência, devemos excluir a maioria das ações de gasodutos, uma vez que esses empreendimentos emitiram muitas obrigações. A justificativa para essa forma de capitalização é a estrutura subjacente dos contratos de compra que "garantem" os pagamentos das obrigações, mas as considerações nesse caso podem ser complicadas demais para as necessidades de um investidor defensivo.

Capítulo 15: A escolha de ações para o investidor empreendedor

I *Mutual Funds and Other Institutional Investors: A New Perspective* [Os fundos mútuos e outros investidores institucionais: uma nova perspectiva], I. Friend, M. Blume e J. Crockett, McGraw-Hill, 1970. Deveríamos acrescentar que os resultados de 1966-70 de muitos dos fundos que estudamos foram um pouco melhor do que aqueles do índice composto de 500 ações da Standard & Poor's e consideravelmente melhor do que aqueles do DJIA.

II *Nota pessoal*: Muitos anos antes das pirotecnias do mercado de ações naquela companhia específica, o autor foi seu "vice-presidente financeiro" com um salário principesco de US$3.000 por ano. Naquela época ela estava realmente no ramo de fogos de artifício. No início de 1929, Graham se tornou o vice-presidente financeiro da Unexcelled Manufacturing Co., o maior produtor de fogos de artifício dos EUA. A Unexcelled tornou-se mais tarde uma companhia química diversificada e não existe mais de forma independente.

III O *Guia* não mostra múltiplos acima de 99. A maioria de tais múltiplos seriam curiosidades matemáticas causadas por lucros pouco acima do ponto zero.

Capítulo 16: Emissões conversíveis e bônus de subscrição

I Este ponto é bem ilustrado pela oferta simultânea de dois papéis da Ford Motor Finance Co. feita em novembro de 1971. Um era a obrigação não-conversível de vinte anos, que rendia 7,5%. O outro era uma obrigação de 25 anos, subordinada à primeira na ordem de prioridade e que rendia apenas 4,5%, mas conversível em ações da Ford Motor a seu então preço de 68,5. Para obter o privilégio da conversão, o comprador desistia de 40% de receita e aceitava uma posição de credor subordinado.

II Observe que no final de 1971 a ação ordinária da Studebaker-Worthington foi negociada a um nível tão baixo quanto 38, enquanto a preferencial de US$5 foi negociada a, ou aproximadamente, 77. O *spread* tinha então aumentado de dois para vinte pontos durante o ano, ilustrando uma vez mais a atratividade de tais trocas e também a tendência do mercado acionário para ignorar a aritmética. (Por acaso, o prêmio pequeno da preferencial sobre a ordinária em dezembro de 1970 já tinha sido compensado por seu dividendo maior.)

Capítulo 17: Quatro estudos de caso extremamente instrutivos

I Ver, por exemplo, o artigo "Six Flags at Half Mast" [Seis bandeiras a meio pau], escrito pelo dr. A.J. Briloff, em *Barron's*, 11 de janeiro de 1971.

Capítulo 18: Uma comparação entre oito pares de companhias

I O leitor se recordará (na p. 475) que a AAA Enterprises tentou entrar nesse ramo, mas rapidamente deu com os burros n'água. Aqui Graham faz uma observação profunda e paradoxal: quanto maior o lucro de uma companhia, mais provável será que ela enfrente concorrentes novos, uma vez que sua alta lucratividade sinaliza claramente que existe dinheiro fácil a ser ganho. A existência de novos concorrentes, por sua vez, implica preços mais baixos e lucros menores. Esse ponto crucial foi desprezado pelos compradores excessivamente entusiasmados das ações ponto-com, os quais acreditaram que os ganhadores iniciais seriam capazes de manter sua vantagem indefinidamente.

Capítulo 19: Acionistas e administradores: a política de dividendos

I Estudos analíticos mostram que, em casos típicos, um dólar pago em forma de dividendos tem um efeito positivo quatro vezes maior sobre o preço de mercado do que um dólar de lucro não distribuído. Esse ponto foi exemplarmente ilustrado pelo setor de concessionárias de serviços públicos durante um longo período antes de 1950. As ações com dividendos baixos eram negociadas a múltiplos baixos dos lucros e provaram ser compras especialmente atraentes porque seus dividendos foram posteriormente incrementados. Desde 1950, as taxas de dividendos se tornaram muito mais uniformes naquele setor.

Capítulo 20: A "margem de segurança" como conceito central dos investimentos

I Esse argumento é confirmado por Paul Hallingby Jr., "Speculative Opportunities in Stock-Purchase Warrants" [Oportunidades especulativas dos bônus de subscrição de compra de ações], *Analysts' Journal*, terceiro trimestre de 1947.

Apêndices:

I Discurso de Benjamin Graham na convenção anual da National Federation of Financial Analysts Societies, em maio de 1958.

ÍNDICE REMISSIVO

A

B

C

D

E

F

H

I

J

K

L

N

O

P

Q

R

S

T

U

V

W

X

Y

Z

Este livro foi impresso em 2023,
pela Geografica, para a HarperCollins Brasil.
A fonte usada no miolo é stone serif, corpo 9,5/14,5.
O papel do miolo é pólen natural 70g/m²,
e o da capa é cartão 250g/m².